An overview of early cultures and civilizations

New! LOS ORÍGENES

Los orígenes sections offer a brief historical overview of the early cultures and civilizations to introduce the featured country or geographical region in the lesson. This vital background information prepares students to explore each country's current reality.

LOS ORÍGENES

Tanto España como México tienen en sus raíces grandes civilizaciones de enorme peso histórico en el mundo y en el subconsciente de sus habitantes actuales.

Ask students if they can identify these photos and the civilizations that created them: **La Alhambra de Granada** and **Teotihuacán en México.**

La Península Ibérica

¿Qué sabemos de los primeros pobladores?

De los pobladores prehistóricos de la Península Ibérica quedan extraordinarias pinturas en las rocas de la cueva de Altamira, en Santander, y en otras cuevas. A los primeros pueblos y tribus se les llamó "iberos". Estos se unieron a los celtas para formar el pueblo celtíbero.

Jennifer Stone/Shutterstock

¿Qué otros pueblos invadieron la península y cuáles fueron sus contribuciones?

Entre los primeros invasores destacaron los fenicios, quienes trajeron a la Península Ibérica el alfabeto y su conocimiento de la navegación. Los griegos fundaron varias ciudades en la costa mediterránea. Los celtas introdujeron en la península el uso del bronce y otros metales. En último término, predominaron los romanos, quienes la nombraron "Hispania" y le impusieron su lengua, cultura y gobierno. Los romanos también construyeron grandes ciudades, una multitud de carreteras, puentes excelentes y acueductos impresionantes que todavía perduran. En el siglo IV d.C. triunfó el cristianismo, y el Imperio Romano —incluyendo Hispania— lo aceptó oficialmente como su religión. Los musulmanes conquistaron la mayor parte de la península en 711 y la convirtieron en un gran centro intelectual con grandes avances en las ciencias, las letras, la artesanía, la agricultura, la arquitectura y el urbanismo.

¿Por qué es importante 1492?

En 1492, ocurrieron tres eventos trascendentales:

- El último rey moro (Boabdil) salió de Granada y se logró así la unidad política y territorial de la España actual.
- Los Reyes Católicos expulsaron a los judíos que rehusaron convertirse al cristianismo.
- El viaje de Cristóbal Colón dio inicio al Imperio Español en las Américas.

52 cincuenta y dos LECCIÓN 2

Las grandes civilizaciones mesoamericanas

¿Qué pueblos las componían y dónde habitaban?

Mesoamérica ocupa la mayor parte de lo que hoy conocemos como México y Centroamérica. Allí habitaron los olmecas, teotihuacanos, mayas, aztecas, mixtecas, toltecas, zapotecas y muchos más. En Teotihuacán, Monte Albán, Chichén Itzá, Tenochtitlán, Tikal y Cobán crearon grandes núcleos urbanos con impresionantes templos y pirámides. La ciudad de Tenochtitlán, fundada por los aztecas en 1325, hoy ocupa el centro histórico de la Ciudad de México.

Ian D. Walker/Shutterstock

¿COMPRENDISTE?

A. Los orígenes. Con tu compañero(a) completen las siguientes oraciones:

1. Los primeros habitantes de la Península Ibérica fueron los...
2. Algunos invasores de la Península Ibérica fueron los... y los... y sus contribuciones fueron...
3. Los romanos dieron a Hispania...
4. En España, los musulmanes hicieron grandes avances en...
5. Mesoamérica ocupa los territorios que hoy conocemos como... y...
6. Algunos de los grandes centros urbanos mesoamericanos fueron creados en...

VOCABULARIO ÚTIL

artesanía	*craftwork, crafts*
bronce *(m.)*	*bronze*
carretera	*highway, road*
cueva	*cave*
destacarse	*to stand out*
judío(a)	*Jewish*
moro(a)	*Moor, Muslim, North African*
musulmán(ana)	*Muslim*
perdurar	*to remain, to last*
poblador(a)	*settler*
puente *(m.)*	*bridge*
rehusar	*to refuse*
siglo	*century*

B. A pensar y a analizar. Contesta las siguientes preguntas con dos o tres compañeros(as) de clase.

1. ¿Qué efecto creen que tiene en la gente y las costumbres de un país que tantas civilizaciones hayan pasado y a veces, convivido (*coexisted*) en él? ¿Creen que lo hace más o menos tolerante? ¿Por qué creen eso?
2. ¿Cómo creen que está presente en la vida del México de hoy el gran pasado azteca? ¿En qué aspectos de la vida mexicana se manifiesta? Den ejemplos concretos de las artes y la vida en general.

¡Diviértete en la red!
Busca España altamira/romana/musulmana y/o culturas mesoamericanas en YouTube para ver fascinantes videos de estas grandes culturas. Ve a clase preparado(a) para compartir la información que encontraste.

LOS ORÍGENES cincuenta y tres 53

Vocabulario útil boxes emphasize the thematic development of vocabulary through point-of-use vocabulary lists.

An invitation to discover the Spanish-speaking world...

New! SI VIAJAS A NUESTRO PAÍS

Easy-to-read and visually appealing ***Si viajas a nuestro país*** sections offer timely information and highlight important people, historical facts, interesting places, occupations, and fine art that relate to the lesson's country of focus.

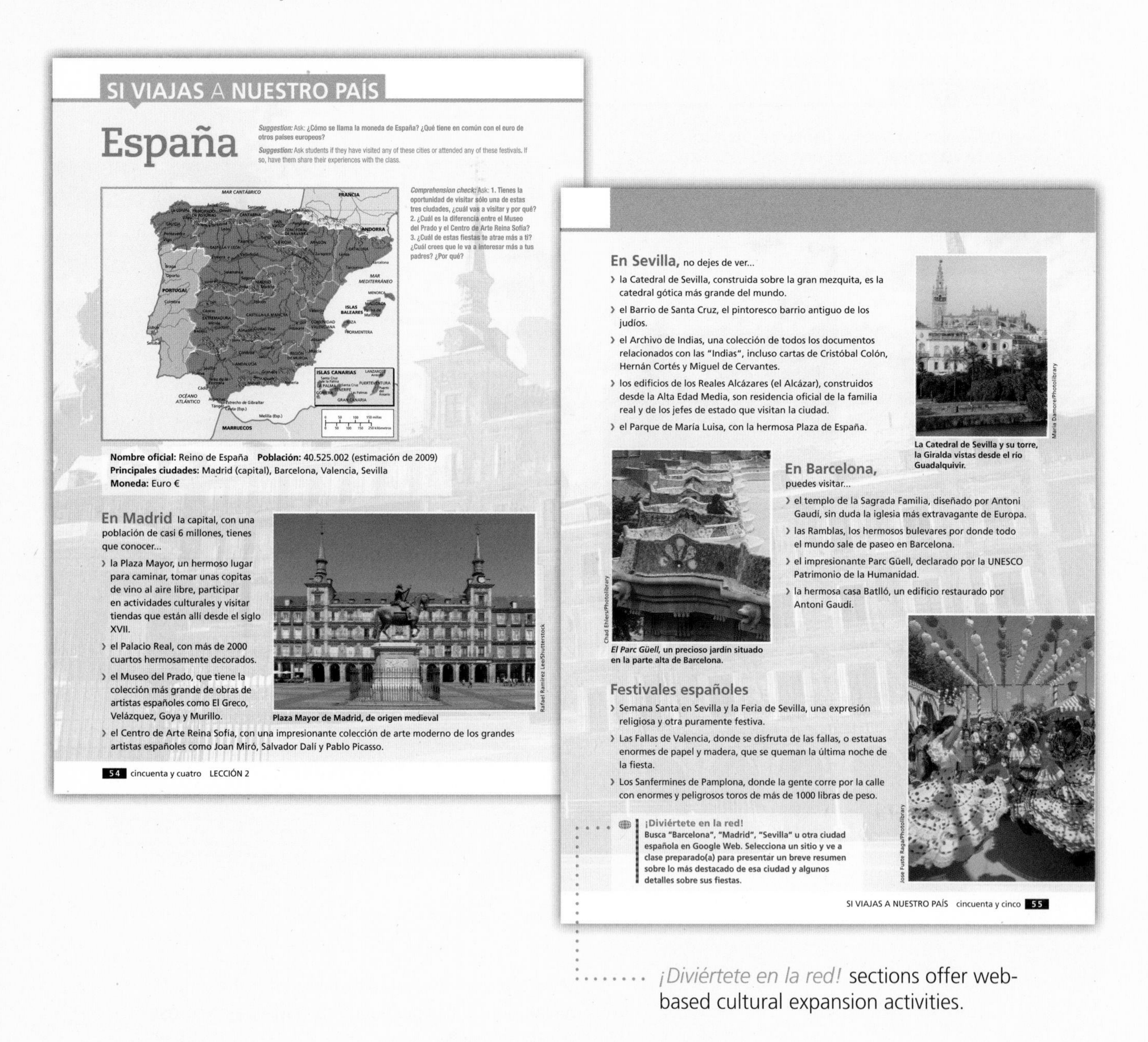

SI VIAJAS A NUESTRO PAÍS

España

Suggestion: **Ask: ¿Cómo se llama la moneda de España? ¿Qué tiene en común con el euro de otros países europeos?**

Suggestion: Ask students if they have visited any of these cities or attended any of these festivals. If so, have them share their experiences with the class.

Comprehension check: **Ask: 1. Tienes la oportunidad de visitar sólo una de estas tres ciudades, ¿cuál vas a visitar y por qué? 2. ¿Cuál es la diferencia entre el Museo del Prado y el Centro de Arte Reina Sofía? 3. ¿Cuál de estas fiestas te atrae más a ti? ¿Cuál crees que le va a interesar más a tus padres? ¿Por qué?**

Nombre oficial: Reino de España **Población:** 40.525.002 (estimación de 2009)
Principales ciudades: Madrid (capital), Barcelona, Valencia, Sevilla
Moneda: Euro €

En Madrid la capital, con una población de casi 6 millones, tienes que conocer...

- la Plaza Mayor, un hermoso lugar para caminar, tomar unas copitas de vino al aire libre, participar en actividades culturales y visitar tiendas que están allí desde el siglo XVII.
- el Palacio Real, con más de 2000 cuartos hermosamente decorados.
- el Museo del Prado, que tiene la colección más grande de obras de artistas españoles como El Greco, Velázquez, Goya y Murillo.
- el Centro de Arte Reina Sofía, con una impresionante colección de arte moderno de los grandes artistas españoles como Joan Miró, Salvador Dalí y Pablo Picasso.

Plaza Mayor de Madrid, de origen medieval

Rafael Ramirez Lee/Shutterstock

54 cincuenta y cuatro LECCIÓN 2

En Sevilla, no dejes de ver...

- la Catedral de Sevilla, construida sobre la gran mezquita, es la catedral gótica más grande del mundo.
- el Barrio de Santa Cruz, el pintoresco barrio antiguo de los judíos.
- el Archivo de Indias, una colección de todos los documentos relacionados con las "Indias", incluso cartas de Cristóbal Colón, Hernán Cortés y Miguel de Cervantes.
- los edificios de los Reales Alcázares (el Alcázar), construidos desde la Alta Edad Media, son residencia oficial de la familia real y de los jefes de estado que visitan la ciudad.
- el Parque de María Luisa, con la hermosa Plaza de España.

La Catedral de Sevilla y su torre, la Giralda vistas desde el río Guadalquivir.

Maria Damore/Photolibrary

En Barcelona, puedes visitar...

- el templo de la Sagrada Familia, diseñado por Antoni Gaudí, sin duda la iglesia más extravagante de Europa.
- las Ramblas, los hermosos bulevares por donde todo el mundo sale de paseo en Barcelona.
- el impresionante Parc Güell, declarado por la UNESCO Patrimonio de la Humanidad.
- la hermosa casa Batlló, un edificio restaurado por Antoni Gaudí.

***El Parc Güell,* un precioso jardín situado en la parte alta de Barcelona.**

Chad Ehlers/Photolibrary

Festivales españoles

- Semana Santa en Sevilla y la Feria de Sevilla, una expresión religiosa y otra puramente festiva.
- Las Fallas de Valencia, donde se disfruta de las fallas, o estatuas enormes de papel y madera, que se queman la última noche de la fiesta.
- Los Sanfermines de Pamplona, donde la gente corre por la calle con enormes y peligrosos toros de más de 1000 libras de peso.

Jose Fuste Raga/Photolibrary

¡Diviértete en la red!
Busca "Barcelona", "Madrid", "Sevilla" u otra ciudad española en Google Web. Selecciona un sitio y ve a clase preparado(a) para presentar un breve resumen sobre lo más destacado de esa ciudad y algunos detalles sobre sus fiestas.

SI VIAJAS A NUESTRO PAÍS cincuenta y cinco 55

¡Diviértete en la red! sections offer web-based cultural expansion activities.

Spanish for the 21st Century student!

MUNDO 21's proven approach to language learning provides students with a wealth of contextualized and purposeful content, as well as numerous opportunities to interact and discuss each lesson's theme through integrated grammar, vocabulary, audio and video resources, and current cultural references.

The completely revised and redesigned Fourth Edition offers a seamless transition between first-year and second-year Spanish while providing equal emphasis to each of the twenty-one Spanish-speaking countries. This edition has been enhanced with a host of new technology tools—featuring ***MUNDO 21's*** very own **iLrn: Heinle Learning Center™**.

Throughout each *lección*, students will encounter features and design elements geared toward making their language learning more engaging, meaningful, and memorable.

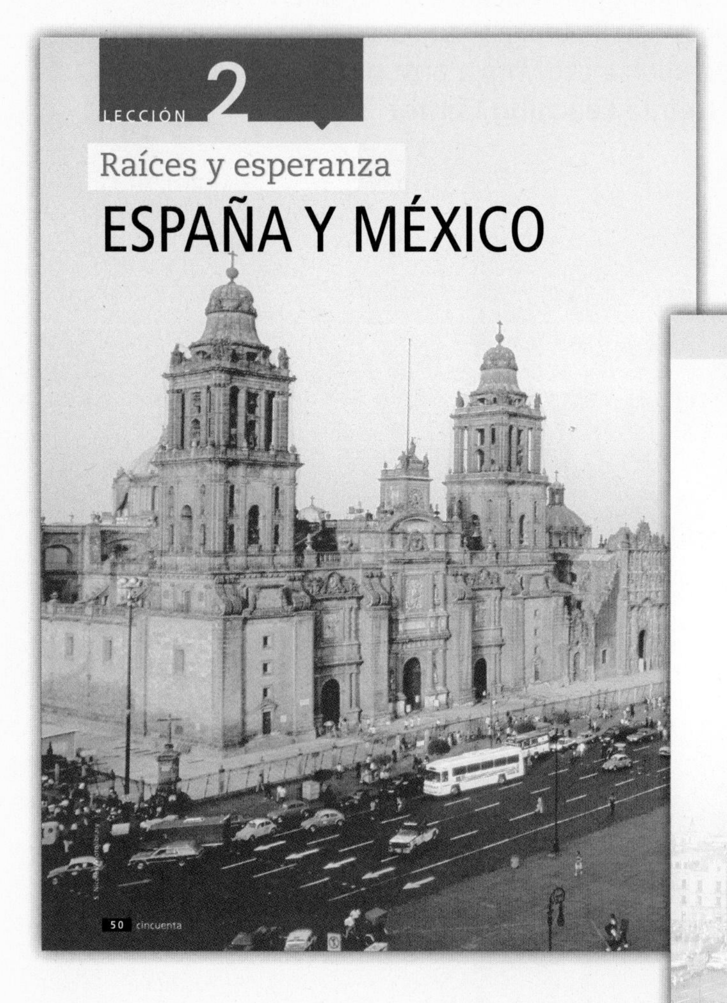
LECCIÓN 2

Raíces y esperanza

ESPAÑA Y MÉXICO

50 cincuenta

Innovative magazine-like design and lesson organization support and facilitate language learning.

Suggestion: Have students comment on the title of the lesson. To what **raíces** might this refer? To whose **esperanza**?

LOS ORÍGENES
Descubre quiénes fueron los primeros pobladores e invasores de la Península Ibérica y algo de las grandes civilizaciones mesoamericanas (págs. 52–53).

SI VIAJAS A NUESTRO PAÍS...
- En **España** visitarás la capital, Madrid —con una población de unos seis millones—, Sevilla, Barcelona y varios festivales españoles (págs. 54–55).
- En **México** conocerás la capital, México D.F. —una de las ciudades más grandes del mundo—, Guadalajara, Mérida y cinco importantes festivales mexicanos (págs. 72–73).

MEJOREMOS LA COMUNICACIÓN
Aprende a hablar con facilidad de las artes (págs. 56–57), de libros y literatura (págs. 74–75).

AYER YA ES HOY
Haz un recorrido por la historia de la Península Ibérica desde tiempos remotos hasta el presente (págs. 58–59) y por la historia de México desde la llegada de Colón hasta nuestros días (págs. 76–77).

LOS NUESTROS
- En **España** conoce a un cardiólogo de fama mundial, a un verdadero campeón de baloncesto y a la actriz española de mayor fama internacional (págs. 60–61).
- En **México** conoce a quien se considera la mejor periodista y escritora mexicana, a un extraordinario grupo de rock y a la golfista número uno del mundo (págs. 78–79).

¡LUCES! ¡CÁMARA! ¡ACCIÓN!
Conoce lo divertido que era hacer comedia en una España en la que todavía había censura (pág. 62).

ESCRIBAMOS AHORA
Describe desde varios puntos de vista un incidente en tu coche o bicicleta (pág. 80).

LECTURA
- Conduce por las calles de una ciudad española en hora punta con un tráfico de locos en la lectura "El arrebato", de la periodista española Rosa Montero (págs. 63–66).
- Experimenta la transformación completa de un hombre en "Tiempo libre", del escritor mexicano Guillermo Samperio (págs. 81–84).

¡EL CINE NOS ENCANTA!
Disfruta de la ironía de un final inesperado del cortometraje *Ana y Manuel* (págs. 85–88).

GRAMÁTICA
Repasa los siguientes puntos gramaticales:
- 2.1 Present Indicative: Stem-changing Verbs (págs. 67–68)
- 2.2 Present Indicative: Verbs with Spelling Changes and Irregular Verbs (págs. 69–71)
- 2.3 Descriptive Adjectives (págs. 89–92)
- 2.4 Uses of the Verbs *ser* and *estar* (págs. 93–95)

ESPAÑA Y MÉXICO cincuenta y uno 51

Colorful new lesson openers provide students with a clear outline of what they will learn, who they will meet, what structures will be covered, and what will be viewed in the accompanying video and movie clips.

Build vocabulary acquisition and grammar skills through active communication

MEJOREMOS LA COMUNICACIÓN

Mejoremos la comunicación sections introduce active vocabulary in context as well as the grammar structure(s) of the lesson.

MEJOREMOS LA COMUNICACIÓN

¡El arte es todo!

España ha dado al mundo numerosos pintores de fama mundial: El Greco, Velázquez, Rivera, Goya, Miró, Picasso, Dalí... Muchas de sus obras se encuentran en museos españoles, entre los que destacan el Museo del Prado, el Museo Thyssen-Bornemisza, el Museo Guggenheim Bilbao y el Centro de Arte Reina Sofía.

Para hablar del arte

acuarela	*watercolor*
arco	*arch*
artista *(m. f.)*	*artist*
autorretrato	*self-portrait*
boceto	*sketch*
bodegón *(m.)*	*still life*
caballete *(m.)*	*easel*
cincel *(m.)*	*chisel*
columna	*column*
esbozo	*sketch, outline, rough draft*
escultura	*sculpture*
esmalte *(m.)*	*enamel*
grabado	*engraving*
lienzo	*canvas*
mármol *(m.)*	*marble*
martillo	*hammer*
óleo	*oil-based paint*
piedra	*rock*
pincel *(m.)*	*paintbrush*
pintura	*paint; painting*
tiza	*chalk*

Visions LLC/Photolibrary

Al hablar de obras de arte

Es...		Es...	
abstracto(a)	*abstract*	**una imitación**	*a copy, imitation*
barroco(a)	*baroque*	**una obra de arte**	*an art work*
contemporáneo(a)	*contemporaneous*	**una obra de madurez**	*a work of maturity*
neoclásico(a)	*neoclassic*	**una obra inacabada**	*an unfinished work*
prehispánico(a)	*pre-Hispanic*	**una obra maestra**	*a masterpiece*
realista	*realist*	**una obra original**	*the original (work)*
renacentista	*Renaissance*	**una obra representativa**	*a representative work*
románico(a)	*romanesque*		

Al hablar de arte

—¿Qué tipo de arte prefieres?	*What type of art do you prefer?*
—Me encanta el arte impresionista.	*I love impressionist art.*
—A mí me fascina el arte cubista de Picasso.	*Picasso's cubist art fascinates me.*

Al hablar de exhibiciones

—¿Ya viste la nueva exhibición en El Prado?	*Did you see the new exhibit at the Prado?*
—Fui el sábado. Fue maravillosa.	*I went on Saturday. It was marvelous.*
—¿Asististe a la fabulosa exposición de Joan Miró en el Centro de Arte Reina Sofía?	*Did you go to the fabulous Joan Miró exposition at the Reina Sofía Art Center?*
—No tuve tiempo para ir y acabó la semana pasada.	*I didn't have time to go and it ended last week.*
—Visité una presentación de su escultura en el Salón de Bellas Artes.	*I visited a presentation of his sculpture in the Fine Arts Hall.*
—¿Pudiste ir?	*Were you able to go?*
—¡Claro que fui! Me encantaron sus estatuas.	*Of course I went! I loved his statues.*

¡A practicar, luego a conversar!

A. Arte y artistas. Sin duda sabes relacionar estos artistas con el tipo de arte por el que son más conocidos.

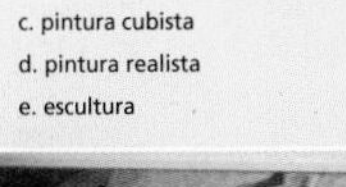

b 1. Salvador Dalí	a. arquitectura
e 2. Fernando Botero	b. pintura y escultura surrealistas
d 3. Diego Velázquez	c. pintura cubista
c 4. Pablo Picasso	d. pintura realista
a 5. Antoni Gaudí	e. escultura

B. Talento artístico. En parejas, describan su propio talento artístico. Identifiquen sus artistas favoritos y describan sus obras de arte preferidas.

C. Dramatización. Ayer fuiste a una exposición del artista favorito de tu compañero(a). Como tu amigo(a) no pudo asistir, ahora quiere saber todo lo que viste y aprendiste de este artista famoso: el tipo de arte, el tema, los colores que usó, etcétera. Dramatiza la situación con un(a) compañero(a) de clase.

Jeff Greenberg/Photolibrary

Vocabulary practice: Ask students: **¿Quién es tu artista/escultor favorito?** Have volunteers describe: **el arte barroco/neoclásico/renacentista/prehispánico...** Ask what the difference is between **un boceto** and **un grabado.**

Suggestion: Bring art books with reproductions of paintings from the Prado. Divide the class into groups of three or four and assign one painting to each group. Then have each group prepare an oral analysis of their painting. **¿Qué tipo de arte es? ¿Quién es el artista? ¿Qué es lo llamativo de esa obra?...**

¡A practicar, luego a conversar! exercises offer contextualized, controlled practice with the active vocabulary that encourages participation in more open-ended, communicative activities.

Ayer ya es hoy sections improve students' cultural awareness through relevant historical readings.

AYER YA ES HOY

Erich Lessing/Art Resource, NY

España como potencia mundial

Por medio de un eficaz matrimonio de conveniencia política, los Reyes Católicos, Fernando e Isabel, logran acumular un extenso territorio que hereda finalmente su nieto Carlos de Habsburgo, quien en 1519 pasa a ser emperador del Sacro Imperio Romano Germánico con el apelativo de Carlos V. Su imperio era tan extenso que en sus dominios "nunca se ponía el sol" y comprendía gran parte de Holanda y Bélgica, Italia, Alemania, Austria, partes de Francia y del norte de África, además de los territorios de las Américas.

Suggestion: Have students explain how a country as powerful as Spain was in the late sixteenth and seventeenth centuries could fall and lose its position of power so quickly. Ask if they think that could happen to the U.S. Have them explain their responses. Also ask if students think Spain will continue to lead the Spanish-speaking world in the twenty-first century in much the same way it did in the twentieth century. Have them explain their responses.

El Siglo de Oro

De 1550 a 1650, el arte y la literatura de España florecen con grandes pintores tales como El Greco, Diego Rodríguez de Silva y Velázquez y Bartolomé Esteban Murillo, grandes escritores como Santa Teresa de Jesús, Fray Luis de León, San Juan de la Cruz, Miguel de Cervantes y Francisco de Quevedo y geniales dramaturgos como Lope de Vega, Tirso de Molina y Pedro Calderón de la Barca.

Gramática: Ask students to find three stem-changing verbs in the reading, to point out the stem change, and to give the infinitive form of each verb.

MPI/Getty Images

ROBERT CAPA ©2001 By Cornell Capa/Magnum Photos

Época moderna

La decadencia del imperio español comienza hacia fines del siglo XVI y continúa con unas cuantas interrupciones hasta el siglo XX. La Guerra Civil Española (1936–1939) acabó con el triunfo de las fuerzas nacionalistas dirigidas por el generalísimo Francisco Franco, quien gobernó el país por cuarenta años. Franco monopolizó la vida política y social de España, prohibió todos los partidos políticos y los sindicatos no oficiales y mantuvo una estricta censura y vigilancia sobre el país.

Juan Carlos de Borbón, coronado rey de España en 1975, luchó desde el primer momento por instituir una muy anhelada democracia. Sus esfuerzos tuvieron fruto en 1978 cuando se dictó una nueva constitución que refleja la diversidad de España al designarla como un Estado de Autonomías.

el país/newscom

La España de hoy

España es un país abierto al futuro, económicamente desarrollado y con instituciones democráticas sólidas, que está al nivel de los países europeos más adelantados.

- Goza de todas las libertades públicas y sociales así como de un alto nivel de tolerancia política y religiosa.
- Tiene acceso al libre comercio de bienes y trabajadores dentro de la Comunidad Económica Europea, de la que es miembro. Participa de la moneda única europea, el euro.
- A finales del siglo XX España recibió a una gran cantidad de inmigrantes de países latinoamericanos como Ecuador, Colombia, Argentina, Bolivia, Perú y la República Dominicana, así como de diferentes zonas de África, Asia y Europa.
- Según anunció el director del Banco de España en febrero de 2007, España se podría situar como la séptima mayor economía del mundo.
- José Luis Rodríguez Zapatero ganó las elecciones de 2004, convirtiéndose en el quinto presidente del gobierno de la democracia. En 2008, José Luis Rodríguez Zapatero volvió a ganar, esta vez en elecciones que consolidaron y reforzaron el bipartidismo.

¿COMPRENDISTE?

VOCABULARIO ÚTIL

adelantado(a)	*advanced*
anhelado(a)	*yearned for*
apelativo	*name*
censura	*censureship*
coronar	*to crown*
eficaz	*efficient*
genial	*brilliant*
heredar	*to inherit*
partido	*party*
potencia mundial	*world power*
Siglo de Oro	*Golden Age*
sindicato	*labor union*

A. **Hechos y acontecimientos.** ¿Recuerdas los datos más importantes de la lectura? Para asegurarte, completa las siguientes oraciones. Luego, compara tus respuestas con las de un(a) compañero(a).

1. Se decía que "el sol nunca se ponía" en el imperio de Carlos V porque...
2. El período entre 1550 y 1650 se conoce como el... en España.
3. La decadencia española fue muy gradual, extendiéndose de...
4. A la muerte de Franco en 1975,... fue declarado rey de España.
5. Se dice que la reelección de José Luis Rodríguez Zapatero en 2008... y... el bipartidismo.

B. **A pensar y a analizar.** En grupos de tres o cuatro contesten estas preguntas. Luego, compartan sus conclusiones con la clase.

1. ¿Por qué se llama "Siglo de Oro" en España al período que va de 1550 a 1650? ¿Han tenido los EE.UU. un Siglo de Oro? Si dicen que sí, ¿cuándo y cómo fue? Si dicen que no, ¿creen que lo tendrá pronto? ¿Por qué sí o no?
2. Comparen la España de Franco con la del rey Juan Carlos I. ¿Cómo explican Uds. las diferencias? ¿Por qué creen que el joven Juan Carlos I no continuó la política de Franco?

C. **Apoyo gramatical: Presente indicativo: verbos con cambio en la raíz.** Completa este párrafo.

Gracias a matrimonios de conveniencia, los Reyes Católicos (1) __extienden__ (extender) su reino hasta convertirlo en un imperio. Dicho imperio, en el siglo XVI (2) __cuenta__ (contar) con grandes pintores y escritores. A fines de ese mismo siglo (3) __comienza__ (comenzar) la decadencia del imperio español. Ya en nuestro siglo, España se (4) __puede__ (poder) situar entre las siete economías más grandes del mundo. En 2004, Rodríguez Zapatero se (5) __convierte__ (convertir) en el quinto presidente de la democracia y (6) __gobierna__ (gobernar) hasta 2008, año en el que (7) __vuelve__ (volver) a ganar las elecciones. Este último hecho (8) __refuerza__ (reforzar) el bipartidismo existente en España.

Gramática 2.1: Antes de hacer esta actividad, conviene repasar esta estructura en las págs. 67–68.

Suggestions: Ask students if they are familiar with any of Penélope Cruz's movies (if so, which ones and what do they think of them). Also ask if any have seen Pau Gasol play (if so, what is their impression).

¿Comprendiste? activities check students' understanding of key facts and events and pose questions that require critical thinking and analysis of some of the historical events presented in the section readings.

Introduce your students to outstanding personalities from the featured region in the ***Los nuestros*** section.

LOS NUESTROS

Penélope Cruz

Esta bella y talentosa actriz española es una de las más populares en el mundo entero y es la primera, y hasta el momento, la única española que ha conseguido integrarse plenamente al mundo del cine estadounidense. Desde niña quiso ser actriz y estudió para serlo. Su primera película *Jamón Jamón*, le dio la fama entre el público español. La fama internacional le llegó por su interpretación en *Belle Époque* (1992), y más tarde en *Todo sobre mi madre* (1999), ambas ganadoras del Premio Óscar a la mejor película extranjera. Ha conseguido varios premios internacionales, entre los que destaca el Óscar a la mejor actriz secundaria por su papel en *Vicky Cristina Barcelona* de Woody Allen en 2008.

Frazer Harrison/Getty Images

© Miguel Rajmil/EFE/Corbis

Valentín Fuster

Este médico español es el único cardiólogo del mundo en recibir los cuatro reconocimientos por investigación de las más importantes organizaciones de cardiólogos del mundo. Nacido en Barcelona, emigró a los Estados Unidos y en la actualidad es el Director del hospital *Mount Sinai Heart*, el Instituto Cardiovascular Zena y Michael A. Wiener y el Centro de Salud Cardiovascular Marie-Josee y Henry R. Kravis, en Nueva York. En 2006 Fuster coordinó con éxito un transplante de corazón y pulmón en un paciente, lo que la revista *New York Magazine* consideró una de las once maravillas médicas del año.

Pau Gasol

Pau Gasol nació y se crió en Barcelona. Es el primer jugador en conseguir algunos de los logros más importantes del mundo del baloncesto. En 2006, con la selección española, fue campeón del mundo. Tres años más tarde, en 2009, fue el primer jugador español en ganar el campeonato de la NBA, con el equipo de *Los Ángeles Lakers*, algo que repitió en 2010. Y por si fuera poco, en 2009 volvió a la selección española para ganar la medalla de oro del campeonato europeo de baloncesto, algo que no había logrado nunca España.

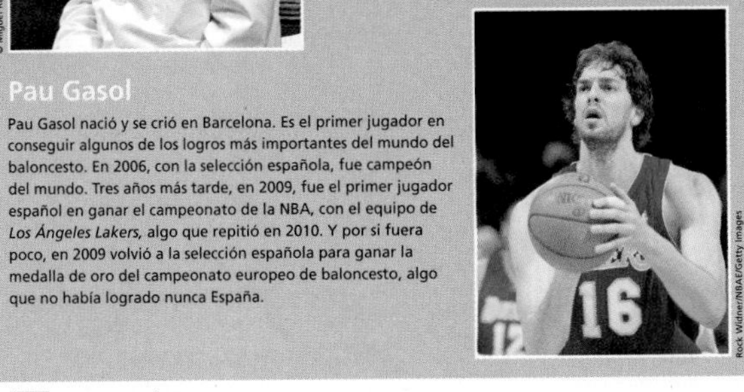
Rock Widner/NBAE/Getty Images

60 sesenta LECCIÓN 2

Otros españoles sobresalientes

Pedro Almodóvar: director de cine
Fernando Alonso: corredor de Fórmula 1
Sara Baras: bailadora flamenca
Javier Bardem: actor
Juan Carlos y Sofía de Borbón: reyes de España
Plácido Domingo: cantante de ópera
Enrique Iglesias: cantante
Miguel Induráin: ciclista
Rafael Nadal: tenista
Joaquín Sabina: cantante
Paz Vega: actriz

¿COMPRENDISTE?

A. Los nuestros. Contesta estas preguntas con un(a) compañero(a).

1. En tu opinión, ¿qué tienen en común estos tres españoles?
2. Tanto Valentín Fuster como Pau Gasol han conseguido dos logros muy importantes. ¿Cuáles son? ¿Qué otros logros crees que aspiran a conseguir en sus carreras?

B. Miniprueba. Demuestra lo que aprendiste de estos talentosos españoles al completar estas oraciones.

1. Penélope Cruz es la __b__ actriz española que se ha integrado al cine estadounidense.
   a. tercera b. única c. más reciente
2. Un transplante que Valentín Fuster coordinó en 2006 ha sido considerado una verdadera __a__.
   a. maravilla b. dificultad c. investigación
3. Pau Gasol triunfó con los Lakers y con __b__.
   a. el Barcelona b. la selección española c. la selección estadounidense

VOCABULARIO ÚTIL

baloncesto	*basketball*
bello(a)	*beautiful*
campeonato	*championship*
conseguir (i, i) (g)	*to achieve; to obtain*
corazón *(m.)*	*heart*
entero(a)	*whole, entire*
lograr	*to achieve*
pulmón *(m.)*	*lung*
selección *(f.)*	*national team*
único(a)	*only; unique*

Suggestion: Ask students what they can tell you about those listed in **Otros españoles sobresalientes.** Then have them look up two of the **Otros españoles sobresalientes** on the internet and turn in a brief written report on what they find. You may want to offer extra credit for this work.

¡Diviértete en la red!
Busca "Penélope Cruz", "Valentín Fuster" y/o "Pau Gasol" en YouTube para ver videos y escuchar a estos talentosos españoles. Ven a clase preparado(a) para presentar un breve resumen de lo que encontraste y de lo que viste.

LOS NUESTROS sesenta y uno 61

This section profiles three noteworthy personalities in the arts, literature, sports, or entertainment industry of the country featured.

GRAMÁTICA

Gramática sections incorporate manageable, focused grammar explanations as well as numerous examples and model sentences. These sections are cross-referenced with the lesson's content.

GRAMÁTICA

2.1 The Present Indicative: Stem-changing Verbs

In the present indicative, the last vowel of the stem of certain verbs changes from **e** to **ie**, from **o** to **ue**, or from **e** to **i** when stressed. This change affects all singular forms and the third-person plural form. The first- and second-person plural forms (**nosotros** and **vosotros**) are regular because the stress falls on the ending, not on the stem.

	pensar	recordar	pedir
	e → ie	o → ue	e → i
yo	pienso	recuerdo	pido
tú	piensas	recuerdas	pides
Ud., él, ella.	piensa	recuerda	pide
nosotros(as)	pensamos	recordamos	pedimos
vosotros(as)	pensáis	recordáis	pedís
Uds., ellos, ellas	piensan	recuerdan	piden

Stem-changing verbs are indicated in this text with the specific change written in parentheses after the infinitive: **pensar (ie)**, **recordar (ue)**, **pedir (i)**.

› The following are frequently used stem-changing verbs.

e → ie	o → ue	e → i (-ir verbs only)
cerrar	almorzar	conseguir
comenzar	aprobar *(to pass, to approve)*	corregir
despertar		
empezar		
nevar	contar	despedir(se)
recomendar	mostrar	elegir
	probar	medir *(to measure)*
atender	sonar	reír
defender	volar	repetir
entender		seguir
perder	devolver *(to return, to give back)*	servir
querer	llover	sonreír *(to smile)*
	mover	vestir(se)
convertir	poder	
divertir(se)	resolver	
mentir	volver	
preferir		
sentir(se)	dormir	
sugerir	morir	

GRAMÁTICA sesenta y siete 67

› The verbs **adquirir** *(to acquire)*, **jugar** *(to play)*, and **oler** *(to smell)* are conjugated like stem-changing verbs.

adquirir (i → ie)	jugar (u → ue)	oler (o → hue)
adquiero	juego	**hue**lo
adquieres	juegas	**hue**les
adquiere	juega	**hue**le
adquirimos	jugamos	olemos
adquirís	jugáis	oléis
adquieren	juegan	**hue**len

Ahora, ¡a practicar!

A. Llegada a Madrid. Completa el texto en el presente de indicativo para saber lo que te dice tu amigo René de su llegada a Madrid.

Durante el vuelo yo no (1) __________ (poder) dormir. En general no (2) __________ (dormir) durante los vuelos. Así, al llegar a Madrid, me (3) __________ (sentir) bastante cansado. En el aeropuerto (4) __________ (encontrar) el centro de información y (5) __________ (pedir) consejo sobre hoteles. Yo (6) __________ (conseguir) uno en el centro de la ciudad. (7) __________ (Comenzar) a hacer planes para ese día, pero (8) __________ (entender) que lo primero es descansar porque me (9) __________ (morir) de cansancio.

B. Congestión de tráfico. Completa el siguiente texto en el presente de indicativo para repasar lo que le ocurre a la protagonista de la lectura "El arrebato".

La historia (1) __________ (comenzar) a las nueve menos cuarto de la mañana. Todos (2) __________ (contar) con llegar al trabajo en quince minutos. Seguramente muchos se (3) __________ (despertar) tarde. Los coches apenas se (4) __________ (mover). Avanzar (5) __________ (costar) mucho. Un motorista (6) __________ (mostrar) cortesía al dejarla adelantar. Cuando la protagonista (7) __________ (querer) agradecerle, el motorista no (8) __________ (entender) esa expresión de simpatía. Ya nadie aprecia gestos amistosos. Todos sólo (9) __________ (pensar) en adelantar.

C. Hábitos diarios. Tu nuevo(a) compañero(a) te hace estas preguntas porque desea conocer algunos aspectos de tu rutina diaria. Una vez que él/ella termine, cambien papeles.

1. ¿A qué hora te despiertas?
2. ¿Te levantas en seguida o duermes otro rato?
3. ¿Te vistes de inmediato o te desayunas primero?
4. ¿A qué hora empiezas tu primera clase?
5. ¿Dónde almuerzas, en la universidad, en un restaurante o en casa?
6. ¿Qué haces después de las clases, trabajas o juegas a algún deporte?
7. ¿A qué hora vuelves a casa?
8. ¿A qué hora te acuestas? ¿Te duermes sin dificultad?

68 sesenta y ocho LECCIÓN 2

Ahora, ¡a practicar! exercises following each grammar point reinforce the vocabulary and cultural content in the lesson readings, allowing students to practice new structures in a meaningful context.

Y AHORA, ¡A LEER! and ESCRIBAMOS AHORA

Y AHORA, ¡A LEER!

¡Antes de leer!

A. Anticipando la lectura. Contesten estas preguntas para saber cómo se comportan *(behave)* cuando tienen problemas de tráfico.

1. ¿Usan mucho sus automóviles para viajar en su ciudad? ¿Tienen ustedes normalmente problemas de tráfico? ¿Qué tipo de problemas? ¿Embotellamientos (*Traffic jams*)? ¿Zonas de obras? ¿Otros?
2. ¿Cómo se sienten cuando están en un embotellamiento y tienen prisa? ¿Se comportan normalmente o cambia su forma de ser?
3. ¿Conocen a alguien que se comporta de una manera completamente inaceptable cuando conduce? ¿Qué hace o dice?

B. Vocabulario en contexto. Busca estas palabras en la lectura que sigue y, en base al contexto, decide cuál es su significado. Para facilitar el encontrarlas, las palabras aparecen en negrilla en la lectura. ***Vocabulario:*** Ask volunteers to create original sentences with these vocabulary words.

1. **embotellamiento**	a. policía	(b.) obstrucción	c. señal
2. **arrancan**	a. miran	b. saludan	(c.) avanzan
3. **derrota**	a. estar contento	b. éxito	(c.) desastre
4. **polvo**	a. humedad	(b.) tierra	c. sol
5. **atropellas**	(a.) pasas por encima	b. saludas	c. le gritas
6. **estacionar**	a. doblar	(b.) aparcar	c. retroceder

Sobre la autora

Quim Llenas/Getty Images

Rosa Montero nació en Madrid el 3 de enero de 1951. En 1969, ingresó en la Escuela de Periodismo y comenzó a sobresalir pronto como escritora y periodista. Ha escrito varias exitosas novelas como *La loca de la casa* (2003), *Historia del rey transparente* (2007) e *Instrucciones para salvar el mundo* (2008). Montero se destaca también por sus artículos periodísticos, algunos de los cuales están cargados de contenido, como el que vamos a leer, que describe la furia de un conductor en un día típico de atasco (*traffic jam*) en una ciudad española.

Gramática: Ask students to find two verbs with spelling changes and two irregular verbs in the reading, to point out the irregularities, and to give the infinitive form of each verb.

Suggestions: Ask students to look at the title and the photo and anticipate what the reading will be about. Have students come back to their predictions after they complete the reading to see if they predicted correctly. Then ask students if they have had similar experiences. If so, have them describe them to the class.

Y AHORA, ¡A LEER! sesenta y tres **63**

Y ahora, ¡a leer! sections introduce the basic concepts of literary analysis in order to facilitate discussion and understanding of various genres: narratives, short stories, poetry, legends, and essays. The readings are simplified, more concise, and supported by pre-reading and post-reading activities.

ESCRIBAMOS AHORA

Suggestion: Keep in mind that this writing activity should only take 3–5 minutes of class time. All other writing can be done at home.

La descripción: punto de vista

1 **Para empezar.** En la Lección 1 aprendiste que la descripción hace visible a una persona, un objeto, una idea o un incidente. Ya que cada persona percibe la realidad de distinto modo, cada descripción es diferente. Por ejemplo, piensa ahora en la siguiente descripción que leíste en el cuento de Rosa Montero, "El arrebato". Luego, contesta las siguientes preguntas con un(a) compañero(a) de clase.

"Por el espejo ves cómo se acerca un chico en una motocicleta, zigzagueando entre los coches. Su facilidad te causa indignación, su libertad te irrita. Mueves el coche unos centímetros hacia el del vecino, y ves que el transgresor está bloqueado, que ya no puede avanzar. ¡Me alegro!"

a. ¿Quién es el (la) narrador(a)? ¿Desde qué punto de vista se está describiendo a la persona?
b. ¿Cuáles son las palabras descriptivas que usa la autora?
c. ¿Cómo cambiaría la descripción si el punto de vista fuera (*were*) de otros conductores o del motociclista? ¿Qué perdería o ganaría la descripción? Assign parts A and B as homework. Do part C in class.

2 **A generar ideas.** Piensa ahora en un incidente automovilístico o de bicicleta que tuviste. Escribe "auto" o "bici" en el centro de un círculo. Luego, en un diagrama araña, anota varios sucesos interesantes que relacionas con este incidente. Luego, haz un segundo diagrama araña del mismo incidente, pero visto no como tú lo ves sino como lo ve otra persona, quizás una persona con quien casi chocaste o a quien casi atropellaste. No hace falta describir los incidentes; basta con anotar unas tres o cuatro palabras que te hagan recordar lo que pasó.

3 **Tu borrador.** Usa la información en la sección anterior para escribir unos dos o tres párrafos describiendo el incidente. Lo importante es incluir todas las ideas que tú consideras importantes. Luego, escribe una segunda descripción del mismo incidente, pero esta vez desde el punto de vista de la otra persona que escogiste. ¡Buena suerte!

4 **Revisión.** Intercambia tus dos descripciones del incidente con las de un(a) compañero(a). Revisa las descripciones prestando atención a las siguientes preguntas. ¿Escribe con claridad? ¿Evita transiciones inesperadas de una oración a otra o de un párrafo a otro? ¿Son claros los detalles del incidente? ¿Da bastantes detalles? ¿Son adecuadas las dos descripciones?

5 **Versión final.** Considera las correcciones que tu compañero(a) te ha indicado y revisa tus descripciones por última vez. Como tarea, escribe las copias finales en la computadora. Antes de entregarlas, dales un último vistazo a la acentuación, a la puntuación y a la concordancia.

6 **Reacciones (opcional).** En grupos de seis u ocho, lean sus descripciones para que el grupo seleccione la que más le gustó. Luego, que la persona seleccionada de cada grupo lea su descripción a toda la clase para que la clase seleccione la que más le gustó de todas.

Suggestion: Guide students by drawing a Venn diagram with a circle in the center and 6 or 7 spokes. In the circle write **auto (bici)**. Then on one spoke write **embotellamiento**, on another write **un estúpido,** and on another write **semáforo rojo.** Leave the other spokes blank.

80 ochenta LECCIÓN 2

Escribamos ahora sections develop student writing skills through a process-oriented approach. Each of these sections focuses on a specific type of writing, such as description and point of view, contrast and analogy, direct discourse, expressing and supporting opinions, and hypothesizing.

New! EL CINE NOS ENCANTA

Each *El cine nos encanta* section showcases an engaging and provocative cortometraje (short-film) by a contemporary Hispanic filmmaker.

EL CINE NOS ENCANTA

Ana y Manuel

Un cortometraje de Manuel Calvo

Mención especial a la Interpretación Femenina (Elena Anaya) y Guión del II Certamen de Cortometrajes Cine de Málaga. Mejor Corto exaequo de la XIV Muestra de Cine Internacional de Palencia y Mención Especial en el VII Premio de Cortometrajes Iberia

DIRECCIÓN: MANUEL CALVO GUION: MANUEL CALVO BASADO EN UN RELATO DE ISABEL GALÁN PRODUCCIÓN: ELAMEDIA, ENCANTA FILMS Y KOLDO ZUAZUA PC PRESENTAN PRODUCCIÓN EJECUTIVA: ROBERTO BUTRAGUEÑO, KOLDO ZUAZUA Y MÓNICA BLAS DIRECCIÓN DE PRODUCCIÓN: ROBERTO BUTRAGUEÑO Y ALICIA RODRÍGUEZ FOTOGRAFÍA: DANI SOSA ARTE: HENAR MONTOYA

Fotogramas de *Ana y Manuel*

Este cortometraje cuenta la historia de un chico y una chica que viven en una gran ciudad. Con un(a) compañero(a), observen estos fotogramas y relacionen cada uno con las siguientes frases que describen la acción. Después, escriban una sinopsis de lo que creen que es la trama. Compartan su sinopsis con las de otras dos parejas de la clase.

_4_ a. Era la segunda vez que me robaban el coche, pero la primera que me lo robaban con perro dentro.

_2_ b. Tuve la genial idea de comprarme un perro.

_3_ c. No era más que un pobre perro que se merecía algo más que vivir conmigo.

_5_ d. Me contó que se lo acababa de encontrar ese mismo día en el mercadillo.

_1_ e. Ni siquiera quise que nos quedáramos con la tortuga que le habían regalado a Manuel sus compañeros de trabajo.

_6_ f. ...porque era la mitad de Manuel, y además significaba "hombre" en inglés.

Ana y Manuel directed by Manuel Calvo, Encanta Films S. L.

EL CINE NOS ENCANTA ochenta y siete 87

¡LUCES! ¡CÁMARA! ¡ACCIÓN!

Castañuela 70: Teatro prohibido

Antes de empezar el video

Suggestions: Ask students to comment on the subtitle of the video, **Teatro prohibido**. Then, have them predict what they will see based on the questions in **Antes de empezar el video.** After viewing the video, have them check their predictions to see if they were correct.

From *Castañuela 70: Teatro prohibido*

En parejas. Contesten estas preguntas en parejas.

1. ¿Qué saben del movimiento hippy? ¿Cómo lo caracterizarían? ¿Creen que se dio en otros países además de los Estados Unidos? ¿Qué matices pudo tomar en otros países?
2. ¿En qué creen que consiste la censura *(censorship)* política? Creen que el humor puede ser una herramienta *(tool)* para luchar contra ella? ¿Cómo creen que se puede eludir la censura a base

Six new *cortometrajes*, or short-films, have been added to the program for the dual purpose of exposing students to real-life language and introducing them to the latest and most brilliant Hispanic cinematography.

¡Luces! ¡Cámara! ¡Acción! sections provide pre- and post-viewing activities for the text-specific videos.

All short-films and videos can be viewed on the **MUNDO 21, Fourth Edition DVD**, on the **Premium Website** and in **iLrn™: Heinle Learning Center.**

VOCABULARIO ACTIVO

Vocabulario activo sections summarize all active vocabulary covered in each lesson.

VOCABULARIO ACTIVO

Lección 2: España

Arte

acuarela	*watercolor*
arco	*arch*
artesanía	*craftwork, crafts*
artista (*m. f.*)	*artist*
autorretrato	*self-portrait*
boceto	*sketch*
bodegón (*m.*)	*still life*
bronce (*m.*)	*bronze*
caballete (*m.*)	*easel*
cincel (*m.*)	*chisel*
columna	*column*
esbozo	*sketch, outline, rough draft*
escultura	*sculpture*
esmalte (*m.*)	*enamel*
grabado	*engraving*
lienzo	*canvas*
mármol (*m.*)	*marble*
martillo	*hammer*
óleo	*oil-based paint*
piedra	*rock*
pincel (*m.*)	*paintbrush*
pintura	*paint; painting*
tiza	*chalk*

Personas

judío(a)	*Jewish*
moro(a)	*Moor, Muslim, North African*
musulmán(ana)	*Muslim*
poblador(a)	*settler*

Descripción

adelantado(a)	*advanced*
anhelado(a)	*yearned for*
bello(a)	*beautiful*
eficaz	*efficient*
entero(a)	*whole, entire*
genial	*brilliant*
único(a)	*only; unique*

Verbos

conseguir (i)	*to achieve; to obtain*
lograr	*to achieve*
marcharse	*to leave*
perdurar	*to remain, to last*
rehusar	*to refuse*

Tipos de arte

abstracto(a)	*abstract*
barroco(a)	*baroque*
contemporáneo(a)	*contemporaneous*
imitación (*f.*)	*copy, imitation*
neoclásico(a)	*neoclassic*
obra de arte	*art work*
obra de madurez	*work of maturity*
obra inacabada	*unfinished work*
obra maestra	*masterpiece*
obra original	*original (work)*
obra representativa	*representative work*
prehispánico(a)	*pre-Hispanic*
realista	*realist*
renacentista (*m. f.*)	*Renaissance*
románico(a)	*romanesque*

Deportes

baloncesto	*basketball*
campeonato	*championship*
corazón (*m.*)	*heart*
destacarse	*to stand out*
ganador(a)	*winner*
reconocimiento	*recognition*
pulmón (*m.*)	*lung*
selección (*f.*)	*national team*

Gobiernos

censura	*censorship*
coronar	*to crown*
heredar	*to inherit*
partido	*party*
potencia mundial	*world power*
sindicato	*labor union*

Tráfico

arrancar	*to start, to pull away*
atropellar	*to run over*
carretera	*highway, road*
derrotar	*to defeat*
embotellamiento	*traffic jam, bottleneck*
estacionar	*to park*
polvo	*dust*
puente (*m.*)	*bridge*

Palabras y expresiones útiles

apelativo	*name*
cueva	*cave*
siglo	*century*
Siglo de Oro	*Golden Age*

Lección 2: México

Literatura

comedia	*comedy*
cuento	*short story*
drama (*m.*)	*drama*
dramaturgo(a)	*playwright*
ensayo	*essay*
escritor(a)	*writer*
narrador(a)	*narrator*
novela	*novel*
novelista (*m. f.*)	*novelist*
obra de teatro	*play*
personaje (*m.*)	*character*
poema (*m.*)	*poem*
poemario	*book of poems*
poesía	*poetry*
poeta (*m. f.*)	*poet*
teatro	*theater*
trama (*f.*)	*plot*

Período colonial

bienes (*m.*)	*property, assets*
ceder	*to cede, to hand over*
colono	*colonist*
conceder	*to grant, to concede*
derrotado(a)	*defeated*
durar	*to last*
encontrarse (ue)	*to encounter, to find*
extranjero(a)	*foreigner*
huir	*to run away*
maltrecho(a)	*damaged, battered*
muerto(a)	*dead*
salvar	*to save*
tratado	*treaty*
virreinato	*viceroyalty*

Tipos de literatura

abstracto(a)	*abstract*
barroco(a)	*baroque*
contemporáneo(a)	*contemporaneous*
imitación (*f.*)	*copy, imitation*
neoclásico(a)	*neoclassic*
obra de arte	*art work*
obra de madurez	*work of maturity*
obra inacabada	*unfinished work*
obra maestra	*masterpiece*
obra original	*original (work)*
obra representativa	*representative work*
prehispánico(a)	*pre-Hispanic*
realista (*m. f.*)	*realist*
renacentista (*m. f.*)	*Renaissance*
románico(a)	*romanesque*

S. Nicolas/Photolibrary

Destacados

galardonado(a)	*awarded*
otorgar	*to grant, to give*
recomendar (ie)	*to recommend*

Verbos

abreviar	*to abbreviate*
enterarse	*to find out*
estar al día	*to be up to date*
mancharse	*to get dirty*
prolongarse	*to extend, to continue*
tallarse	*to rub*

Palabras y expresiones útiles

actualmente	*currently*
madrastra	*stepmother*
periodismo	*journalism*
valer la pena	*to be worth it*

This edition's recorded material is available in a variety of formats to help students polish their mastery of vocabulary words and expressions. Students will find listening comprehension activities, recordings of vocabulary sections, and many newly-recorded opportunities for pronunciation and contextualized comprehension practice on the **Premium Website** and in **iLrn™: Heinle Learning Center**.

Online Resources

iLrn™ HEINLE *Learning Center*

iLrn™: Heinle Learning Center

Printed Access Card: 978-0-547-17163-0

Heinle's all-in-one online teaching and learning system. Please see the inside front cover for more information.

Heinle eSAM powered by Quia™

Printed Access Card: 978-1-111-29954-5

Complete online Student Activities Manual (with audio and video).

Premium Website

Printed Access Card: 978-0-547-17159-3

The **Premium Website** allows easy access to all of the resources from the **Companion Website** PLUS premium password-protected content such as: SAM audio MP3s, video MP4s, electronic vocabulary flashcards with audio, grammar tutorial videos, interactive games, podcasts, and an electronic glossary.

Personal Tutor

Printed Access Card: 978-1-111-34586-0

Personal Tutor gives your students online access to live, one-on-one help from a subject-area expert.

For Instructors

Annotated Instructor's Edition (with Text Audio Program)

978-0-547-17137-1

The **Annotated Instructor's Edition** includes fully annotated chapters with answers to activities, teaching tips, and annotations.

PowerLecture Instructor's Resource CD-ROM (with Testing Audio CD)

978-0-547-17134-0

This resource includes the Testing Program as well as a variety of teaching materials.

Video Program on DVD

978-0-547-17136-4

Closely tied to this new edition, the video program includes two types of video--six new cortometrajes, or short-films, that expose students to real-life language, and *¡Luces! ¡Cámara! ¡Acción!* videos that encompass seventeen country-specific videos/movies from a variety of genres.

For Students

Student Activities Manual (SAM)

978-0-547-17160-9

This manual follows the organization of the main text and provides additional reading, writing, viewing, listening, and pronunciation practice outside of class.

SAM Audio Program

978-0-547-17133-3

The lab audio program includes dialogues, simulates conversations, and pronunciation practice.

Students can view and purchase the online resources that accompany this program at **www.CengageBrain.com.**

Introduction to the Annotated Instructor's Edition

Mundo 21 is a student-instructor friendly, culturally relevant intermediate Spanish program especially designed to help students acquire fluency while embracing the history and cultural identity traits of the Spanish-speaking world.

Content-based Approach

Mundo 21's content-based approach provides students with a wealth of opportunities to interact with each other as they discuss the historical, cultural and literary readings in each lesson. The fourth edition text provides multiple levels of authentic, comprehensible input through culturally rich readings as well as country-specific literary readings all presented in a visually exciting magazine style. In addition, a fully integrated, text-specific video that features authentic footage from various regions of the Hispanic world is included along with six new, thought-provoking short films with pre- and post viewing activities.

Content Equals Culture

With ***Mundo 21*** students acquire cultural competency as they improve their listening, speaking, reading, and writing skills. As students venture into the twenty-one countries that comprise the Spanish-speaking world,* they gain insight into Hispanic cultures and civilizations, achieving a global understanding of the challenges and contributions of the Spanish-speaking world today. In the fourth edition, lessons have been geographically reorganized to allow for wider coverage in the early chapters and a more in depth exploration of contemporary life of each one of the Spanish-speaking countries studied.

Skill Development

Students acquire listening skills by practicing listening strategies and using the text-specific short films and cultural videos, as well as the audio segments that accompany the Student Activities Manual. The digital version of this manual, offered in Quia, allows students to record their voices as they practice pronunciation. These voice board activities give the instructor the opportunity to provide oral or written feedback, as well as a convenient direct access to the gradebook. Speaking skills are also enhanced in the many discussions, role plays, and debates that follow each reading. As a bridge between first-year language courses and third-year literature

*This number includes the United States, now the fifth-largest Spanish-speaking country in the world. In addition to these countries, Spanish is also widely spoken in the Philippines and is the official language of Equatorial Guinea.

classes, ***Mundo 21*** makes a special effort to continue developing student reading skills with pre- and post-reading activities stimulating the use of critical-thinking skills. Writing skills are developed using the process-writing approach, which trains students to plan and organize, write a draft, get and provide peer feedback, and give and receive editing feedback, all to prepare for a final draft.

New to the Fourth Edition

› *An exciting new design provides a visually appealing learning experience for students.* The various spreads and sections of every lesson have been redesigned to draw students into the readings much as they are drawn into their favorite magazines.

› *The new edition allows for contemporary and equal treatment of all twenty-one Spanish speaking countries.* To facilitate course planning and organization, the twenty-one Spanish speaking countries, including the U.S., currently the fifth largest Spanish speaking country, have been reorganized into ten lessons, with two countries presented in each lesson. The only exception is Lección 3, which presents three countries.

› *A colorful, new Lesson Opener previews what students will study in the lesson.* Designed to help organize both teaching and learning, this section highlights what students will learn in each section of the lesson, who they will meet, what structures they will review and what new structures they will learn, and what they will especially enjoy seeing on video and in movie shorts.

› *In every lesson, the* **Los orígenes** *sections give a brief overview of early cultures and civilizations inhabiting the regions being presented.* Addressing such fascinating periods as the Roman and Moorish presence in Spain, the Aztec, Mayan and Incan empires, and the like, this second lesson opener sets the stage for better understanding historical foundations before delving into the current reality of each country being studied.

› *The most important places to visit in each country are highlighted in a new section called* **Si viajas a nuestro país...** These new section invites students to visit the countries being presented in the lesson by featuring many must see sites and highlighting, as well, major characteristics of each country: festivals, music, natural wonders and the like.

› *Thematic vocabulary practice as well as point-of-use vocabulary lists now provided.* The **Mejoremos la comunicación** sections provide students with a wide variety of specific functional vocabulary addressing topics such as **Para hablar de... literatura, música, deportes, la economía global, derechos humanos, etc.** In addition, point-of-use vocabulary lists are presented with the major cultural readings of the lesson. The main literary reading in each lesson and the **¡El cine nos encanta!** movie shorts also have extensive pre-reading vocabulary practice activities.

- *The* **Gente** *sections have been redesigned as* **Los nuestros**. In each country, three prominent Hispanics from a variety of professions: literary, entertainment, academic, sports, and the like, are presented in this distinctively designed section. A brief biography highlights their most noteworthy accomplishments. Comprehension check questions as well as suggested fun Internet researches complete each **Los nuestros** section.

- *The* **Del pasado al presente** *sections have been redesigned as* **Ayer ya es hoy,** *and have been rewritten to emphasize the present.* These sections simply highlight, in a challenging but enticing atmosphere, the most important historical moments in the country of focus, allowing for a more in-depth presentation of what is happening in the country today.

- *Video footage for eleven Spanish-speaking countries now provided in the* **¡Luces! ¡Cámara! ¡Acción!** *video sections.* Specific video films are provided featuring a wide variety of topics: music, sports, transportation, literature, ecology, and the like. Pre-viewing activities get students to anticipate what they may see and post-viewing activities check comprehension and allow students to think about and interpret what they saw.

- *The* **Escribamos ahora** *process writing activity has been streamlined and now occur in ten lessons.* To encourage students to write more often and to guide them step-by-step as they do so, the process-writing approach has been shortened by asking students to do one draft and one peer editing on each writing assignment. Specific writing techniques such as brainstorming, clustering, organizing, and the like are still presented in **Escribamos ahora,** which occur in the second country presented in each lesson.

- *A total of six new* **cortometrajes** *or short movies have been added.* These short movies expose students both to real-life language as well as to the latest and most brilliant in cinematography in the Spanish-speaking world. They appear at the end of **Lección 1** and of the remaining even numbered lessons in **¡El cine nos encanta!** Together with the **¡Luces! ¡Cámara! ¡Acción!** video sections, there now is a total of seventeen country specific videos / movies, in fiction, television and documentary genres.

- *The fourth edition's overall cultural content has been updated and expanded.* The **Los nuestros** sections feature a more varied and up-to-date selection of celebrities and role models. The **Ayer ya es hoy** sections have been updated through this edition's publication date.

- *Extensive, optional, fun Internet activities have been incorporated throughout each lesson.* To take full advantage of the hours students love to spend on Internet, *Google Web, Google Images* and *YouTube* references with specific, non-mandatory, suggested searches appear throughout each lesson in **¡Diviértete en la red!,** a new, elective Internet adventure. These activities go a long way to put many cultural, historical and contemporary attributes of the Spanish-speaking world at the students' finger tips.

› *The fourth edition's* **Gramática** *section is now located at the end of the presentation of each country.* As in previous editions, examples and activities reinforce the cultural content of the country being studied.

› *The online version of the fourth edition is designed for use in hybrid or fully online classes.* Each textbook lesson, with its instructional sequence and methodology, is mirrored in iLrn Cengage's proprietary class management system and online teaching tool and each activity has been enhanced and tailored for online teaching and learning.

Organization

Mundo 21 is composed of ten lessons, each presenting two countries, except for Lesson 3 which presents three countries. Each lesson is designed to develop and reinforce specific language skills and accommodate various learning styles. All lessons begin with a two-page opener and a two-page **Los orígenes** section presenting the early history of the countries being featured. In every lesson, the presentation of each country contains the following major sections:

Si viajas a nuestro país...

Mejoremos la comunicación

Ayer ya es hoy

Los nuestros

¡Luces! ¡Cámara! ¡Acción
(first country of every lesson, the first two of **Lección 3**)

Escribamos ahora
(second country of every lesson, the third of **Lección 3**)

Y ahora, ¡a leer!

Gramática

¡El cine nos encanta!
(features a cortometraje at the end of Lección 1 and in every even-numbered lesson)

FOURTH EDITION

FABIÁN A. SAMANIEGO
University of California, Davis, Emeritus

NELSON ROJAS
University of Nevada, Reno

FRANCISCO RODRÍGUEZ NOGALES
Santa Barbara City College

MARIO ENRIQUE DE ALARCÓN
Universidad Católica, Cochabamba, Bolivia

Australia • Brazil • Japan • Korea • Mexico • Singapore • Spain • United Kingdom • United States

Mundo 21, **Fourth Edition**
Samaniego | Rojas | Rodríguez | De Alarcón

Editor-in-Chief: P. J. Boardman
Publisher: Beth Kramer
Executive Editor: Lara Semones
Senior Content Project Manager: Esther Marshall
Assistant Editor: Patrick D. Brand
Editorial Assistant: Laura C. Kramer
Senior Media Editor: Morgen Murphy
Senior Marketing Manager: Ben Rivera
Marketing Communications Manager: Glenn McGibbon
Marketing Coordinator: Janine Enos
Senior Art Director: Linda Jurras
Senior Print Buyer: Betsy Donaghey
Permissions Editor: Melissa Flamson
Production Service: PreMediaGlobal
Text & Cover Designer: Polo Barrera
Photo Researcher: Naomi Kornhauser
Cover Image: © Getty/Adrian Weinbrecht
Compositor: PreMediaGlobal

Library of Congress Control Number: 2010942560

Student Edition:
ISBN-13: 978-0-547-17131-9
ISBN-10: 0-547-17131-5

Loose Leaf Edition
ISBN-13: 978-1-111-34935-6
ISBN-10: 1-111-34935-5

Heinle
20 Channel Center Street
Boston, MA 02210
USA

Cengage Learning is a leading provider of customized learning solutions with office locations around the globe, including Singapore, the United Kingdom, Australia, Mexico, Brazil and Japan. Locate your local office at **international.cengage.com/region**

Cengage Learning products are represented in Canada by Nelson Education, Ltd.

For your course and learning solutions, visit **www.cengage.com.**

Purchase any of our products at your local college store or at our preferred online store **www.cengagebrain.com.**

Printed in the United States of America
1 2 3 4 5 6 7 13 12 11 10

CONTENIDO

Introduction to the Fourth Edition ix
Acknowledgments x
Maps xii

LECCIÓN 1

Cuna de sueños: Estados Unidos y Puerto Rico 2

Los orígenes 4

ESTADOS UNIDOS

Si viajas a nuestro país... 6
Nueva York, Los Ángeles, Miami y festivales hispanos en los Estados Unidos

Mejoremos la comunicación 8
¡Vamos al cine!

Ayer ya es hoy 10
Los hispanos en los EE.UU.: desafíos, éxito y esperanza

Los nuestros 12
Janet Murguía, Junot Díaz, Luís von Ahn

¡Luces! ¡Cámara! ¡Acción! 14
La joven poesía: Manuel Colón

Y ahora, ¡a leer! 15
Lectura: *Esperanza muere en Los Ángeles* de Jorge Argueta

Gramática
1.1 Nouns and Articles 18

PUERTO RICO

Si viajas a nuestro país... 26
San Juan, Ponce, los alrededores y los ritmos de Puerto Rico

Mejoremos la comunicación 28
¡La música es pasión!

Ayer ya es hoy 30
Puerto Rico: entre varios horizontes

Los nuestros 32
Rosario Ferré, José Feliciano, Jennifer López

Escribamos ahora 34
La descripción: la poesía moderna

Y ahora, ¡a leer! 35
Lectura: *Del montón (fragmento)* de Mervin Román

¡El cine nos encanta! 39
Cortometraje: *Victoria para Chino* (Estados Unidos)

Gramática
1.2 The Present Indicative: Regular Verbs 43
1.3 Demonstrative Adjectives and Pronouns 46

LECCIÓN 2

Raíces y esperanza: España y México 50

Los orígenes 52

ESPAÑA

Si viajas a nuestro país... 54
Madrid, Sevilla, Barcelona y festivales españoles

Mejoremos la comunicación 56
¡El arte es todo!

Ayer ya es hoy 58
España: mucho pasado y más presente

Los nuestros 60
Penélope Cruz, Valentín Fuster, Pau Gasol

¡Luces! ¡Cámara! ¡Acción! 62
Castañuela 70: Teatro prohibido

Y ahora, ¡a leer! 63
Lectura: *El arrebato* de Rosa Montero

Gramática
2.1 Present Indicative: Stem-changing Verbs 67
2.2 Present Indicative: Verbs with Spelling Changes and Irregular Verbs 69

MÉXICO

Si viajas a nuestro país... 72
México, D.F., Guadalajara, Mérida y festivales mexicanos

Mejoremos la comunicación 74
Y en los libros...¡la vida!

Ayer ya es hoy 76
México: tierra de contrastes

Los nuestros 78
Maná, Elena Poniatowska, Lorena Ochoa

Escribamos ahora ... 80
La descripción: punto de vista
Y ahora, ¡a leer! ... 81
Lectura: *Tiempo libre* de Guillermo Samperio
¡El cine nos encanta! ... 85
Cortometraje: *Ana y Manuel* (España)
Gramática
2.3 Descriptive Adjectives ... 89
2.4 Uses of the Verbs **ser** and **estar** ... 93

LECCIÓN 3

Camino de los incas: Perú, Bolivia y Ecuador ... 98
Los orígenes ... 100

PERÚ
Si viajas a nuestro país... ... 102
Lima, Cusco, las civilizaciones precolombinas y festivales peruanos
Mejoremos la comunicación ... 104
¡Mantente en forma!
Ayer ya es hoy ... 106
Perú: piedra angular de los Andes
Los nuestros ... 108
Mario Vargas Llosa, Gian Marco Zignago, Marisol Aguirre Morales Prouvé
¡Luces! ¡Cámara! ¡Acción! ... 110
Cusco y Pisac: Formidables legados incas
Y ahora, ¡a leer! ... 111
Lectura: *El canalla sentimental (fragmento)* de Jaime Bayly Letts
Gramática
3.1 Direct and Indirect Object Pronouns and the Personal **a** ... 114
3.2 ***Gustar*** and Similar Constructions ... 118

BOLIVIA
Si viajas a nuestro país... ... 120
La Paz, Sucre, la historia y la cultura bolivianas y festivales bolivianos
Mejoremos la comunicación ... 122
¡Estás de moda!
Ayer ya es hoy ... 124
Bolivia: desde las alturas de América
Los nuestros ... 126
Roberto Mamani Mamani, Los Kjarkas, Liliana Castellano
¡Luces! ¡Cámara! ¡Acción! ... 128
La maravillosa geografía musical boliviana
Y ahora, ¡a leer! ... 129
Lectura: *La frontera* de José Edmundo Paz Soldán
Gramática
3.3 Preterite: Regular Verbs ... 132

ECUADOR
Si viajas a nuestro país... ... 134
Quito, Guayaquil, las islas Galápagos y festivales ecuatorianos
Mejoremos la comunicación ... 136
¡Salud!
Ayer ya es hoy ... 138
Ecuador: la línea que une
Los nuestros ... 140
Oswaldo Guayasamín, Grace Polit, Fanny Carrión de Fierro
Escribamos ahora ... 142
La descripción: a base de paradojas
Y ahora, ¡a leer! ... 143
Lectura: *Vasija de barro* de Jorge Carrera Andrade, Hugo Alemán, Jorge Enrique Adoum y Jaime Valencia
Gramática
3.4 Preterite: Stem-changing and Irregular Verbs ... 146

LECCIÓN 4

Potencias del Cono Sur: Chile y Argentina ... 152
Los orígenes ... 154

CHILE
Si viajas a nuestro país... ... 156
Santiago, Valparaíso, Viña del Mar, la naturaleza chilena y festivales chilenos
Mejoremos la comunicación ... 158
¡Ser monolingüe tiene cura!
Ayer ya es hoy ... 160
Chile: un largo y variado desafío al futuro

Los nuestros 162
Alberto Plaza, Leonor Varela, Isabel Allende

¡Luces! ¡Cámara! ¡Acción! 164
Chile: tierra de arena, agua y vino

Y ahora, ¡a leer! 165
Lectura: *"Autorretrato"* de Pablo Neruda

Gramática
4.1 Imperfect 168
4.2 Preterite and Imperfect: Completed and Background Actions 170

ARGENTINA

Si viajas a nuestro país... 172
Buenos Aires, Córdoba, la rica naturaleza argentina y festivales argentinos

Mejoremos la comunicación 174
¡GOOOOOOOOOOL!

Ayer ya es hoy 176
Argentina: dos continentes en uno

Los nuestros 178
Ernesto Sábato, Gabriela Sabatini, Les Luthiers

Escribamos ahora 180
Ensayo persuasivo: expresar opiniones y apoyarlas

Y ahora, ¡a leer! 181
Lectura: *"Continuidad de los parques"* de Julio Cortázar

¡El cine nos encanta! 185
Cortometraje: *Un juego absurdo* (Argentina)

Gramática
4.3 Preterite and Imperfect: Simultaneous and Recurring Actions 189
4.4 Comparatives and Superlatives 192

LECCIÓN 5

Aspiraciones y contrastes: Paraguay y Uruguay 198

Los orígenes 200

PARAGUAY

Si viajas a nuestro país... 202
Asunción, Ciudad del Este, la historia y la cultura paraguaya, y aprecia la musicalidad paraguaya

Mejoremos la comunicación 204
¡El mestizaje de la palabra!

Ayer ya es hoy 206
Paraguay: la consolidación del progreso

Los nuestros 208
Augusto Roa Bastos, Luis Bordón, Luz María Bobadilla

¡Luces! ¡Cámara! ¡Acción! 210
Paraguay: al son del arpa paraguaya

Y ahora, ¡a leer! 211
Lectura: *"Elisa"* de Milia Gayoso

Gramática
5.1 The Infinitive 215
5.2 Present Subjunctive Forms and the Use of the Subjunctive in Main Clauses 217

URUGUAY

Si viajas a nuestro país... 222
Montevideo, Punta del Este, Colonia del Sacramento y Candombe

Mejoremos la comunicación 224
¿Y cómo lo celebran ustedes?

Ayer ya es hoy 226
Uruguay: una democracia completa

Los nuestros 228
Mario Benedetti, China Zorrilla, Diego Forlán

Escribamos ahora 230
Narrar: de una manera ordenada

Y ahora, ¡a leer! 231
Lectura: *"El derecho al delirio" (fragmento)* de Eduardo Galeano

Gramática
5.3 Formal and Familiar **(tú)** Commands 235
5.4 Present Subjunctive: Noun Clauses 238

LECCIÓN 6

La modernidad en desafío: Colombia y Venezuela 244

Los orígenes 246

COLOMBIA

Si viajas a nuestro país... 248
Bogotá, Medellín, Cartagena y festivales de Medellín

Mejoremos la comunicación 250
Energía, ¿renovable o no?

Ayer ya es hoy 252
Colombia: la esmeralda del continente

Los nuestros 254
Fanny Buitrago González, Fernando Botero, Rodrigo García Barcha

¡Luces! ¡Cámara! ¡Acción! 256
Medellín: el paraíso colombiano recuperado

Y ahora, ¡a leer! 257
Lectura: *"Un día de éstos"* de Gabriel García Márquez

Gramática
6.1 Relative Pronouns 261

VENEZUELA

Si viajas a nuestro país... 266
Caracas, Maracaibo, Maracay y parques nacionales de Venezuela

Mejoremos la comunicación 268
La tierra es tu casa

Ayer ya es hoy 270
Venezuela: los límites de la prosperidad

Los nuestros 272
Carolina Herrera, Wilmer Eduardo Valderrama, Gustavo Dudamel

Escribamos ahora 274
Narrar con diálogos

Y ahora, ¡a leer! 275
Lectura: *¿Para qué?* de Armando José Sequera

¡El cine nos encanta! 278
Cortometraje: *Los elefantes nunca olvidan* (Venezuela)

Gramática
6.2 Present Subjunctive: Adjective Clauses 282
6.3 Present Subjunctive: Adverbial Clauses 284

LECCIÓN 7

Al ritmo del Caribe: Cuba y la República Dominicana 290

Los orígenes 292

CUBA

Si viajas a nuestro país... 294
Habana, Santiago de Cuba, Camagüey y la musicalidad cubana

Mejoremos la comunicación 296
¡Que bailar es soñar con los pies!

Ayer ya es hoy 298
Cuba: la palma ante la tormenta

Los nuestros 300
Humberto Castro, Nancy Morejón, Jorge Perugorria

¡Luces! ¡Cámara! ¡Acción! 302
La Cuba de hoy

Y ahora, ¡a leer! 303
Lectura: *Microcuento* de Guillermo Cabrera Infanta

Gramática
7.1 Possessive Adjectives and Pronouns 306
7.2 Past Participle and Present Perfect Indicative 308

LA REPÚBLICA DOMINICANA

Si viajas a nuestro país... 312
Santo Domingo, Santiago de los Caballeros y las mejores playas de la República Dominicana

Mejoremos la comunicación 314
¡¡Pelota!!

Ayer ya es hoy 316
La República Dominicana: la cuna de América

Los nuestros 318
Óscar de la Renta, Martha Heredia, Alfonso Soriano

Escribamos ahora 320
Ensayo: comparación y contraste

Y ahora, ¡a leer! 321
Lectura: *El diario inconcluso* de Virgilio Díaz Grullón

Gramática
7.3 The Prepositions **para** and **por** 324
7.4 Passive Constructions 327

LECCIÓN 8

Los cimentos de la paz: Guatemala y El Salvador 332

Los orígenes 334

GUATEMALA

Si viajas a nuestro país... 336
Ciudad Guatemala, Antigua, los antiguos centros en Petén y festivales guatemaltecos

Mejoremos la comunicación 338
¡Derechos y justicia para todos!

Ayer ya es hoy 340
Guatemala: raíces vivas

Los nuestros 342
Ricardo Arjona, Mirta Renee, Luis González Palma

¡Luces! ¡Cámara! ¡Acción! 344
Guatemala: influencia maya en el siglo XXI

Y ahora, ¡a leer! 345
Lectura: *Me llamo Rigoberta Menchú y así me nació la conciencia (fragmento)* de Rigoberta Menchú Tum

Gramática
8.1 Future: Regular and Irregular Verbs 348
8.2 Conditional: Regular and Irregular Verbs 351

EL SALVADOR

Si viajas a nuestro país... 354
San Salvador, volcanes de El Salvador y festivales salvadoreños

Mejoremos la comunicación 356
¡Una persona, un voto!

Ayer ya es hoy 358
El Salvador: la consolidación de la paz

Los nuestros 360
Isaías Mata, Claribel Alegría, Manlio Argueta

Escribamos ahora 362
La semblanza biográfica

Y ahora, ¡a leer! 363
Lectura: *Salvador: seguir de pie* de Róger Lindo

¡El cine nos encanta! 367
Cortometraje: *Barcelona Venecia* (España)

Gramática
8.3 Indefinite and Negative Expressions 371
8.4 The Imperfect Subjunctive: Forms and **si**-Clauses 373

LECCIÓN 9

Sed del futuro: Nicaragua y Honduras 378

Los orígenes 380

NICARAGUA

Si viajas a nuestro país... 382
Managua, León, Masaya "Tierra de lagos y volcanes"

Mejoremos la comunicación 384
¡Viaje al centro de las Américas!

Ayer ya es hoy 386
Nicaragua: reconstrucción de la armonía

Los nuestros 388
Sergio Ramírez, Daisy Zamora, Tony Meléndez

¡Luces! ¡Cámara! ¡Acción! 390
Nicaragua: bajo las cenizas del volcán

Y ahora, ¡a leer! 391
Lectura: *El infinito en la palma de la mano (fragmento)* de Gioconda Belli

Gramática
9.1 Imperfect Subjunctive: Noun and Adjective Clauses 394
9.2 Imperfect Subjunctive: Adverbial Clauses 397

HONDURAS

Si viajas a nuestro país... 400
Tegucigalpa, San Pedro Sula, Copán y la llamada del quetzal

Mejoremos la comunicación 402
Negocios sin fronteras

Ayer ya es hoy 404
Honduras: con esperanzas en el futuro

Los nuestros 406
Julio Escoto, Salvador Moncada, Neida Sandoval

Escribamos ahora 408
Una narración reinventada

Y ahora, ¡a leer! 409
Lectura: *Paz del solvente* de José Adán Castelar

Gramática
9.3 Imperfect Subjunctive: Main Clauses 412
9.4 Other Perfect Tenses 413

LECCIÓN 10

Dos mares un destino: Costa Rica y Panamá 420

Los orígenes 422

COSTA RICA

Si viajas a nuestro país... 424
San José, la provincia de Limón, la región más biodiversicada del mundo y las mejores playas de Costa Rica

Mejoremos la comunicación 426
¡La artesanía es arte!

Ayer ya es hoy 428
Costa Rica: ¿utopía americana?

Los nuestros 430
Ana Istarú, Franklin Chang-Díaz, Gonzalo Morales Sáurez

¡Luces! ¡Cámara! ¡Acción! 432
Costa Rica: para amantes de la naturaleza

Y ahora, ¡a leer! 433
Lectura: *La paz no tiene fronteras* (fragmento) de Óscar Arias Sánchez

Gramática
10.1 Sequence of Tenses: Verbs in the Indicative 436
10.2 Sequence of Tenses: Verbs in the Indicative and the Subjunctive 438

PANAMÁ

Si viajas a nuestro país... 440
La Ciudad de Panamá, las islas San Blas, el canal de Panamá y festivales panameños

Mejoremos la comunicación 442
El lugar indicado

Ayer ya es hoy 444
Panamá: acercando dos océanos

Los nuestros 446
Margarita Henríquez, José Luis Rodríguez Pittí, Danilo Pérez

Escribamos ahora 448
Una evaluación escrita

Y ahora, ¡a leer! 449
Lectura: *"La única mujer"* de Bertalicia Peralta

¡El cine nos encanta! 452
Cortometraje: *Medalla al empeño* (México)

Gramática
10.3 Sequence of Tenses: **Si**-Clauses 456

Materias de consulta

Tablas verbales 460

Vocabulario español-inglés 471

Índice gramatical 487

Índice temático 489

Introduction to the Fourth Edition

Mundo 21 is a user-friendly, culturally relevant intermediate Spanish program especially designed to help you acquire fluency while embracing the history and cultural identity traits of the Spanish-speaking world.

Mundo 21's content-based approach provides you with a wealth of opportunities to interact with each other as you discuss the historical, cultural and literary readings in each lesson. The fourth edition text provides multiple levels of authentic, comprehensible input through culturally rich readings as well as country-specific literary readings all presented in a visually exciting magazine style. In addition, a fully integrated, text-specific video that features authentic footage from various regions of the Hispanic world is included along with six new, thought-provoking short films with pre- and post viewing activities.

With Mundo 21 you will acquire cultural competency as you improve your listening, speaking, reading, and writing skills. As you venture into the twenty-one countries that comprise the Spanish-speaking world,* you gain insight into Hispanic cultures and civilizations, achieving a global understanding of the challenges and contributions of the Spanish-speaking world today.

*This number includes the United States, now the fifth-largest Spanish-speaking country in the world. In addition to these countries, Spanish is also widely spoken in the Philippines and is the official language of Equatorial Guinea.

Acknowledgments

The authors wish to express their sincere appreciation to the many users of the third edition who provided much of the feedback that helped shape this fourth edition, and to Brian Schnier M.D., a great student of Spanish, who offered his feedback and input to make this edition of Mundo 21 even more student-focused and interesting.

We would especially like to acknowledge those instructors and reviewers who reviewed the fourth edition manuscript. Their insightful comments and constructive criticism were indispensable in its preparation:

Anne Becher	*University of Colorado, Boulder*
Héctor Campos	*Georgetown University*
Jonathan Carlyon	*Colorado State University*
Juan Casillas	*Santa Barbara City College*
José Colmeiro	*Michigan State University*
Ana Davila-Howard	*Ferris State University*
Mark P. Del Mastro	*Citadel College*
Bruce Fox	*Wayne State University*
Bill Jensen	*Snow College*
Allison Krogstad	*Central College*
Leticia López-Jaurequi	*Santa Ana College*
Lydia Masanet	*Mercer University*
Ornella Mazzuca	*Dutchess Community College*
Denise Mills	*Daemen College*
Jorge Nisguritzer	*Utah Valley University*
Ana del Rosario Peña-Oliva	*University of Texas, Brownsville*
Kim Potowski	*University of Illinois, Chicago*
Bethany Sanio	*University of Nebraska-Lincoln*
William Short	*McMurry College*
Jonathan Stowers	*Salt Lake Community College*
María Carmen Zielina	*California State University, Monterey Bay*
Matt Carpenter	*Yuba Community College District*
Miriam Barbaria	*Sacramento City College, Los Rios*
Alejandra Balestra	*George Mason University*
Victoria Maillo	*Amherst College*
Kathleen March	*University of Maine*

We also acknowledge the contributions of the complete Heinle, Cengage Learning Mundo 21 team: without their input this project would not have been possible and, in particular, Lara Semones, Esther Marshall, Ben Rivera, Linda Jurras, Morgen Murphy, Patrick Brand, Laura Kramer, and to the other people and freelancers involved with the production of the Core text and of the different components: Sharon Alexander, Stacy Drew from PreMediaGlobal, Alicia Fontan, Lupe Ortiz, Melissa Flamson, Naomi Kornhauser, and Shirley Webster. For believing in us and giving us her support, a very special thanks to Beth Kramer, the Publisher.

Our thanks also go to the following contributors: Carlos Calvo, Student Activities Manual; Jacqueline Tabor, Transitions Guide; Miriam Barbaria, Sacramento City College, Diagnostic tests; Ana Peña-Oliva, University of Texas at Brownsville, Web quizzes; Kathleen March, University of Maine, Web search activities; Laura Bradford, Salt Lake Community College, Sample Syllabi.

Finally, we wish to express heartfelt thanks to Janet, Bryan, Noah Rodríguez, Shiela Rojas, Amparo Irueta, Ana María, and Verónica De Alarcón.

F.A.S
N.R.
F.R.
M.D.A.

Background Photo Credits

p. 16 Christian Ohde / Photolibrary
pp. 36–37 Robin Laurance / Photolibrary
pp. 64–65 Javier Larrea / Photolibrary
p. 82 Photodisc / Photolibrary
p. 112 Mike Kemp / Photolibrary
p. 130 Imagesource / Photolibrary
p. 144 Fundación Guayasamin
p. 166 Alberto Nardi / Photolibrary
p. 182 Ingram Publishing / Photolibrary
pp. 212–213 Marc Vérin / Photolibrary
pp. 232–233 Images.com / Photolibrary
pp. 258–259 Comstock / Photolibrary
p. 276 Paul Hackett / Photolibrary
p. 304 Dreamframer / Shutterstock
p. 322 Javier Larrea / Photolibrary
p. 346 © David Wells / DanitaDelimont.com
pp. 364–365 Dea G Siden / Photolibrary
p. 392 Stuart Westmoreland / Photolibrary
p. 410 moodboard / Photolibrary
p. 434 Visions LLC / Photolibrary
p. 450 Per Litzki / Photolibrary

Groenlandia
Alaska (E.U.)
Canadá
NORTEAMÉRICA
Estados Unidos
OCÉANO ATLÁNTICO
Bahamas
Trópico de Cáncer
Cuba
República Dominicana
Hawai (E.U.)
México
Jamaica
Puerto Rico
San Cristóbal y Nevis
Belice
Haití
Dominica
OCÉANO PACÍFICO
Guatemala
Honduras
Santa Lucía
Barbados
Granada
San Vicente y Granadinas
El Salvador
Costa Rica
Trinidad y Tobago
Nicaragua
Venezuela
Guyana
Panamá
Suriname
Colombia
Guayana Francesa
Ecuador
Islas Galápagos (Ec.)
Ecuador
Kiribati
SUDAMÉRICA
Brasil
Perú
Samoa Occidental
Bolivia
Tonga
Trópico de Capricornio
Paraguay
Chile
Uruguay
Argentina
Islas Malvinas
Los países de habla española
Escala de kilómetros
0 1000 2000 3000
0 1000 2000 3000
Escala de millas

OCÉANO
ÁRTICO
Islandia
Noruega
Suecia
Finlandia
Estonia
Letonia
Lituania
Reino Unido
Irlanda
Dinamarca
Holanda
Alemania
Polonia
Belarús
Bélgica
Ucrania
EUROPA
Francia
Suiza
Andorra
Italia
Rumania
Moldova
Bulgaria
España
Portugal
Cerdeña
Grecia
Turquía
Georgia
Azerbaiyán
Armenia
Malta
Chipre
Siria
Líbano
Israel
Iraq
Irán
Jordania
Kuwait
Bahrein
Qatar
Túnez
Marruecos
Argelia
Libia
Egipto
Arabia Saudita
Emiratos Árabes Unidos
Omán
Yemen
Mauritania
Malí
Níger
ÁFRICA
Sudán
Eritrea
Djibouti
Gambia
Burkina Faso
Chad
Benin
Nigeria
República Centroafricana
Etiopía
Costa de Marfil
Liberia
Togo
Ghana
Camerún
Guinea Ecuatorial
Gabón
Congo
Uganda
Kenya
Somalia
Rwanda
Burundi
Zaire
Tanzania
Angola
Zambia
Malawi
Comoras
Mozambique
Madagascar
Mauricio
Namibia
Zimbabwe
Botswana
Swazilandia
Lesotho
Sudáfrica
Checoslovaquia
Austria
Hungría
Eslovenia
Croacia
Bosnia & Herzgovina
Yugoslavia
Albania
(República de) Macedonia
Rusia
ASIA
Kazajstán
Mongolia
Uzbekistán
Kirguistán
Turkmenistán
Tayikistán
Afganistán
Pakistán
China
Corea del Norte
Corea del Sur
Japón
Nepal
Bhután
India
Bangladesh
Myanmar
Lao
Taiwán
Tailandia
Viet Nam
Camboda
Filipinas
Sri Lanka
Maldivas
Seychelles
Brunei
Malasia
Singapur
Indonesia
OCÉANO
PACÍFICO
Nauru
Papua-Nueva Guinea
Islas Salomón
Vanuatu
OCÉANO
ÍNDICO
AUSTRALIA
Nueva Zelandia
ANTÁRTIDA

CANADÁ
ESTADOS UNIDOS
LA CUENCA DEL PACÍFICO
WASHINGTON
OREGON
IDAHO
MONTANA
WYOMING
NEVADA
UTAH
CALIFORNIA
ARIZONA
COLORADO
NUEVO MÉXICO
DAKOTA DEL NORTE
DAKOTA SEL SUR
NEBRASKA
KANSAS
OKLAHOMA
TEXAS
MINNESOTA
IOWA
MISURI
ARKANSAS
LUISIANA
WISCONSIN
ILLINOIS
MICHIGAN
INDIANA
OHIO
KENTUCKY
TENNESSEE
MISISIPÍ
ALABAMA
GEORGIA
FLORIDA
CAROLINA DEL SUR
CAROLINA DEL NORTE
VIRGINIA
VIRGINIA OCCIDENTAL
PENNSYLVANIA
NUEVA YORK
NUEVA JERSEY
MD
DEL.
CONN.
R. I.
MASS.
VT.
N.H.
MAINE
Sacramento
San Francisco
San José
San Juan Bautista
Fresno
Delano
Los Ángeles
San Diego
Yuma
Phoenix
Mesa
Casa Grande
Ajo
Tucson
Las Cruces
El Paso
Carlsbad
Santa Fe
Santa Rosa
Albuquerque
Tierra Amarilla
Aztec
Cortez
Durango
Alamosa
Trinidad
La Junta
Pueblo
Colorado Springs
Denver
Amarillo
Colby
Topeka
Wichita
Independence
Kansas City
Jefferson City
Springfield
St. Louis
Peoria
Springfield
Chicago
Dallas
Waco
Austin
San Antonio
Houston
Laredo
Corpus Christi
Shreveport
Baton Rouge
Nueva Orleáns
Pensacola
Tallahassee
Jacksonville
San Augustín
Tampa
Ft. Lauderdale
Miami
Grand Rapids
Lansing
Ann Arbor
Flint
Detroit
Toledo
Cleveland
Columbus
Dayton
Cincinnati
Toronto
Niágara
Búfalo
Syracuse
Ottawa
Albany
Worcester
Boston
Springfield
Paterson
Nueva York
Newark
Trenton
Washington, DC
N
OCÉANO PACÍFICO
OCÉANO ATLÁNTICO
Golfo de México
MÉXICO
RUSIA
OCÉANO ÁRTICO
ALASKA
CANADÁ
LA CUENCA DEL PACÍFICO
Escala de kilómetros
0 250 500
0 250 500
Escala de millas
OCÉANO PACÍFICO
HAWAI
Escala de kilómetros
0 50 100
0 50 100
Escala de millas
Escala de kilómetros
0 200 400
0 200 400
Escala de millas

Mar Cantábrico
Golfo de Vizcaya
FRANCIA
Tolosa
Marsella
Golfo de León
Costa Brava
ANDORRA
CATALUÑA
Barcelona
Tarragona
Lérida
ARAGÓN
Zaragoza
NAVARRA
Pamplona
San Sebastián
Bilbao
VASCONGADAS
CANTABRIA
Santander
Oviedo
ASTURIAS
La Coruña
Santiago de Compostela
GALICIA
Pontevedra
Vigo
León
R. Ebro
Logroño
LA RIOJA
Burgos
CASTILLA-LEÓN
Valladolid
Zamora
R. Duero
Oporto
OCÉANO
ATLÁNTICO
PORTUGAL
Salamanca
Segovia
Escorial
Guadalajara
Ávila
MADRID
Madrid
ESPAÑA
Castellón
ISLAS BALEARES
Menorca
Mallorca
Palma de Mallorca
Ibiza
Formentera
Valencia
COMUNIDAD VALENCIANA
R. Júcar
Toledo
R. Tajo
Cáceres
EXTREMADURA
CASTILLA-LA MANCHA
Lisboa
Mérida
Badajoz
R. Guadiana
Almadén
Ciudad Real
Albacete
Alicante
MURCIA
Murcia
Lorca
Cartagena
Costa Blanca
Linares
Córdoba
Jaén
R. Guadalquivir
ANDALUCÍA
Granada
Sevilla
Huelva
ALGARVE
Almonte
Golfo de Cádiz
Jerez de la Frontera
Cádiz
Málaga
Almería
Costa del sol
Gibraltar (R.U.)
Estrecho de Gibraltar
Mar Mediterráneo
Ceuta (Esp.)
Tánger
Tetuán
Melilla (Esp.)
MARRUECOS
ÁFRICA
Escala de kilómetros
0 50 100
0 50 100
Escala de millas
N
Islas Canarias
La Palma
Santa Cruz de la Palma
Tenerife
Santa Cruz de Tenerife
Gomera
Hierro
Gran Canaria
Las Palmas
Lanzarote
Arrecife
Puerto del Rosario
Fuerteventura
OCÉANO ATLÁNTICO
MARRUECOS

ESTADOS UNIDOS
MÉXICO
OCÉANO PACÍFICO
Golfo de México
Golfo de California
Bahía de Campeche
Bahía Sebastián Vizcaíno
Golfo de Tehuantepec
Golfo de Honduras
N
Tijuana
Mexicali
Ensenada
BAJA CALIFORNIA NORTE
BAJA CALIFORNIA SUR
La Paz
Nogales
Ciudad Juárez
Río Grande
SONORA
Hermosillo
Zaragoza
CHIHUAHUA
Chihuahua
R. Conchos
SINALOA
Culiacán
Mazatlán
DURANGO
Durango
Torreón
COAHUILA
Nuevo Laredo
Monterrey
NUEVO LEÓN
Matamoros
ZACATECAS
TAMAULIPAS
SAN LUIS POTOSÍ
Tula
San Luis Potosí
Tampico
R. Pánuco
NAYARIT
AGUAS
Aguascalientes
Puerto Vallarta
León
Guanajuato
GUANAJUATO
QUERÉTARO
HIDALGO
VERACRUZ
JALISCO
Guadalajara
Teotihuacán
Manzanillo
COLIMA
MICHOACÁN
México, D.F.
MÉXICO
TLAZCALA
Nezahualcóyotl
Toluca
Puebla
MORELOS
PUEBLA
Veracruz
Taxco
R. Balsas
GUERRERO
Acapulco
Oaxaca
OAXACA
San Cristóbal de las Casas
Tuxtla Gutiérrez
CHIAPAS
TABASCO
R. Usumacinta
Mérida
Cozumel
YUCATÁN
PENÍNSULA DE YUCATÁN
Campeche
CAMPECHE
QUINTANA ROO
Corozal
Ciudad de Belice
BELICE
Belmopán
Caracol
La Libertad
Dos Pilas
Lago de Izabal
GUATEMALA
Huehuetenango
Santa Cruz del Quiché
Quetzaltenango
Chichicastenango
HON.
Antigua
Ciudad de Guatemala
Lago de Atitlán
Escuintla
EL SALVADOR
Escala de kilómetros
0
250
500
Escala de millas
0
250
500

N
OCÉANO
ATLÁNTICO
Golfo de
México
Estrecho de la Florida
Islas Bahamas
San Salvador
La Habana
Mariel
Pinar del Río
Matanzas
Sagua La Grande
Santa Clara
Cienfuegos
CUBA
Sancti Spíritus
Bahía de Cochinos
Golfo de Batabanó
Isla de Pinos
Camagüey
Golfo de Ana María
Golfo de Guacanayabo
Holguín
Mayarí
Las Tunas
Guantánamo
Bayamo
Santiago de Cuba
Antillas Mayores
JAMAICA
Kingston
HAITÍ
Puerto Príncipe
REPÚBLICA DOMINICANA
Santiago de los Caballeros
Puerto Plata
San Francisco de Macorís
Moca
La Romana
Higüez
San Juan
Santo Domingo
San Pedro de Macorís
Barahona
Bahía de Ocoa
PUERTO RICO
Arecibo
San Juan
Carolina
Humacao
Bayamón
Mayagüez
Ponce
Salinas
Islas Vírgenes (E.U. & R.U.)
Antillas Menores
Escala de kilómetros
0
100
200
0
100
200
Escala de millas
Mar Caribe
Tobago
Puerto España
TRINIDAD
L. Nicaragua
SUDAMÉRICA

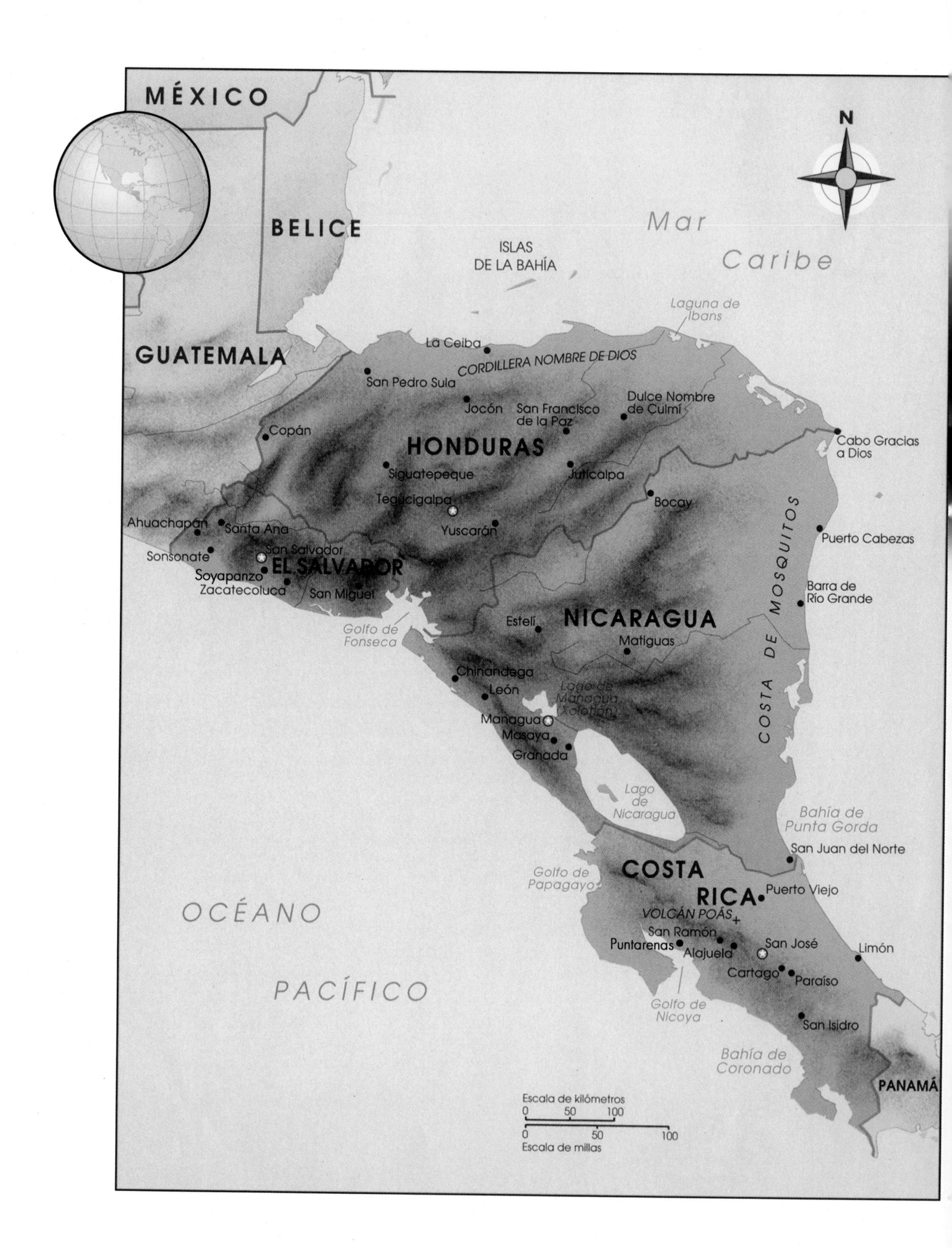

MÉXICO
BELICE
GUATEMALA
HONDURAS
EL SALVADOR
NICARAGUA
COSTA RICA
PANAMÁ
N
Mar Caribe
ISLAS DE LA BAHÍA
Laguna de Ibans
La Ceiba
CORDILLERA NOMBRE DE DIOS
San Pedro Sula
Jocón
San Francisco de la Paz
Dulce Nombre de Culmí
Copán
Cabo Gracias a Dios
Siguatepeque
Juticalpa
Tegucigalpa
Bocay
Ahuachapán
Santa Ana
Yuscarán
Puerto Cabezas
Sonsonate
San Salvador
Soyapanzo
Zacatecoluca
San Miguel
COSTA DE MOSQUITOS
Barra de Río Grande
Golfo de Fonseca
Estelí
Matiguas
Chinandega
León
Lago de Managua (Xolotlán)
Managua
Masaya
Granada
Lago de Nicaragua
Bahía de Punta Gorda
San Juan del Norte
Golfo de Papagayo
Puerto Viejo
OCÉANO PACÍFICO
VOLCÁN POÁS
San Ramón
Puntarenas
Alajuela
San José
Limón
Cartago
Paraíso
Golfo de Nicoya
San Isidro
Bahía de Coronado
Escala de kilómetros
0 50 100
0 50 100
Escala de millas

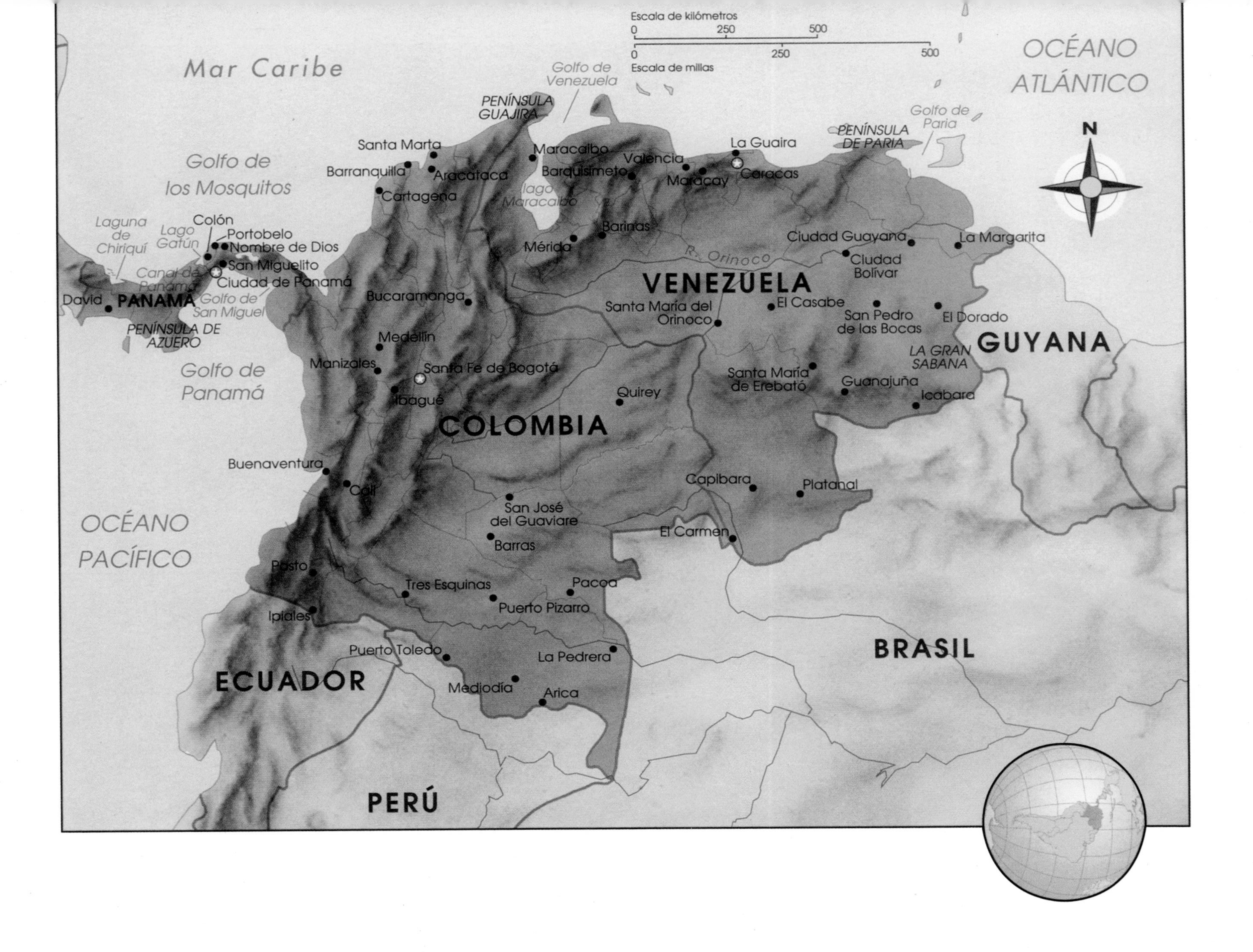
Escala de kilómetros
0
250
500
0
250
500
Escala de millas
OCÉANO ATLÁNTICO
Mar Caribe
Golfo de Venezuela
PENÍNSULA GUAJIRA
Golfo de Paria
PENÍNSULA DE PARIA
N
Golfo de los Mosquitos
Santa Marta
Barranquilla
Aracataca
Cartagena
Maracaibo
Lago Maracaibo
Barquisimeto
Valencia
Maracay
La Guaira
Caracas
Laguna de Chiriquí
Lago Gatún
Colón
Portobelo
Nombre de Dios
San Miguelito
Canal de Panamá
Ciudad de Panamá
David
PANAMÁ
Golfo de San Miguel
PENÍNSULA DE AZUERO
Barinas
Mérida
R. Orinoco
Ciudad Guayana
Ciudad Bolívar
La Margarita
VENEZUELA
Bucaramanga
Santa María del Orinoco
El Casabe
San Pedro de las Bocas
El Dorado
GUYANA
LA GRAN SABANA
Medellín
Manizales
Santa Fe de Bogotá
Ibagué
Golfo de Panamá
Santa María de Erebató
Guanajuña
Icabaru
Quirey
COLOMBIA
Buenaventura
Cali
Capibara
Platanal
OCÉANO PACÍFICO
San José del Guaviare
Barras
El Carmen
Pasto
Tres Esquinas
Pacoa
Puerto Pizarro
Ipiales
Puerto Toledo
La Pedrera
Mediodía
Arica
ECUADOR
BRASIL
PERÚ

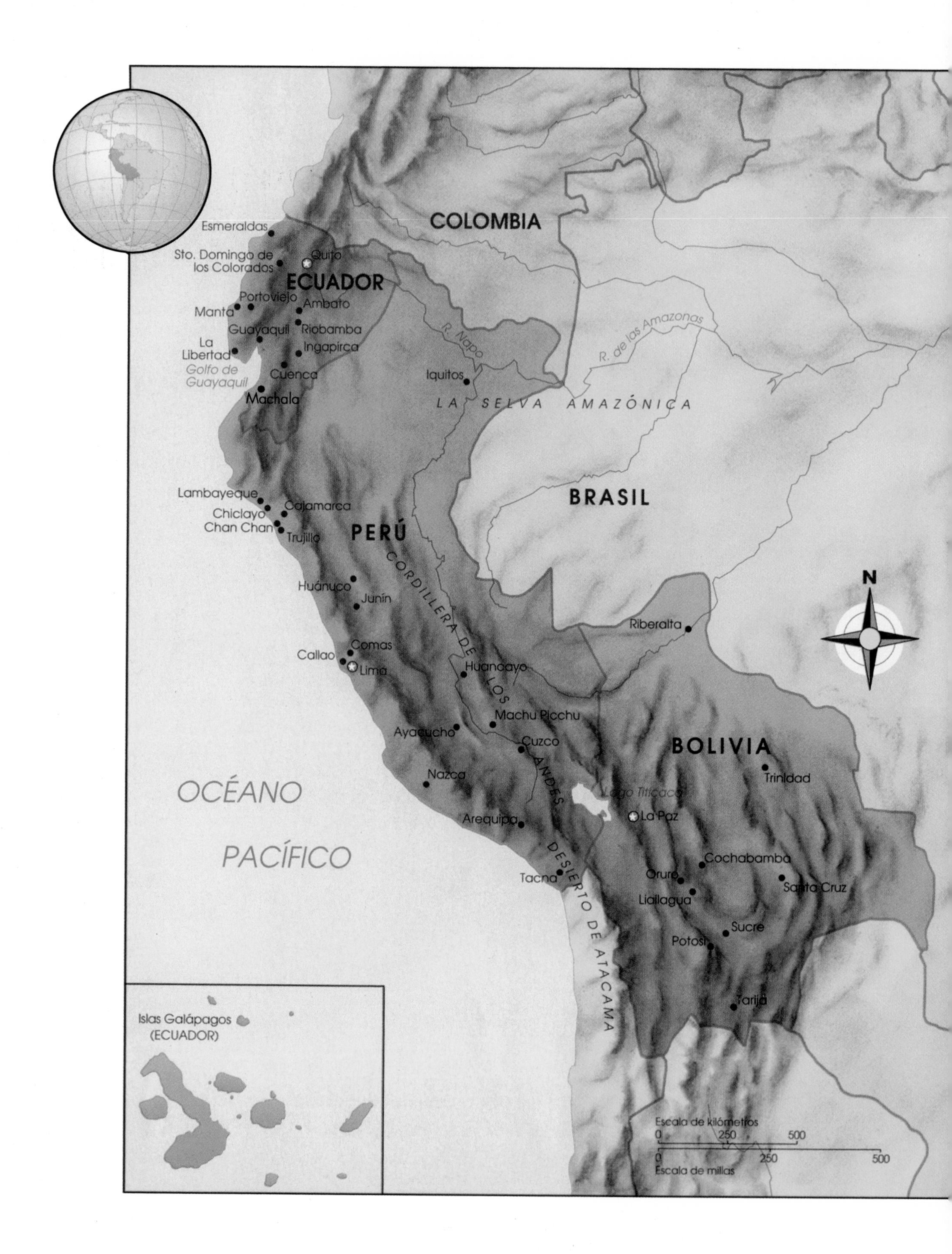
COLOMBIA
ECUADOR
BRASIL
PERÚ
BOLIVIA
OCÉANO
PACÍFICO
LA SELVA AMAZÓNICA
CORDILLERA DE LOS ANDES
DESIERTO DE ATACAMA
R. Napo
R. de las Amazonas
Golfo de Guayaquil
Lago Titicaca
Esmeraldas
Sto. Domingo de los Colorados
Quito
Portoviejo
Manta
Ambato
Riobamba
Guayaquil
La Libertad
Ingapirca
Cuenca
Machala
Iquitos
Lambayeque
Cajamarca
Chiclayo
Chan Chan
Trujillo
Huánuco
Junín
Comas
Callao
Lima
Huancayo
Machu Picchu
Ayacucho
Cuzco
Nazca
Arequipa
Tacna
Riberalta
Trinidad
La Paz
Cochabamba
Oruro
Llallagua
Santa Cruz
Sucre
Potosí
Tarija
N
Islas Galápagos
(ECUADOR)
Escala de kilómetros
0
250
500
Escala de millas
0
250
500

PARAGUAY
CHILE
ARGENTINA
URUGUAY
Arica
Iquique
Antofagasta
CORDILLERA DE LOS ANDES
R. Pilcomayo
GRAN CHACO
R. Paraguay
Concepción
Asunción
San Lorenzo
Ciudad del Este
Itaipú
Iguazú
Encarnación
San Miguel de Tucumán
La Rioja
R. Paraná
R. Uruguay
La Serena
Córdoba
Tascuarembó
Salto
Paysandú
Paso de los Toros
Mendoza
Viña del Mar
Valparaíso
Santiago de Chile
PAMPAS
Durazno
Treinta y tres
Rosario
Mercedes
R. Salado
Las Piedras
Punta del Este
Buenos Aires
Montevideo
La Plata
R. de la Plata
Parral
Talcahuano
Concepción
Bahía Blanca
Mar del Plata
R. Colorado
Valdivia
Lago Llanquihue
Osorno
Puerto Varas
Puerto Montt
San Carlos de Bariloche
Golfo San Matías
PATAGONIA
Golfo San Jorge
OCÉANO ATLÁNTICO
N
Islas Malvinas
Estrecho de Magallanes
Punta Arenas
TIERRA DEL FUEGO
CABO DE HORNOS
Escala de kilómetros
0
250
500
0
250
500
Escala de millas

LECCIÓN 1

Cuna de sueños

ESTADOS UNIDOS Y PUERTO RICO

Tim Pannell/Photolibrary

LOS ORÍGENES

Aprende acerca de los primeros hispanos en los Estados Unidos: ¿quiénes fueron?, ¿de dónde vinieron?, ¿dónde se establecieron?, ¿qué impacto tuvieron? (págs. 4–5)

SI VIAJAS A NUESTRO PAÍS...

- En **Nueva York, Los Ángeles y Miami** visitarás distintos barrios y museos hispanos, y marcharás en algunos de los mejores desfiles del país (págs. 6–7).
- En **Puerto Rico** visitarás la capital, San Juan, y el Viejo San Juan —la segunda ciudad más antigua de las Américas—, las islas de Culebra y Vieques, y bailarás al ritmo de la ¡salsa! (págs. 26–27).

MEJOREMOS LA COMUNICACIÓN

Aprende a hablar con facilidad de películas (págs. 8–9) y de música (págs. 28–29).

AYER YA ES HOY

Infórmate acerca de los distintos grupos principales de hispanos en los EE.UU.: los chicanos, los centroamericanos y los caribeños. ¿Dónde se encuentran y por qué vinieron? (págs. 10–11) y haz un recorrido por la historia de Puerto Rico desde la época de la colonia hasta la actualidad (págs. 30–31).

LOS NUESTROS

- En los **EE.UU.** conoce a la presidenta y jefa ejecutiva del Consejo Nacional de la Raza, a un gran escritor dominicano de Nueva York y a un sobresaliente genio guatemalteco de las ciencias de la computación (págs. 12–13).
- En **Puerto Rico** conoce a una escritora de libros de ficción, ensayos, poesía y biografía, a un cantante y destacado intérprete de ritmos *Jazz-Soul-Blues* y a la actriz, cantante, empresaria y diseñadora de modas conocida como la latina más rica de Hollywood (págs. 32–33).

¡LUCES! ¡CÁMARA! ¡ACCIÓN!

En los EE.UU. conoce a Manuel Colón, un joven poeta chicano, y escúchalo leer uno de sus poemas donde cuestiona su propia identidad (pág. 14).

ESCRIBAMOS AHORA

Describe un incidente en tu propia vida a través de un poema moderno (pág. 34).

Y AHORA, ¡A LEER!

- Lee "Esperanza muere en Los Ángeles" del poeta salvadoreño Jorge Argueta, quien reflexiona acerca de la muerte de su prima (págs. 15–17).
- Descubre las trampas de los concursos de belleza en el cuento "Del montón" de Mervin Román (págs. 35–38).

¡EL CINE NOS ENCANTA!

Acompaña a un joven inmigrante que vive el drama de la inmigración ilegal a los Estados Unidos en el cortometraje *Victoria para Chino* (págs. 39–42).

GRAMÁTICA

Repasa los siguientes puntos gramaticales:

- 1.1 Nouns and Articles (págs. 18–25)
- 1.2 The Present Indicative: Regular Verbs (págs. 43–45)
- 1.3 Demonstrative Adjectives and Pronouns (págs. 46–47)

LOS ORÍGENES

La población de América tuvo su origen en el aporte de diferentes grupos humanos: los aborígenes que poblaban vastas regiones del continente y los colonizadores europeos.

Puerto Rico y la Florida

¿Cuándo y por qué llegaron los exploradores españoles a Puerto Rico y la Florida?

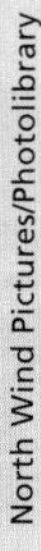

North Wind Pictures/Photolibrary

El español Juan Ponce de León (1460?–1521), quien había viajado con Cristóbal Colón en su segundo viaje al *Nuevo Mundo*, colonizó para los españoles la isla de Borinquen (que llamaron San Juan Bautista y luego Puerto Rico) y en ella fundó la ciudad, hoy San Juan. Desde allí salió en busca de la isla de Biminí, donde creía que se encontraba la fuente de la eterna juventud, y llegó a una costa cercana a lo que hoy es San Augustín, Florida. A aquella región la llamó Pascua Florida, por la época del año en que llegó (Semana Santa).

El explorador y conquistador Hernando de Soto (1496–1542) llegó a un lugar que llamó Espíritu Santo, lo que hoy es *Shaw's Point* en Bradenton, Florida, en mayo de 1539. Con De Soto venían nueve barcos, más de seiscientos hombres y doscientos caballos. A esta tierra la llamó Espíritu Santo. Entre sus hombres vinieron curas, artesanos, ingenieros, granjeros y mercaderes, algunos de Cuba, pero la mayoría era de Europa. De Soto continuó con su expedición por lo que hoy es Georgia, las dos Carolinas, Tennessee y Alabama, hasta descubrir el río Mississippi el 8 de mayo de 1541.

Walter Bibikow/Photolibrary

Las misiones: de la Florida a California

¿Quiénes establecieron las misiones y qué se conserva de ellas?

Con los exploradores y las luchas de conquista llegaron los misioneros españoles, principalmente los franciscanos. Para 1634 ya había en la Florida unas cuarenta misiones con una población indígena total de 30.000 personas. En 1630 había veinticinco misiones en lo que es ahora Nuevo México.

Pero fue en California donde las misiones, construidas cada una a un día de distancia a caballo de la otra, alcanzaron su mayor esplendor. En 1769, el misionero fray Junípero Serra estableció la primera misión en California, la de San Diego de Alcalá, en la actual bahía de San Diego. Fundó otras hasta su muerte en 1784. Alrededor de las misiones se fueron fundando ciudades, que hoy en día conservan el nombre de la misión. Entre ellas destacan San Juan Capistrano, Nuestra Señora de Los Ángeles, Santa Bárbara y San Francisco. Estas misiones sobreviven como testimonio de la importancia y del papel decisivo de lo hispano en los orígenes de los Estados Unidos.

Gary Conner/Photolibrary

¿COMPRENDISTE?

A. Los orígenes. Con tu compañero(a) completen las siguientes oraciones:

1. Juan Ponce de León llegó a la actual Florida buscando...
2. Hernando de Soto descubrió...
3. Los misioneros españoles fundaron misiones en...
4. Las misiones de California están a la distancia...
5. El gran fundador de misiones en California fue...
6. Algunas ciudades que conservan los nombres de las misiones son...

VOCABULARIO ÚTIL

alcanzar	*to reach, to attain*
aporte *(m.)*	*support*
artesano(a)	*artesan, craftsperson*
barco	*ship*
cura *(m.)*	*priest*
destacar	*to stand out, to highlight*
época	*time, period*
fuente *(f.)*	*fountain*
granjero(a)	*farmer*
juventud *(f.)*	*youth*
mercader *(m.)*	*merchant*
sobrevivir	*to survive*

B. A pensar y a analizar. Contesta las siguientes preguntas con dos o tres compañeros(as) de clase.

1. ¿Qué creen que motivó a los españoles a viajar hasta el Nuevo Mundo? Escriban una lista de motivaciones, en orden de más importante a menos importante. Expliquen su lista y compárenla con las de otros compañeros.
2. La fuente de la eterna juventud es una leyenda que hizo que los exploradores se adentraran *(to penetrate)* en el territorio americano. ¿Cómo creen que pensaban los exploradores explotar ese descubrimiento si se hubiera producido *(if it had taken place)*? ¿Sólo para algunos de ellos? ¿Comercializando el descubrimiento? Expliquen sus respuestas.
3. Construidas a un día de distancia a caballo, ¿qué función creen que tenían las misiones? ¿Cómo ayudaron a la colonización? Expliquen.

¡Diviértete en la red!
Busca misiones de California en YouTube para ver fascinantes videos de las misiones y de cómo se conservan. Ve a clase preparado(a) para compartir la información que encontraste.

Estados Unidos

Comprehension check: Ask: 1. ¿Qué sitios hispanos en Nueva York conoces o cuáles te gustaría conocer y por qué? 2. En tu opinión, ¿cuál es la diferencia entre el Puet de Los Ángeles y el barrio de *East L.A.*? 3. Si has visitado la Pequeña Habana, ¿qué es lo que más te impresionó? Si no la has visitado, ¿qué te gustaría ver o hacer allí? 4. Si pudieras asistir a uno de estos festivales, ¿cuál seleccionarías? ¿Por qué?

Jim Wark/Photolibrary

Nombre oficial: Estados Unidos de América
Población: 307.212.123 (estimación de 2009)
Principales ciudades: Washington, D.C. (capital), Nueva York, Chicago, Los Ángeles, Miami
Moneda: Dólar $

En Nueva York y sus alrededores, vas a encontrar...

- la Federación Hispana, una organización con una red de más de cien agencias latinas dedicadas a servir a la sociedad hispana creando y apoyando instituciones latinas.
- el museo y la biblioteca de la Sociedad Hispana de América, con una extensa colección de obras de arte, cerámica, textiles, joyas y publicaciones que se concentran en la cultura hispana.
- varios desfiles hispanos como: el *Hispanic Day Parade*, el Desfile Anual Puertorriqueño, el Desfile de los Reyes Magos, el *Ecuadorian Day Parade*, el Desfile de la Independencia Cubana y el Desfile de Inmigrantes Internacionales.
- el *Hispanic New York Project*, dedicado a promover la herencia cultural latina en la ciudad y a facilitar la comunicación y el trabajo conjunto entre escritores, artistas e intelectuales.
- el este de Harlem que se conoce como "el Barrio" o "*Spanish Harlem*", una vibrante comunidad puertorriqueña.
- el Museo del Barrio.

En Los Ángeles, no dejes de...

Bildagentur RM/Photolibrary

- visitar el Pueblo de Los Ángeles, donde nació lo que hoy es la ciudad de Los Ángeles.
- visitar el *Latin Museum*, donde encontrarás las obras más sobresalientes de los artistas latinos contemporáneos.
- asistir al *Los Angeles Latino International Film Festival*, dedicado a presentar las mejores películas latinas filmadas en los Estados Unidos, España, el Caribe y Latinoamérica.
- pasear por el barrio de *East L.A.*, donde se encuentra la mayor concentración de latinos en Los Ángeles.

En Miami, no dejes de...

- visitar la Pequeña Habana, la capital del exilio cubano.
- jugar dominó en la Plaza de Máximo Gómez (la Plaza Dominó).
- visitar el Museo de Las Américas, con obras de grandes artistas latinoamericanos.
- visitar, también, los barrios de la Pequeña Managua, la Pequeña Haití, la Pequeña Buenos Aires y la Pequeña San Juan.

Index Stock Imagery/Photolibrary

Festivales hispanos en los Estados Unidos

- el *Hispanic Heritage Festival* en Miami
- el Festival Puertorriqueño y Cubano de Houston
- el Festival Dominicano en Boston
- el Festival Nicaragüense en Newark
- el Festival Boliviano de Virginia
- el Festival Salvadoreño en Los Ángeles
- el *Whole Enchilada Festival* en Las Cruces, Nuevo México

¡Diviértete en la red!
Busca cualquiera de estos sitios o festivales en Google Web y prepárate para presentar un breve resumen sobre lo más destacado de lo que seleccionaste.

¡Vamos al cine!

El talento hispano-latino en el cine ha sido ampliamente reconocido en los Premios Óscar. Hasta 2008, los países que han obtenido el galardón a la mejor película de lengua no inglesa han sido: España (4) y Argentina (1). Los siguientes países han recibido nominaciones: España (18), Cuba (1), Argentina (5), México (6), Uruguay (1) y Puerto Rico (1).

HIRB/Photolibrary

Para hablar de tipos de películas

biográfica	*biographical*
cómica	*comedy*
de animación digital *(f.)*	*digital animation*
de ciencia ficción	*science fiction*
de dibujos animados	*animated cartoon*
de drama	*drama*
de guerra	*war*
de misterio	*suspense, thriller*
de parodia	*parody*
de terror (horror) *(m.)*	*horror*
de vaqueros	*western*
documental *(m.)*	*documentary*
épica	*epic*
musical *(m.)*	*musical*
policíaca	*detective*
romántica	*romance*

Al describir películas

¿Te gustan las películas románticas?

Me encantan.	*I love them.*
Me fascinan.	*They fascinate me.*
Las detesto.	*I detest them.*
Las odio.	*I hate them.*
Me aburren.	*They bore me.*
Me deprimen.	*They depress me.*
No me gustan para nada.	*I don't like them at all.*

¿Y qué opinas de este DVD?

Es...

conmovedor	*moving, touching*
emocionante	*exciting*
entretenido	*entertaining*
formidable	*terrific*
aburrido	*boring*
espantoso	*frightening*
pésimo	*very bad, terrible*

Al invitar a una persona al cine

— ¿Quieres ir a ver una película esta noche?

— ¿Vienes conmigo al cine?

— ¿Te gustaría ir al cine conmigo el sábado por la tarde?

Al aceptar / rechazar una invitación

— Me encantaría. / — ¡Cómo no! ¿A qué hora?

— Lo siento, pero tengo otros planes.

— Me encantaría, pero... / — Quizás la próxima vez.

Suggestion: Call on several pairs of students to improvise inviting someone to the movies and accepting or rejecting an invitation.

¡A practicar, luego a conversar!

A. Las que nunca pasarán... Sin duda, ya has visto estas películas famosísimas. Indica qué tipo de películas son.

e	1. Selena	a. de ciencia ficción
f	2. El padrino	b. épica
a, b	3. La guerra de las galaxias	c. de dibujos animados
b	4. Titanic	d. de vaqueros
h	5. Halloween	e. biográfica
g	6. Shrek	f. de drama
c	7. Bambi	g. de animación digital
d	8. El bueno, el malo y el feo	h. de terror

B. Palabras clave: estrella. Considera cuántas de las frases de la primera columna que expresan distintos usos de la palabra estrella puedes combinar con las definiciones de la segunda columna. Luego, escribe una oración original con cada uso. Compara tus oraciones con las de dos compañeros(as) de clase.

e	1. ver estrellas	a. hacer algo muy difícil o imposible
a	2. contar las estrellas	b. levantarse muy temprano, antes del amanecer (*daybreak*)
b	3. levantarse con las estrellas	c. tirar con violencia algo contra otra cosa, haciéndolo pedazos, romper
c	4. estrellar	d. tener buena suerte
d	5. nacer con estrella	e. sufrir alucinaciones después de un golpe o un trauma

C. En mi opinión... Indica qué películas y actores entran en estas categorías. Luego explica por qué opinas eso.

Películas	Actores
la más trágica	el (la) que te encanta
la más creativa	el (la) que no te gusta para nada
la más emocionante	el (la) que te aburre

D. ¿Vamos al cine? Dramatiza la siguiente situación con dos compañeros(as) de clase. Tú y un(a) amigo(a) están tomando un café en la cafetería de la universidad cuando otro(a) amigo(a) se acerca y los invita al cine esa noche. Acepten la invitación, preguntando qué película pasan, qué tipo de película es, a qué sesión prefieren ir, quién va a comprar las entradas, dónde prefieren sentarse, etcétera.

Los hispanos en los EE.UU.: desafíos, éxito y esperanza

Los hispanos son la minoría más grande en los Estados Unidos. Se estima que hay más de **45.000.000 de hispanos** en los Estados Unidos, casi un quince por ciento de la población total del país. Aunque esa cifra incluye a personas de todas partes del mundo hispanohablante, la gran mayoría son chicanos o mexicoamericanos, caribeños y centroamericanos.

Mark Peterson/Redux

Chicanos

Las ciudades estadounidenses más pobladas por mexicoamericanos son Los Ángeles, Houston y Chicago. Muchos (175.000) ya vivían aquí cuando estas regiones eran parte de México antes del tratado de Guadalupe-Hidalgo (que puso fin a la guerra entre los Estados Unidos y México). Otros inmigraron por problemas políticos y económicos internos durante los últimos cien años, especialmente la Revolución Mexicana de 1910–1920.

Point out: The more widespread meaning of "Chicano" is "a person of Mexican descent, living in the U.S." However, in some areas, California, for example, the term has become politically charged and has come to mean "a person of Mexican descent, who is living in the U.S. *and* politically active in promoting Chicano causes."

Centroamericanos

Se estima que los grupos más grandes de centroamericanos en los Estados Unidos son los salvadoreños, los guatemaltecos, los hondureños y los nicaragüenses. Vinieron por la inestabilidad política y económica de varios países centroamericanos entre 1950 y 1970. En la década de los 80, emigraron debido a los movimientos revolucionarios en Guatemala y El Salvador y los conflictos entre los sandinistas y contras en Nicaragua. Las tres ciudades más habitadas por centroamericanos son Los Ángeles, Nueva York y Houston.

Photos: Ask students what the various photos mean to them. Ask if they know why so many Latinos have immigrated to the U.S. and what effect this has had on many U.S. cities.

Caribeños (Cubanoamericanos, Dominicanos y Puertorriqueños)

Los puertorriqueños recibieron la ciudadanía estadounidense en 1917. Entre las regiones más pobladas por puertorriqueños en los Estados Unidos continentales están Nueva York (aun más que en San Juan, la capital de Puerto Rico), la Florida y Filadelfia.

Los dominicanos llegaron por problemas políticos internos (dictaduras) o económicos en las décadas de los 70 y 80. Entre las ciudades más pobladas por dominicanos están *Washington Heights/Quisqueya Heights*, Nueva York y Lawrence, Massachusetts, donde más de un tercio de la población es dominicana. Los dominicanos han sido el segundo grupo más numeroso de inmigrantes, después de los mexicanos.

Martha Benedict

Para los cubanoamericanos, la llegada al poder de Fidel Castro produjo un masivo éxodo de cubanos. Entre 1960 y 1979, cientos de miles abandonaron su isla buscando una nueva vida. En 1980 llegaron otros 125.000 cubanos que, en su mayoría, eran personas de clases menos acomodadas, lo cual hizo bastante más difícil adaptarse a la vida en los EE.UU. Entre las ciudades más pobladas por cubanoamericanos está Miami.

¿COMPRENDISTE?

VOCABULARIO ÚTIL

acomodado(a)	*prosperous, well-off*
aportación *(f.)*	*contribution*
cifra	*number*
ciudadanía	*citizenship*
desarrollo	*development*
dictadura	*dictatorship*
éxodo	*exodus*
guerra	*war*
poblado(a)	*populated*
tratado	*treaty*
valioso(a)	*valuable*
varios(as)	*several*

A. Los orígenes. Con tu compañero(a), completen las siguientes oraciones.

1. Los cuatro grupos más grandes de hispanos en los EE.UU. son...
2. De esos, el grupo más grande es el de los...
3. La ciudad de los EE.UU. con más domincanos es...
4. La ciudad de los EE.UU. con más puertorriqueños es...
5. La ciudad de los EE.UU. con más cubanos es...
6. La ciudad de los EE.UU. con más chicanos es...
7. Las tres ciudades de los EE.UU. con más centroamericanos son...
8. La motivación principal por la cual la mayoría de los inmigrantes centroamericanos/dominicanos/cubanos/mexicanos decidieron venir fue...

B. A pensar y a analizar. Haz una comparación entre el origen de los chicanos, los cubanoamericanos, los dominicanos y los centroamericanos en los EE.UU. Refiérete a cuándo llegaron a los EE.UU. y por qué vinieron. Compara tus conclusiones con las de un(a) compañero(a).

C. Apoyo gramatical: artículos definidos e indefinidos. Completa el siguiente párrafo sobre algunas contribuciones de los inmigrantes hispanos empleando artículos definidos o indefinidos apropiados. Presta atención a las contracciones del artículo definido.

Es común hablar de (1) __la__ nación estadounidense como de (2) __una__ nación de inmigrantes. (3) __La__ productividad manual y artística de estos inmigrantes ha sido y es (4) __un__ recurso valioso de (5) __del__ país norteamericano. (6) __Los__ inmigrantes hispanos han contribuido y contribuyen ampliamente a (7) __al__ desarrollo de (8) __la__ historia estadounidense. En (9) __el__ campo de (10) __las__ artes, por ejemplo, (11) __la__ producción norteamericana se ha enriquecido con (12) __la__ aportación de (13) __las__ valiosas obras literarias, musicales y pictóricas hispanas.

Gramática 1.1: Antes de hacer esta actividad conviene repasar esta estructura en las págs. 21–25.

Janet Murguía

Richard/Bloomberg via Getty Images

Actualmente es la presidenta y jefa ejecutiva del Consejo Nacional de La Raza, la organización más importante de derechos civiles para hispanos. En 2001 se une a la Universidad de Kansas como vicecanciller ejecutiva. Desde 2004, su nombre figura en diversas listas que reconocen su influencia. En 2006, la revista *Washingtonian* la incluye en su lista de las "100 Mujeres Más Poderosas de Washington". En 2007 aparece en la lista de "Los Poderosos 100" de la revista *Poder*, en la de los "101 Mejores Líderes de la Comunidad Hispana" de la revista *Latino Leaders* y fue nombrada una de los "Latinos Poderosos 2007" en la revista *Hispanic*.

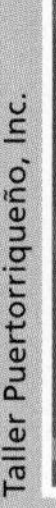

Taller Puertorriqueño, Inc.

Junot Díaz

El escritor dominicano Junot Díaz llegó con sus padres a Nueva Jersey cuando apenas tenía siete años. Alli vivió en extrema pobreza junto con otros inmigrantes dominicanos. En la escuela, estimulado por una profesora, se lanzó a describir sus sentimientos sobre su vida y la de los que lo rodeaban. Poco a poco se convirtió en el gran escritor que es hoy en día, ganador de premios tan importantes como el *Pushcart Prize XXII* (1997), el *Eugene McDermott Award* (1998), el *Guggenheim Fellowship* (1999) y finalmente el premio *Pulitzer* (2008) por su obra *The Brief Wondrous Life of Oscar Wao*.

Suggestions: Ask what the following professions are: **catedrático(a), abogado(a), dramaturgo(a), cineasta**. Also ask students what they can tell you about any of those listed in this section.

Luis von Ahn

© Mike McGregor/Contour by Getty Images

Es un científico y profesor guatemalteco de ciencias de la computación en Carnegie Mellon University. Es el fundador de la compañía Recaptcha que fue vendida a Google en el 2009. Sus investigaciones en computación y en Crowdsourcing le han dado reconocimiento internacional y varios honores en el ámbito científico y tecnológico. En el 2006 ganó el premio MacArthur, también conocido como el "premio del genio". Ha sido nombrado uno de los 50 mejores cerebros en la ciencia por la revista *Discover,* uno de los 10 científicos brillantes del 2006 por *Popular Science,* y una de las 50 personas más influyentes en la tecnología por Silicon.com. En el 2009, el diario *Siglo XXI de Guatemala* nombró a Luis von Ahn como su personaje del año.

Otros latinos sobresalientes en los Estados Unidos

Julia Álvarez: novelista, poeta, ensayista, catedrática dominicana

Orlando Antigua: basquetbolista dominicano, miembro de los Globe Trotters

Gloria Estefan: cantante, compositora cubanomericana

Andy García: actor cubanoamericano

Carmen Lomas Garza: artista y autora chicana de libros para niños

Edward James Olmos: actor chicano

Mary Rodas: presidenta salvadoreña de una compañía de juguetes

Esmeralda Santiago: novelista, editora puertorriqueña

Claudia Smith: activista y abogada guatemalteca

Luis Valdéz: actor, director, dramaturgo y cineasta chicano

¿COMPRENDISTE?

A. **Los nuestros.** Contesta estas preguntas con un(a) compañero(a).

1. ¿Por qué crees que el nacer en una cultura y vivir en otra es el tema de muchos autores chicanos y latinos en general?
2. Si fueras un latino (o latina) sobresaliente, ¿a qué dedicarías tus esfuerzos?

B. **Miniprueba.** Demuestra lo que aprendiste de estos talentosos latinos al completar estas oraciones.

1. Janet Murguía es una de las mujeres hispanas más __c__ de los EE.UU.
   a. dificultosas b. motivadas c. poderosas
2. Junot Díaz fue motivado a escribir sobre su vida por una profesora __a__.
   a. en la escuela b. universitaria c. dominicana
3. En el 2009, Racaptcha, la compañía que fundó Luis von Ahn, fue comprada por __c__.
   a. Crowdsourcing b. *Popular Science* c. Google

VOCABULARIO ÚTIL

a pesar de	*in spite of*
al filo de	*at the edge of*
ámbito	*field*
apenas	*scarcely*
cerebro	*brain*
computación *(f.)*	*computer science*
convertirse (ie)	*to become*
éxito	*success*
ganador(a)	*winner*
genio(a)	*genius*
investigación *(f.)*	*research*
lanzarse	*to dive*
poderoso(a)	*powerful*
reconocimiento	*recognition*
rodear	*to surround*
unirse	*to join*
vicecanciller *(m. f.)*	*vice-chancellor*

¡Diviértete en la red!

Busca a tres de estas personas en Google Images y/o YouTube para ver imágenes y escuchar a estos talentosos latinos. Ven a clase preparado(a) para decir cuál de los tres es tu favorito y por qué. Si se puede, muestra unas de las imágenes o videos.

La joven poesía: Manuel Colón

"Me siento como una mancha oscura en una sábana blanca".

© Heinle, Cengage Learning

"Me encuentro ajeno hasta en mi propia tierra".

Antes de empezar el video

Contesten las siguientes preguntas en parejas.

1. ¿Qué tipo de conflictos de identidad tienden a tener los jóvenes hoy en día?
2. En su opinión, ¿cuál es la mejor manera de resolverlos?

Suggestions: Ask the students if they have ever had an identity crisis concerning their origin or that of their ancestors: **chicano; negro, afroamericano; alemán (irlandés/escocés) americano; angloamericano;** and so on.

Después de ver el video

A. La joven poesía. Completa las siguientes oraciones.

1. El problema principal de Manuel Colón es...
2. Algunos conflictos de identidad que Manuel Colón menciona son...
3. Manuel Colón resolvió esos conflictos al decidir que...

B. A pensar y a interpretar. Contesten las siguientes preguntas en parejas.

1. ¿Creen Uds. que es importante tener una identidad étnica? ¿Por qué sí o no?
2. ¿Creen Uds. que el identificarse con un grupo étnico le prohíbe a alguien pertenecer a otro grupo? ¿Por qué sí o no?
3. ¿Cuáles son las ventajas y desventajas de ser miembro de un grupo étnico?

C. Apoyo gramatical: artículos definidos e indefinidos. Completa el siguiente párrafo con los artículos definidos o indefinidos apropiados para repasar lo que aprendiste en el video de esta lección.

En (1) __el__ programa del video sobre "(2) __La__ joven poesía", Cristina, (3) __la__ entrevistadora, conversa con Manuel Colón, quien es (4) __un__ joven poeta chicano. Manuel tiene (5) __un__ conflicto de identidad étnica; no sabe si él es (6) __una__ persona mexicana, norteamericana, mexicoamericana o chicana. Él trata de encontrar (7) __una/la__ respuesta a su pregunta y finalmente se da cuenta de que (8) __la__ respuesta está en su propia poesía. (9) __El__ poema que él recita en (10) __la__ emisión televisiva se llama "Autobiografía".

Gramática 1.1: Antes de hacer esta actividad conviene repasar esta estructura en las págs. 21–25.

¡Diviértete en la red!
Busca "identidad chicana", "identidad latina" o "identidad latinoamericana" en Google Web. Ve a clase preparado(a) para presentar un breve reporte sobre cómo se reflejan estos temas en la red y a qué conclusiones llegan.

¡Antes de leer!

A. Anticipando la lectura. Contesta las siguientes preguntas con un(a) compañero(a).

1. ¿Cuál es la diferencia entre un refugiado legal y uno ilegal? ¿Cómo entran los refugiados legales a los EE.UU.? Y los ilegales, ¿cómo entran?
2. ¿Qué peligros hay para los refugiados indocumentados?
3. ¿Qué seguridad hay de que van a encontrar una buena vida en los EE.UU.? Expliquen sus respuestas.
4. ¿Qué tipos de empleo encuentran los refugiados indocumentados? ¿Cuánto ganan?
5. ¿Es posible que algunos refugiados encuentren en los EE.UU. una vida peor de la que llevaban en su país de origen? Expliquen.

B. Vocabulario en contexto. Busca estas palabras en la lectura que sigue y, en base al contexto, decide cuál es su significado. Para facilitar encontrarlas, las palabras aparecen en negrilla en la lectura. *Vocabulario...:* Ask volunteers to create original sentences with these words.

1. **huyendo**	a. pensando	b. escapando	c. victoriosa
2. **los cerros**	a. el desierto	b. las montañitas	c. las calles
3. **enviar**	a. transportar	b. recordar	c. seguir
4. **cajón**	a. caja grande	b. coche elegante	c. coche fúnebre
5. **patria**	a. escape	b. cielo	c. país natal
6. **derrame**	a. entrada	b. hemorragia	c. tristeza

Sobre el autor

Copyright Teresa Kennett

Jorge Argueta, poeta salvadoreño, llegó a los Estados Unidos en 1980. Se ha dedicado a enseñar poesía en las escuelas públicas de San Francisco y es autor de varios libros para niños, aunque en sus primeros años se dedicó a escribir sobre las experiencias de inmigrantes indocumentados. Está convencido de que todos pueden escribir, sobre todo los niños pequeños, a quienes considera poetas por naturaleza. Entre los muchos premios que ha recibido, están el Premio *America's Book Award* (2003) y el *Independent Publishers Book Award* (2004). Su trabajo es muy apreciado en textos universitarios y en antologías. Su poema "Esperanza muere en Los Ángeles" lleva una dedicatoria a su prima y la fecha de su muerte. Sería difícil encontrar otro poema que en tan pocos versos transmita la tragedia de una persona común y corriente, tal como lo consigue el autor.

Esperanza muere en Los Ángeles

Tengo una prima
que salió **huyendo**
de la guerra
una prima que pasó
inmigración 5 corriendo de la migra*
por **los cerros** de Tijuana
una prima que llegó a Los Ángeles
hidden / trunk escondida* en el baúl* de un carro
una prima que hoy se muere
10 se muere lejos de El Salvador
Pobre mi prima Esperanza
no la mató la guerra
la mató la explotación
$50 miserables dólares a la semana
15 40 horas a la semana
Pobre mi prima Esperanza
dying se está muriendo* en Los Ángeles
muerta la van a **enviar** a El Salvador
Pobre mi prima Esperanza
20 dicen que sufrió un **derrame**
y que su hija piensa
que su madre sueña
sueña que está en El Salvador
Pobre mi prima Esperanza
25 ya se murió
ya la mataron
En un **cajón** negro
se va hoy para su **patria**
Pobre mi prima Esperanza
30 salió huyendo de la guerra
y muerta la envían a la guerra
pobre mi prima Esperanza
to rest hoy se va a su tierra a descansar*
con sus hermanos
35 todos los muertos
de la misma guerra

"Esperanza muere en Los Ángeles" de *Love Street* (1991) Editores Unidos Salvadoreños

¡Después de leer!

A. Hechos y acontecimientos. ¿Recuerdas los datos más importantes de la lectura? Para asegurarte, completa estas preguntas. Luego compara tus respuestas con las de dos o tres compañeros(as).

1. ¿Quién es Esperanza? ¿Qué edad crees que tiene?
2. ¿Dónde vivía Esperanza? ¿Por qué se fue de ese lugar? ¿Adónde se fue?
3. ¿Dónde cruzó la frontera? ¿Cómo la cruzó?
4. ¿Cómo murió Esperanza? ¿Qué la mató?
5. ¿Dónde van a enterrar *(bury)* a Esperanza? ¿Por qué?

B. A pensar y a analizar. Contesta estas preguntas y compara tus respuestas con las de tus compañeros(as).

1. La ironía es un método literario para enfatizar una idea expresándola con palabras que indican lo contrario. En "Esperanza muere en Los Ángeles" hay un constante tono irónico. Por ejemplo, si observas las palabras "Esperanza", "El Salvador", "Los Ángeles" podrás ver que están llenas de ironía ya que, ¿hay esperanza para Esperanza? ¿Es El Salvador el salvador de Esperanza? ¿Es Los Ángeles un ángel para Esperanza? ¿Cuántos otros ejemplos de ironía puedes encontrar?
2. Examina los siguientes versos.

   "salió huyendo de la guerra
   y muerta la envían a la guerra"

   ¿Qué quiere decir el poeta aquí? ¿Hay otros versos que enfatizan la tragedia de Esperanza? ¿Cuáles son?

C. Apoyo gramatical: sustantivos. Completa el siguiente párrafo sobre un lugar histórico de Los Ángeles con los plurales de las palabras que están entre paréntesis.

Si vas a Los Ángeles debes visitar el distrito histórico llamado Pueblo de los Ángeles. Allí puedes ver la plaza principal con los (1) __nombres__ (nombre) de las once (2) __familias__ (familia) que fundaron el pueblo, tres (3) __estatuas__ (estatua) de importantes (4) __figuras__ (figura) históricas, tal vez (5) __celebraciones__ (celebración) en la plaza, (6) __museos__ (museo) cercanos, entre ellos el de Ávila Adobe, la casa más antigua de Los Ángeles cuyas (7) __habitaciones__ (habitación) tienen (8) __muebles__ (mueble) de la época. En ese vecindario hay también algunas (9) __iglesias__ (iglesia) y muchos interesantes (10) __edificios__ (edificio) antiguos. Y si vas al mercado de la calle Olvera, puedes comprar (11) __productos__ (producto) mexicanos de tu gusto.

Gramática 1.1: Antes de hacer esta actividad conviene repasar esta estructura en las págs. 18–21.

¡Diviértete en la red!
Haz una búsqueda en YouTube con los siguientes poetas salvadoreños: Roque Dalton, Claudia Lars, Francisco Gavidia. Selecciona el videoclip que desees ver. Ve a clase preparado(a) para presentar un breve resumen sobre el videoclip que viste. Di si recomiedas leer al poeta que escuchaste y explica por qué.

1.1 Nouns and Articles

Gender of Nouns

Nouns in Spanish are either masculine or feminine. The gender of most nouns is arbitrary, but there are some rules that can help guide you.

› The majority of the nouns ending in **-a** are feminine; those ending in **-o** are masculine.

la película	el mundo
la tierra	el tratado

The following are common exceptions:

la mano	el día
la foto (=la fotografía)	el mapa
la moto (=la motocicleta)	el cometa

› Nouns referring to males are masculine and those referring to females are feminine.

el primo	la prima
el escritor	la escritora
el hombre	la mujer
el padre	la madre

› Some nouns, such as those ending in **-ista,** have the same form for the masculine and the feminine. The article or the context identifies the gender.

el artista	la artista
el cantante	la cantante
el estudiante	la estudiante
el pianista	la pianista

› Most nouns ending in **-d, -ión,** and **-umbre** are feminine.

la ciudad	la confusión	la costumbre
la comunidad	la inmigración	la muchedumbre
la pared	la tradición	la certidumbre

Some exceptions to this rule are:

el césped *the lawn*	el avión
el ataúd *the coffin*	el camión

› The nouns **persona** and **víctima** are always feminine, even if they refer to a male.

Evelyn es una persona muy creativa.	*Evelyn is a very creative person.*
Jorge es una persona muy imaginativa.	*Jorge is a very imaginative person.*

› Nouns of Greek origin ending in **-ma** are masculine.

el idioma	el problema	el clima
el poema	el programa	el tema

› Most nouns ending in **-r** or **-l** are masculine.

el favor　　el papel
el lugar　　el control

Some exceptions to this rule are:

la flor　　la catedral
la labor　　la sal

› Nouns referring to months and days of the week are masculine, as are those referring to oceans, rivers, and mountains.

el jueves　　el Pacífico
el cálido agosto　　el Everest

The word **sierra** (*mountain range*) is feminine: **la** sierra Nevada.

› Some nouns have two genders; the gender is determined by the meaning of the noun.

el capital *the capital (money)*　　la capital *the capital (city)*
el corte *the cut*　　la corte *the court*
el guía *the (male) guide*　　la guía *the guidebook; the (female) guide*
el modelo *the model; the (male) model*　　la modelo *the (female) model*
el policía *the (male) police officer*　　la policía *the police (force); the (female) police officer*

Ahora, ¡a practicar!

A. Género. Identifica el sustantivo de género diferente, según el modelo.

MODELO opinión, avión, satisfacción, confusión
el avión (los otros usan el artículo **la**)

1. mapa, literatura, ciencia, lengua
2. ciudad, césped, variedad, unidad
3. problema, tema, guerra, poema
4. calor, color, clamor, labor
5. metal, catedral, canal, sol
6. moto, distrito, exilio, gobierno

B. ¿Fascinante? Indica si en tu opinión lo siguiente es fascinante o no.

MODELO variedad cultural
La variedad cultural es fascinante. o **La variedad cultural no es fascinante.**

1. cuentos de Junot Díaz
2. idioma español
3. diversidad cultural de los EE.UU.
4. capital de nuestro estado
5. programas de videos latinos
6. arquitectura del suroeste
7. vida de Janet Murguía
8. cine mexicano

C. Una encuesta. Entrevista a varios compañeros de la clase para saber qué opinan sobre estos temas. Si la persona contesta afirmativamente, escribe su nombre en el cuadro apropiado. No se permite tener el nombre de la misma persona en más de un cuadro.

MODELO ¿Qué opinas de la diversidad en nuestra universidad?
Es fascinante. o **No es muy interesante.**

la diversidad cultural en nuestra universidad	la película *Selena*	el problema de las drogas
el clima hoy día	la foto de Janet Murguía en la página 12	el Festival Nicaragüense en Newark
la cantante Gloria Estefan	los programas universitarios	las películas de Andy García

Plural of Nouns

To form the plural of nouns follow these basic rules.

› Add **-s** to nouns that end in a vowel.

tratado	tratados
detalle	detalles
programa	programas

› Add **-es** to nouns that end in a consonant.

escritor	escritores
origen	orígenes

› Nouns that end in an unstressed vowel + **-s** have identical singular and plural forms.

el lunes	los lunes
la crisis	las crisis

Spelling changes

› Nouns ending in **-z** change the **z** to **c** in the plural.

la voz	las voces
la actriz	las actrices

› Nouns ending in an accented vowel + **-n** or **-s** lose their accent mark in the plural.

la población	las poblaciones
el interés	los intereses

Ahora, ¡a practicar!

A. Contrarios. Tú y tu mejor amigo(a) son completamente diferentes. ¿Qué dices tú cuando tu amigo(a) hace estos comentarios?

MODELO Yo no conozco a ese candidato.
Yo conozco a todos los candidatos. o **Yo conozco a muchos de los candidatos.**

1. Yo no conozco a esa actriz.
2. Yo no sé hablar otra lengua.
3. Mi lección de guitarra es el lunes.
4. Yo no conozco ni una obra de Junot Díaz.
5. No tengo una crisis al día.
6. Yo no conozco a esa escritora.
7. Yo no reconozco la voz de nadie.
8. Yo visité una misión en el verano.

B. ¿Cuántos hay? Pregúntale a un(a) compañero(a) cuántos de los siguientes objetos hay en los lugares indicados.

MODELO mochila: libro, lápiz, bolígrafo, cuaderno,...
—¿Cuántos libros hay en tu mochila?
—Hay tres libros.

1. cuarto: escritorio, cama, silla, diccionario, computadora,...
2. sala de clases: estudiante, escritorio, silla, pizarra, tiza,...
3. casa de tus padres: cuarto, baño, auto, persona, bicicleta,...
4. estado en que vives: universidad, ciudad importante, habitante, lugar turístico principal
5. el poema "Esperanza muere en Los Ángeles": protagonista, narrador, país, ciudad

C. La Pequeña Habana. Completa el siguiente párrafo acerca de un barrio hispano de Miami con los plurales de las palabras que aparecen entre paréntesis.

Si te paseas por la Pequeña Habana, puedes ver (1) ___________ (monumento) históricos, (2) ___________ (centro) culturales, (3) ___________ (letrero) de (4) ___________ (negocio), (5) ___________ (restaurante) típicos, (6) ___________ (bar), (7) ___________ (fábrica) de (8) ___________ (puro) habanos, (9) ___________ (salón) de espectáculos, (10) ___________ (local) comerciales, (11) ___________ (tienda) diversas, (12) ___________ (galería) de arte y otros (13) ___________ (lugar) de exhibición y, por supuesto, gran cantidad de (14) ___________ (turista). Y si vas al Parque del Dominó, puedes ver a muchos (15) ___________ (jugador) que se divierten jugando al dominó.

Definite Articles

Forms

	Masculine	Feminine
Singular	el	la
Plural	los	las

› The gender and number of a noun determines the form of the article.

nombre	→	masculine singular	→	el nombre
gente	→	feminine singular	→	la gente
pasaportes	→	masculine plural	→	los pasaportes
labores	→	feminine plural	→	las labores

› Note the following contractions.

a + **el** = **al**

de + **el** = **del**

¿Conoces **al** autor **del** cuento "Drown"? — *Do you know the author of the short story "Drown"?*

El calentamiento global es una **de las** cuestiones centrales **del** siglo XXI. — *Global warming is one of the central topics of the twenty-first century.*

› The article **el** is used with singular feminine nouns beginning with stressed **a-** or **ha-** when it immediately precedes the noun; otherwise, the form **la** or **las** is used.

El arma más poderosa para combatir la pobreza es la educación. — *The most powerful weapon to fight poverty is education.*

El agua de este lago está contaminada. — *The water of this lake is contaminated.*

Las aguas de muchos ríos están contaminadas. — *The waters of many rivers are contaminated.*

Some common feminine nouns beginning with stressed **a-** or **ha-**:

águila *eagle*	área
agua	aula *classroom*
ala *wing*	habla
alba *dawn*	hada *fairy*
alma *soul*	hambre

Uses

The definite article is used in the following cases:

› With nouns conveying a general or abstract sense. Note that English omits the article in these cases.

La violencia no soluciona **los problemas.** — *Violence does not solve problems.*

Debemos continuar mejorando **la educación.** — *We must continue improving education.*

Respetamos **la** diversidad cultural. — *We respect cultural diversity.*

› With parts of the body and articles of clothing when preceded by a reflexive verb or when it is clear who the possessor is. Note that English uses a possessive adjective in these cases.

¿Puedo sacarme **la** corbata? — *May I take off my tie?*

Me duele **el** hombro. — *My shoulder hurts.*

› With the names of languages, except when they follow **en, de,** or forms of the verb **hablar.** The article is often omitted after the verbs **aprender, enseñar, entender, escribir, estudiar, saber,** and **leer.**

El español y **el** inglés son las lenguas oficiales de Puerto Rico. — *Spanish and English are Puerto Rico's official languages.*

Este libro está escrito en portugués. Yo no entiendo **(el)** portugués, pero un amigo mío es profesor de portugués. — *This book is written in Portuguese. I don't understand Portuguese, but a friend of mine is a Portuguese teacher.*

› With titles, except **San/Santa** and **don/doña,** when speaking *about* someone. It is omitted when speaking directly *to* someone.

Necesito hablar con **el** profesor Núñez.	*I need to talk to Professor Núñez.*
—Doctora Cifuentes, ¿cuáles son sus horas de oficina?	*Doctor Cifuentes, what are your office hours?*
¿Conoces a **don** Eugenio?	*Do you know Don Eugenio?*
Hoy es el día de **Santa** Teresa.	*Today is Saint Teresa's Day.*

› With the days of the week to mean *on*.

Te veo **el** martes.	*I'll see you on Tuesday.*

› With times of day and dates.

Son **las** nueve de la mañana.	*It's nine in the morning.*
Salimos **el** dos de septiembre.	*We are leaving September second.*

› In the names of certain cities, regions and countries such as **Los Ángeles, La Habana, Las Antillas, El Salvador,** and **La República Dominicana**. The definite article is optional with the following countries:

(la) Argentina	(el) Ecuador	(el) Perú
(el) Brasil	(los) Estados Unidos	(el) Uruguay
(el) Canadá	(el) Japón	
(la) China	(el) Paraguay	

› With proper nouns modified by an adjective or a phrase.

Quiero leer sobre **el** México colonial.	*I want to read about colonial Mexico.*
¿Dónde está **la** pequeña Lucía?	*Where is little Lucía?*

› With units of weight or measurement.

Las uvas cuestan dos dólares **el kilo**.	*Grapes cost two dollars a kilo.*

Ahora, ¡a practicar!

A. Preparativos. ¿Quién es responsable de enviar las invitaciones? Para saberlo, escribe el artículo definido sólo en los espacios donde sea necesario.

— ________ Señora Olga, ¿cuándo es la próxima exposición de ________ doña Carmen?

— Es ________ viernes próximo.

— ________ señor Cabrera se ocupa de las invitaciones, ¿verdad?

— ¿Enrique Cabrera? No, ________ pobre Enrique está enfermo. Tú debes enviar ________ invitaciones esta vez.

B. Entrevista. Tú eres reportero(a) del periódico estudiantil. Hazle las siguientes preguntas a un(a) compañero(a) de clase.

1. ¿Qué lenguas hablas?
2. ¿Qué lenguas lees?
3. ¿Qué lenguas escribes?
4. ¿Qué lenguas consideras difíciles? ¿Por qué?
5. ¿Qué lenguas consideras importantes? ¿Por qué?

C. Resumen. Ahora escribe un breve resumen de la información que conseguiste en la entrevista.

Indefinite Articles

Forms

	Masculine	Feminine
Singular	un	una
Plural	unos	unas

› The indefinite article, just like the definite article, agrees in gender and number with the noun it modifies.

Eso es **un** error. — *That is a mistake.*

Nueva York es **una** ciudad con más puertorriqueños que San Juan, la capital de Puerto Rico. — *New York is a city with more Puerto Ricans than San Juan, Puerto Rico's capital.*

› When immediately preceding singular feminine nouns beginning with stressed **a-** or **ha-**, the form **un** is used.

Ese joven tiene **un** alma noble. — *That young man has a noble spirit.*

Uses

As in English, the indefinite article indicates that a noun is not known to the listener or reader. Once the noun has been introduced, the definite article is used. In general, the indefinite article is used much less frequently in Spanish than in English.

—Hoy en el periódico aparece **un** artículo sobre Janet Murguía. — *Today in the newspaper there is an article on Janet Murguía.*

—¿Y qué dice el artículo? — *And what does the article say?*

Omission of the Indefinite Article

The indefinite article is not used:

› After **ser** and **hacerse** when followed by a noun referring to profession, nationality, religion, or political affiliation.

Jennifer López es actriz. — *Jennifer López is an actress.*

Mi primo es profesor, pero quiere hacerse abogado. — *My cousin is a teacher, but he wants to become a lawyer.*

However, the indefinite article is used when the noun is modified by an adjective or a descriptive phrase.

Edward James Olmos es **un** actor **famoso**. Es **un** actor **de** renombre mundial. — *Edward James Olmos is a famous actor. He is a world-famous actor.*

› With **cien(to), cierto, medio, mil, otro,** and **tal** (*such*).

—¿Quieres que te preste mil dólares? — *Do you want me to lend you a thousand dollars?*

—¿De dónde voy a sacar tal cantidad? — *Where am I going to get such an amount?*

› After the prepositions **sin** and **con**.

Luis Valdez nunca sale **sin sombrero.** — *Luis Valdez never leaves without a hat.*

Mi prima Norma vive en una casa con piscina. — *My cousin Norma lives in a house with a swimming pool.*

- In negative sentences and after certain verbs such as **tener, haber,** and **buscar** when the numerical concept of **un(o)** or **una** is not important.

No tengo boleto. Necesito boleto para esta noche.	*I don't have a ticket. I need a ticket for tonight.*
Busco solución a mi problema ahora.	*I am looking for a solution to my problem now.*

Other Uses

- Before a number, the indefinite articles **unos** and **unas** indicate an approximate amount.

Unos diez millones de hispanos vivían en el condado de Los Ángeles en 2008.	*About (Approximately) ten million Hispanics lived in Los Angeles County in 2008.*

- The indefinite articles **unos** and **unas** may be omitted before plural nouns, when they are not the subject of a sentence.

Necesitamos (unas) entradas para este fin de semana.	*We need (some) tickets for this weekend.*
¿Viste (unos) datos interesantes en la historia de los chicanos?	*Did you see (some) interesting data in the history of the Chicanos?*

When the idea of some needs to be emphasized, **algunos** or **algunas** is used.

¿Puedes nombrar **algunas** de las obras de Jorge Argueta?	*Can you name some of Jorge Argueta's works?*

Ahora, ¡a practicar!

A. Misiones de California. Completa el siguiente párrafo con el artículo definido correspondiente para aprender acerca de las misiones californianas.

(1) _____ estado de California tiene 21 hermosas misiones construidas a lo largo de (2) _____ carretera conocida como _____ (3) Camino Real. Fueron fundadas entre 1769 y 1823. Una de _____ (4) personas más involucradas *(involved)* en _____ (5) construcción de _____ (6) misiones fue _____ (7) padre Junípero Serra. Él fundó _____ (8) primera misión, Misión San Diego, y participó activamente en _____ (9) creación de otras nueve misiones. De todas _____ (10) misiones, tal vez la más bella es _____ (11) misión San Juan Capistrano, famosa también porque en _____ (12) mes de marzo, cada año, _____ (13) golondrinas *(swallows)* vuelven a esta misión a construir sus nidos *(nests)*.

B. Personalidades. Di quiénes son las siguientes personas.

MODELO Edward James Olmos / chicano / actor / actor chicano
Edward James Olmos es chicano. Es actor. Es un actor chicano.

1. Gloria Estefan / cubanoamericana / cantante / cantante cubanoamericana
2. Jorge Argueta / salvadoreño / poeta / poeta salvadoreño
3. Sandra Cisneros / chicana / escritora / escritora chicana
4. Esmeralda Santiago / puertorriqueña / novelista / novelista puertorriqueña
5. Junot Díaz / dominicano / escritor / escritor dominicano
6. Luis Valdez / chicano / cineasta / cineasta chicano

C. Fiesta. Completa este párrafo con los artículos definidos o indefinidos apropiados, si son necesarios.

Me gusta asistir a (1) _____ fiestas y me encanta preparar (2) _____ postres. (3) _____ sábado próximo voy a asistir a (4) _____ fiesta y voy a preparar (5) _____ torta. Vienen (6) _____ (= aproximadamente) veinticinco personas a (7) _____ fiesta. Debo llevar (8) _____ cierta torta de frutas que es mi especialidad. Tengo (9) _____ mil cosas que hacer, pero (10) _____ postre va a estar listo.

Puerto Rico

Suggestions: Ask students who have visited Puerto Rico to share their experiences with the class. Also ask if they are familiar with Puerto Rican music and, if so, what they like about it.

Comprehension check: Ask: 1. ¿Qué es el Viejo San Juan/El Morro/El Yunque/el Parque de Bombas? 2. ¿Cuáles son las atracciones de las islas en los alrededores de Puerto Rico? 3. ¿Cuáles son algunos ritmos tipicamente puertorriqueños?

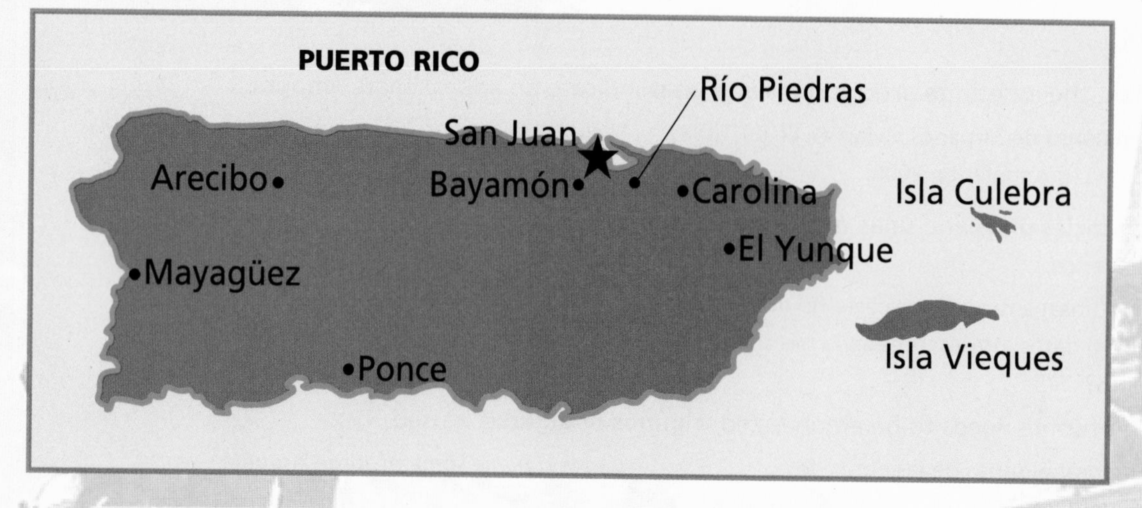

Nombre oficial: Estado Libre Asociado de Puerto Rico
Población: 3.971.020 (estimación de 2009)
Principales ciudades: San Juan (capital), Bayamón, Carolina, Ponce
Moneda: Dólar estadounidense ($)

En San Juan, la capital, con una población de casi medio millón de habitantes, tienes que conocer...

- el Viejo San Juan, el barrio histórico. Fundado en 1521, es la segunda ciudad más antigua de las Américas.
- el Castillo San Felipe del Morro, que se construyó en 1539 y continuó renovándose hasta fines del siglo XVIII.
- la Alcaldía *(City Hall)*, que data de 1604.
- el Museo de Arte de Puerto Rico, con una colección de obras que va desde el siglo XVII al presente y que incluye obras de los maestros puertorriqueños.
- el Teatro Tapia, donde puedes gozar de excelente ballet u ópera.

Hola Images/Photolibrary

En Ponce, la segunda ciudad más grande de la isla, no dejes de ver...

- el Parque de Bombas, una antigua casa de bomberos.
- la Catedral de Nuestra Señora de Guadalupe, la patrona de la isla.
- la Casa Alcaldía.
- el barrio histórico, con más de mil edificios antiguos.
- el Museo de Música Caribeña, con una impresionante colección de instrumentos musicales taínos, africanos y españoles.

Steve Dunwell/Photolibrary

En los alrededores, no dejes de visitar...

- El Yunque, un bosque lluvioso nacional y paraíso del ecoturismo a unas veinticinco millas de la capital.
- la Parquera, un pequeño pueblo con excelentes deportes acuáticos, buceo y pesca.
- Rincón, mejor conocido como "Pueblo del Surfing", "*Little Malibu*" o el "Paraíso de los Gringos".
- la isla de Culebra, una de veintitrés isletas que forman un archipiélago en miniatura.
- la isla de Vieques, una de las más hermosas.

John Lavin/Photolibrary

Los ritmos de Puerto Rico

- la **salsa,** creada en Puerto Rico y foro de expresión de los puertorriqueños en Nueva York
- el **merengue,** música nacional de la República Dominicana, se disfruta en grande en Puerto Rico
- la **bomba** y la **plena,** sonidos autóctonos que utilizan la percusión
- la **danza,** el baile elegante de salón
- y los instrumentos que producen los ritmos puertorriqueños: el **cuatro,** el **güiro,** las **maracas** y la **conga**

¡Diviértete en la red!

Busca "San Juan", "Ponce" o uno de los lugares en los alrededores en Google Web o YouTube. Selecciona un sitio que hable de estas ciudades y ve a clase preparado(a) para presentar un breve resumen sobre lo que más te impresionó.

¡La música es pasión!

Hablar de música es casi sinónimo de hablar de Puerto Rico. Tanto amor tiene la Isla del Encanto por la música, que se ha dejado influir por prácticamente todos los estilos y sentimientos musicales. Puerto Rico representa, pues, un mestizaje musical riquísimo cuya influencia a su vez se deja notar en la música de todo el mundo.

Gustavo Caballero/Getty Images

Al hablar de instrumentos

Toca...

la armónica	*harmonica*
la batería	*set of percussion instruments or drums*
la flauta	*flute*
la guitarra	*guitar*
el órgano	*organ*
el piano	*piano*
el saxofón	*saxophone*
el tambor *(m.)*	*drum*
el teclado	*keyboard*
la trompeta	*trumpet*
el violonchelo	*cello*

Alexander Tamargo/Getty Images

Al hablar de la música

acorde *(m.)*	*chord*
armonía	*harmony*
arreglista *(m./f.)*	*music arranger*
cantautor(a)	*singer-songwriter*
casa discográfica	*recording company*
componer	*to compose*
contrabajo	*bass (singer; instrument)*
coro	*chorus*
crítico(a) musical	*music critic*
disco compacto (CD, cedé)	*compact disk (CD)*
DVD (devedé, deuvedé)	*DVD*
escenario	*stage*
gira	*tour*
grabar	*to record*
melodía	*melody*
micrófono	*microphone*
ritmo	*rhythm, beat*

Tiene...

mucho ritmo	*a lot of rhythm*
una acústica perfecta	*perfect acoustics*
una banda sonora maravillosa	*a marvelous soundtrack/score*
una gran voz *(f.)*	*a great voice*
una letra impresionante	*impressive lyrics*
una melodía preciosa	*a beautiful melody*

Vocabulary practice: Ask: ¿Quién es tu cantante/cantautor favorito? ¿Tu instrumento favorito? ¿Cuál es la diferencia entre un tambor y una batería? ¿Y entre un teclado y un piano?

Suggestions: Play your favorite Puerto Rican music CD for the class or ask a couple of students to bring in theirs. Have the class talk about their favorite Puerto Rican singers. ¿Quiénes son? ¿Por qué les gustan?

Al hablar de conciertos y grabaciones

—¿Cuándo va a dar un concierto?	*When is he (she) giving a concert?*
—Va a hacer una gira en el verano.	*He (She) is going to tour in the summer.*
—¿Cuándo sacaron ese disco?	*When did they release that record?*
—Acaban de grabar un nuevo CD.	*They just recorded a new CD.*

Al hablar de distintos tipos de música

—¡Prefiero la música clásica!	*I prefer classical music!*
—Me encanta el reguetón.	*I love reggaeton.*
—A mí me va más la salsa.	*I prefer salsa.*

Al describir a los cantantes

—¿Qué te gusta de ese(a) cantante?	*What do you like about that singer?*
—Tiene una voz muy profunda.	*He (She) has a very deep voice.*
—Canta con mucha pasión.	*He (She) sings with a lot of passion.*
—Tiene una voz muy fina y pura.	*He (She) has a very delicate and pure voice.*

¡A practicar, luego a conversar!

A. Músicos y sus instrumentos. ¿Qué instrumento tocan estos músicos?

1. bateristas ___la batería___
2. flautistas ___la flauta___
3. percusionistas ___la batería/el tambor___
4. pianistas ___el piano___
5. saxofonistas ___el saxafón___
6. trompetistas ___la trompeta___

B. ¿Cómo es desde tu punto de vista? En tu opinión, ¿cómo caracterizas esta música? Selecciona la descripción de la segunda columna que generalmente asocias con la música de la primera columna. Explica por qué haces esas asociaciones y/o da un ejemplo. Answers may vary.

___f___ 1. música pop	a. lírica, dramática
___d___ 2. jazz	b. tropical, rítmica, bailable
___e___ 3. música popular	c. tradicional, alegre, patriótica
___a___ 4. ópera	d. tranquila, relajante, suave
___c___ 5. música de protesta	e. variada, diversa
___b___ 6. música caribeña	f. fuerte, intenso

C. Palabras clave: música. Determina qué expresión idiomática de la izquierda se corresponde con las frases de la derecha. Luego escribe dos oraciones originales con cada expresión. Compara tus oraciones con las de dos compañeros(as) de clase.

___b___ 1. irse con la música a otra parte	a. ¡Vamos a empezar!
___d___ 2. llevar la música por dentro	b. Vete y déjame en paz.
___c___ 3. ser música para los oídos	c. Me encanta lo que dices.
___e___ 4. ser música celestial	d. Ese chico parece tímido, pero le encanta divertirse.
___a___ 5. ¡Música, maestro!	e. ¡Es maravilloso!

D. Dramatización. Ayer fuiste a un recital o concierto de tu cantante favorito(a) y del (de la) cantante favorito(a) de tu compañero(a). Como tu amigo(a) no pudo asistir, ahora quiere saber cómo la pasaste, si disfrutaste, conociste gente, qué canciones cantó y todo lo que pueda ser interesante. Dramatiza la situación con un(a) compañero(a) de clase.

AYER YA ES HOY

Puerto Rico: entre varios horizontes

Suggestion: Have students comment on the subtitle of the reading, **entre varios horizontes.** What might the **varios horizontes** be?

La colonia española

En Puerto Rico, como en las otras Antillas Mayores, la mayoría de los indígenas fue exterminada a poco tiempo de la llegada de los españoles. Para mediados del siglo XVI la salida de la población hispana hacia las minas de Perú casi despobló toda la isla. No obstante, quedaron suficientes colonos para que sobreviviera la colonia. A partir de entonces, la economía de la isla se basó en la agricultura y el trabajo de los esclavos africanos. Más aún, la isla fue convertida en un bastión militar: la capital fue fortificada con gigantescas murallas y fortalezas que servían para defender la ciudad de piratas y armadas enemigas. Debido a su situación militar estratégica, Puerto Rico llegó a ser una de las posesiones americanas más importantes de España.

La guerra hispano-estadounidense de 1898

Creatas/Photolibrary

Como resultado de la guerra contra España de 1898, los EE.UU. tomaron posesión de toda la isla sin mucha resistencia. Ese año la isla de Puerto Rico cambió de dueño, pero la cultura que se había formado allí por cuatro siglos permaneció intacta. A diferencia de Cuba, donde hubo oposición política y militar a la presencia de los EE.UU., en Puerto Rico no se generó fuerte oposición. Hubo algunos que lucharon a favor de la independencia política, pero estos fueron una minoría. Tras la guerra de 1898, el café dejó de ser el producto principal y fue sustituido por la caña de azúcar. En la isla aparecieron grandes centrales azucareras donde se empleaba la fuerza laboral. En 1917, el Congreso de los EE.UU. aprobó la Ley Jones que declaró ciudadanos estadounidenses a todos los residentes de la isla.

Estado Libre Asociado de EE.UU.

Después de la depresión de la década de los 30 y de la Segunda Guerra Mundial, la economía de la isla se encontraba en crisis. Además los problemas políticos hicieron que los EE.UU. cambiaran su política hacia el territorio y que le otorgaran más autonomía a los puertorriqueños. En 1952 la inmensa mayoría de los puertorriqueños aprobaron una nueva constitución que garantizaba un gobierno autónomo, el cual se llamó Estado Libre Asociado (ELA) de Puerto Rico. El primer gobernador elegido por los puertorriqueños fue Luis Muñoz Marín.

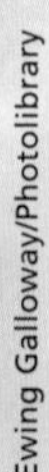
Ewing Galloway/Photolibrary

La industrialización de la isla de Puerto Rico

Mientras ocurrían estos cambios políticos, la economía de la isla pasó por un acelerado proceso de industrialización. Puerto Rico pasó de una economía agrícola a una industrial en unas pocas décadas. La industrialización de Puerto Rico se inició con la industria textil y más recientemente incluye también la farmacéutica, la petroquímica y la electrónica. Esto ha hecho de Borinquen uno de los territorios más ricos de Latinoamérica —y de San Juan, un verdadero "puerto rico".

El Puerto Rico de hoy

Franz Marc Frei/Photolibrary

- Desde 2007, en Puerto Rico existen cuatro partidos políticos: el Partido Popular Democrático, el Partido Nuevo Progresista, el Partido Independentista Puertorriqueño y el partido Puertorriqueños por Puerto Rico.
- El debate sobre el estatus político de Puerto Rico ha sido continuo en muchas esferas locales, federales e internacionales. Sin embargo, Puerto Rico continúa totalmente sujeto a la autoridad del Congreso de los EE.UU., bajo las cláusulas territoriales.
- Las perspectivas económicas apuntan a una leve mejoría en el comportamiento de la economía puertorriqueña en el año fiscal 2010 debido, principalmente, a una mejoría de la economía global y al plan de rescate aprobado por el Presidente Obama.

¿COMPRENDISTE?

VOCABULARIO ÚTIL

aprobar (ue)	*to approve*
azucarera	*sugar refinery*
caña	*sugar cane*
comportamiento	*performance; behavior*
despoblar	*to depopulate*
dueño(a)	*owner*
leve *(m. f.)*	*light*
muralla	*wall, rampart*
no obstante	*nevertheless*
otorgar	*to grant, to give*
permanecer	*to stay, to remain*
rescate *(m.)*	*recovery*

A. Hechos y acontecimientos. ¿Recuerdas los datos más importantes de la lectura? Para asegurarte, completa las siguientes oraciones.

1. A mediados del siglo XVI, lo que casi despobló Puerto Rico fue...
2. A fines del siglo XVI, la economía de Puerto Rico se basaba en...
3. En 1898, a diferencia de Cuba, en Puerto Rico no...
4. El producto agrícola que sustituyó al café en Puerto Rico después de la Guerra Hispano-Estadounidense de 1898 fue...
5. La ley que declaró a todos los residentes de Puerto Rico ciudadanos de los EE.UU. se llama... Se aprobó en...
6. En 1952, los puertorriqueños lograron aprobar...
7. En el siglo XX, la agricultura fue reemplazada como base de la economía de Puerto Rico por...

B. A pensar y a analizar. En grupos de seis, debatan si los puertorriqueños deberían continuar siendo ciudadanos estadounidenses o si deberían declararse independientes. Al terminar el debate, que la clase decida quién ganó.

C. Apoyo gramatical. Presente de indicativo: verbos regulares. Completa el siguiente párrafo acerca de un sitio histórico de San Juan empleando la forma apropiada del presente de indicativo de los verbos que están entre paréntesis.

Si tú (1) ___visitas___ (visitar) Puerto Rico no (2) ___debes___ (deber) dejar de ir al Castillo San Felipe del Morro, construcción del siglo XVI usada en el pasado para defender la ciudad de ataques de enemigos. La fortaleza (3) ___lleva___ (llevar) el nombre de Felipe en honor al rey Felipe II de España. Ahora el castillo no (4) ___funciona___ (funcionar) como una fortaleza militar, sino como un sitio de atracción turística. Cada año más de dos millones de visitantes (5) ___exploran___ (explorar) este magnífico sitio histórico. Cuando tú (6) ___entras___ (entrar) en este recinto, (7) ___disfrutas___ (disfrutar) de una vista magnífica y si te (8) ___interesa___ (interesar) la historia, los museos te (9) ___ofrecen___ (ofrecer) toda la información que tú (10) ___necesitas___ (necesitar).

Gramática 1.2: Antes de hacer esta actividad conviene repasar esta estructura en las págs. 43–45.

Suggestion: Ask students if they are familiar with any of José Feliciano's recordings, and if so, which one is their favorite. Also ask what t favorite Jennifer López movie and/or album is and to what do they attribute her ongoing success.

Rosario Ferré

AP Images/Ricardo Figuero

Esta escritora nació en Ponce, Puerto Rico. En 1976 obtuvo un premio del Ateneo Puertorriqueño por sus cuentos, los cuales aparecieron en el volumen *Papeles de Pandora*. Su obra literaria incluye libros de ficción, ensayos, poesía y biografía. Ha publicado varios libros en inglés, entre ellos *The House on the Lagoon* (1995) y *Eccentric Neighborhoods* (1998). En sus artículos escribe principalmente sobre escritoras del pasado y del presente y sobre la mujer en la sociedad contemporánea. Sus últimas publicaciones incluyen un ensayo, "Las Puertas del Placer" (2005), y un libro de poesía, *Fisuras* (2006). En la actualidad, es profesora en la Universidad de Puerto Rico y además colabora en *The San Juan Star*, un periódico puertorriqueño.

Brigitte Engl/Getty Images

José Feliciano

Cantante puertorriqueño de boleros y baladas, José Feliciano es también un destacado intérprete de la guitarra española. Ciego de nacimiento, muy pronto se interesó por la música. Gran intérprete de la música de Iberoamérica y sus éxitos pasados, ha recreado versiones a las que siempre aportó su toque personal al incorporar elementos de *blues*. Además de tocar la guitarra "maravillosamente" con su inigualable estilo, toca diecisiete instrumentos más y canta en seis idiomas. La combinación de su voz, el ritmo *Jazz-Soul-Blues* de su guitarra y su inspiración latina, han dado como resultado un fenómeno indiscutible, vendedor de millones de discos y ganador de grandes premios. Gracias a su álbum *Señor Bachata* (2009) ganó su octavo Grammy.

Jennifer López

Mike Blake/Reuters/Landov

Jennifer López es actriz, cantante, empresaria y diseñadora de modas. Es la persona de ascendencia latinoamericana más rica de Hollywood, según la revista *Forbes*, y la artista hispana con mayor influencia en los Estados Unidos, según la lista de "Los 100 Hispanos Más Influyentes en los Estados Unidos" de la revista *People en español*. Nació en Nueva York, de padres puertorriqueños. En 1997 llegó a la fama al ser protagonista de la película *Selena*. Sin embargo, Jennifer no olvidó su gran sueño: el canto y el baile. El 1999 lanzó su primer álbum, *On the 6*, y en 2007 su primer álbum totalmente en español, *Como ama una mujer*. Ese mismo año salió de gira por Europa por primera vez, acompañada por su esposo Marc Anthony, y logró un gran éxito. En 2009 lanzó un disco que incluye todos sus éxitos de 1999 a 2009.

Suggestion: Ask what the following professions are: **ensayista, cuentista, dramaturgo**. Ask students to look up two or more of the **Otros puertorriqueños sobresalientes** on the Internet and have them turn in a brief written report on what they find. You may want to offer extra credit for this work.

Otros puertorriqueños sobresalientes

Miriam Colón: actriz

Isolina Ferré (1914–2000): educadora dedicada al servicio de los más desfavorecidos

Justino Díaz: cantante de ópera

José González: músico y compositor

José Luis González: cuentista

Víctor Hernández Cruz: poeta

Idalis de León: modelo, cantante y actriz

Ricky Martin: cantante y actor

Rosie Pérez: actriz

Jimmy Smits: actor

Pedro Juan Soto: cuentista, novelista y dramaturgo

Ana Lydia Vega: novelista y cuentista

¿COMPRENDISTE?

A. Los nuestros. Contesta las siguientes preguntas.

1. En tu opinión, ¿qué tienen en común José Feliciano y Jennifer López? ¿Cuál de los dos combina mejor el mundo anglo con el mundo hispano? Explica.
2. Rosario Ferré destaca por un interés en particular, ¿cuál es? ¿Qué otros logros crees que predominan en su carrera?

B. Miniprueba. Demuestra lo que aprendiste de estos talentosos puertorriqueños al completar estas oraciones.

1. Rosario Ferré escribe en __b__.
   a. español y francés b. inglés y español c. español y portugués
2. Las canciones de José Feliciano son una combinación de __b__.
   a. talento y perseverancia b. voz y guitarra c. ritmos latinos y ritmos afroamericanos
3. Jennifer López es la actriz latina con __c__ en el mundo estadounidense.
   a. mayor influencia b. más prestigio c. más dinero

VOCABULARIO ÚTIL

aparecer	*to appear*
aportar	*to contribute*
ascendencia	*ancestry*
ciego(a)	*blind*
destacado(a)	*distinguished, prominent*
empresario(a)	*businessperson*
inigualable *(m. f.)*	*unequaled*
lanzar	*to launch*
moda	*fashion*
nacimiento	*birth*
toque *(m.)*	*touch*

¡Diviértete en la red!

Busca "Rosario Ferré", "José Feliciano" y/o "Jennifer López" en Google Web o en YouTube para leer, ver videos y/o escuchar a estos talentosos puertorriqueños. Ven a clase preparado(a) para presentar un breve resumen de lo que encontraste y lo que viste.

ESCRIBAMOS AHORA

La descripción: la poesía moderna

Suggestion: Keep in mind that this writing activity should only take 3-5 minutes of class time. All other writing can be done at home.

Mark Lewis/Photolibrary

1 Para empezar. La poesía moderna con frecuencia no tiene rima ni mantiene una estructura tradicional de estrofas con el mismo número de versos. Al contrario, tiene una forma libre que hasta puede imitar la forma de lo que se escribe. La descripción en la poesía hace visible a una persona, un objeto, una idea o un incidente. Por ejemplo, en el poema "Esperanza muere en Los Ángeles", el poeta describe en detalle lo que le pasó a su prima Esperanza cuando inmigró a los Estados Unidos. Vuelve ahora a ese poema en la página 16 y contesta estas preguntas.

1. ¿Cuántas estrofas *(stanzas)* tiene?, ¿cuántos versos? ¿Tiene rima?
2. ¿Qué describe el poeta, la salida de su prima de El Salvador o su vida en los Estados Unidos? ¿Cómo lo describe, directa o indirectamente, con emoción o imparcialmente?

2 A generar ideas. Piensa ahora en un incidente en tu propia vida que puedes describir en un poema. Por ejemplo, puede ser algo que le pasó a un pariente o a un(a) amigo(a), una buena noticia o una mala noticia, un accidente o una boda. Lo importante es que sea un incidente personal de interés para ti. Luego, prepara una lista de todas las actividades o hechos que asocias con este incidente.

3 Tu borrador. Vuelve ahora a la lista que preparaste y organízala en orden cronológico. Luego, trata de expresar cada hecho de tu lista en una o dos oraciones cortas y directas. Al escribir tus oraciones, divídelas en frases cortas, fáciles de decir, como en el poema de Argueta. Continúa así hasta completar tu descripción del incidente.

4 Revisión. Intercambia tu borrador con el de un(a) compañero(a). Revisa su poema, prestando atención a las siguientes preguntas. ¿Entiendes bien el tema y el significado del poema? ¿Es lógica la secuencia de los hechos? ¿Queda claro dónde empieza y termina cada oración? ¿Tienes algunas sugerencias sobre cómo podría mejorar su poema?

5 Versión final. Corrige las ideas que no están claras. Presta especial atención a los verbos y adjetivos. Como tarea, escribe la copia final en la computadora. Antes de entregarla, dale un último vistazo a la acentuación, la puntuación, la concordancia de sustantivos y adjetivos y las formas de los verbos en el presente.

Suggestion: Once their poems have been corrected, have a poetry reading contest. Divide the class in groups of five or six and have students take turns reading their poems. Each group will select the best poem and the winners will read their poems in front of the class. The class will then vote on the best one in the class. After the contest, collect all the poems and put them in a folder titled ***La poesía moderna del curso español (Número del curso)*** for the class to read at their leisure.

¡Antes de leer!

Anticipando...: Have students predict what they think this reading will be about based on the title, the photo, and these questions. After reading the story, have them come back to their predictions to see if they are correct.

A. Anticipando la lectura. Contesta estas preguntas para definir lo que piensas sobre la apariencia física y la importancia que tiene en la sociedad.

1. ¿Crees que la belleza física de las personas es algo objetivo o algo que depende de la sociedad? Da algunos ejemplos.
2. ¿Crees que nuestra sociedad da mucha importancia a la apariencia física? ¿Cómo lo sabes? ¿Cuáles son algunos ejemplos en los que la sociedad juzga *(judges)* a veces por las apariencias?
3. ¿Te dejas llevar por *(Are you influenced by)* la apariencia física? ¿Es importante para ti? ¿Crees que juzgas de una manera justa o injusta de acuerdo a la apariencia física de los demás? ¿Qué consecuencias tiene esto para ti?

B. Vocabulario en contexto. Busca estas palabras en la lectura que sigue y, en base al contexto, decide cuál es su significado. Para facilitar el encontrarlas, las palabras aparecen en negrilla en la lectura. *Vocabulario...:* Ask volunteers to write original sentences on the board with these vocabulary words.

1. comprobar	a. indicar	b. asegurar	(c.) verificar
2. jurado	(a.) los jueces	b. los guardias	c. la competición
3. inquietudes	(a.) preocupaciones	b. confianza	c. parientes
4. coraje	a. alegría	(b.) irritación	c. emoción
5. donaire	a. miedo	b. fuerza	(c.) gracia
6. desapercibido	(a.) inadvertido	b. incorrecto	c. equivocado

Sobre la autora

Mervin Román nació en Yabucoa, Puerto Rico, en 1953. Estudió psicología en la Universidad de Puerto Rico y se doctoró en estudios puertorriqueños y español en la Universidad de Nueva York en Buffalo. Ha publicado *...salidos del útero*, un libro de cuentos en el que aparece "Del montón", libros de poesía, *Mejunje, Bajo la luna erótica del Caribe...* y dos novelas, *La negra Micaela* y *La elegía de un elegido*. Aparte de escribir poesía y ficción, Mervin Román se dedica a la investigación literaria, con especial interés en temas de la mujer, la negritud, el racismo y la identidad puertorriqueña.

From *Nuevas voces hispanas: contextos literarios para el debate y la composición*, eds. María J. Fraser-Molin et al. Prentice Hall, 2000

Del montón

(Fragmento)

Yo sabía que tendría que hacer unos ajustes al presupuesto.* Todo era cuestión de no pagar el gas, ni la luz, ni el teléfono, ni los préstamos,* ni comprar mucha comida. Por lo demás estaba convencida, o más bien me convenció la mujer que conocí en la esquina, de que mis dos hijas eran dos pedazos de sol. Así que en secreto, para que mi esposo no se enterara del gasto,* apunté a mis dos niñas en el concurso de belleza* de niñas [...]

budget

loans

enterara... supiera lo que costó /

concurso... *beauty contest*

Cuando llegó el día del concurso, íbamos radiantes las tres. Lo primero que hice fue observar a las demás niñas para **comprobar** que las mías eran especiales. Llevaban encima ese color peculiar caribeño combinado con esa fisonomía parte india, parte negra y parte española que las hacían resaltar* en cualquier grupo. A eso le sumaba el pelo rizo de una y el lacio azabache* de la otra que me hacían sentir orgullosa cada vez que alguien decía "How cute are those girls". Así que convencida de que llevaba dos versiones diferentes de lo que el americano tenía por "cute" y de que íbamos a cargar* con dos premios, pagué la cuota de entrada de cien dólares [...]

stand out

lacio... *straight black hair*

llevarnos

[...] y comenzó el desfile* de los bebés. Yo no sé a los demás, pero a mí se me hacía que todos eran monísimos.* Buena tarea se iba a dar el **jurado**... fue cuando comprendí que no lo habían presentado. Traté de buscarlo con la mirada pero no se podía ver quién formaba tan grande entidad. Hasta que por fin pude divisar* a aquellas tres mujeres vestidas de fiesta y con apariencia de quién tú eres que no sé,* pero me hicieron sentir incómoda. Sin embargo, traté de que mis **inquietudes** no me arruinaran la tarde y seguí preguntándome a quién escogerían. Le pregunté a una señora qué era lo que buscaban de los niños, a lo que ella me contestó un "I really don't have any idea". Lo único que podía hacer era esperar por el ganador para saberlo. No me extrañó* que ganara un bebé rosadito de tan blanquito que era, cargado también por su rosadita madre. En la próxima categoría, la de las monadas* de un año, tampoco me extrañó ver que ganaba otra niña rosadita, esta vez bien rubita y de ojos verdes. Y tampoco, que cargaba con el trofeo la tercera monadita de dos años rubita, de ojos azules. Fue cuando en la categoría de los tres años volvió a ganar otra monada rubia y de ojos grises que me asusté.*

parade

muy bonitos

reconocer

quién... *who you are means something*

sorprendió

cute girls

me dio miedo

Me pareció que estaba en las competencias equivocadas y que lo único que buscaban era niñas rubias y de ojos verdes, azules o grises, qué más da, pero rubias [...] Al principio el incomodo era por lo de las niñas rubias, pero luego me molestó ver que aquello parecía un matadero* de niñas donde se sacrificaba a veinte para endiosar a una.* Aterrorizada, corrí a la mesa de registro.

"Can I have a refund, please?"

"Excuse me?"

"My daughters can't participate in the contest, can I have a refund?"

"I am sorry, but I can't give you a refund."

Me tuve que sentar alejada del montón de gente* para no llorar de **coraje**, para que ningún conocido (si lo había) me reconociera. Hasta que le llegó el turno a la pequeña mía. Cuando desfiló me sentí orgullosa de ella. No era rubia, pero de verdad se merecía* el premio. Algunos la aplaudieron, otros ni se fijaron. Pero entre los que la aplaudieron estaba yo. A la hora de dar el premio, me paré a su lado y le susurré,* "sabes mi amor, puede que no ganes el premio".

"No mami, yo quiero un trofeo." [...]

Y como era normal, ganó la monada rubia de ojos amarillos. Me costó trabajo* sacar a la niña de aquella plataforma. Cuando por fin lo hice, le tocaba el turno a la mayor en la categoría de seis años. Mi nena se lució.* Desfiló con ese **donaire** con el que tuvieron que haber desfilado las reinas indias de mi país. Se tomó su tiempo para saludar de una forma muy peculiar (se me antojó* que muy hispana) al jurado. Y me reí por dentro. Me reí porque el jurado se estaba perdiendo la oportunidad de cargar con dos monadas puertorriqueñas. [...]

En mi mente estaba tratando de ver lo que le diría a mi esposo cuando echara de menos los cientos de dólares y viera la pila de facturas* sin pagar. Por eso me tomó de sorpresa la gritería* de mi niña mayor. Esta vez, lo pícaro de su porte* no pudo pasar tan **desapercibido** y se ganó una mención de "revelación del concurso". Le dieron una papelería que al leerla me produjo más risa al comprender que se había ganado la mitad de una beca para competir en otro concurso. Me puse a reír como una loca ante el asombro* de mis niñas. Y con la paciencia que tiene el que no le importa nada, fui a la mesa del jurado con un ramillete* de papeles rotos.

slaughterhouse

endiosar... *to make one a goddess*

alejada... *away from the crowd*

she deserved

dije en voz baja

I had a hard time

Mi... *My little girl excelled.*

se... *it occurred to me*

cuentas

shouting

lo... *her smart-aleck demeanor*

sorpresa

bunch

Excerpt from "Del montón" by Mervin Román in *Nuevas voces hispanas: contextos literarios para el debate y la composición*, eds. Mareia J. Fraser-Molina et al. Prentice Hall 2000, pp. 31–34.

¡Después de leer!

A. Hechos y acontecimientos. ¿Recuerdas los datos más importantes de la lectura? Para asegurarte, contesta las preguntas que siguen.

1. ¿Quién convence a la mamá para que lleve a sus hijas a un concurso infantil de belleza? ¿Qué es lo que quiere la mamá? ¿Por qué cree que lo puede conseguir?
2. ¿Qué es lo primero que echa de menos (*she realizes is missing*)? ¿Qué gana una de las hijas?
3. Pronto la mamá se da cuenta que las niñas que ganaban en el concurso eran todas iguales. ¿Cómo eran?
4. La mamá está preocupada porque su marido verá la cantidad que gastó en el concurso. ¿Cuánto crees que gastó en total? ¿En qué crees que gastó tal cantidad?
5. ¿Qué hace la mamá al final con el premio que consiguió su hija?

B. A pensar y a analizar. En grupos de tres o cuatro, contesten las siguientes preguntas. Luego, compartan sus respuestas con la clase.

1. ¿Les parece que esta historia describe objetivamente lo que pasa en los concursos de belleza infantiles? ¿Por qué sí o no?
2. ¿Están de acuerdo en que los concursos de belleza infantil son o pueden ser un matadero para todos los participantes menos para quien gana? ¿Creen que eso es normal en todas las competiciones o solo en las de belleza? Expliquen.

C. Apoyo gramatical. Presente de indicativo: verbos regulares. Completa el siguiente resumen de la lectura "Del montón" empleando la forma apropiada del presente de indicativo de los verbos que están entre paréntesis.

Mi familia (1) ___necesita___ (necesitar) pagar muchas cuentas. Yo no le (2) ___aviso___ (avisar) a mi marido porque (3) ___decido___ (decidir) no pagar esas cuentas porque (4) ___espero___ (esperar) ganar dinero de un modo especial. Yo (5) ___apunto___ (apuntar) a mis dos bellísimas hijas en un concurso de belleza para niñas. En mi opinión, mis hijas (6) ___ganan___ (ganar) el concurso. Desgraciadamente, en todas las categorías, los jueces del jurado (7) ___seleccionan___ (seleccionar) a niñas rubias y blancas; las morenas, bellas o no, no les (8) ___interesan___ (interesar). Los jueces (9) ___consideran___ (considerar) a una de mis hijas común y corriente, niña "del montón". Mi segunda hija, sin embargo, (10) ___gana___ (ganar) un premio más bien ridículo. La próxima vez, yo sólo (11) ___debo___ (deber) pagar la mitad del precio de participación en el concurso.

Gramática 1.2: Antes de hacer esta actividad conviene repasar esta estructura en las págs 43–45.

Un cortometraje de Cary Joji Fukunaga

Ganador de 11 premios al mejor cortometraje, incluido el de Woodstock Film Festival y el Student Academy Award

CAUTION

DIRECCIÓN: CARY JOJI FUKUNAGA GUIÓN: CARY JOJI FUKUNAGA Y PATRICIO SERNA PRODUCCIÓN EJECUTIVA: RODRIGO GUARDIOLA Y CARY JOJI FUKUNAGA PRODUCCIÓN: GABRIEL NUNCIO, PATRICIO SERNA Y GRETCHEN GRUFMAN DIRECCIÓN DE FOTOGRAFÍA: ROBERT HAUER SONIDO: MATTHEW POLIS ACTORES PRINCIPALES: ALDO DE ANDA EN EL PAPEL DE CHINO Y WILLIAM MCCLINTOCK EN EL PAPEL DE MANO

Nick Koudis/Photolibrary

Antes de ver el corto

Vocabulario: Read these words with your students. Model pronunciation. To facilitate comprehension, ask alternate students to create a sentence using one or more words.

¿Qué sabes de la migración?

asilo *refuge*
cerca *wall, fence*
desplazamiento *displacement*
emigrante *(m./f.)* *emigrant*
expulsión *(f.)* *expulsion*
extradición *(f.)* *extradition*
globalización *(f.)* *globalization*
indocumentado(a) *undocumented*
migra *Immigration and Naturalization Services (INS)*
militarización *militarization*
país en desarrollo *(m.)* *developing country*
papel *(m.)* *document*
redada *raid*
refugiado(a) *refugee*
retén *(m.)* *checkpoint*
tarjeta verde *green card*

¿Y de las experiencias de algunos inmigrantes?

abarrotado(a) *crammed*
ahogarse *to suffocate*
camión frigorífico *(m.)* *refrigerated truck*
control *(m.)* *checkpoint*
detenerse *to stop*
encerrar (ie) *to lock up*
morirse (ue) *to die*
sobrevivir *to survive*
respirar *to breathe*

A. ¿Sinónimos? Con tu compañero(a), indiquen si los siguientes pares de palabras son sinónimas (**S**) o antónimas (contrarias) (**A**).

1. país en desarrollo / país desarrollado A
2. migración / desplazamiento externo S
3. retén / control S
4. indocumentado / emigrante legal A
5. respirar / ahogarse A
6. emigrante / inmigrante A
7. asilo / expulsión A
8. papeles / tarjeta verde S
9. cerca / pared S
10. morirse / sobrevivir A

B. Migración. Con tu compañero(a), completen las siguientes frases usando palabras relacionadas con la migración.

1. Ayer hubo una (1) ___redada___ de la (2) ___migra___ en la empresa (compañía) empacadora, y detuvieron a varios inmigrantes (3) ___indocumentados___.
2. Ayer, finalmente, me llegó mi (4) ___tarjeta verde___. Para celebrarlo, nos fuimos a cenar.
3. Tres personas han solicitado (5) ___asilo___ político esta mañana.
4. La (6) ___globalización___ acentúa el problema de los (7) ___emigrantes___, especialmente en los (8) ___países en desarrollo___.
5. ¿Tú crees que se puede levantar una (9) ___cerca___ lo suficientemente alta que no permita entrar a (10) ___inmigrantes___ ilegales?

C. Modismos. Con tu compañero(a), indiquen otra manera de expresar los siguientes modismos que aparecen en el cortometraje.

___d___ 1. Yo ya he pasado por esto.
___e___ 2. Así que calladitos.
___a___ 3. En un rato...
___b___ 4. Te vas a morir en dos días.
___c___ 5. Si nos morimos, nos morimos.

a. Dentro de poco tiempo.
b. No te cuidas lo suficiente.
c. Ya no importa lo que nos pase.
d. Yo tuve esta experiencia.
e. Por lo tanto, manténganse en silencio.

Fotogramas de *Victoria para Chino*

Este cortometraje ilustra la difícil experiencia de algunos emigrantes indocumentados. Con un(a) compañero(a), observa estos fotogramas y relaciona cada uno con las siguientes frases. Después, escriban una sinopsis de lo que creen que es la trama *(plot)* de este cortometraje. Después de ver el corto, decidan si acertaron al anticipar la trama en la sinopsis que escribieron.

__3__ a. Vamos, suban al camión rápidamente.

__1__ b. El camión "coyote" ha llegado.

__4__ c. Está oscuro y somos muchos en el camión.

__5__ d. Hace mucho calor fuera y dentro del camión.

__2__ e. Levántense, ¡nos vamos!

1

2

3

4

5

From *Victoria para Chino*

Después de ver el corto

A. ¿Qué piensan? Con tu compañero(a), contesten ahora las siguientes preguntas.

1. ¿Qué opinan de este corto? ¿Les gustó? ¿Por qué sí o no?
2. ¿Creen que con noventa personas en el camión, el corto representa de forma realista los eventos?
3. ¿Creen que *Victoria para Chino* representa la realidad del drama de la inmigración ilegal en muchos países? Expliquen.

B. La migración. ¿Cuáles son tus ideas sobre migración? Con tu compañero(a), contesten las siguientes preguntas. Luego compartan sus respuestas con la clase.

1. ¿Qué opinan de la migración? ¿Creen que favorece a ciertos países? Expliquen.
2. ¿Cuáles son las causas de la migración?
3. ¿Cuáles son los aspectos positivos y negativos de la migración?
4. ¿Conocen a personas que han inmigrado a este país? ¿Cuándo y cómo inmigraron?
5. Si ustedes estuvieran en una situación desesperada, ¿creen que emigrarían a otro país? ¿Lo harían de una forma legal o ilegal?

C. Apoyo gramatical: adjetivos demostrativos. Completa las siguientes oraciones con la forma apropiada del adjetivo demostrativo.

1. Dime, ¿cómo se llama ___ese___ gatito que llevas en brazos?
2. ¿Sabes qué intérprete canta en ___estos___ discos compactos que tengo en la mano?
3. Yo vivo en ___aquella___ casa que apenas se ve y que está al final de la calle en que estamos.
4. Tengo una sorpresa para ti en ___este___ paquete que llevo conmigo.
5. Laura, pásame, por favor, ___esas___ cartas que están junto a ti.
6. Son las diez de la mañana; estoy atrasado (*I'm late*). Se supone que a ___esta___ hora debo estar en mi clase de química.
7. ___Ese___ libro de texto que tú estás leyendo parece muy complicado.
8. Cuando el abuelo habla de su juventud siempre empieza diciendo: "En ___aquellos___ tiempos,..."

Gramática 1.3: Antes de hacer esta actividad conviene repasar esta estructura en las págs. 46–47.

Películas que te recomendamos

- ***El Super*** **(Leon Ichaso y Orlando Jiménez Leal, 1979)**
- ***El norte*** **(Gregory Nava, 1983)**
- ***A Day Without a Mexican*** **(Sergio Arnau, 2004)**

1.2 The Present Indicative: Regular Verbs

Forms

	-ar verbs	**-er** verbs	**-ir** verbs
	compr**ar**	vend**er**	decid**ir**
yo	compr**o**	vend**o**	decid**o**
tú	compr**as**	vend**es**	decid**es**
Ud., él, ella	compr**a**	vend**e**	decid**e**
nosotros(as)	compr**amos**	vend**emos**	decid**imos**
vosotros(as)	compr**áis**	vend**éis**	decid**ís**
Uds., ellos, ellas	compr**an**	vend**en**	decid**en**

› To form the present indicative of regular verbs, drop the **ar, er,** or **ir** from the infinitive and add the appropriate endings to the verb stem, as shown in the chart.

› Verbs are made negative by placing **no** directly before the verb.

A veces **leo** periódicos hispanos, pero **no compro** revistas hispanas. — *Sometimes I read Hispanic newspapers, but I do not buy Hispanic magazines.*

› When the context or endings make clear who the subject is, subject pronouns are normally omitted in Spanish. Subject pronouns are, however, used to emphasize, to clarify, or to establish a contrast.

—¿Son chicanos Jennifer López y Luis Valdez? — *Are Jennifer López and Luis Valdez Chicanos?*
—No, **él** es chicano, pero **ella** es puertorriqueña. — *No, he is a Chicano, but she is a Puerto Rican.*

› The English subject pronouns *it* and *they*, when referring to objects or concepts, do **not** have an equivalent form in Spanish.

Es necesario hacer ajustes al presupuesto. — ***It** is necessary to make adjustments to the budget.*
Mira esas entradas. ¿Son para el concurso de belleza? — *Look at those tickets. Are **they** for the beauty contest?*

Uses

› To express actions that occur in the present, including actions in progress.

Soy estudiante. Me **interesa** la literatura. — *I am a student. I am interested in literature.*
—¿Qué **haces** en este momento? — *What are you doing right now?*
—**Escribo** una composición para mi clase de español. — *I am writing a composition for my Spanish class.*

› To indicate when scheduled activities take place in the near future.

El miércoles próximo nuestra clase de español **visita** el Museo del Barrio. — *Next Wednesday our Spanish class is visiting the Barrio Museum.*

› To replace the past tenses in narrations, so they come alive.

La escritora Rosario Ferré **nace** en Puerto Rico en 1938 y **publica** su primera colección de cuentos *Papeles de Pandora* en 1976. — *The writer Rosario Ferré was born in 1938 in Puerto Rico and published her first collection of short stories* Pandora's Papers *in 1976.*

Ahora, ¡a practicar!

A. Planes. Tú y dos amigos(as) van a pasar una semana en Puerto Rico. Di qué planes tienen para esa semana de vacaciones.

MODELO lunes / volar a San Juan
El lunes volamos a San Juan.

1. martes / recorrer la ciudad y pasear por el centro
2. miércoles / practicar deportes submarinos
3. jueves / explorar la belleza natural del Bosque Nacional El Yunque
4. viernes / viajar a Ponce, la segunda ciudad más grande de la isla
5. sábado / regresar a casa
6. domingo / descansar todo el día

B. Información personal. Estás en una fiesta y hay una persona muy interesante que quieres conocer. Hazle estas preguntas.

1. Soy..., y tú, ¿cómo te llamas?
2. ¿Dónde vives?
3. ¿Con quién vives?
4. ¿Trabajas en algún lugar? ¿Ah, sí?, ¿dónde?
5. ¿Tomas el autobús para ir a clase?
6. ¿Miras mucha o poca televisión?
7. ¿Qué tipos de libros lees?
8. ¿Qué tipos de música escuchas?
9. ... (inventen otras preguntas)

C. Invitación. Mira los dibujos y cuenta la historia usando el presente de indicativo de los verbos indicados.

1. llamar / invitar / aceptar

2. llegar / comprar / comentar

3. entrar / pasar los boletos / pensar

D. Ícono puertorriqueño. Completa el siguiente párrafo acerca de José Feliciano empleando la forma apropiada del presente de indicativo de los verbos que están entre paréntesis.

El cantante y guitarrista José Feliciano (1) _______ (adorar) su Puerto Rico natal. Desde temprano el niño ciego (2) _______ (descubrir) el mundo de la música. Sin ayuda de nadie, el niño (3) _______ (aprender) a tocar instrumentos. Primero él (4) _______ (tocar) el acordeón y luego la guitarra, uno de los instrumentos en que (5) _______ (sobresalir). Adulto, José Feliciano (6) _______ (dominar) dieciocho instrumentos. Además de tocar instrumentos, él (7) _______ (cantar), especialmente boleros y baladas. Este talentoso artista (8) _______ (interpretar) de modo notable la música del mundo hispano y su voz se (9) _______ (escuchar) en todo el mundo. Diversos jurados le (10) _______ (otorgar) premios, uno de los últimos en 2009, año en que el artista (11) _______ (ganar) su octavo Premio Grammy.

E. Mi vida actual. Describe tu situación personal en este momento.

MODELO **Vivo en (Nueva York). Asisto a clases por la mañana y por la tarde. Una de las materias que más me fascina es la historia. ...**

Ambiguity rarely occurs as the context of the conversation usually clarifies the meaning. If in doubt, it is best just not to use written accents.

1.3 Demonstrative Adjectives and Pronouns

Demonstrative Adjectives

	near		not too far		far	
	Singular *this*	Plural *these*	Singular *that*	Plural *those*	Singular *that*	Plural *those*
Masculine	**este**	**estos**	**ese**	**esos**	**aquel**	**aquellos**
Feminine	**esta**	**estas**	**esa**	**esas**	**aquella**	**aquellas**

› Demonstrative adjectives are used to point out people, places, and objects. **Este** indicates that something is near the speaker. **Ese** points out persons or objects not too far from the speaker and that often are near the person being addressed. **Aquel** refers to persons and objects far away from both speaker and the person addressed.

Este edificio no tiene tiendas; **ese** edificio que está enfrente sólo tiene apartamentos. Las tiendas que buscamos están en **aquel** edificio, al final de la avenida.

This building does not have any stores; that building across the street has apartments only. The stores we are looking for are in that building over there, at the end of the avenue.

Note that demonstrative adjectives precede the noun they modify. They also agree in gender and number with that noun.

Demonstrative Pronouns

	Singular *this (one)*	Plural *these (ones)*	Singular *that (one)*	Plural *those (ones)*	Singular *that (one)*	Plural *those (ones)*
Masculine	**este**	**estos**	**ese**	**esos**	**aquel**	**aquellos**
Feminine	**esta**	**estas**	**esa**	**esas**	**aquella**	**aquellas**
Neuter	**esto**		**eso**		**aquello**	

› The masculine and feminine demonstrative pronouns have the same form as the demonstrative adjectives and they also agree in number and gender with the noun to which they refer. They do not carry an accent mark; however, if there is ambiguity an accent mark must be used.

—¿Vas a comprar este disco compacto? — *Are you going to buy this CD?*
—No, ése no; quiero éste que está aquí. — *No, not that one. I want this one right here.*
¿Cuándo van a comprar esos discos compactos? — *(Ambiguous sentence; it has the two interpretations that follow)*

¿Cuándo van a comprar esos discos compactos? (esos *is an adjective that modifies* discos; *adjectives never carry an accent mark*) — *When are they going to buy those CDs?*

¿Cuándo van a comprar ésos discos compactos? (esos *is a pronoun; it has an accent mark to indicate that it is not an adjective*) — *When are those [persons] going to buy CDs?*

› The neuter pronouns **esto, eso,** and **aquello** are invariable and they never carry an accent mark. They are used to refer to non-specific or unidentified objects, or to abstract ideas, or to actions and situations in a general sense.

—¿Qué es eso que llevas en la mano?	*What is that (thing) you are carrying in your hand?*
—¿Esto? Es un CD de José Feliciano.	*This? It is a CD of José Feliciano.*
A menudo hablo de música tropical con mis amigos. Eso siempre es muy entretenido.	*I often talk about tropical music with my friends. That is always very entertaining.*
Hace un mes asistí a un concierto de rock. Aquello fue muy ruidoso.	*A month ago, I attended a rock concert. That was very noisy.*

Ahora, ¡a practicar!

A. Decisiones, decisiones. Estás en una tienda de comestibles junto a Tomás Ibarra, el dueño. Él siempre te pide que decidas qué producto vas a comprar.

MODELO ¿Deseas estos tacos o aquellos?
Deseo aquellos. o **Deseo estos.**

1. ¿Quieres esas tortillas o aquellas?
2. ¿Te vas a llevar aquellos frijoles o estos?
3. ¿Vas a comprar estos tamales o esos?
4. ¿Prefieres esos chiles verdes o aquellos?
5. ¿Te doy estos jitomates o esos?

B. Mis opiniones. Tú das tu opinión sobre diversos tipos de música siguiendo el modelo.

MODELO ¿La música de protesta? (emocionar)
Esa me emociona. Me preocupan las causas sociales. o
Esa no me emociona. Prefiero otro tipo de música.

1. ¿La música caribeña? (apasionar)
2. ¿La música romántica? (fascinar)
3. ¿La música folclórica? (agradar)
4. ¿La música pop? (atraer)
5. ¿La música clásica? (impresionar)
6. ¿La música tejana? (encantar)
7. ¿La música pop? (entusiasmar)

VOCABULARIO ACTIVO

Lección 1: Estados Unidos

Películas

animación digital *(f.)*	*digital animation*
biográfica	*biographical*
ciencia ficción	*science fiction*
cómica	*comedy*
dibujos animados	*animated cartoon*
documental *(m.)*	*documentary*
drama *(m.)*	*drama*
épica	*epic*
guerra	*war*
misterio	*suspense, thriller*
musical	*musical*
parodia	*parody*
policíaca	*detective*
romántica	*romance*
terror (horror) *(m.)*	*horror*
de vaqueros	*western*

Personas

artesano(a)	*artisan, craftsperson*
cura *(m.)*	*priest*
ganador(a)	*winner*
granjero(a)	*farmer*
juventud *(f.)*	*youth*
mercader *(m.)*	*merchant*
vicecanciller *(m. f.)*	*vice-chancellor*

Conflictos y resultados

barco	*ship*
cerros	*mountains*
ciudadanía	*citizenship*
desarrollo	*development*
dictadura	*dictatorship*
éxito	*success*
éxodo	*exodus*
guerra	*war*
sobrevivir	*to survive*
tratado	*treaty*

Cantidad y apoyo

apenas	*scarcely*
aportación *(f.)*	*contribution*
aporte *(m.)*	*support*
cifra	*number*
época	*time, period*
varios(as)	*several*

Gustos y disgustos

aburrir	*to be boring*
deprimir	*to depress*
detestar	*to detest*
encantar	*to captivate, to enchant*
fascinar	*to fascinate*
odiar	*to hate*

Descripción

aburrido(a)	*boring*
acomodado(a)	*prosperous, well-off*
cómico(a)	*creative*
conmovedor(a)	*moving, touching*
creativo(a)	*creative*
emocionante *(m. f.)*	*exciting*
entretenido(a)	*entertaining*
espantoso(a)	*frightening*
estupendo(a)	*stupendous*
formidable *(m. f.)*	*terrific*
huyendo	*escaping*
imaginativo(a)	*imaginative*
impresionante *(m. f.)*	*impressive*
pésimo(a)	*very bad, terrible*
poblado(a)	*populated*
poderoso(a)	*powerful*
sorprendente *(m. f.)*	*surprising*
trágico(a)	*tragic*
valioso(a)	*valuable*

Verbos

alcanzar	*to reach, to attain*
convertirse (ie)	*to become*
destacar	*to stand out, to highlight*
enviar	*to send*
lanzarse	*to dive*
premiar	*to reward*
rodear	*to surround*
unirse	*to join*

Palabras y expresiones útiles

a pesar de	*in spite of*
al filo de	*at the edge of*
cadena	*network*
cajón *(m.)*	*drawer, big box*
fuente *(f.)*	*fountain*

Lección 1: Puerto Rico

Música

acorde *(m.)*	*chord*
acústica	*acoustics*
armonía	*harmony*
arreglista *(m. f.)*	*music arranger*
banda sonora	*soundtrack/score*
cantautor(a)	*singer-songwriter*
casa discográfica	*recording company*
componer	*to compose*
contrabajo	*bass (singer; instrument)*
coro	*chorus*
crítico(a) musical	*music critic*
disco compacto (CD, cedé)	*compact disk (CD)*
DVD (devedé, deuvedé)	*DVD*
escenario	*stage*
gira	*tour*
grabar	*to record*
letra	*lyrics*
melodía	*melody*
micrófono	*microphone*
ritmo	*rhythm, beat*

Personas

dueño(a)	*owner*
jurado	*jury*

Verbos

aparecer	*to appear*
aportar	*to contribute*
aprobar (ue)	*to approve*
comprobar (ue)	*to verify*
despoblar (ue)	*to depopulate*
lanzar	*to launch*
otorgar	*to grant, to give*
permanecer	*to stay, to remain*

Instrumentos musicales

armónica	*harmonica*
batería	*set of percussion instruments or drums*
flauta	*flute*
guitarra	*guitar*
órgano	*organ*
piano	*piano*

John Lavin/Photolibrary

saxofón *(m.)*	*saxophone*
tambor *(m.)*	*drum*
teclado	*keyboard*
trompeta	*trumpet*
violonchelo	*cello*

Descripción

ciego(a)	*blind*
desapercibido(a)	*unnoticed*
destacado(a)	*distinguished, prominent*
empresario(a)	*businessperson*
inigualable *(m. f.)*	*unequaled*
leve *(m. f.)*	*light*

Conducta

comportamiento	*performance; behavior*
coraje *(m.)*	*anger*
donaire *(m.)*	*wit, grace*
inquietudes *(f.)*	*worries*

Palabras y expresiones útiles

ascendencia	*ancestry*
azucarera	*sugar refinery*
caña	*sugar cane*
moda	*fashion*
muralla	*wall, rampart*
nacimiento	*birth*
no obstante	*nevertheless*
rescate *(m.)*	*recovery*
toque *(m.)*	*touch*

LECCIÓN 2

Raíces y esperanza

ESPAÑA Y MÉXICO

S. Nicolas/Photolibrary

Suggestion: Have students comment on the title of the lesson. To what **raíces** might this refer? To whose **esperanza**?

LOS ORÍGENES

Descubre quiénes fueron los primeros pobladores e invasores de la Península Ibérica y algo de las grandes civilizaciones mesoamericanas (págs. 52–53).

SI VIAJAS A NUESTRO PAÍS...

- En **España** visitarás la capital, Madrid —con una población de unos seis millones—, Sevilla, Barcelona y varios festivales españoles (págs. 54–55).
- En **México** conocerás la capital, México D.F. —una de las ciudades más grandes del mundo—, Guadalajara, Mérida y cinco importantes festivales mexicanos (págs. 72–73).

MEJOREMOS LA COMUNICACIÓN

Aprende a hablar con facilidad de las artes (págs. 56–57), de libros y literatura (págs. 74–75).

AYER YA ES HOY

Haz un recorrido por la historia de la Península Ibérica desde tiempos remotos hasta el presente (págs. 58–59) y por la historia de México desde la llegada de Colón hasta nuestros días (págs. 76–77).

LOS NUESTROS

- En **España** conoce a un cardiólogo de fama mundial, a un verdadero campeón de baloncesto y a la actriz española de mayor fama internacional (págs. 60–61).
- En **México** conoce a quien se considera la mejor periodista y escritora mexicana, a un extraordinario grupo de rock y a la golfista número uno del mundo (págs. 78–79).

¡LUCES! ¡CÁMARA! ¡ACCIÓN!

Conoce lo divertido que era hacer comedia en una España en la que todavía había censura (pág. 62).

ESCRIBAMOS AHORA

Describe desde varios puntos de vista un incidente en tu coche o bicicleta (pág. 80).

LECTURA

- Conduce por las calles de una ciudad española en hora punta con un tráfico de locos en la lectura "El arrebato", de la periodista española Rosa Montero (págs. 63–66).
- Experimenta la transformación completa de un hombre en "Tiempo libre", del escritor mexicano Guillermo Samperio (págs. 81–84).

¡EL CINE NOS ENCANTA!

Disfruta de la ironía de un final inesperado del cortometraje *Ana y Manuel* (págs. 85–88).

GRAMÁTICA

Repasa los siguientes puntos gramaticales:

- 2.1 Present Indicative: Stem-changing Verbs (págs. 67–68)
- 2.2 Present Indicative: Verbs with Spelling Changes and Irregular Verbs (págs. 69–71)
- 2.3 Descriptive Adjectives (págs. 89–92)
- 2.4 Uses of the Verbs *ser* and *estar* (págs. 93–95)

Tanto España como México tienen en sus raíces grandes civilizaciones de enorme peso histórico en el mundo y en el subconsciente de sus habitantes actuales.

Ask students if they can identify these photos and the civilizations that created them: **La Alhambra de Granada** and **Teotihuacán en México.**

La Península Ibérica

¿Qué sabemos de los primeros pobladores?

De los pobladores prehistóricos de la Península Ibérica quedan extraordinarias pinturas en las rocas de la cueva de Altamira, en Santander, y en otras cuevas. A los primeros pueblos y tribus se les llamó "iberos". Estos se unieron a los celtas para formar el pueblo celtíbero.

Jennifer Stone/Shutterstock

¿Qué otros pueblos invadieron la península y cuáles fueron sus contribuciones?

Entre los primeros invasores destacaron los fenicios, quienes trajeron a la Península Ibérica el alfabeto y su conocimiento de la navegación. Los griegos fundaron varias ciudades en la costa mediterránea. Los celtas introdujeron en la península el uso del bronce y otros metales. En último término, predominaron los romanos, quienes la nombraron "Hispania" y le impusieron su lengua, cultura y gobierno. Los romanos también construyeron grandes ciudades, una multitud de carreteras, puentes excelentes y acueductos impresionantes que todavía perduran. En el siglo IV d.C. triunfó el cristianismo, y el Imperio Romano —incluyendo Hispania— lo aceptó oficialmente como su religión. Los musulmanes conquistaron la mayor parte de la península en 711 y la convirtieron en un gran centro intelectual con grandes avances en las ciencias, las letras, la artesanía, la agricultura, la arquitectura y el urbanismo.

¿Por qué es importante 1492?

En 1492, ocurrieron tres eventos trascendentales:

- El último rey moro (Boabdil) salió de Granada y se logró así la unidad política y territorial de la España actual.
- Los Reyes Católicos expulsaron a los judíos que rehusaron convertirse al cristianismo.
- El viaje de Cristóbal Colón dio inicio al Imperio Español en las Américas.

Las grandes civilizaciones mesoamericanas

¿Qué pueblos las componían y dónde habitaban?

Mesoamérica ocupa la mayor parte de lo que hoy conocemos como México y Centroamérica. Allí habitaron los olmecas, teotihuacanos, mayas, aztecas, mixtecas, toltecas, zapotecas y muchos más. En Teotihuacán, Monte Albán, Chichén Itzá, Tenochtitlán, Tikal y Cobán crearon grandes núcleos urbanos con impresionantes templos y pirámides. La ciudad de Tenochtitlán, fundada por los aztecas en 1325, hoy ocupa el centro histórico de la Ciudad de México.

Ian D. Walker/Shutterstock

¿COMPRENDISTE?

A. Los orígenes. Con tu compañero(a) completen las siguientes oraciones:

1. Los primeros habitantes de la Península Ibérica fueron los...
2. Algunos invasores de la Península Ibérica fueron los... y los... y sus contribuciones fueron...
3. Los romanos dieron a Hispania...
4. En España, los musulmanes hicieron grandes avances en...
5. Mesoamérica ocupa los territorios que hoy conocemos como... y...
6. Algunos de los grandes centros urbanos mesoamericanos fueron creados en...

VOCABULARIO ÚTIL

artesanía	*craftwork, crafts*
bronce *(m.)*	*bronze*
carretera	*highway, road*
cueva	*cave*
destacarse	*to stand out*
judío(a)	*Jewish*
moro(a)	*Moor, Muslim, North African*
musulmán(ana)	*Muslim*
perdurar	*to remain, to last*
poblador(a)	*settler*
puente *(m.)*	*bridge*
rehusar	*to refuse*
siglo	*century*

B. A pensar y a analizar. Contesta las siguientes preguntas con dos o tres compañeros(as) de clase.

1. ¿Qué efecto creen que tiene en la gente y las costumbres de un país que tantas civilizaciones hayan pasado y a veces, convivido (*coexisted*) en él? ¿Creen que lo hace más o menos tolerante? ¿Por qué creen eso?
2. ¿Cómo creen que está presente en la vida del México de hoy el gran pasado azteca? ¿En qué aspectos de la vida mexicana se manifiesta? Den ejemplos concretos de las artes y la vida en general.

¡Diviértete en la red!
Busca España altamira/romana/musulmana y/o culturas mesoamericanas en YouTube para ver fascinantes videos de estas grandes culturas. Ve a clase preparado(a) para compartir la información que encontraste.

SI VIAJAS A NUESTRO PAÍS

España

Suggestion: Ask: **¿Cómo se llama la moneda de España? ¿Qué tiene en común con el euro de otros países europeos?**

Suggestion: Ask students if they have visited any of these cities or attended any of these festivals. If so, have them share their experiences with the class.

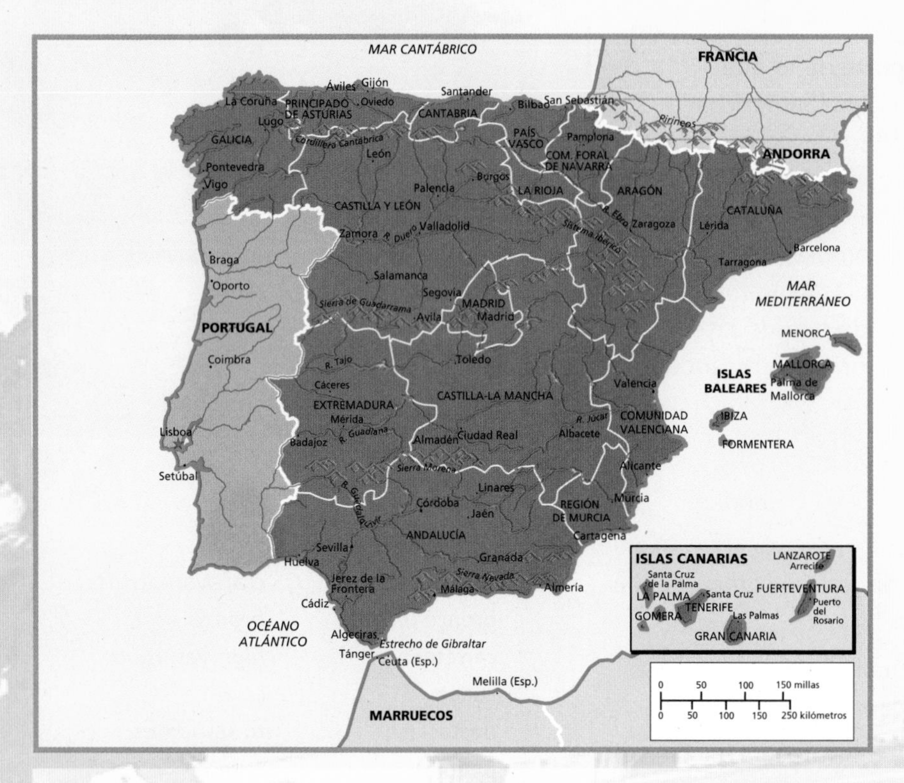

Comprehension check: Ask: **1. Tienes la oportunidad de visitar sólo una de estas tres ciudades, ¿cuál vas a visitar y por qué? 2. ¿Cuál es la diferencia entre el Museo del Prado y el Centro de Arte Reina Sofía? 3. ¿Cuál de estas fiestas te atrae más a ti? ¿Cuál crees que le va a interesar más a tus padres? ¿Por qué?**

Nombre oficial: Reino de España **Población:** 40.525.002 (estimación de 2009)
Principales ciudades: Madrid (capital), Barcelona, Valencia, Sevilla
Moneda: Euro €

En Madrid la capital, con una población de casi 6 millones, tienes que conocer...

- la Plaza Mayor, un hermoso lugar para caminar, tomar unas copitas de vino al aire libre, participar en actividades culturales y visitar tiendas que están allí desde el siglo XVII.
- el Palacio Real, con más de 2000 cuartos hermosamente decorados.
- el Museo del Prado, que tiene la colección más grande de obras de artistas españoles como El Greco, Velázquez, Goya y Murillo.

Plaza Mayor de Madrid, de origen medieval

Rafael Ramirez Lee/Shutterstock

- el Centro de Arte Reina Sofía, con una impresionante colección de arte moderno de los grandes artistas españoles como Joan Miró, Salvador Dalí y Pablo Picasso.

En Sevilla, no dejes de ver...

- la Catedral de Sevilla, construida sobre la gran mezquita, es la catedral gótica más grande del mundo.
- el Barrio de Santa Cruz, el pintoresco barrio antiguo de los judíos.
- el Archivo de Indias, una colección de todos los documentos relacionados con las "Indias", incluso cartas de Cristóbal Colón, Hernán Cortés y Miguel de Cervantes.
- los edificios de los Reales Alcázares (el Alcázar), construidos desde la Alta Edad Media, son residencia oficial de la familia real y de los jefes de estado que visitan la ciudad.
- el Parque de María Luisa, con la hermosa Plaza de España.

Maria Damore/Photolibrary

La Catedral de Sevilla y su torre, la Giralda vistas desde el río Guadalquivir.

Chad Ehlers/Photolibrary

***El Parc Güell,* un precioso jardín situado en la parte alta de Barcelona.**

En Barcelona, puedes visitar...

- el templo de la Sagrada Familia, diseñado por Antoni Gaudí, sin duda la iglesia más extravagante de Europa.
- las Ramblas, los hermosos bulevares por donde todo el mundo sale de paseo en Barcelona.
- el impresionante Parc Güell, declarado por la UNESCO Patrimonio de la Humanidad.
- la hermosa casa Batlló, un edificio restaurado por Antoni Gaudí.

Festivales españoles

- Semana Santa en Sevilla y la Feria de Sevilla, una expresión religiosa y otra puramente festiva.
- Las Fallas de Valencia, donde se disfruta de las fallas, o estatuas enormes de papel y madera, que se queman la última noche de la fiesta.
- Los Sanfermines de Pamplona, donde la gente corre por la calle con enormes y peligrosos toros de más de 1000 libras de peso.

Jose Fuste Raga/Photolibrary

¡Diviértete en la red!
Busca "Barcelona", "Madrid", "Sevilla" u otra ciudad española en Google Web. Selecciona un sitio y ve a clase preparado(a) para presentar un breve resumen sobre lo más destacado de esa ciudad y algunos detalles sobre sus fiestas.

¡El arte es todo!

España ha dado al mundo numerosos pintores de fama mundial: El Greco, Velázquez, Rivera, Goya, Miró, Picasso, Dalí... Muchas de sus obras se encuentran en museos españoles, entre los que destacan el Museo del Prado, el Museo Thyssen-Bornemisza, el Museo Guggenheim Bilbao y el Centro de Arte Reina Sofía.

Para hablar del arte

acuarela	*watercolor*
arco	*arch*
artista *(m. f.)*	*artist*
autorretrato	*self-portrait*
boceto	*sketch*
bodegón *(m.)*	*still life*
caballete *(m.)*	*easel*
cincel *(m.)*	*chisel*
columna	*column*
esbozo	*sketch, outline, rough draft*
escultura	*sculpture*
esmalte *(m.)*	*enamel*
grabado	*engraving*
lienzo	*canvas*
mármol *(m.)*	*marble*
martillo	*hammer*
óleo	*oil-based paint*
piedra	*rock*
pincel *(m.)*	*paintbrush*
pintura	*paint; painting*
tiza	*chalk*

Visions LLC/Photolibrary

Al hablar de obras de arte

Es...

abstracto(a)	*abstract*
barroco(a)	*baroque*
contemporáneo(a)	*contemporaneous*
neoclásico(a)	*neoclassic*
prehispánico(a)	*pre-Hispanic*
realista	*realist*
renacentista	*Renaissance*
románico(a)	*romanesque*

Es...

una imitación	*a copy, imitation*
una obra de arte	*an art work*
una obra de madurez	*a work of maturity*
una obra inacabada	*an unfinished work*
una obra maestra	*a masterpiece*
una obra original	*the original (work)*
una obra representativa	*a representative work*

Al hablar de arte

— ¿Qué tipo de arte prefieres?	*What type of art do you prefer?*
— Me encanta el arte impresionista.	*I love impressionist art.*
— A mí me fascina el arte cubista de Picasso.	*Picasso's cubist art fascinates me.*

Al hablar de exhibiciones

— ¿Ya viste la nueva exhibición en El Prado?	*Did you see the new exhibit at the Prado?*
— Fui el sábado. Fue maravillosa.	*I went on Saturday. It was marvelous.*
— ¿Asististe a la fabulosa exposición de Joan Miró en el Centro de Arte Reina Sofía?	*Did you go to the fabulous Joan Miró exposition at the Reina Sofía Art Center?*
— No tuve tiempo para ir y acabó la semana pasada.	*I didn't have time to go and it ended last week.*
— Visité una presentación de su escultura en el Salón de Bellas Artes.	*I visited a presentation of his sculpture in the Fine Arts Hall.*
— ¿Pudiste ir?	*Were you able to go?*
— ¡Claro que fui! Me encantaron sus estatuas.	*Of course I went! I loved his statues.*

¡A practicar, luego a conversar!

A. Arte y artistas. Sin duda sabes relacionar estos artistas con el tipo de arte por el que son más conocidos.

__b__	1. Salvador Dalí	a. arquitectura
__e__	2. Fernando Botero	b. pintura y escultura surrealistas
__d__	3. Diego Velázquez	c. pintura cubista
__c__	4. Pablo Picasso	d. pintura realista
__a__	5. Antoni Gaudí	e. escultura

B. Talento artístico. En parejas, describan su propio talento artístico. Identifiquen sus artistas favoritos y describan sus obras de arte preferidas.

C. Dramatización. Ayer fuiste a una exposición del artista favorito de tu compañero(a). Como tu amigo(a) no pudo asistir, ahora quiere saber todo lo que viste y aprendiste de este artista famoso: el tipo de arte, el tema, los colores que usó, etcétera. Dramatiza la situación con un(a) compañero(a) de clase.

Jeff Greenberg/Photolibrary

Vocabulary practice: Ask students: **¿Quién es tu artista/escultor favorito?** Have volunteers describe: **el arte barroco/neoclásico/renacentista/prehispánico…** Ask what the difference is between **un boceto** and **un grabado.**

Suggestion: Bring art books with reproductions of paintings from the Prado. Divide the class into groups of three or four and assign one painting to each group. Then have each group prepare an oral analysis of their painting. **¿Qué tipo de arte es? ¿Quién es el artista? ¿Qué es lo llamativo de esa obra?…**

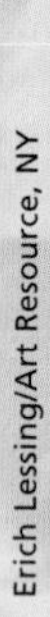

Erich Lessing/Art Resource, NY

España como potencia mundial

Por medio de un eficaz matrimonio de conveniencia política, los Reyes Católicos, Fernando e Isabel, logran acumular un extenso territorio que hereda finalmente su nieto Carlos de Habsburgo, quien en 1519 pasa a ser emperador del Sacro Imperio Romano Germánico con el apelativo de Carlos V. Su imperio era tan extenso que en sus dominios "nunca se ponía el sol" y comprendía gran parte de Holanda y Bélgica, Italia, Alemania, Austria, partes de Francia y del norte de África, además de los territorios de las Américas.

Suggestion: Have students explain how a country as powerful as Spain was in the late sixteenth and seventeenth centuries could fall and lose its position of power so quickly. Ask if they think that could happen to the U.S. Have them explain their responses. Also ask if students think Spain will continue to lead the Spanish-speaking world in the twenty-first century in much the same way it did in the twentieth century. Have them explain their responses.

El Siglo de Oro

De 1550 a 1650, el arte y la literatura de España florecen con grandes pintores tales como El Greco, Diego Rodríguez de Silva y Velázquez y Bartolomé Esteban Murillo, grandes escritores como Santa Teresa de Jesús, Fray Luis de León, San Juan de la Cruz, Miguel de Cervantes y Francisco de Quevedo y geniales dramaturgos como Lope de Vega, Tirso de Molina y Pedro Calderón de la Barca.

Gramática: Ask students to find three stem-changing verbs in the reading, to point out the stem change, and to give the infinitive form of each verb.

MPI/Getty Images

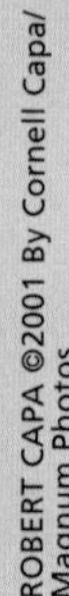

ROBERT CAPA ©2001 By Cornell Capa/ Magnum Photos

Época moderna

La decadencia del imperio español comienza hacia fines del siglo XVI y continúa con unas cuantas interrupciones hasta el siglo XX. La Guerra Civil Española (1936–1939) acabó con el triunfo de las fuerzas nacionalistas dirigidas por el generalísimo Francisco Franco, quien gobernó el país por cuarenta años. Franco monopolizó la vida política y social de España, prohibió todos los partidos políticos y los sindicatos no oficiales y mantuvo una estricta censura y vigilancia sobre el país.

Juan Carlos de Borbón, coronado rey de España en 1975, luchó desde el primer momento por instituir una muy anhelada democracia. Sus esfuerzos tuvieron fruto en 1978 cuando se dictó una nueva constitución que refleja la diversidad de España al designarla como un Estado de Autonomías.

el país/newscom

La España de hoy

España es un país abierto al futuro, económicamente desarrollado y con instituciones democráticas sólidas, que está al nivel de los países europeos más adelantados.

- Goza de todas las libertades públicas y sociales así como de un alto nivel de tolerancia política y religiosa.
- Tiene acceso al libre comercio de bienes y trabajadores dentro de la Comunidad Económica Europea, de la que es miembro. Participa de la moneda única europea, el euro.
- A finales del siglo XX España recibió a una gran cantidad de inmigrantes de países latinoamericanos como Ecuador, Colombia, Argentina, Bolivia, Perú y la República Dominicana, así como de diferentes zonas de África, Asia y Europa.
- Según anunció el director del Banco de España en febrero de 2007, España se podría situar como la séptima mayor economía del mundo.
- José Luis Rodríguez Zapatero ganó las elecciones de 2004, convirtiéndose en el quinto presidente del gobierno de la democracia. En 2008, José Luis Rodríguez Zapatero volvió a ganar, esta vez en elecciones que consolidaron y reforzaron el bipartidismo.

¿COMPRENDISTE?

A. Hechos y acontecimientos. ¿Recuerdas los datos más importantes de la lectura? Para asegurarte, completa las siguientes oraciones. Luego, compara tus respuestas con las de un(a) compañero(a).

1. Se decía que "el sol nunca se ponía" en el imperio de Carlos V porque...
2. El período entre 1550 y 1650 se conoce como el... en España.
3. La decadencia española fue muy gradual, extendiéndose de...
4. A la muerte de Franco en 1975,... fue declarado rey de España.
5. Se dice que la reelección de José Luis Rodríguez Zapatero en 2008... y... el bipartidismo.

VOCABULARIO ÚTIL

adelantado(a)	*advanced*
anhelado(a)	*yearned for*
apelativo	*name*
censura	*censureship*
coronar	*to crown*
eficaz	*efficient*
genial	*brilliant*
heredar	*to inherit*
partido	*party*
potencia mundial	*world power*
Siglo de Oro	*Golden Age*
sindicato	*labor union*

B. A pensar y a analizar. En grupos de tres o cuatro contesten estas preguntas. Luego, compartan sus conclusiones con la clase.

1. ¿Por qué se llama "Siglo de Oro" en España al período que va de 1550 a 1650? ¿Han tenido los EE.UU. un Siglo de Oro? Si dicen que sí, ¿cuándo y cómo fue? Si dicen que no, ¿creen que lo tendrá pronto? ¿Por qué sí o no?
2. Comparen la España de Franco con la del rey Juan Carlos I. ¿Cómo explican Uds. las diferencias? ¿Por qué creen que el joven Juan Carlos I no continuó la política de Franco?

C. Apoyo gramatical: Presente indicativo: verbos con cambio en la raíz. Completa este párrafo.

Gracias a matrimonios de conveniencia, los Reyes Católicos (1) ___extienden___ (extender) su reino hasta convertirlo en un imperio. Dicho imperio, en el siglo XVI (2) ___cuenta___ (contar) con grandes pintores y escritores. A fines de ese mismo siglo (3) ___comienza___ (comenzar) la decadencia del imperio español. Ya en nuestro siglo, España se (4) ___puede___ (poder) situar entre las siete economías más grandes del mundo. En 2004, Rodríguez Zapatero se (5) ___convierte___ (convertir) en el quinto presidente de la democracia y (6) ___gobierna___ (gobernar) hasta 2008, año en el que (7) ___vuelve___ (volver) a ganar las elecciones. Este último hecho (8) ___refuerza___ (reforzar) el bipartidismo existente en España.

Gramática 2.1: Antes de hacer esta actividad, conviene repasar esta estructura en las págs. 67–68.

Suggestions: Ask students if they are familiar with any of Penélope Cruz's movies (if so, which ones and what do they think of them). Also ask if any have seen Pau Gasol play (if so, what is their impression).

Penélope Cruz

Esta bella y talentosa actriz española es una de las más populares en el mundo entero y es la primera, y hasta el momento, la única española que ha conseguido integrarse plenamente al mundo del cine estadounidense. Desde niña quiso ser actriz y estudió para serlo. Su primera película *Jamón Jamón,* le dio la fama entre el público español. La fama internacional le llegó por su interpretación en *Belle Époque* (1992), y más tarde en *Todo sobre mi madre* (1999), ambas ganadoras del Premio Óscar a la mejor película extranjera. Ha conseguido varios premios internacionales, entre los que destaca el Óscar a la mejor actriz secundaria por su papel en *Vicky Cristina Barcelona* de Woody Allen en 2008.

Frazer Harrison/Getty Images

© Miguel Rajmil/EFE/Corbis

Valentín Fuster

Este médico español es el único cardiólogo del mundo en recibir los cuatro reconocimientos por investigación de las más importantes organizaciones de cardiólogos del mundo. Nacido en Barcelona, emigró a los Estados Unidos y en la actualidad es el Director del hospital *Mount Sinai Heart*, el Instituto Cardiovascular Zena y Michael A. Wiener y el Centro de Salud Cardiovascular Marie-Josee y Henry R. Kravis, en Nueva York. En 2006 Fuster coordinó con éxito un transplante de corazón y pulmón en un paciente, lo que la revista *New York Magazine* consideró una de las once maravillas médicas del año.

Pau Gasol

Pau Gasol nació y se crió en Barcelona. Es el primer jugador en conseguir algunos de los logros más importantes del mundo del baloncesto. En 2006, con la selección española, fue campeón del mundo. Tres años más tarde, en 2009, fue el primer jugador español en ganar el campeonato de la NBA, con el equipo de *Los Ángeles Lakers,* algo que repitió en 2010. Y por si fuera poco, en 2009 volvió a la selección española para ganar la medalla de oro del campeonato europeo de baloncesto, algo que no había logrado nunca España.

Rock Widner/NBAE/Getty Images

Otros españoles sobresalientes

Pedro Almodóvar: director de cine

Fernando Alonso: corredor de Fórmula 1

Sara Baras: bailadora flamenca

Javier Bardem: actor

Juan Carlos y Sofía de Borbón: reyes de España

Plácido Domingo: cantante de ópera

Enrique Iglesias: cantante

Miguel Induráin: ciclista

Rafael Nadal: tenista

Joaquín Sabina: cantante

Paz Vega: actriz

¿COMPRENDISTE?

A. Los nuestros. Contesta estas preguntas con un(a) compañero(a).

1. En tu opinión, ¿qué tienen en común estos tres españoles?
2. Tanto Valentín Fuster como Pau Gasol han conseguido dos logros muy importantes. ¿Cuáles son? ¿Qué otros logros crees que aspiran a conseguir en sus carreras?

B. Miniprueba. Demuestra lo que aprendiste de estos talentosos españoles al completar estas oraciones.

1. Penélope Cruz es la __b__ actriz española que se ha integrado al cine estadounidense.
   a. tercera b. única c. más reciente
2. Un transplante que Valentín Fuster coordinó en 2006 ha sido considerado una verdadera __a__.
   a. maravilla b. dificultad c. investigación
3. Pau Gasol triunfó con los Lakers y con __b__.
   a. el Barcelona b. la selección española c. la selección estadounidense

VOCABULARIO ÚTIL

baloncesto	*basketball*
bello(a)	*beautiful*
campeonato	*championship*
conseguir (i, i) (g)	*to achieve; to obtain*
corazón *(m.)*	*heart*
entero(a)	*whole, entire*
lograr	*to achieve*
pulmón *(m.)*	*lung*
selección *(f.)*	*national team*
único(a)	*only; unique*

Suggestion: Ask students what they can tell you about those listed in **Otros españoles sobresalientes.** Then have them look up two of the **Otros españoles sobresalientes** on the Internet and turn in a brief written report on what they find. You may want to offer extra credit for this work.

¡Diviértete en la red!
Busca "Penélope Cruz", "Valentín Fuster" y/o "Pau Gasol" en YouTube para ver videos y escuchar a estos talentosos españoles. Ven a clase preparado(a) para presentar un breve resumen de lo que encontraste y de lo que viste.

Castañuela 70: Teatro prohibido

Suggestions: Ask students to comment on the subtitle of the video, **Teatro prohibido**. Then, have them predict what they will see based on the questions in **Antes de empezar el video.** After viewing the video, have them check their predictions to see if they were correct.

From *Castañuela 70: Teatro prohibido*

Antes de empezar el video

En parejas. Contesten estas preguntas en parejas.

1. ¿Qué saben del movimiento hippy? ¿Cómo lo caracterizarían? ¿Creen que se dio en otros países además de los Estados Unidos? ¿Qué matices pudo tomar en otros países?
2. ¿En qué creen que consiste la censura *(censorship)* política? Creen que el humor puede ser una herramienta *(tool)* para luchar contra ella? ¿Cómo creen que se puede eludir la censura a base de humor? Creen que en los Estados Unidos la hay? Expliquen su respuesta.
3. ¿Han hecho ustedes alguna vez teatro? ¿Disfrutaron haciéndolo? ¿Creen que puede ser una experiencia divertida tanto para el que lo hace como para el que lo ve? Expliquen.

Después de ver el video

Suggestions: Point out that **castañuela** *(castanet)* is a musical instrument often identified with traditional and folkloric (at times low-class) entertainment in Spain.

A. El teatro prohibido. Contesta las siguientes preguntas con un(a) compañero(a) de clase.

1. ¿Qué fue Castañuela 70? ¿Por qué Castañuela? ¿Por qué 70?
2. ¿Cómo recuerdan los actores la experiencia de Castañuela 70? ¿Se consideraban buenos actores? ¿Era una obra ambiciosa? ¿Qué tipo de teatro era?
3. ¿En qué consistía la originalidad de Castañuela 70? ¿Qué tipo de censura sentían? ¿Qué gritaba el público? ¿Cómo trabajaban con la censura política? ¿Qué pretendía este grupo con su teatro?
4. ¿De qué tipo de producción se trataba? ¿En qué hoteles se quedaban los actores? ¿Cómo preparaban sus actuaciones? ¿Qué tipo de amenazas *(threats)* sufrían? ¿Cómo reaccionaba el público a sus actuaciones?

B. A pensar y a interpretar. Contesta las siguientes preguntas.

1. ¿Qué tipo de teatro u otra expresión artística hoy es tan refrescante *(refreshing)* como Castañuela 70?
2. ¿Crees que la nostalgia que sienten los actores por lo que hicieron en el pasado es algo normal? ¿Qué cosas has hecho tú que consideras innovadoras y te ayudaron a crecer *(grow up)*?
3. ¿En qué creen que se parece y se diferencia la censura política bajo el generalísimo Franco en España y la censura del cine y teatro en los Estados Unidos?
4. ¿Crees que hay algún paralelo entre esta generación de actores y los actores hoy en día? Expliquen.
5. ¿Te habría gustado ser miembro de este grupo de teatro? ¿Por qué sí o no?

C. Apoyo gramatical. Presente indicativo: verbos con cambios ortográficos. Completa estas preguntas, luego házselas a un(a) compañero(a).

1. ¿A qué ___atribuyes___ (atribuir) tú el éxito de Castañuela 70?
2. En tu opinión, ¿se ___consigue___ (conseguir) más con el humor o con la violencia para efectuar cambios sociales?
3. ¿Crees tú que los grupos teatrales de hoy ___influyen___ (influir) en la opinión de la gente tanto como influyeron los grupos del video?
4. En nuestra época, cuando los miembros de grupos teatrales viajan, ¿___eligen___ (elegir) hospedarse en un hotel o ___eligen___ (elegir) solicitar hospedaje a los espectadores?
5. ¿Crees que los actores del video ___reconocen___ (reconocer) ahora la importancia que tuvo el grupo teatral durante la dictadura del generalísimo Francisco Franco?

Gramática 2.2: Antes de hacer esta actividad, conviene repasar esta estructura en las págs. 69–71.

¡Antes de leer!

A. Anticipando la lectura. Contesten estas preguntas para saber cómo se comportan *(behave)* cuando tienen problemas de tráfico.

1. ¿Usan mucho sus automóviles para viajar en su ciudad? ¿Tienen ustedes normalmente problemas de tráfico? ¿Qué tipo de problemas? ¿Embotellamientos (*Traffic jams*)? ¿Zonas de obras? ¿Otros?
2. ¿Cómo se sienten cuando están en un embotellamiento y tienen prisa? ¿Se comportan normalmente o cambia su forma de ser?
3. ¿Conocen a alguien que se comporta de una manera completamente inaceptable cuando conduce? ¿Qué hace o dice?

B. Vocabulario en contexto. Busca estas palabras en la lectura que sigue y, en base al contexto, decide cuál es su significado. Para facilitar el encontrarlas, las palabras aparecen en negrilla en la lectura. ***Vocabulario:*** Ask volunteers to create original sentences with these vocabulary words.

1. **embotellamiento**	a. policía	(b.) obstrucción	c. señal
2. **arrancan**	a. miran	b. saludan	(c.) avanzan
3. **derrota**	a. estar contento	b. éxito	(c.) desastre
4. **polvo**	a. humedad	(b.) tierra	c. sol
5. **atropellas**	(a.) pasas por encima	b. saludas	c. le gritas
6. **estacionar**	a. doblar	(b.) aparcar	c. retroceder

Sobre la autora

Quim Llenas/Getty Images

Rosa Montero nació en Madrid el 3 de enero de 1951. En 1969, ingresó en la Escuela de Periodismo y comenzó a sobresalir pronto como escritora y periodista. Ha escrito varias exitosas novelas como *La loca de la casa* (2003), *Historia del rey transparente* (2007) e *Instrucciones para salvar el mundo* (2008). Montero se destaca también por sus artículos periodísticos, algunos de los cuales están cargados de contenido, como el que vamos a leer, que describe la furia de un conductor en un día típico de atasco (*traffic jam*) en una ciudad española.

Gramática: Ask students to find two verbs with spelling changes and two irregular verbs in the reading, to point out the irregularities, and to give the infinitive form of each verb.

Suggestions: Ask students to look at the title and the photo and anticipate what the reading will be about. Have students come back to their predictions after they complete the reading to see if they predicted correctly. Then ask students if they have had similar experiences. If so, have them describe them to the class.

El arrebato*

rage

luz que controla el tráfico

jaw

license plate

toca

Las nueve menos cuarto de la mañana. Semáforo* en rojo. Un rojo inconfundible. Las nueve menos trece, hoy no llego. Embotellamiento de tráfico. Doscientos mil coches junto al tuyo. Tienes la mandíbula* tan tensa que
5 **entre los dientes aún está el sabor del café del desayuno. Miras al vecino. Está intolerablemente cerca. La chapa* de su coche casi roza* la tuya. Verde. Avanza, imbécil. ¿Qué hacen? No arrancan. No se mueven, los estúpidos. Están paseando, con la inmensa urgencia que tú tienes.**

molestarte

groan

10 Doscientos mil coches que salieron a pasear a la misma hora solamente para fastidiarte.* ¡Rojjjjjo! ¡Rojo de nuevo! No es posible. Las nueve menos diez. Hoy desde luego que no llego-o-o-o (gemido* desolado). El vecino te mira con odio. Probablemente piensa que tú tienes la culpa de no haber pasado el semáforo (cuando es obvio que los culpables son los idiotas de delante).
15 Tienes una premonición de catástrofe y **derrota**. Hoy no llego. Por el espejo ves cómo se acerca un chico en una motocicleta, zigzagueando entre los coches. Su facilidad te causa indignación, su libertad te irrita. Mueves el coche unos centímetros hacia el del vecino, y ves que el transgresor está bloqueado, que ya no puede avanzar. ¡Me alegro! Alguien pita* por detrás.

blows the horn

Das... *You jump*

20 Das un salto,* casi arrancas. De pronto ves que el semáforo sigue aún en rojo. ¿Qué quieres, que salga con la luz roja, imbécil? Te vuelves en el asiento, y ves a los conductores a través de la contaminación y el **polvo** que cubre los cristales de tu coche. Los insultas. Ellos te miran con odio asesino. De pronto, la luz se pone verde y los de atrás pitan desesperadamente.

steering wheel

25 Con todo ese ruido reaccionas, tomas el volante,* al fin arrancas. Las nueve menos cinco. Unos metros más allá la calle es mucho más estrecha; sólo cabrá un coche. Miras al vecino con odio. Aceleras. Él también. Comprendes de pronto que llegar antes que el otro es el objeto principal de tu existencia. Avanzas unos centímetros. Entonces, el otro coche te pasa victorioso. «Corre,
30 corre,» gritas, fingiendo gran desprecio*: «¿a dónde vas, idiota?, tanta prisa para adelantarme sólo un metro»... Pero la derrota duele. A lo lejos ves una figura negra, una vieja que cruza la calle lentamente. Casi la **atropellas**. «Cuidado, abuela» gritas por la ventanilla; estas viejas son un peligro, un peligro. Ya estás llegando a tu destino, y no hay posibilidades de aparcar.

fingiendo... *pretending a great disdain*

35 De pronto descubres un par de metros libres, un pedacito de ciudad sin coche: frenas,* el corazón te late apresuradamente*. Los conductores de detrás comienzan a tocar la bocina*: no me muevo. Tratas de **estacionar**, pero los vehículos que te siguen no te lo permiten. Tú miras con angustia el espacio libre, ese pedazo de paraíso tan cercano y, sin embargo,
40 inalcanzable.* De pronto, uno de los coches para y espera a que tú aparques. Tratas de retroceder,* pero la calle es angosta y la cosa está difícil. El vecino da marcha atrás para ayudarte, aunque casi no puede moverse porque los otros coches están demasiado cerca. Al fin aparcas. Sales del coche, cierras la puerta. Sientes una alegría infinita, por haber cruzado la ciudad enemiga,
45 por haber conseguido un lugar para tu coche; pero fundamentalmente, sientes enorme gratitud hacia el anónimo vecino que se detuvo y te permitió aparcar. Caminas rápidamente para alcanzar al generoso conductor, y darle las gracias. Llegas a su coche, es un hombre de unos cincuenta años, de mirada melancólica. «Muchas gracias,» le dices en tono exaltado. El
50 otro se sobresalta,* y te mira sorprendido. «Muchas gracias,» insistes; «soy el del coche azul, el que estacionó.» El otro palidece,* y al fin contesta nerviosamente: «Pero, ¿qué quería usted? ¡No podía pasar por encima de los coches! No podía dar más marcha atrás». Tú no comprendes. «¡Gracias, gracias!» piensas. Al fin murmuras: «Le estoy dando las gracias de verdad,
55 de verdad...» El hombre se pasa la mano por la cara, y dice: «es que... este tráfico, estos nervios...» Sigues tu camino, sorprendido, pensando con filosófica tristeza, con genuino asombro*: ¿Por qué es tan agresiva la gente? ¡No lo entiendo!

you brake / **te...** palpita rápidamente / **tocar...** *to honk the horn*

unattainable

ir hacia atrás

se... *jumps*

se pone pálido

sorpresa

¡Después de leer!

A. Hechos y acontecimientos. ¿Recuerdas los datos más importantes de la lectura? Para asegurarte, contesta estas preguntas.

1. ¿A qué hora del día ocurre la acción de esta lectura? ¿Por qué hay normalmente más tráfico a esa hora? ¿Es esa la misma hora punta (*rush hour*) de tu ciudad? ¿Por qué piensas que hay diferentes horas punta en el país donde ocurre esta lectura y en los Estados Unidos?
2. ¿A qué se refiere el título del cuento "El arrebato"?
3. ¿Cuánto tiempo calcula el chofer que su vehículo se encuentra en el semáforo?
4. ¿Por qué puede aparcar el chofer al final?
5. ¿Qué piensa el señor que retrocede cuando el chofer le da las gracias?
6. Al final, ¿qué concluye el chofer de todos los demás conductores?

B. A pensar y a analizar. En grupos de tres o cuatro, contesten las siguientes preguntas. Luego, compartan sus respuestas con la clase.

1. ¿Les parece que este cuento refleja la realidad de lo que pasa en las grandes ciudades? ¿Por qué sí o no?
2. Es el (la) narrador(a) de este cuento una persona normal? ¿Por qué creen que narra en segunda persona? ¿Creen que este artículo tiene una moraleja, una enseñanza? ¿Cuál es?

C. Apoyo gramatical. Presente indicativo: verbos irregulares. Con un(a) compañero(a), túrnense para comentar sus experiencias al conducir usando estos verbos.

tener	venir	traer	ir	caber
salir	conducir	decir	hacer	permanecer

Gramática 2.2: Antes de hacer esta actividad, conviene repasar esta estructura en las págs. 69–71.

2.1 The Present Indicative: Stem-changing Verbs

In the present indicative, the last vowel of the stem of certain verbs changes from **e** to **ie,** from **o** to **ue,** or from **e** to **i** when stressed. This change affects all singular forms and the third-person plural form. The first- and second-person plural forms (**nosotros** and **vosotros**) are regular because the stress falls on the ending, not on the stem.

	pensar	recordar	pedir
	e → ie	o → ue	e → i
yo	pienso	recuerdo	pido
tú	piensas	recuerdas	pides
Ud, él, ella.	piensa	recuerda	pide
nosotros(as)	pensamos	recordamos	pedimos
vosotros(as)	pensáis	recordáis	pedís
Uds., ellos, ellas	piensan	recuerdan	piden

Stem-changing verbs are indicated in this text with the specific change written in parentheses after the infinitive: **pensar (ie)**, **recordar (ue)**, **pedir (i)**.

› The following are frequently used stem-changing verbs.

e → ie	o → ue	e → i (-ir verbs only)
cerrar	almorzar	conseguir
comenzar	aprobar *(to pass, to approve)*	corregir
despertar		
empezar		
nevar	contar	despedir(se)
recomendar	mostrar	elegir
	probar	medir *(to measure)*
atender	sonar	reír
defender	volar	repetir
entender		seguir
perder	devolver *(to return, to give back)*	servir
querer	llover	sonreír *(to smile)*
	mover	vestir(se)
convertir	poder	
divertir(se)	resolver	
mentir	volver	
preferir		
sentir(se)	dormir	
sugerir	morir	

› The verbs **adquirir** *(to acquire)*, **jugar** *(to play)*, and **oler** *(to smell)* are conjugated like stem-changing verbs.

adquirir (i → ie)	jugar (u → ue)	oler (o → hue)
adquiero	juego	**hue**lo
adquieres	juegas	**hue**les
adquiere	juega	**hue**le
adquirimos	jugamos	olemos
adquirís	jugáis	oléis
adquieren	juegan	**hue**len

Ahora, ¡a practicar!

A. Llegada a Madrid. Completa el texto en el presente de indicativo para saber lo que te dice tu amigo René de su llegada a Madrid.

Durante el vuelo yo no (1) __________ (poder) dormir. En general no (2) __________ (dormir) durante los vuelos. Así, al llegar a Madrid, me (3) __________ (sentir) bastante cansado. En el aeropuerto (4) __________ (encontrar) el centro de información y (5) __________ (pedir) consejo sobre hoteles. Yo (6) __________ (conseguir) uno en el centro de la ciudad. (7) __________ (Comenzar) a hacer planes para ese día, pero (8) __________ (entender) que lo primero es descansar porque me (9) __________ (morir) de cansancio.

B. Congestión de tráfico. Completa el siguiente texto en el presente de indicativo para repasar lo que le ocurre a la protagonista de la lectura "El arrebato".

La historia (1) __________ (comenzar) a las nueve menos cuarto de la mañana. Todos (2) __________ (contar) con llegar al trabajo en quince minutos. Seguramente muchos se (3) __________ (despertar) tarde. Los coches apenas se (4) __________ (mover). Avanzar (5) __________ (costar) mucho. Un motorista (6) __________ (mostrar) cortesía al dejarla adelantar. Cuando la protagonista (7) __________ (querer) agradecerle, el motorista no (8) __________ (entender) esa expresión de simpatía. Ya nadie aprecia gestos amistosos. Todos sólo (9) __________ (pensar) en adelantar.

C. Hábitos diarios. Tu nuevo(a) compañero(a) te hace estas preguntas porque desea conocer algunos aspectos de tu rutina diaria. Una vez que él/ella termine, cambien papeles.

1. ¿A qué hora te despiertas?
2. ¿Te levantas en seguida o duermes otro rato?
3. ¿Te vistes de inmediato o te desayunas primero?
4. ¿A qué hora empiezas tu primera clase?
5. ¿Dónde almuerzas, en la universidad, en un restaurante o en casa?
6. ¿Qué haces después de las clases, trabajas o juegas a algún deporte?
7. ¿A qué hora vuelves a casa?
8. ¿A qué hora te acuestas? ¿Te duermes sin dificultad?

2.2 The Present Indicative: Verbs with Spelling Changes and Irregular Verbs

Verbs with Spelling Changes*

Some verbs require a spelling change to maintain the pronunciation of the stem.

› Verbs ending in -**ger**, -**gir** change **g** to **j** in the first-person singular.

dirigir	diri**j**o, diriges, dirige, dirigimos, dirigís, dirigen
proteger	prote**j**o, proteges, protege, protegemos, protegéis, protegen

Other -**ger** or -**gir** verbs:

coger *(to catch)*	**corregir (i)**
recoger *(to gather)*	**elegir (i)**
	exigir

› Verbs ending in -**guir** change **gu** to **g** in the first-person singular.

distinguir	distin**g**o, distingues, distingue, distinguimos, distinguís, distinguen

Other -**guir** verbs:

conseguir (i) *(to obtain)*	**proseguir (i)** *(to pursue, to proceed)*
extinguir *(to extinguish)*	**seguir (i)**

› Verbs ending in -**cer**, -**cir** preceded by a consonant, change **c** to **z** in the first-person singular.

convencer	conven**z**o, convences, convence, convencemos, convencéis, convencen

Other verbs in this category:

ejercer *(to practice, to exert)* **vencer** *(to vanquish, to overcome)* **esparcir** *(to spread)*

› Verbs ending in -**uir** change **i** to **y** before **o** and **e**.

construir	constru**y**o, constru**y**es, constru**y**e, construimos, construís, constru**y**en

Other -**uir** verbs:

atribuir	**contribuir**	**distribuir**	**incluir**	**obstruir**
concluir	**destruir**	**excluir**	**influir**	**substituir**

› Some verbs ending in -**iar** and -**uar** change the **i** to **í** and the **u** to **ú** in all forms except **nosotros** and **vosotros.**

enviar	env**í**o, env**í**as, env**í**a, enviamos, enviáis, env**í**an
acentuar	acent**ú**o, acent**ú**as, acent**ú**a, acentuamos, acentuáis, acent**ú**an

Other verbs in this category:

ampliar *(to enlarge)*	**continuar**
confiar	**efectuar** *(to carry out, to perform)*
enfriar *(to cool down)*	**graduar(se)**
guiar	**situar**

*If you are unsure of the meaning of one of these verbs, they all appear in the **Vocabulario** section in the back of the book.

The following -**iar** and -**uar** verbs are regular:

anunciar	**cambiar**	**estudiar**
apreciar	**copiar**	**limpiar**

Verbs with Irregular Forms

› The following common verbs have several irregularities in the present indicative.

decir	estar	ir	oír	ser	tener	venir
digo	estoy	voy	oigo	soy	tengo	vengo
dices	estás	vas	oyes	eres	tienes	vienes
dice	está	va	oye	es	tiene	viene
decimos	estamos	vamos	oímos	somos	tenemos	venimos
decís	estáis	vais	oís	sois	tenéis	venís
dicen	están	van	oyen	son	tienen	vienen

Verbs derived from any of these words have the same irregularities:

decir: **contradecir** *(to contradict)*
tener: **contener**, **detener**, **mantener**, **obtener**
venir: **convenir** *(to be convenient)*, **intervenir**, **prevenir**

› The following verbs have an irregular first-person singular form only.

caber:	**quepo**	saber:	**sé**
dar:	**doy**	traer:	**traigo**
hacer:	**hago**	valer:	**valgo**
poner:	**pongo**	ver:	**veo**
salir:	**salgo**		

Derived verbs show the same irregularities:

hacer: **deshacer**, **rehacer**, **satisfacer**
poner: **componer**, **imponer**, **oponer**, **proponer**, **reponer**, **suponer**
traer: **atraer**, **contraer**, **distraer(se)**

› Verbs ending in -**cer** or -**cir** preceded by a vowel, add **z** before **c** in the first-person singular.

ofrecer ofre**zc**o, ofreces, ofrece, ofrecemos, ofrecéis, ofrecen

Other verbs in this category:

agradecer	**establecer**	**conducir**
aparecer	**obedecer**	**deducir**
complacer *(to please)*	**parecer**	**introducir**
conocer	**permanecer** *(to stay)*	**producir**
crecer *(to grow)*	**pertenecer** *(to belong)*	**reducir**
desconocer	**reconocer**	**traducir**

Ahora, ¡a practicar!

A. Basquetbolista exitoso. Completa las oraciones con la forma apropiada del verbo que aparece entre paréntesis para saber de la vida de Pau Gasol.

Mi nombre (1) ___________ (ser) Pau Gasol. (2) ___________ (Ser) un basquetbolista español. Ahora (3) ___________ (estar) jugando en la NBA, la liga más importante del mundo. Afortunadamente (4) ___________ (tener) éxito como jugador profesional. Aunque yo (5) ___________ (residir) en los Estados Unidos, (6) ___________ (ir) con frecuencia a España, donde (7) ___________ (estar) mi familia. Me (8) ___________ (mantener) en contacto con mis parientes y amigos de allá. (9) ___________ (Pertenecer) también al equipo nacional español y me (10) ___________ (sentir) orgulloso de ser parte de ese equipo.

B. Somos individualistas. Cada uno de los miembros de la clase menciona algo especial que hacen. ¿Qué dicen?

MODELO pertenecer al Club de Español
Pertenezco al Club de Español.

1. traducir del español al francés
2. saber hablar portugués
3. construir barcos en miniatura
4. dar lecciones de pintura
5. hacer esbozos de paisajes
6. guiar a turistas a sitios de interés en la ciudad
7. mantener correspondencia con amigos españoles
8. ofrecer mis servicios como voluntario en un hospital local
9. proteger animales abandonados
10. componer poemas de amor

C. ¿Preguntas razonables o locas? Selecciona cuatro verbos de esta lista y escribe una pregunta razonable o loca con cada verbo. Escribe cada pregunta en un pedazo de papel. Luego, tu profesor(a) va a recoger todos los papeles y dejar que cada persona de la clase seleccione uno y conteste la pregunta.

MODELO graduarse
¿Cuándo te gradúas? o **¿Te gradúas de la escuela primaria este año o el año próximo?**

averiguar	conseguir	incluir
caber	convencer	obedecer
concluir	dirigir	oír
conducir	graduarse	proponer

México

Comprehension check: Ask: **¿Cuál es el nombre oficial de México? ¿Se le podría llamar "Estados Unidos" como se le llama a los Estados Unidos de América? ¿Qué significa "D.F."?**

Suggestions: Ask students if they have visited any of these cities or other cities in Mexico. Also ask if they are familiar with any of these festivals. If so, have them share their experiences with the class.

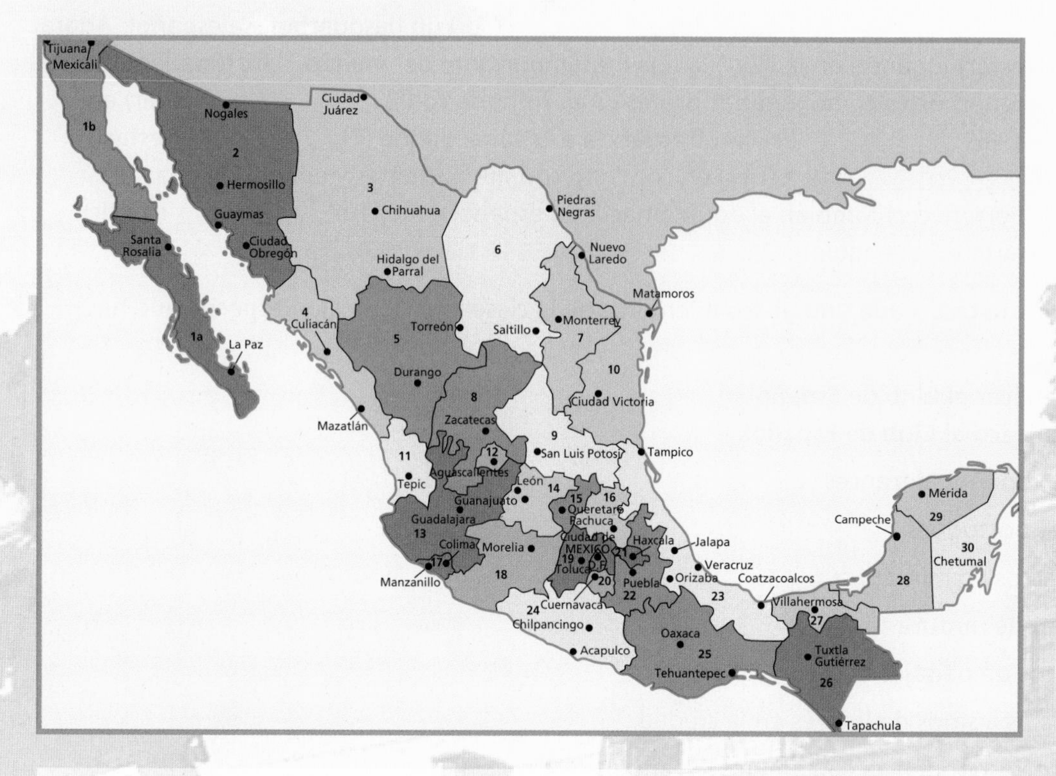

Comprehension check: Ask: **1. En tu opinión, ¿qué es lo más interesante del Zócalo? 2. ¿Cuál crees que es más interesante, el Bosque de Chapultepec o el Central Park en Nueva York? ¿Por qué? 3. ¿Qué te atrae más a ti, Guadalajara o Mérida? ¿Por qué? 4. En tu opinión, ¿cuál de estas fiestas es religiosa? ¿Patriótica? ¿Cultural?**

Nombre oficial: Estados Unidos Mexicanos
Población: 111.211.789 (estimación de 2009)
Principales ciudades: México, D.F., Guadalajara, Netzahualcóyotl, Monterrey
Moneda: Peso ($)

En México, D.F., la capital, con una población de casi nueve millones, tienes que visitar...

Jeremy Woodhouse/Photolibrary

- el Zócalo, sitio del antiguo centro ceremonial azteca, y ahora una enorme plaza con la Catedral Metropolitana (la catedral más grande de todo el continente), el Palacio Nacional y el Ayuntamiento.
- el Templo Mayor, ruinas del gran templo azteca donde tuvieron lugar miles de sacrificios humanos.
- el Bosque de Chapultepec, un parque de unos 1600 acres que incluye el Monumento a los Niños Héroes, el Castillo de Chapultepec, el Museo de Arte Moderno, el Museo Tamayo Arte Contemporáneo y el Museo Nacional de Antropología.
- el Museo Nacional de Antropología, con sus veintitrés salones, en un área de casi veinte acres. Dedicado a las culturas mesoamericanas, es considerado uno de los mejores del mundo.
- el Palacio de Bellas Artes, una verdadera joya cultural debido no solo a su arquitectura exquisita sino también a la gran cortina de cristal de Tiffany y a los extraordinarios murales de Diego Rivera, José Clemente Orozco, David Alfaro Siqueiros, Rufino Tamayo y mucho más.

En Guadalajara, no dejes de visitar...

› el Hospicio Cultural de Cabañas, con cincuenta y tres murales en su capilla, pintados por el sobresaliente muralista José Clemente Orozco.
› la Plaza de los Mariachis, donde puedes contratar a tu propia banda de mariachis.
› el Teatro Degollado, escenario de conciertos, óperas, ballets, recitales, obras teatrales y presentaciones de artistas nacionales e internacionales.
› la Catedral de Guadalajara, símbolo de la ciudad.

Steve Vidler/Photolibrary

JTB Photo/Photolibrary

En Mérida, puedes visitar...

› la Plaza Mayor, centro cultural y comercial de la ciudad desde que se estableció en 1545.
› el Mercado Municipal, donde se pueden adquirir desde productos de primera calidad hasta curiosidades y lo mejor de la gastronomía maya.
› las ruinas de la legendaria ciudad maya de Chichén Itzá, declarada Maravilla del Mundo en 2007, a unas setenta y cinco millas de la ciudad.

Festivales mexicanos

› Las Fiestas Patrias (Día de la Independencia) en el Zócalo de la Ciudad de México
› el Festival de Nuestra Señora de Guadalupe que se celebra el 12 de diciembre en todo México
› Guelaguetza en Oaxaca, fiesta en honor de Centeotl, la diosa zapoteca y mixteca del maíz
› la Semana Santa en Taxco
› el Día de los Muertos que se celebra el 2 de noviembre en todo México

¡Diviértete en la red!
Busca en Google Images o en YouTube Guelaguetza, Chichén Itzá, el Castillo de Chapultepec, el Festival de Nuestra Señora de Guadalupe y el Día de los Muertos para ver en qué consisten. Ven a clase preparado(a) para describir en detalle lo que descubriste.

MEJOREMOS LA COMUNICACIÓN

Y en los libros... ¡la vida!

La literatura mexicana es una de las más ricas e influyentes de las literaturas en lengua española. Algunos autores mexicanos, conocidos a nivel internacional, son Juan Rulfo, Octavio Paz, Carlos Fuentes, Rosario Castellanos y Elena Poniatowska. En 1990, Octavio Paz se convirtió en el único mexicano hasta la fecha en recibir el Premio Nobel de Literatura.

Al hablar de literatura

comedia	*comedy*	**obra de teatro**	*play*
cuento	*short story*	**personaje** *(m.)*	*character*
drama *(m.)*	*drama*	**poema** *(m.)*	*poem*
dramaturgo(a)	*playwright*	**poemario**	*book of poems*
ensayo	*essay*		
escritor(a)	*writer*	**poesía**	*poetry*
narrador(a)	*narrator*	**poeta** *(m. f.)*	*poet*
novela	*novel*	**teatro**	*theater*
novelista *(m. f.)*	*novelist*	**trama**	*plot*

David Jaramillo/Getty Images

Al describir libros

¿Qué te parece este poemario?

Lo recomiendo.	*I recommend it.*	**Es aburridísimo.**	*It's extremely boring.*
Es fascinante.	*It's fascinating.*	**Es dificilísimo.**	*It's extremely difficult.*
Vale la pena.	*It's worth it.*	**Es incomprensible.**	*It's incomprehensible.*
Es fantástico.	*It's fantastic.*	**Es larguísimo.**	*It's extremely long.*
Es increíble.	*It's incredible.*	**Es terrible.**	*It's terrible.*

Al regalar un libro

—Lo leí y pensé que te gustaría.	*I read it and I thought you would like it.*
—Creo que te gustará.	*I think you will like it.*
—Espero que te guste. A mí me encantó.	*I hope you like it. I loved it.*
—Me hablaron muy bien de este libro. Dime si te gusta.	*I heard good things about this book. Tell me if you like it.*

Al aceptar un libro

—Estoy seguro(a) de que me encantará.	*I am sure I will love it.*
—Seguro que me gusta.	*I will surely like it.*
—Leí las reseñas. Parecía interesante.	*I read the reviews. It seemed interesting.*

Después de leer el libro

—Gracias por regalarme el libro. Me encantó.	*Thank you for giving me the book. I loved it.*
—El libro es buenísimo. Lo leí de un tirón.	*The book is great. I read it without stopping.*
—Es un poquito lento, pero me gustó.	*It is a little slow-moving, but I liked it.*

Vocabulary practice: Call on individual students to name a **cuento, drama, ensayo, novela,** or **poema;** or an **escritor(a), dramaturgo(a),** or **novelista** that they consider **aburridísimo(a), incomprensible, fascinante,** etc. Or make it into a game: Ask for volunteers to raise their hands and name a favorite **cuento, drama, ensayo, novela,** or **poema...** Then anyone in the class that read the work should state an opinion: **Es aburridísimo(a), Es larguísimo(a), Vale la pena,** etc. Keep the game going as long as students can name works and state opinions.

¡A practicar, luego a conversar!

A. Los que no defraudan... Sin duda, hay libros que no defraudan (*disappoint*).

Indica quiénes son los autores.

__c__ 1. *Don Quijote de la Mancha*	a. Rigoberta Menchú Tum
__g__ 2. *Cien años de soledad*	b. León Tolstoi
__a__ 3. *Me llamo Rigoberta Menchú...*	c. Miguel de Cervantes
__b__ 4. *La guerra y la paz*	d. Harriet Stowe
__h__ 5. *Los miserables*	e. Ernest Hemingway
__d__ 6. *La cabaña del Tío Tom*	f. Daniel Defoe
__f__ 7. *Aventuras de Robinson Crusoe*	g. Gabriel García Márquez
__e__ 8. *El viejo y el mar*	h. Víctor Hugo

B. Palabras clave: letra. Para ampliar tu vocabulario, busca la palabra "letra" en las siguientes expresiones idiomáticas y selecciona la frase que la define. Compara tu selección con las de dos compañeros(as) de clase y usa cada expresión en dos oraciones originales.

__d__ 1. con todas las letras	a. saber las palabras de una canción
__e__ 2. al pie de la letra	b. que estudia humanidades
__a__ 3. saberse la letra	c. que es difícil leer lo que escribe
__b__ 4. ser de letras	d. de verdad, completamente
__c__ 5. tener mala letra	e. literalmente

C. Opiniones. ¿Qué opinas de los distintos géneros de la literatura: comedia, cuento, drama, ensayo, novela, poesía? Dile tus opiniones a un(a) compañero(a) y explícale por qué piensas eso. Luego, escucha sus opiniones.

MODELO **La poesía es aburridísima porque...** o
La poesía es fascinante porque...

D. Entrevista. Entrevista a dos de tus compañeros(as) de clase para saber quiénes son sus escritores(as) favoritos(as). Pregúntales qué tipo de obras escriben, cuál es su favorita y si te la recomiendan.

Suggestion: Ask: ¿Qué territorio geográfico de los EE.UU. fue cedido por México? (partes de los estados de Colorado, Arizona, New Mexico y Wyoming, tanto como todos los estados de California, Nevada, Utah y Texas)

México: tierra de contrastes

El período colonial y la independencia

De 1521 a 1821, México sirvió como capital del Virreinato de la Nueva España, una importante colonia del vasto imperio español.

Esta región era riquísima, ya que en ella se encontraban grandes minas de oro y plata que fueron explotadas con el trabajo inhumano impuesto a la población indígena. Al final de este período, los criollos (españoles nacidos en América) se levantaron contra el poder de los gachupines (españoles nacidos en España) y consiguieron la independencia de México en 1821.

Toño Labra/Photolibrary

Stockbyte/Photolibrary

El Tratado de Guadalupe-Hidalgo

En 1836, México se vio obligado a conceder la independencia a los colonos anglosajones de Texas. Además, después de la desastrosa guerra con los EE.UU., de 1846 a 1848, tuvo que ceder la mitad de su territorio a los EE.UU. por el Tratado de Guadalupe-Hidalgo.

Benito Juárez

En 1858 fue elegido presidente Benito Juárez, político liberal de origen zapoteca. Durante su gobierno, los franceses invadieron México y, en 1862, tuvo que huir de la capital para salvar la presidencia. Diez años después, los franceses fueron derrotados y Benito Juárez regresó triunfante a la Ciudad de México. Durante su presidencia logró establecer las Leyes de Reforma, que declaraban la independencia del Estado respecto de la Iglesia, la ley sobre matrimonio civil y registro civil, y el paso de los bienes de la Iglesia a la nación.

Porfirio Díaz

En 1877, el general Porfirio Díaz se proclamó dictador y gobernó durante más de treinta años en una época conocida como el "porfiriato". Durante el porfiriato, el pueblo decía que México era "la madre de los extranjeros" y "la madrastra de los mexicanos" debido a una política que, por un lado, favorecía a los extranjeros y, por otro, les quitaba las tierras a los campesinos. Esta situación derivó en la Revolución Mexicana en 1910, un período violento que duró dos décadas y dejó más de un millón de muertos.

El México de hoy

- La región metropolitana de la Ciudad de México, con veintitrés millones de habitantes, es una de las ciudades más pobladas del mundo y quizás también la más contaminada.
- En 2006, Felipe de Jesús Calderón Hinojosa ganó las elecciones presidenciales por un pequeño margen. Su campaña política se centró, además de otros aspectos, en la promesa de crear fuentes de trabajo y en tratar de superar el subempleo.

© Jorge Gutierrez/epa/Corbis

Suggestion: Ask: ¿Qué efecto creen que ha tenido el narcotráfico en la economía de México? (El turismo ha decaído dramáticamente.) ¿Creen que el gobierno estadounidense debe asumir responsabilidades por el crecimiento del narcotráfico en Mexico? (Los EE.UU. han admitido algo de responsabilidad en la venta de armas a los narcotraficantes y en el consumo de drogas.)

- El narcotráfico se ha convertido en una de las grandes plagas de la sociedad mexicana, generando verdaderas batallas entre el gobierno y los distintos cárteles. Sólo entre 2006 y 2010, se contabilizaron 22,000 muertes violentas.
- México es, hoy por hoy, una potencia económica mundial. Se ha consolidado como un país de ingresos económicos medio-superior y como un país industrializado.
- La distribución tan desigual de la riqueza y la creciente violencia relacionada con la droga son dos de los más grandes desafíos del México de hoy.

¿COMPRENDISTE?

A. Hechos y acontecimientos. Completa las siguientes oraciones. Luego, compara tus respuestas con las de un(a) compañero(a).

1. La riqueza de los españoles en el Virreinato de Nueva España durante el período colonial se basaba en...
2. Con el Tratado de Guadalupe-Hidalgo, México cedió a los Estados Unidos más de...
3. Entre los logros más importantes de la presidencia de Benito Juárez están...
4. Durante el porfiriato, el pueblo decía que México era "la madre de los extranjeros" y "la madrastra de los mexicanos" porque...
5. Un ejemplo de lo violenta que fue la Revolución Mexicana es...
6. Con veintitrés millones de habitantes, la región metropolitana de la Ciudad de México es...
7. Felipe de Jesús Calderón Hinojosa ganó las elecciones presidenciales en 2006 prometiendo crear...
8. Hoy día, México se ha consolidado como un país de...
9. Dos de los más grandes desafíos de México, hoy, son...

VOCABULARIO ÚTIL

bienes *(m.)*	*property, assets*
ceder	*to cede, to hand over*
colono	*colonist*
conceder	*to grant, to concede*
derrotado(a)	*defeated*
durar	*to last*
encontrarse (ue)	*to encounter, to find*
extranjero(a)	*foreigner*
golpeado(a)	*hit*
madrastra	*stepmother*
maltrecho(a)	*damaged, battered*
muerto(a)	*dead*
salvar	*to save*
virreinato	*viceroyalty*

B. A pensar y a analizar. ¿Por qué crees que el título de esta lectura es "México: tierra de contrastes"? ¿Cuáles son esos contrastes? Con un(a) compañero(a), prepara una lista de los contrastes que más les han impresionado y preséntensela a la clase.

C. Apoyo gramatical: Adjetivos descriptivos. Para apreciar la diversidad arquitectónica de la capital de México, completa el siguiente párrafo colocando los adjetivos que están entre paréntesis en su forma y posición apropiadas. Los adjetivos aparecen en su forma masculina singular.

La Ciudad de México es el (1) ___centro político___ centro (político), la (2) ___base económica___ base (económico) y el (3) ___corazón cultural___ corazón (cultural) del país. Si te interesan los (4) ___diseños arquitectónicos___ diseños (arquitectónico), debes pasearte por esta (5) ___dinámica metrópolis___ metrópolis (dinámico). Vas a ver (6) ___impresionantes ruinas / ruinas impresionantes___ ruinas (impresionante) dejadas por los (7) ___antiguos aztecas___ aztecas (antiguo), edificios de la (8) ___época colonial___ época (colonial) y, por supuesto, (9) ___bellas construcciones modernas___ construcciones (bello, moderno).

Gramática 2.3: Antes de hacer esta actividad conviene repasar esta estructura en las págs. 89–92.

Suggestions: Ask students if they are familiar with any of Maná's recordings and, if so, which ones and what do they think of them. Also ask if any have seen Lorena Ochoa play and, if so, what is their impression.

Extensions: (a) Read to the class the first-hand account of one of the victims of Mexico City's worst earthquake in Elena Poniatowska's *Nada, nadie: las voces del temblor.* (b) Listen to one of Maná's CDs in class.

Maná

Este grupo musical de pop y rock, muy conocido, en sus inicios se llamó "*Green Hat*". En 1986 cambiaron el nombre por el de "Maná". Su carrera se ha prolongado por más de dos décadas. Han ganado tres Premios Grammy, cinco premios *Latin Grammy*, un premio MTV, tres Premios Juventud, nueve *Billboard Latin Music* y doce Premios Lo Nuestro. Su música ha sido caracterizada como ritmos que se sitúan entre el pop rock, pop latino, calipso y reggae. Al comienzo de su carrera eran conocidos en Australia y España. Desde entonces han ganado popularidad en los Estados Unidos, Europa Occidental, Asia y Medio Oriente. Hasta 2009 han vendido más de veintidós millones de álbumes.

Reuters/Rene Gonzalez/Landov

Quim Llenas/Getty Images

Elena Poniatowska

Se inició en el periodismo en 1954 y desde entonces ha publicado numerosas novelas, cuentos, crónicas y ensayos. *La noche de Tlatelolco* (1971) es su obra más conocida. Por sus obras ha sido galardonada con una multitud de premios de gran prestigio, entre ellos el Premio Nacional de Periodismo, 1978 (fue la primera mujer que recibió esta distinción); el Premio Coatlicue, 1990 (por ser considerada la mujer del año); el Premio Nacional de Ciencias y Artes, 2002 (Lingüística y Literatura); el Premio Nacional de la Asociación de Radio Difusores Polonia, 2008; y el Premio Internacional Fray Domínico Weinzierl, 2009.

Lorena Ochoa

La joven golfista mexicana Lorena Ochoa recibió en noviembre de 2001 de manos del presidente Vicente Fox el Premio Nacional del Deporte, convirtiéndola en la persona más joven en recibirlo. Tenía solo diecinueve años. Actualmente está clasificada como la golfista número uno del mundo, siendo la primera deportista mexicana en lograrlo. Hace poco, Lorena afirmó durante una entrevista: "Me siento afortunada de tener la oportunidad de representar a mi país y ser un ejemplo para los niños de México. Es una responsabilidad que acepto con honor". El 23 de abril del 2010 anunció oficialmente su retiro del golf profesional como ella quería: siendo la número uno del mundo.

Andy Lyons/Getty Images

Suggestion: Ask what a **cronista/guionista** writes. Ask students to look up two or more of the **Otros mexicanos sobresalientes** on the Internet and have them turn in a brief written report on what they find. You may want to offer extra credit for this work.

Otros mexicanos sobresalientes

Miguel Alemán Velasco: abogado, escritor, productor, cronista y hombre de negocios

Yolanda Andrade: actriz

Laura Esquivel: novelista y guionista

Alejandro Fernández: cantante

Carlos Fuentes: novelista, cuentista, ensayista, dramaturgo y diplomático

Salma Hayek: actriz

Ángeles Mastretta: novelista, cuentista y periodista

Luis Miguel: cantante

Carlos Monsiváis: periodista y escritor

Octavio Paz (1914–1998): poeta, ensayista, Premio Nobel de Literatura 1990

Arturo Ripstein: director de cine

¿COMPRENDISTE?

VOCABULARIO ÚTIL

abreviar	*to abbreviate*
actualmente	*currently*
galardonado(a)	*awarded*
periodismo	*journalism*
prolongarse	*to extend, to continue*

A. **Los nuestros.** Con un(a) compañero(a), comparen estos mexicanos sobresalientes. Indiquen las similitudes y las diferencias.

B. **Miniprueba.** Demuestra lo que aprendiste de estos talentosos mexicanos al completar estas oraciones.

1. Maná toca música __c__.
   a. folclórica
   b. ranchera
   c. pop/rock
2. Como muchos escritores, Elena Poniatowska empezó escribiendo para __b__.
   a. una revista de moda
   b. un periódico
   c. poder comer
3. Una responsabilidad que Lorena Ochoa acepta con honor es el __b__.
   a. Premio Nacional del Deporte
   b. servir de modelo para los niños
   c. ser la golfista número uno del mundo

¡Diviértete en la red!
Busca "Maná", "Elena Poniatowska" y/o "Lorena Ochoa" en YouTube para ver videos y escuchar a estos talentosos mexicanos. Ven a clase preparado(a) para presentar lo que encontraste.

ESCRIBAMOS AHORA

Suggestion: Keep in mind that this writing activity should only take 3–5 minu class time. All other writing can be done at home.

La descripción: punto de vista

1 **Para empezar.** En la Lección 1 aprendiste que la descripción hace visible a una persona, un objeto, una idea o un incidente. Ya que cada persona percibe la realidad de distinto modo, cada descripción es diferente. Por ejemplo, piensa ahora en la siguiente descripción que leíste en el cuento de Rosa Montero, "El arrebato". Luego, contesta las siguientes preguntas con un(a) compañero(a) de clase.

"Por el espejo ves cómo se acerca un chico en una motocicleta, zigzagueando entre los coches. Su facilidad te causa indignación, su libertad te irrita. Mueves el coche unos centímetros hacia el del vecino, y ves que el transgresor está bloqueado, que ya no puede avanzar. ¡Me alegro!"

a. ¿Quién es el (la) narrador(a)? ¿Desde qué punto de vista se está describiendo a la persona?

b. ¿Cuáles son las palabras descriptivas que usa la autora?

c. ¿Cómo cambiaría la descripción si el punto de vista fuera (*were*) de otros conductores o del motociclista? ¿Qué perdería o ganaría la descripción? Assign parts A and B as homework. Do part C in class.

2 **A generar ideas.** Piensa ahora en un incidente automovilístico o de bicicleta que tuviste. Escribe "auto" o "bici" en el centro de un círculo. Luego, en un diagrama araña, anota varios sucesos interesantes que relacionas con este incidente. Luego, haz un segundo diagrama araña del mismo incidente, pero visto no como tú lo ves sino como lo ve otra persona, quizás una persona con quien casi chocaste o a quien casi atropellaste. No hace falta describir los incidentes; basta con anotar unas tres o cuatro palabras que te hagan recordar lo que pasó.

3 **Tu borrador.** Usa la información en la sección anterior para escribir unos dos o tres párrafos describiendo el incidente. Lo importante es incluir todas las ideas que tú consideras importantes. Luego, escribe una segunda descripción del mismo incidente, pero esta vez desde el punto de vista de la otra persona que escogiste. ¡Buena suerte!

4 **Revisión.** Intercambia tus dos descripciones del incidente con las de un(a) compañero(a). Revisa las descripciones prestando atención a las siguientes preguntas. ¿Escribe con claridad? ¿Evita transiciones inesperadas de una oración a otra o de un párrafo a otro? ¿Son claros los detalles del incidente? ¿Da bastantes detalles? ¿Son adecuadas las dos descripciones?

5 **Versión final.** Considera las correcciones que tu compañero(a) te ha indicado y revisa tus descripciones por última vez. Como tarea, escribe las copias finales en la computadora. Antes de entregarlas, dales un último vistazo a la acentuación, a la puntuación y a la concordancia.

6 **Reacciones (opcional).** En grupos de seis u ocho, lean sus descripciones para que el grupo seleccione la que más le gustó. Luego, que la persona seleccionada de cada grupo lea su descripción a toda la clase para que la clase seleccione la que más le gustó de todas.

Suggestion: Guide students by drawing a Venn diagram with a circle in the center and 6 or 7 spokes. In the circle write **auto** (**bici**). Then on one spoke write **embotellamiento**, on another write **un estúpido,** and on another write **semáforo rojo.** Leave the other spokes blank.

Anticipando...: After reading "**Tiempo libre,**" have students come back to activity A to see if anything they said in item 2 actually occurred in the story.

¡Antes de leer!

A. Anticipando la lectura. Contesta estas preguntas para ver qué papel tiene el periódico en tu vida.

1. ¿Acostumbras leer un diario todos los días? ¿Cuál? Si no lees el periódico, ¿cómo te informas de las noticias?
2. Muchas cosas pueden pasar mientras una persona lee el periódico. Usa tu imaginación y saca una lista de todo lo raro, peligroso o fantástico que te podría pasar al leer el periódico. Compara tu lista con la de dos compañeros(as) de clase.

B. Vocabulario en contexto. Busca estas palabras en la lectura que sigue y, en base al contexto en el cual aparecen, decide cuál es su significado. Para facilitar el encontrarlas, las palabras aparecen en negrilla en la lectura. *Vocabulario...:* Ask volunteers to create original sentences with these vocabulary words.

1. me mancho	a. me corto	b. me cubro	(c.) me ensucio
2. estar al día	(a.) estar informado	b. estar listo	c. estar contento
3. enterarme	a. convencerme	b. pensar	(c.) informarme
4. tiznados	a. inflamados	(b.) sucios	c. cortados
5. me tallé	(a.) me limpié	b. me duché	c. me encontré
6. asustado	a. rápido	b. lentamente	(c.) con miedo

Sobre el autor

Guillermo Samperio nació en 1948 en la Ciudad de México, donde se educó y ha vivido toda su vida. La realidad urbana que se confronta todos los días en la gran metrópolis ha sido la temática de la mayoría de sus cuentos, muchos de ellos llenos de humor. Ha publicado varios libros. De sus libros de cuentos, los que más se destacan son *Tomando vuelo y demás cuentos* (1975), *Medio ambiente* (1977) con el que ganó el premio Casa de las Américas y *Textos extraños* (1981), de donde viene el cuento "Tiempo libre". También ha escrito novelas.

Courtesy Guillermo Samperio

Tiempo libre

Todas las mañanas compro el periódico y todas las mañanas, al leerlo, me mancho los dedos con tinta.* Nunca me ha importado ensuciármelos con tal de estar al día en las noticias. Pero esta mañana sentí un gran malestar* apenas toqué el periódico. Creí que solamente se trataba de uno de mis acostumbrados mareos.* Pagué el importe* del diario y regresé a mi casa.

Mi esposa había salido de compras. Me acomodé en mi sillón favorito, encendí un cigarro y me puse a leer la primera página. Luego de **enterarme** de que un jet se había desplomado,* volví a sentirme mal; vi mis dedos y los encontré más **tiznados** que de costumbre. Con un dolor de cabeza terrible, fui al baño, me lavé las manos con toda calma y, ya tranquilo, regresé al sillón. Cuando iba a tomar mi cigarro, descubrí que una mancha* negra cubría mis dedos. De inmediato retorné al baño, **me tallé** con zacate,* piedra pómez* y, finalmente, me lavé con blanqueador*; pero el intento fue inútil, porque la mancha creció y me invadió hasta los codos.* Ahora, más preocupado que molesto,* llamé al doctor y me recomendó que lo mejor era que tomara unas vacaciones, o que durmiera. En el momento en que hablaba por teléfono, me di cuenta de* que, en realidad, no se trataba de una mancha, sino de un número infinito de letras pequeñísimas, apeñuzcadas,* como una inquieta* multitud de hormigas* negras. Después, llamé a las oficinas del periódico para elevar mi más rotunda protesta; me contestó una voz de mujer, que solamente me insultó y me trató de loco. Cuando colgué,* las letritas habían avanzado ya hasta mi cintura.* **Asustado**, corrí hacia la puerta de entrada; pero, antes de poder abrirla, me flaquearon* las piernas y caí estrepitosamente.* Tirado* bocarriba descubrí que, además de la gran cantidad de letrashormiga que ahora ocupaban todo mi cuerpo, había una que otra fotografía. Así estuve durante varias horas hasta que escuché que abrían la puerta. Me costó trabajo hilar* la idea, pero al fin pensé que había llegado mi salvación. Entró mi esposa, me levantó del suelo, me cargó* bajo el brazo, se acomodó en mi sillón favorito, me hojeó despreocupadamente y se puso a leer.

ink · intranquilidad · *dizzy spells* · precio · caído del cielo · *stain* · *scrubber* · **piedra...** roca volcánica / *bleach* · *elbows* · de mal humor · **me...** supe · agrupadas / intranquila / *ants* · *I hung up / waist* · **me...** se sintieron débiles / con mucho ruido / Extendido en el suelo · conectar · llevó

¡Después de leer!

A. Hechos y acontecimientos. ¿Recuerdas los datos más importantes de la lectura? Para asegurarte, contesta las preguntas y completa las oraciones que siguen.

1. ¿Dónde ha vivido toda su vida Guillermo Samperio? ¿Qué importancia tiene este hecho en su obra literaria?
2. El título del cuento "Tiempo libre" se refiere a...
3. El periódico que el protagonista lleva a su casa es importante porque...
4. Lo primero que pensó el protagonista al ver la mancha que le cubría los dedos fue...
5. El resultado de las dos llamadas del protagonista, primero al doctor y luego a las oficinas del periódico, fue...
6. El protagonista corrió hacia la puerta de entrada e intentó abrirla porque...
7. Al entrar a la casa, su esposa...
8. El protagonista se convirtió en... cuando no pudo abrir la puerta de su casa.

B. A pensar y a analizar. En grupos de tres o cuatro, contesten las siguientes preguntas. Luego, compartan sus respuestas con la clase.

1. ¿Les parece que este cuento tiene algo que ver con una pesadilla (un mal sueño)? ¿Por qué?
2. Describan al narrador de este cuento. ¿Se narra en primera, segunda o tercera persona?
3. ¿Qué opinan del final del cuento? ¿Les sorprendió? ¿Por qué? ¿Cómo pensaban Uds. que iba a terminar?

C. Teatro para ser leído. En grupos de cuatro, preparen una lectura dramática del cuento "Tiempo libre". Dos personas pueden narrar mientras el (la) tercero(a) hace el papel de protagonista y el (la) cuarto(a) el de la esposa del protagonista.

1. Escriban lo que ocurre en el cuento "Tiempo libre" usando diálogos solamente.
2. Añadan un poco de narración para mantener transiciones lógicas entre los diálogos.
3. Preparen cinco copias del guión: una para la persona que hace el papel del protagonista, una para la que hace el papel de la esposa, una para cada narrador(a) y una para su profesor(a), que tendrá el papel de director(a).
4. ¡Preséntenlo!

Readers' Theater: Once their script is ready, have them perform their reader's theater for the class. Select the best performance and repeat it for another Spanish class. You may want to videotape the performances.

D. Apoyo gramatical. Uso de los verbos *ser* y *estar*. Llena los espacios en blanco con la forma apropiada del infinitivo o del presente de indicativo de los verbos ***ser*** o ***estar***.

Yo (1) soy una persona muy bien informada porque (2) soy un lector insaciable. El periódico (3) es mi lectura favorita porque me gusta (4) estar al día en las noticias. Ahora (5) son las nueve de la mañana y (6) estoy en mi sillón favorito. (7) Estoy leyendo las noticias del día.

Gramática 2.4: Antes de hacer esta actividad conviene repasar esta estructura en las págs. 93–95.

Photodisc / Photolibrary

Ana y Manuel

Un cortometraje de Manuel Calvo

Mención especial a la Interpretación Femenina (Elena Anaya) y Guión del II Certamen de Cortometrajes Cine de Málaga. Mejor Corto ex-aequo de la XIV Muestra de Cine Internacional de Palencia y Mención Especial en el VII Premio de Cortometrajes Iberia

DIRECCIÓN: MANUEL CALVO GUIÓN: MANUEL CALVO BASADO EN UN RELATO DE ISABEL GALÁN PRODUCCIÓN: ELAMEDIA, ENCANTA FILMS Y KOLDO ZUAZUA PC PRESENTAN PRODUCCIÓN EJECUTIVA: ROBERTO BUTRAGUEÑO, KOLDO ZUAZUA Y MÓNICA BLAS DIRECCIÓN DE PRODUCCIÓN: ROBERTO BUTRAGUEÑO Y ALICIA RODRÍGUEZ FOTOGRAFÍA: DANI SOSA ARTE: HENAR MONTOYA SONIDO: SOUNDERS CREACIÓN SONORA MÚSICA: JOSÉ VILLALOBOS ACTORES PRINCIPALES: ELENA ANAYA EN EL PAPEL DE ANA Y DIEGO MARTÍN EN EL PAPEL DE MANUEL

vgm/Shutterstock

Antes de ver el corto

Suggestion: Read these words with your students. Model pronunciation. To facilitate comprehension, ask students to create sentences using one or more words.

Vocabulario útil

al principio *at first*
arrastrar *to drag along*
aviso *(m.)* *warning, signal*
bidé *(m.)* *bidet*
bufanda de lana *wool scarf*
cariñoso(a) *affectionate, fond*
cartel *(m.)* *poster, flier*
dar vergüenza *to make feel ashamed*
descampado *open space*
deshacerse de *to get rid of*
echar de menos *to miss*
entregar *to deliver*
envolver (ue) *to wrap up*
genial *(m. f.)* *brilliant*
impedir *to impede, prevent*
mercadillo *street market*
monosílabo(a) *monosyllabic*
ni siquiera *not even*
pájaro *bird*
pelo *hair*
puesto *stand*
quizá *perhaps*
rastro *trace, track*
recuerdos *memories*
regatear *to bargain*
reparo *qualm*
río *river*
soler *to use to*
tortuga *turtle*
trasto *piece of junk*

A. ¿Sinónimos? Con tu compañero(a), indiquen si estas palabras están relacionadas o no.

1. rastro / huella Sí
2. bufanda / suéter Sí
3. genial / cariñoso No
4. principio / origen Sí
5. aviso / noticia Sí
6. mercadillo / mercado al aire libre Sí
7. pelo / río No
8. soler / acostumbrar Sí
9. tortuga / reptil Sí
10. impedir / evitar Sí

B. Palabras. Con tu compañero(a), completen las siguientes oraciones usando palabras del vocabulario.

1. El niño no quería ir a la escuela. Su madre lo tuvo que, literalmente, ___arrastrar___ hasta la puerta de su clase.
2. ¿Es para un regalo? ¿Quiere que se lo ___envuelva___?
3. No hace más que coleccionar basura. Tiene la casa llena de ___trastos___.
4. Debería ___darle vergüenza___ comportarse de esa manera. El problema es que tal vez no tiene vergüenza.
5. En español, las palabras que son ___monosílabas___ no llevan acento ortográfico, salvo aquellas que se pueden confundir, como si y sí, de y dé, etc.

C. Expresiones. Con tu compañero(a), indiquen otra manera de decir las siguientes palabras y expresiones.

___f___ 1. genial
___d___ 2. descampado
___b___ 3. rastro
___c___ 4. regatear
___a___ 5. reparo
___e___ 6. echar de menos

a. sentimiento de duda o malestar ante algo
b. señal de que alguien o algo pasó por allí
c. ofrecer menos dinero por un producto
d. espacio de terreno abierto y, a veces, abandonado
e. sentir la ausencia de algo o alguien
f. brillante, muy inteligente

Fotogramas de *Ana y Manuel*

Este cortometraje cuenta la historia de un chico y una chica que viven en una gran ciudad. Con un(a) compañero(a), observen estos fotogramas y relacionen cada uno con las siguientes frases que describen la acción. Después, escriban una sinopsis de lo que creen que es la trama. Compartan su sinopsis con las de otras dos parejas de la clase.

__4__ a. Era la segunda vez que me robaban el coche, pero la primera que me lo robaban con perro dentro.

__2__ b. Tuve la genial idea de comprarme un perro.

__3__ c. No era más que un pobre perro que se merecía algo más que vivir conmigo.

__5__ d. Me contó que se lo acababa de encontrar ese mismo día en el mercadillo.

__1__ e. Ni siquiera quise que nos quedáramos con la tortuga que le habían regalado a Manuel sus compañeros de trabajo.

__6__ f. ...porque era la mitad de Manuel, y además significaba "hombre" en inglés.

1

2

3 4 5 6

Después de ver el corto

A. Lo que vimos. Con tu compañero(a), decidan si acertaron al anticipar la trama en la sinopsis que escribieron. ¿Hasta qué punto acertaron? ¿Dónde variaron de la trama?

B. ¿Entendiste? Prepara 5 ó 6 preguntas sobre *Ana y Manuel* y házselas a tu compañero(a). Luego responde a sus preguntas.

C. ¿Qué piensan? Con tu compañero(a), respondan ahora a las siguientes preguntas.

1. ¿Qué opinan de este corto? ¿Les gustó? ¿Por qué sí o no?
2. ¿Creen que el corto defiende alguna tesis o tiene alguna enseñanza? ¿Cuál es? ¿Están de acuerdo, sí o no? ¿Por qué?
3. ¿Creen que este corto se puede convertir en un largometraje (*full-length film*)? ¿Qué añadirían a la historia? Expliquen.

D. El amor y las mascotas. Con tu compañero(a), respondan a las siguientes preguntas. Luego compartan sus respuestas con la clase.

1. ¿Creen que las mascotas ayudan a relacionarse mejor con las personas? ¿Creen que para mucha gente pueden ser una forma de evitar relacionarse con las personas? Expliquen.
2. ¿Tienen mascota? ¿Qué animal es? ¿Qué relación mantinen con su mascota? ¿Atienden ustedes a sus necesidades? ¿Cuánto tiempo le dedican al día?
3. ¿Qué les enseña su mascota? ¿Creen que su mascota les ayuda a ser felices? ¿Qué más les aporta su mascota? Expliquen.

E. Debate. En grupos de tres preparen un debate sobre las mascotas en nuestra sociedad. ¿Creen que es justo que nuestros perros y gatos coman mejor que muchas personas del mundo, que haya cementerios para mascotas, que se gaste tanto dinero en veterinarios... ¿Por qué sí o no? Un grupo defiende que sí y otro que no. Preparen sus argumentos y defiéndalos frente a la clase. Decidan quién ganó con sus argumentos.

F. Apoyo gramatical: Los usos de los verbos ser y estar. Completa estete párrafo con las formas apropiadas del presente de indicativo los verbos **ser** o **estar.**

Mi nombre (1) ___es___ Ana; yo (2) ___soy___ la novia de Manuel. Yo (3) ___estoy___ en contra de tener mascotas, pero él (4) ___es___ amante de las mascotas. Mi historia (5) ___es___ larga. La siguiente (6) ___es___ una versión breve. En un momento, Manuel no (7) ___es___ parte de mi vida. Yo (8) ___estoy___ sola; (9) ___Es___ hora de comprar un perro. El perro —a quien llamo Man, por Manuel— (10) ___está___ conmigo. Más tarde, de visita en casa de mis padres, me roban el coche donde (11) ___está___ Man, quien se pierde. Pasa el tiempo y un día llaman a la puerta: frente a mí (12) ___está___ Manuel, con Man a su lado. Esto (13) ___es___ un verdadero milagro. Ahora Man, Manuel y yo (14) ___estamos___ juntos.

Gramática 2.4: Antes de hacer esta actividad conviene repasar esta estructura en las págs. 93–95.

Películas que te recomendamos

- ***El secreto de sus ojos*** **(Juan José Campanella, 2009)**
- ***La teta asustada*** **(Claudia Llosa, 2009)**
- ***Amores Perros*** **(Alejandro González Iñárritu, 2000)**

2.3 Descriptive Adjectives

Forms

Adjectives that end in -**o** in the masculine singular have four forms: masculine and feminine, and singular and plural.

	Masculine	Feminine
Singular	mexican**o**	mexican**a**
Plural	mexicano**s**	mexicana**s**

› Adjectives that end in any other vowel in the singular have two forms: singular and plural.

pesimista — pesimistas
impresionante — impresionantes

› Adjectives of nationality that end in a consonant in the masculine singular have four forms.

español — española — españoles — españolas
francés — francesa — franceses — francesas

› Adjectives that end in -**án**, -**ín**, -**ón**, or -**dor** in the masculine singular also have four forms.

holgazán — holgazana — holgazanes — holgazanas — *(lazy)*
pequeñín — pequeñina — pequeñines — pequeñinas — *(tiny)*
juguetón — juguetona — juguetones — juguetonas — *(playful)*
conmovedor — conmovedora — conmovedores — conmovedoras — *(moving)*

› Other adjectives that end in a consonant in the masculine singular have only two forms.

cultural — culturales — feliz — felices
cortés — corteses — común — comunes

› A few adjectives have two masculine singular forms: a shortened form is used when the adjective precedes a masculine singular noun. Common adjectives in this group include:

bueno: — **buen** viaje — hombre **bueno**
malo: — **mal** amigo — individuo **malo**
primero: — **primer** hijo — artículo **primero**
tercero: — **tercer** capítulo — artículo **tercero**

The adjective **grande** (*big, large*) also has a shortened form, **gran,** which when used before a singular noun has a different meaning—*great:* **un gran amor, una gran idea, un gran hombre.**

Agreement of Adjectives

› Adjectives agree in gender and number with the noun they modify.

Mis primas son **activas** y **trabajadoras.** — *My cousins are active and hardworking.*
Los murales de Diego Rivera son **grandiosos** e **imaginativos.** — *Diego Rivera's murals are impressive and imaginative.*

› If a single adjective follows and modifies two or more nouns, and one of them is masculine, the masculine plural form of the adjective is used.

En esta calle hay tiendas y negocios hispan**os**. — *In this street there are Hispanic stores and businesses.*

› If a single adjective precedes and modifies two or more nouns, it agrees with the first noun.

Me gusta leer bell**as** leyendas y relatos del México colonial. — *I like to read beautiful legends and stories from Colonial Mexico.*

Position of adjectives

› Descriptive adjectives normally follow the noun they modify; they usually restrict, clarify, or specify the meaning of the noun.

Nuestra familia es de origen **mexicano.** — *Our family is of Mexican origin.*
Vivimos en una casa **amarilla.** — *We live in a yellow house.*
La industria **turística** es importante para México. — *The tourist industry is important for Mexico.*

› Descriptive adjectives are placed before the noun to stress a characteristic normally associated with that noun.

En ese cuadro se ve un **fiero** león que descansa entre **mansas** ovejas. — *In that picture one sees a ferocious lion resting among meek sheep.*
Vemos un ramo de **bellas** flores sobre la mesa. — *We see a bouquet of beautiful flowers on top of the table.*

› Some adjectives change their meaning depending on their position. When the adjective follows the noun, it often has a concrete or objective meaning; when the adjective precedes the noun, it often has a figurative or abstract meaning. The following is a list of these kinds of adjectives:

	Before the Noun	After the Noun
antiguo	*former, old*	*ancient, old*
cierto	*some, certain*	*sure, certain*
medio	*half*	*middle; average*
mismo	*same*	*the thing itself*
nuevo	*another, different*	*brand new*
pobre	*pitiful, poor*	*destitute, poor*
propio	*own, himself/herself*	*proper*
viejo	*former, of old standing*	*old, aged*

Mi padre no es un hombre **viejo.** Él y mi tío Miguel son **viejos** amigos. — *My father is not an old (=aged) man. He and my Uncle Miguel are old (=of old standing) friends.*

A veces veo a mi **antiguo** profesor de historia; le gustaba hablar de la Roma **antigua.** — *I sometimes see my former history professor; he liked to talk about ancient Rome.*

› When several adjectives modify a noun, the same rules used with a single adjective apply. Adjectives follow the noun to restrict, clarify, or specify the meaning of the noun. They precede the noun to stress inherent characteristics, a value judgment, or subjective attitude.

En 1910 estalla la Revolución Mexicana, un período **violento** y **cruento**. — *In 1910 the Mexican Revolution breaks out, a violent and bloody period.*

Los mexicanos tienen un **intenso** y **profundo** amor por su país. — *Mexicans have an intense and deep love for their country.*

Lorena Ochoa es una **famosa golfista mexicana.** — *Lorena Ochoa is a famous Mexican golf player.*

Lo + Masculine Singular Adjectives

› **Lo,** the neuter form of the definite article, is used with a masculine singular adjective to describe abstract ideas or general qualities. This construction is more common in Spanish than in English.

Lo fascinante es la coexistencia de **lo antiguo** y **lo moderno** en México. — *What's fascinating (The fascinating thing) is the coexistence of the old and the new in Mexico.*

Lo indiscutible es que la contaminación de la Ciudad de México requiere pronta atención. — *The undeniable thing is that Mexico City's pollution requires prompt attention.*

Ahora, ¡a practicar!

A. Una historia extraña. Completa el siguiente texto sobre lo que le ocurre al protagonista del cuento "Tiempo libre". Pon atención a la posición del adjetivo.

El protagonista de "Tiempo libre" no es ningún héroe; es un (1) ______ (hombre; medio). Lee todos los días el (2) ______ (periódico; mismo). Sin embargo, (3) ______ (día; cierto), las cosas cambian. Su (4) ______ (cuerpo; propio) comienza a cambiar. Él tiene, sin ninguna duda, (5) ______ (síntomas; ciertos) de que sufre una enfermedad especial. El (6) ______ (hombre; pobre) no sabe qué hacer. Llama a su doctor, que es un (7) ______ (hombre; viejo) con mucha experiencia, pero este le dice que no es nada grave; solo necesita tomar (8) ______ (vacaciones; placenteras). No es así. Al final vemos que el (9) ______ (protagonista; mismo) ha desaparecido; solo queda un periódico.

B. Un grupo musical mexicano. Usa la información dada entre paréntesis para hablar del grupo Maná. Presta atención a la forma apropiada de los adjetivos.

MODELO El grupo Maná tiene una ______. (carrera / artístico / destacado)
El grupo Maná tiene una destacada carrera artística.

1. Maná es un ______. (grupo / musical / mexicano)
2. El grupo tiene y ha tenido ______. (éxitos / grande)
3. Maná interpreta ______. (ritmos / movido)
4. Es un grupo que tiene una ______. (carrera / largo)
5. Maná tiene admiradores en el ______. (mundo / entero)
6. Algunas de sus canciones reflejan el interés del grupo por ______ (temas / político).
7. El grupo mantiene una fundación que apoya ______ (iniciativas / ecológico)
8. El grupo ha acumulado ______ (premios, numeroso, artístico)

C. Este semestre. Tu compañero(a) te hace unas preguntas porque desea saber cómo te va este semestre. Usa los adjetivos que aparecen a continuación u otros que conozcas para contestar sus preguntas. Luego, cambien papeles.

MODELO horario este semestre
—¿Cómo es tu horario este semestre?
—Es bastante complicado; tengo seis clases.

aburrido	cansador	complicado	entretenido
espantoso	estimulante	estupendo	fácil
interesante	interminable	pésimo	simpático

1. la clase de español
2. las otras clases
3. los compañeros de clase
4. las conferencias de los profesores
5. las pruebas y exámenes
6. los trabajos escritos
7. ...

D. Impresiones. Usa los adjetivos que aparecen a continuación u otros que conozcas para expresar tus reacciones a los siguientes datos sobre México.

MODELO En la Plaza de los Mariachis de Guadalajara puedes contratar a tu propio conjunto de mariachis.
Lo increíble es que en la Plaza de los Mariachis de Guadalajara puedes contratar a tu propio conjunto de mariachis.

admirable	impresionante	lamentable	sorprendente
cierto	increíble	notable	trágico
importante	interesante	raro	triste

1. La Catedral Metropolitana de la Ciudad de México es la más grande de todo el continente americano.
2. El Zócalo, la plaza mayor de la Ciudad de México, está situado en lo que fue el centro ceremonial del imperio azteca.
3. Octavio Paz es el único escritor mexicano que ha recibido el Premio Nobel.
4. El narcotráfico es una de las plagas de la sociedad mexicana.
5. El Palacio de Bellas Artes no solo tiene una arquitectura exquisita sino también una extraordinaria colección de arte de los grandes muralistas mexicanos.
6. El Museo Nacional de Antropología alberga la más grande colección de arte precolombino de todo el mundo.
7. La Ciudad de México es también una de las ciudades más pobladas del mundo.

2.4 Uses of the Verbs *ser* and *estar*

Uses of *ser*

› To identify, describe, or define a subject.

Elena Poniatowska **es** una escritora mexicana. — *Elena Poniatowska is a Mexican writer.*

La noche de Tlatelolco **es** la obra más conocida de Poniatowska. — La noche de Tlatelolco *is Poniatowska's best known work.*

› To indicate origin, ownership, or the material of which something is made.

La golfista Lorena Ochoa **es** de Guadalajara, Jalisco. — *The golf player Lorena Ochoa is from Guadalajara, Jalisco.*

Esos muebles antiguos **son** de mi abuelita. **Son** de madera. — *Those old pieces of furniture are my grandma's. They are made of wood.*

› To describe inherent qualities or characteristics of people, animals, and objects.

Mi amiga Cristina **es** rubia; **es** lista y amable. **Es** divertida y muy enérgica. — *My friend Cristina is blonde; she is smart and kind. She is lots of fun and very energetic.*

› With the past participle to form the passive voice. (See *Lección 7* for the passive voice.)

El Museo Nacional de Antropología **es** visitad**o** por millones de personas cada año. — *The National Museum of Anthropology is visited by millions of people every year.*

La ciudad de Mérida **fue** fundad**a** en el siglo XVI. — *The city of Merida was founded in the 16th century.*

› To indicate time, dates, and seasons.

Hoy **es** miércoles. **Son** las diez de la mañana. — *Today is Wednesday. It is ten o'clock in the morning.*

Es octubre; **es** otoño. — *It is October; it is fall.*

› To indicate the time or location of an event.

No se sabe cuándo **será** el próximo concierto de Maná. — *No one knows when Maná's next concert will be.*

La fiesta de la Guelaguetza **es** en Oaxaca. — *The Guelaguetza festival is in Oaxaca.*

› To form certain impersonal expressions.

Es importante preservar la herencia precolombina. — *It is important to preserve the pre-Columbian heritage.*

Es fácil llegar al Bosque de Chapultepec usando el metro. — *It is easy to reach Chapultepec Park by using the metro.*

Uses of *estar*

› To indicate location.

Mis padres son de Mérida, pero ahora **están** en Guadalajara. — *My parents are from Mérida, but they are in Guadalajara now.*

Oaxaca **está** a 450 kilómetros de la Ciudad de México. — *Oaxaca is 450 kilometers from Mexico City.*

› With the present participle (**-ndo** verb ending) to form the progressive tenses.

La población de la Ciudad de México **está** aument**ando** cada día. — *The population of Mexico City is increasing every day.*

› With an adjective to describe states and conditions or to describe a change in a characteristic.

El hombre **está** preocupado porque tiene manchas negras en el cuerpo. — *The man is worried because he has black spots on his body.*

No puedes comerte esa banana porque no **está** madura todavía. — *You can't eat that banana because it is not ripe yet.*

¡Este café **está** frío! — *This coffee is cold!*

› With a past participle to indicate the condition that results from an action. In this case, the past participle functions as an adjective and agrees in gender and number with the noun to which it refers.

Action:	*Resultant condition:*
Pedrito rompió la taza.	La taza **está rota.**
Pedrito broke the cup.	*The cup is broken.*
Adolfo terminó sus quehaceres.	Sus quehaceres **están terminados.**
Adolfo finished his chores.	*His chores are done (=finished).*

Ser **and** ***estar*** **with adjectives**

› Some adjectives convey different meanings depending on whether they are used with **ser** or **estar**. The most common ones are as follows:

ser *(characteristics)*	**estar** *(conditions)*
aburrido *boring*	aburrido *bored*
bueno *good*	bueno *healthy, good*
interesado *selfish*	interesado *interested*
limpio *tidy*	limpio *clean* (now)
listo *smart, clever*	listo *ready*
loco *insane*	loco *crazy, frantic*
malo *evil*	malo *sick*
verde *green* (color)	verde *green* (not ripe)
vivo *alert, lively*	vivo *alive*

Ese muchacho **es** aburrido. Como no tiene nada que hacer, **está** aburrido. — *That boy is boring. Since he does not have anything to do, he is bored.*

Ese estudiante **es** listo, pero nunca **está** listo para sus exámenes. — *That student is clever, but he is never ready for his exams.*

Esas manzanas **son** verdes, pero no **están** verdes. — *Those apples are green (color), but they are not green (unripe).*

Ahora, ¡a practicar!

A. Chichén Itzá. Completa la siguiente información acerca de las ruinas de Chichén Itzá con la forma apropiada del presente de indicativo de **ser** o **estar.**

Chichén Itzá (1) _______ uno de los sitios arqueológicos más grandes y mejor restaurados de México. (2) _______ situado a unos 120 kilómetros de Mérida, en las selvas de Yucatán. Las ruinas de la ciudad (3) _______ visitadas por viajeros de todo el mundo. (4) _______ verdad que la ciudad (5) _______ en ruinas, pero para los mayas antiguos (6) _______ una ciudad llena de vida. Las ruinas nos (7) _______ contando parte de la historia de los mayas. Chichén Itzá (8) _______ una joya prehispánica que (9) _______ en la lista del Patrimonio de la Humanidad de la UNESCO. Los mayas antiguos (10) _______ muertos, pero sus maravillosas obras (11) _______ vivas en las ruinas de Chichén Itzá.

B. Lorena Ochoa. Completa la información sobre la golfista Lorena Ochoa con la forma apropiada del presente histórico de indicativo de **ser** o **estar.**

Lorena Ochoa (1) _______ de Guadalajara, ciudad que (2) _______ en el estado de Jalisco. (3) _______ una niña de cinco años cuando comienza a jugar al golf; en ese tiempo la casa de la familia (4) _______ al lado del Guadalajara Country Club. Desde pequeña siempre (5) _______ practicando al golf u otras actividades físicas. (6) _______ campeona en numerosos torneos. En realidad, actualmente ella (7) _______ la mejor golfista del mundo. (8) _______ una persona simpática y activa. No (9) _______ interesada, pero siempre (10) _______ interesada en ayudar a sus amigos y (11) _______ lista también para ayudar a los golfistas jóvenes. Lorena (12) _______ un ícono y un ejemplo para todos los niños y jóvenes de México.

C. Preguntas personales. Quieres conocer mejor a un(a) compañero(a) de clase. Primero completa estas preguntas, luego házselas.

1. ¿Cómo _______ tú hoy?
2. ¿_______ contento(a)?
3. ¿De dónde _______ tu familia?
4. ¿_______ pocos o muchos los miembros de tu familia?
5. ¿Cómo _______ tú generalmente?
6. ¿_______ pesimista u optimista?
7. ¿_______ interesado(a) en la música de Maná?
8. ¿_______ verdad que _______ amigo(a) personal de Luis Miguel?

D. Persona o cosa. Escribe el nombre de una persona o cosa que corresponda a cada descripción. Luego compara tu lista con la de un(a) compañero(a).

1. Es muy listo(a).
2. Nunca está listo(a) a tiempo.
3. Está interesado(a) en el dinero nada más.
4. Es un(a) loco(a).
5. Es la persona más aburrida del mundo.
6. Siempre está aburrido(a).
7. Es simplemente una persona mala.
8. Siempre dice que está malo(a).

VOCABULARIO ACTIVO

Lección 2: España

Arte

acuarela	*watercolor*
arco	*arch*
artesanía	*craftwork, crafts*
artista *(m. f.)*	*artist*
autorretrato	*self-portrait*
boceto	*sketch*
bodegón *(m.)*	*still life*
bronce *(m.)*	*bronze*
caballete *(m.)*	*easel*
cincel *(m.)*	*chisel*
columna	*column*
esbozo	*sketch, outline, rough draft*
escultura	*sculpture*
esmalte *(m.)*	*enamel*
grabado	*engraving*
lienzo	*canvas*
mármol *(m.)*	*marble*
martillo	*hammer*
óleo	*oil-based paint*
piedra	*rock*
pincel *(m.)*	*paintbrush*
pintura	*paint; painting*
tiza	*chalk*

Personas

judío(a)	*Jewish*
moro(a)	*Moor, Muslim, North African*
musulmán(ana)	*Muslim*
poblador(a)	*settler*

Descripción

adelantado(a)	*advanced*
anhelado(a)	*yearned for*
bello(a)	*beautiful*
eficaz	*efficient*
entero(a)	*whole, entire*
genial	*brilliant*
único(a)	*only; unique*

Verbos

conseguir (i)	*to achieve; to obtain*
lograr	*to achieve*
marcharse	*to leave*
perdurar	*to remain, to last*
rehusar	*to refuse*

Tipos de arte

abstracto(a)	*abstract*
barroco(a)	*baroque*
contemporáneo(a)	*contemporaneous*
imitación *(f.)*	*copy, imitation*
neoclásico(a)	*neoclassic*
obra de arte	*art work*
obra de madurez	*work of maturity*
obra inacabada	*unfinished work*
obra maestra	*masterpiece*
obra original	*original (work)*
obra representativa	*representative work*
prehispánico(a)	*pre-Hispanic*
realista	*realist*
renacentista *(m. f.)*	*Renaissance*
románico(a)	*romanesque*

Deportes

baloncesto	*basketball*
campeonato	*championship*
corazón *(m.)*	*heart*
destacarse	*to stand out*
ganador(a)	*winner*
reconocimiento	*recognition*
pulmón *(m.)*	*lung*
selección *(f.)*	*national team*

Gobiernos

censura	*censorship*
coronar	*to crown*
heredar	*to inherit*
partido	*party*
potencia mundial	*world power*
sindicato	*labor union*

Tráfico

arrancar	*to start, to pull away*
atropellar	*to run over*
carretera	*highway, road*
derrotar	*to defeat*
embotellamiento	*traffic jam, bottleneck*
estacionar	*to park*
polvo	*dust*
puente *(m.)*	*bridge*

Palabras y expresiones útiles

apelativo	*name*
cueva	*cave*
siglo	*century*
Siglo de Oro	*Golden Age*

Lección 2: México

Literatura

comedia *comedy*
cuento *short story*
drama *(m.)* *drama*
dramaturgo(a) *playwright*
ensayo *essay*
escritor(a) *writer*
narrador(a) *narrator*
novela *novel*
novelista *(m. f.)* *novelist*
obra de teatro *play*
personaje *(m.)* *character*
poema *(m.)* *poem*
poemario *book of poems*
poesía *poetry*
poeta *(m. f.)* *poet*
teatro *theater*
trama *(f.)* *plot*

Período colonial

bienes *(m.)* *property, assets*
ceder *to cede, to hand over*
colono *colonist*
conceder *to grant, to concede*
derrotado(a) *defeated*
durar *to last*
encontrarse (ue) *to encounter, to find*
extranjero(a) *foreigner*
huir *to run away*
maltrecho(a) *damaged, battered*
muerto(a) *dead*
salvar *to save*
tratado *treaty*
virreinato *viceroyalty*

Tipos de literatura

abstracto(a) *abstract*
barroco(a) *baroque*
contemporáneo(a) *contemporaneous*
imitación *(f.)* *copy, imitation*
neoclásico(a) *neoclassic*

S. Nicolas/Photolibrary

obra de arte *art work*
obra de madurez *work of maturity*
obra inacabada *unfinished work*
obra maestra *masterpiece*
obra original *original (work)*
obra representativa *representative work*
prehispánico(a) *pre-Hispanic*
realista *(m. f.)* *realist*
renacentista *(m. f.)* *Renaissance*
románico(a) *romanesque*

Destacados

galardonado(a) *awarded*
otorgar *to grant, to give*
recomendar (ie) *to recommend*

Verbos

abreviar *to abbreviate*
enterarse *to find out*
estar al día *to be up to date*
mancharse *to get dirty*
prolongarse *to extend, to continue*
tallarse *to rub*

Palabras y expresiones útiles

actualmente *currently*
madrastra *stepmother*
periodismo *journalism*
valer la pena *to be worth it*

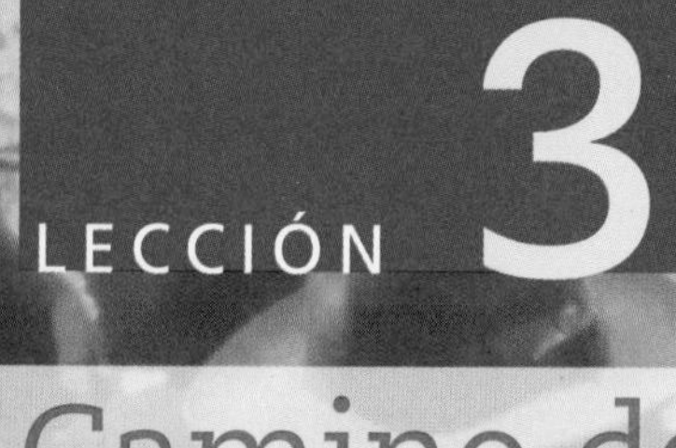

LECCIÓN 3

Camino de los incas

PERÚ, BOLIVIA Y ECUADOR

Tony Saltham / Photolibrary

Suggestion: Ask any students who have walked the Inca Trail to comment on their experience.

LOS ORÍGENES

Acércate al fascinante mundo andino, con su riquísima historia y sus grandes desafíos y esperanzas (págs. 100–101).

SI VIAJAS A NUESTRO PAÍS...

- En **Perú** visitarás la capital, Lima —una joya del período colonial con una población de más de veintinueve millones—, Cusco, varios tesoros de las civilizaciones precolombinas y algunos festivales peruanos (págs. 102–103).
- En **Bolivia** llegarás a La Paz, al aeropuerto más alto del mundo de una sede de gobierno, y conocerás Sucre y varios sitios de la historia y de la cultura boliviana, además de tres grandes festivales bolivianos (págs. 120–121).
- En **Ecuador** estarás en la "mitad del mundo" en latitud 0 en la capital, Quito, y visitarás Guayaquil, las islas Galápagos y algunos festivales ecuatorianos (págs. 134–135).

MEJOREMOS LA COMUNICACIÓN

Aprende a hablar con facilidad de mantenerse en forma (págs. 104–105), de la vestimenta en un almacén (págs. 122–123) y de enfermedades y remedios (págs. 136–137).

AYER YA ES HOY

Haz un recorrido por la historia de Perú, desde la colonia hasta la época contemporánea (págs. 106–107), por la de Bolivia, desde el siglo XVI hasta el presente (págs. 124–125) y por la de Ecuador, desde su independencia hasta nuestros días (págs. 138–139).

LOS NUESTROS

- En **Perú** conoce a uno de los más importantes novelistas y ensayistas de Latinoamérica, a un cantante peruano de fama internacional y a una actriz, conductora de televisión y modelo peruana (págs. 108–109).
- En **Bolivia** conoce a un artista aymara cuyas pinturas reflejan su herencia cultural, a un grupo musical representante del colorido folklore boliviano y a una modista y verdadera embajadora de la lana de alpaca (págs. 126–127).
- En **Ecuador** conoce a un pintor, muralista y escultor de fama mundial, a una artista que se ha dedicado a expresar rangos de sentimientos positivos del ser humano y a una escritora, crítica literaria, ensayista y profesora universitaria por excelencia (págs. 140–141).

¡LUCES! ¡CÁMARA! ¡ACCIÓN!

- Visita "Cusco y Pisac: formidables legados incas" (pág. 110).
- Goza de "La maravillosa geografía musical boliviana" (pág. 128).

ESCRIBAMOS AHORA

Descríbete a base de paradojas (pág. 142).

LECTURA

- Conoce la compleja personalidad del narrador de "El canalla sentimental," en el cuento de Jaime Bayle (págs. 111–113).
- En los Andes, conoce a dos mineros de la mina La Frontera, que se creía abandonada (págs. 129–131).
- Descubre dónde un grupo de artistas prefiere ser enterrado, en "Vasija de barro" de Jorge Carrera Andrade, Hugo Alemán, Jorge Enrique Adoum y Jaime Valencia (págs. 143–145).

GRAMÁTICA

Repasa los siguientes puntos gramaticales:

- 3.1 Direct and Indirect Object Pronouns and the Personal *a* (págs. 114–117)
- 3.2 *Gustar* and Similar Constructions (págs. 118–119)
- 3.3 Preterite: Regular Verbs (págs. 132–133)
- 3.4 Preterite: Stem-changing and Irregular Verbs (págs. 146–149)

LOS ORÍGENES

Miles de años antes de la conquista española, las tierras que hoy forman las repúblicas independientes de Perú, Ecuador y Bolivia estaban habitadas por sociedades complejas y refinadas.

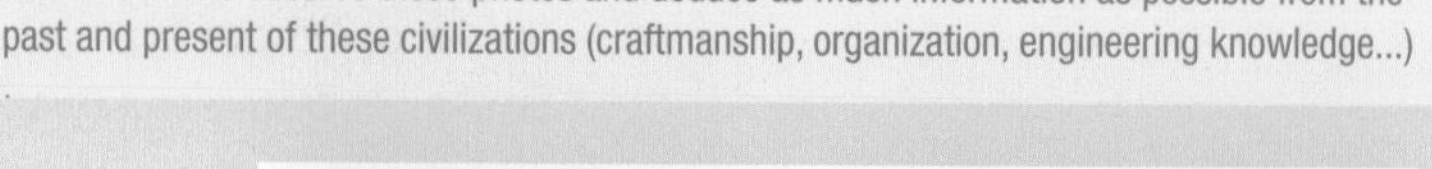
Ask students to observe these photos and deduce as much information as possible from the past and present of these civilizations (craftmanship, organization, engineering knowledge...)

¿Qué grandes civilizaciones antiguas poblaban estos territorios?

En el área peruana se destacaron grandes civilizaciones, como la de Chavín de Huántar con sus inmensos templos; la mochica con las impresionantes pirámides y las finas cerámicas; la chimú con su enorme capital en Chan Chan y sus magníficas obras en oro; la nazca, la huari, la sicán y tantas, tantas más. En la zona ecuatoriana sobresalieron los chibchas, los colorados, los capayas, los jíbaros y los shiris. En el actual territorio boliviano se destacó la cultura andina de Tiwanaku, cuyos habitantes eran conocidos como "aymaras".

Vaso Mochica representando a un noble

De estas civilizaciones, ¿cuál alcanzó un mayor apogeo?

Menos de un siglo antes de la llegada de los españoles, la gran civilización de los incas alcanzó un gran nivel de civilización, manifestado en todos los aspectos de su vida cultural y política. En un período relativamente corto, subyugaron la mayor parte de los reinos precolombinos e instituyeron un imperio que se extendía por las actuales repúblicas de Perú, Ecuador, Bolivia y el norte de Argentina y de Chile. Establecieron su capital en Cusco. Para 1525, el imperio incaico se encontraba en una situación vulnerable debido a que el inca Huayna Cápac decidió dividir el reino entre su hijo Atahualpa, heredero shiri por parte de su madre, y Huáscar, nacido de una princesa inca. A su muerte, estalló una guerra entre los dos hermanos.

Los incas desarrollaron la agricultura por terrazas.

¿Cómo se produjo la conquista por parte de los españoles?

En este contexto de guerra y división interna, en 1531 se presenta Francisco Pizarro acompañado por 180 hombres y unos treinta caballos. Los conquistadores pronto se dieron cuenta de la situación política y militar favorable y capturaron a Atahualpa en una batalla que dio muerte a unos cinco mil incas y sólo cinco españoles. Atahualpa, desde su cautiverio, mandó asesinar a su medio hermano Huáscar y luego ofreció una enorme cantidad de oro por su propia libertad, oferta que Pizarro aceptó inmediatamente. Sin embargo, una vez en posesión del oro y la plata, el capitán español condenó a muerte a Atahualpa en 1533. De esta manera, se inició el poderío de los españoles, quienes se dedicaron inmediatamente a conquistar todos los rincones del imperio derrotado.

Jacques Jangoux / Photolibrary

La música andina, con sus maravillosos instrumentos autóctonos

¿COMPRENDISTE?

VOCABULARIO ÚTIL

batalla	*battle*
dar muerte	*to kill*
darse cuenta	*to realize*
estallar	*to break out*
heredero(a)	*heir, heiress*
reino	*kingdom*
rincón *(m.)*	*corner*
sobresalir	*to stand out*

A. Hechos y acontecimientos. ¿Recuerdas los datos más importantes de la lectura? Para asegurarte, contesta las siguientes preguntas. Luego, compara tus respuestas con las de un(a) compañero(a).

1. ¿Dónde se desarrollaron las civilizaciones de Chavín de Huantar, la mochica y la chimú, y cómo se destacaron?
2. ¿De dónde eran los chibchas? ¿y los aymaras?
3. ¿Estaba la civilización inca en su apogeo cuando llegaron los españoles? Expliquen.
4. ¿Cómo se llamaba la capital del imperio inca?
5. ¿Quiénes son Atahualpa y Huáscar? ¿Qué les pasó cuando se enfrentaron con los españoles?
6. ¿Cuánto tiempo tardaron los españoles en conquistar a los incas?

B. A pensar y a analizar. Contesta las siguientes preguntas con dos o tres compañeros(as) de clase.

1. ¿Por qué creen Uds. que tantas grandes civilizaciones se desarrollaron en Perú? ¿Cuál fue la más grande? ¿Por qué creen eso?
2. ¿Cómo es posible que menos de doscientos españoles pudieran conquistar el imperio inca en tan poco tiempo? ¿Por qué creen Uds. que los españoles no se interesaron en preservar el imperio inca? ¿Cómo creen Uds. que serían Perú, Bolivia y Ecuador hoy en día si los incas hubieran derrotado a los españoles? Expliquen sus respuestas.

¡Diviértete en la red!
Busca civilización inca en YouTube para ver fascinantes videos de esta gran cultura. Ve a clase preparado(a) para compartir la información que encontraste.

Perú

Comprehension check: Ask: **¿Cuál es el nombre oficial de Perú? Nombra tres ciudades peruanas y localízalas en el mapa de la página 102. ¿Cómo se llama la moneda de Perú? ¿Por qué la llamarán "nuevo sol"? ¿Habría un "viejo sol"?**

Suggestion: Ask students to check on the Internet or in a newspaper to find out the U.S. exchange rate for the **nuevo sol**.

ECUADOR
COLOMBIA
PERÚ
BRASIL
CHILE
Iquitos
R. Amazonas
Piura
Trujillo
Chimbote
Lima
El Callao
Huancayo
Machu Picchu
Cusco
R. Beni
Lago Titicaca
Puno
Ica
Arequipa
Tacna
Océano Pacífico

Suggestions: Ask students if they have visited Peru. If so, have them share their experiences with the class. Also ask if they are familiar with any of these festivals.

Comprehension check: Ask: **1. ¿Cuál de los varios lugares mencionados en la capital te interesa más? ¿Por qué? 2. ¿Qué impresión tienes de Cusco? ¿Será una gran metrópolis? ¿Por qué crees eso? 3. ¿Por qué crees que hay tanto interés en las civilizaciones precolombinas? ¿Qué podemos aprender de esas culturas?**

Nombre oficial: República del Perú
Población: 29.546.963 (estimación de 2009)
Principales ciudades: Lima (capital), Arequipa, El Callao, Trujillo
Moneda: Nuevo sol (S/.)

En Lima, la capital, con una población de unos 9 millones, tienes que conocer...

- la Plaza Mayor, rodeada de la Catedral y edificios del gobierno y que fue recientemente declarada Patrimonio Cultural de la Humanidad por la UNESCO.
- el Monasterio de San Francisco, una joya del período colonial, que cuenta con una biblioteca de unos 25.000 tomos (siglos XV-XVII) y con unas fascinantes catacumbas.
- el Museo de la Nación con impresionantes réplicas y artefactos de la vida precolonial.
- el barrio de Miraflores, un lugar de excelentes restaurantes, cafés y una vida nocturna muy activa.

Angelo Cavalli / Photolibrary

Catedral y Plaza de Armas en Lima, Perú

En Cusco, no dejes de ver...

- la Plaza de Armas, el centro preciso del antiguo imperio inca, donde se celebraban importantes eventos religiosos y militares.
- el Templo de Coricancha (Templo del Sol), que en tiempos de los incas estaba cubierto con láminas de oro, esmeraldas y turquesa, y tenía un patio lleno de réplicas en tamaño real de llamas, ovejas, árboles, frutas y flores, todas hechas de oro y plata.
- la fortaleza de Sacsayhuamán, que fue construida con enormes piedras, varias de más de 125 toneladas, para proteger la ciudad de Cusco.

De las civilizaciones precolombinas, no dejes de ver...

- Machu Picchu, la ciudad escondida de los incas.
- la tumba de Sipán, un hallazgo considerado comparable al descubrimiento de Tutankamón y Machu Picchu.
- la cerámica de los mochica, un brillante ejercicio escultórico que representaba toda faceta de vida humana y animal.
- las ruinas de Chan Chan, misteriosa capital antigua del imperio chimú y tal vez la ciudad de adobe más grande del mundo antiguo.

Chris Hovey / Shutterstock

Chan Chan, cerca de Trujillo, Perú

JTB Photo / Photolibrary

El festival Inti Raymi, en Cusco, Perú

Festivales peruanos

- el Festival Inti Raymi, el festival del sol, en Cusco
- la Fiesta de la Virgen de la Candelaria, en Puno
- la Fiesta del Señor de los Temblores, en Cusco

¡Diviértete en la red!

Busca en Google Images o en YouTube para ver fotos y videos de cualquiera de los lugares o festivales mencionados aquí. Ven a clase preparado(a) para describir en detalle el lugar o festival que escogiste.

¡Mantente en forma!

En su apogeo, el imperio incaico llegó a cubrir más de 9500 millas. Sin embargo, el emperador inca podía enviar mensajes hasta lugares tan lejanos como Quito, Ecuador, a una distancia de 2500 millas, en solamente cinco días. Podía hacerlo debido a un ingenioso sistema de *chasquis,* corredores entrenados para recorrer unas 150 millas diarias a pie. Sin duda, ¡estaban en forma!

Para hablar del ejercicio

calentar (ie)	*to warm up*
campo	*field*
carrera	*race*
carrera ciclista	*bicycle race*
ejercicio aeróbico	*aerobic exercise*
ejercicio anaeróbico	*anaerobic exercise*
ejercicio cardiovascular	*cardiovascular exercise*
estirar	*to stretch*
hacer ejercicio	*to exercise, to work out*
hacer footing, hacer jogging, correr	*to go jogging or running*
lesionarse	*to be injured (in sports)*
levantar pesas	*to lift weights*
nadar	*to swim*
piscina	*swimming pool*

Jim and Mary Whitmer / Photolibrary

Correr por la playa, una excelente manera de mantenerse en forma.

Vocabulary practice: Ask students what type of exercise they prefer and why. Ask the runners what type of stretching exercises they do and for how long.

Para opinar sobre el ejercicio

☺

Es muy útil.	*It's very useful.*
Mejora la condición cardiovascular.	*It improves the cardiovascular condition.*
Mejora la musculación.	*It improves (all of) the muscles.*
Es imprescindible.	*It's essential.*
Es beneficioso.	*It's beneficial.*

☹

Es...

aburrido	*boring*
cansador	*tiring*
tedioso	*tedious*
contraproducente	*counterproductive*
demasiado intenso	*too strenuous*
peligroso	*dangerous*

Al hablar de hacer ejercicio

—Dime. ¿Todavía corres tanto como cuando competías en carreras y saltos en la secundaria?

Tell me. Do you still run as much as when you used to compete in track in high school?

—¡Ojalá! El tiempo simplemente no me lo permite. Ya no soy el corredor que era. Trato de correr dos o tres veces a la semana. Nada más.

I wish! Time just doesn't allow me to do it. I no longer am the runner that I used to be. I try to run two or three times a week. That's all.

Al asistir a una clase de ejercicio aeróbico

—Primero quiero que respiren profundamente. Uno, dos, tres, cuatro. Bien. Ahora, levanten los brazos y den vuelta la muñeca, así... uno, dos, tres, cuatro. Estírenlos lo más alto posible. Bueno, ahora levanten las piernas y doblen las rodillas. Sigan el ritmo de la música.

First, I want you to breathe deeply. One, two, three, four. Good. Now raise your arms and turn your wrist like this ... one, two, three, four. Raise them as high as possible. Good, now lift your legs and bend your knees. Follow the rhythm of the music.

Al hablar de caminatas

—Me fascinan nuestras caminatas. Me encanta esta oportunidad de charlar contigo a solas.

I like our walks. I love the opportunity to talk with you alone.

—A mí también. Y pensar que hace menos de un mes que empezamos a caminar regularmente. Yo ni sabía respirar ni exhalar correctamente.

Me too. And to think that we started walking regularly less than a month ago. I didn't even know how to breathe in or to exhale correctly.

Suggestions: Ask students what type of exercise they would do to prepare themselves to walk the Inca Trail from Cusco to Machu Picchu. Also ask them how one prepares for a marathon and a triathalon.

¡A practicar, luego a conversar!

A. Los mejores... Relaciona estas personas con sus deportes.

g	1. Pau Gasol	a. ciclismo
f	2. Alex Rodríguez	b. automovilismo
h	3. Tiger Woods	c. fútbol
d	4. Rafa Nadal	d. tenis
c	5. Lionel Messi	e. natación
b	6. Michael Schumacher	f. béisbol
a	7. Lance Armstrong	g. baloncesto
e	8. Michael Phelps	h. golf

Odilon Dimier / Photolibrary

Estiramiento y abdominales

B. Palabras clave: pie. Para ampliar tu vocabulario, selecciona la frase de la segunda columna que traduce mejor cada expresión de la primera columna. Compara tu selección con las de dos compañeros(as) de clase y usen cada expresión en dos oraciones originales.

e	1. a pie	a. que no está sentado
c	2. al pie de la letra	b. tratar a alguien o algo de mala forma
b	3. con la punta del pie	c. literalmente
d	4. no dar pie con bola	d. no hacer bien las cosas
a	5. de pie	e. caminando

C. Estar en forma. En grupos de cuatro, hablen de lo que hacen para mantenerse en forma. Si a una persona no le gusta hacer ejercicio, sugieran otras actividades que puede hacer para estar en forma. Informen a la clase de las actividades más populares de su grupo.

D. Dramatización. Dramatiza la siguiente situación con tres compañeros(as) de clase. El (La) director(a) de una nueva escuela secundaria está en una reunión con el Comité de Personal de la escuela. Tienen que decidir qué tipo de personal necesitan contratar para establecer un buen departamento de Educación Física. Desafortunadamente, el (la) director(a) y el comité no están de acuerdo sobre varios aspectos de la decisión.

Suggestions: Ask students to explain the subtitle, **piedra angular de los Andes.** To what **piedra** might this refer? Why **angular** and why **de los Andes**?

Perú: piedra angular de los Andes

Cerca de la costa central, Pizarro fundó la ciudad de Lima el 6 de enero de 1535, el día de los Reyes Magos; por eso Lima se conoce como "la Ciudad de los Reyes".

RJ Lerich / Shutterstock

Palacio presidencial en la Plaza Mayor de Lima

La colonia

Pronto, Lima se convertiría en la capital del Virreinato del Perú que se estableció en 1543 y llegó a ser una de las ciudades principales del imperio español. En Lima se estableció en 1553 la Universidad de San Marcos, una de las primeras universidades del continente.

Jarno Gonzalez Zarraonandia / Shutterstock

Plaza San Martín en Lima

La independencia

Después de lograr la liberación de Argentina y Chile, el general argentino José de San Martín decidió atacar el poder español en Perú. San Martín tomó Lima en 1821. En diciembre de 1822 se proclamó la República del Perú.

La Guerra del Pacífico

Private Collection / Index / The Bridgeman Art Library

La Guerra del Pacífico: bombardeo sobre la ciudad de Iquique, en Chile, la noche del 16 de julio de 1879

La importancia de los depósitos minerales de nitrato, localizados en el desierto de Atacama (en ese entonces territorio boliviano), provocó conflictos entre Chile y Bolivia debido al interés de Chile en los depósitos minerales bolivianos. Perú había firmado un tratado de defensa mutua con Bolivia. Al fracasar las negociaciones, Chile declaró la guerra a Perú y a Bolivia el 5 de abril de 1879. En esta guerra, que se conoce como la Guerra del Pacífico, Chile derrotó a Perú y Bolivia y llegó a ocupar, durante dos años, la capital peruana. El Tratado de Ancón, firmado en 1883, significó el fin de la Guerra del Pacífico cediéndole a Chile la provincia de Tarapacá y dejando bajo administración chilena durante diez años las de Tacna y Arica.

La época contemporánea

- Durante la década de los 80 y sobre todo a finales de la misma, la crisis económica, la penetración del narcotráfico y el terrorismo del grupo guerrillero Sendero Luminoso agobiaron cada vez más a Perú.
- En 1990 salió elegido presidente Alberto Fujimori. Durante sus dos períodos de gobierno llevó a cabo importantes reformas económicas y políticas. Fue reelegido, por tercera vez, en unas controvertidas elecciones en el año 2000. Más tarde, ese mismo año se vio obligado a renunciar a la presidencia debido a corrupciones internas.

- En junio de 2001 se llevaron a cabo elecciones presidenciales que elevaron al economista Alejandro Toledo a la presidencia. Su ascenso fue notable, a pesar de sus orígenes humildes. Toledo fue sucedido por Alan García Pérez en 2006.
- Alan García ha continuado con la política económica del gobierno anterior, logrando baja inflación, crecimiento notable de las exportaciones, aumento sustancial del producto nacional bruto e incremento de las reservas internacionales por encima de los treinta mil millones de dólares a fines de 2008.

¿COMPRENDISTE?

VOCABULARIO ÚTIL

agobiar	*to burden, to exhaust*
crecimiento	*growth*
derrotar	*to defeat*
desierto	*desert*
firmar	*to sign*
fracasar	*to fail*
llevar a cabo	*to carry out*
renunciar	*to resign*
Reyes Magos *(m.)*	*Three Wise Men, the Magi*

A. Hechos y acontecimientos. ¿Recuerdas los datos más importantes de la lectura? Para asegurarte, completa las siguientes frases.

1. Lima se conoce como "la Ciudad de los Reyes" porque...
2. La primera universidad de Lima fue...
3. La Guerra del Pacífico resultó en...
4. Antes de llegar a ser presidente, Alejandro Toledo fue...
5. Los principales logros de la gestión presidencial de Alan García son...

B. A pensar y a analizar. En grupos de cuatro, tengan un debate sobre uno de los siguientes temas. Dos personas en su grupo deben argüir a favor y dos en contra.

1. Los españoles son responsables de todos los problemas de Perú hoy día.
2. Si los españoles no hubieran llegado al Nuevo Mundo, toda Sudamérica probablemente sería un solo país gobernado por un emperador.

C. Apoyo gramatical: los pronombres de objeto directo e indirecto. Como no asististe a la última clase de Historia de Perú, tus compañeros te cuentan lo que pasó.

MODELO profesor / hablarnos de la civilización chimú
El profesor nos habló de la civilización chimú.

1. profesor / entregarnos apuntes sobre las culturas preincaicas El profesor nos entregó...
2. dos estudiantes / mostrarnos fotos de las ruinas de Chan Chan Dos estudiantes nos mostraron...
3. profesor / explicarnos la importancia de las culturas precolombinas en Perú El profesor nos explicó...
4. yo / preguntarle sobre los misterios de Machu Picchu Yo le pregunté...
5. Rubén / contarle a la clase su visita a la ciudad de Trujillo Rubén le contó...
6. unos estudiantes / hablarle a la clase de la organización política de los chimúes Unos estudiantes le hablaron...

Gramática 3.1: Antes de hacer esta actividad conviene repasar esta estructura en las págs. 114–117.

Mario Vargas Llosa

Mariana Bazo / Reuters / Landov

Este escritor peruano es uno de los más importantes novelistas y ensayistas de Latinoamérica. Ha escrito prolíficamente en una serie de géneros literarios, incluyendo crítica literaria y periodismo. Entre sus novelas se cuentan comedias, novelas policíacas, históricas y políticas. De los innumerables premios y distinciones que ha recibido, cabe destacar tres de los máximos galardones literarios: el Premio Rómulo Gallego (1967), el Premio Cervantes (1994) y el Premio Nobel de Literatura (2010). Es miembro de la Academia Peruana de la Lengua y de la Real Academia Española. Cuenta con varios doctorados honoris causa otorgados por universidades de Europa y América: Yale (1994), Harvard (1999), San Marcos de Lima (2001), Oxford (2003) y La Sorbona (2005), tanto para nombrar algunas.

Rodrigo Varela / Getty Images

Gian Marco Zignago

Cantante peruano de fama internacional que a los seis ya dominaba la guitarra. A esa edad grabó un disco con su padre titulado *Navidad Es.* Su consagración definitiva se da en colaboración con Gloria Estefan y Jon Secada en la canción "El último adiós" en un programa conmemorativo, el 12 de octubre de 2001 en la Casa Blanca de los EE.UU. Entre los muchos reconocimientos que ha obtenido, destacan el Grammy Latino como cantautor (2005), el ser elegido embajador de buena voluntad en el Perú por la UNICEF (2006) y el haber sido condecorado por el presidente de su país con la Orden del Sol del Perú (2007).

Extension: Listen to music by Gian Marco Zignago.

Marisol Aguirre Morales Prouvé

zuma / newscom

La actriz, conductora de televisión y modelo peruana Marisol Aguirre debutó en televisión en 1992, cuando condujo junto al actor Sergio Galliani el programa *Locademia TV* en el canal del estado, con el que obtuvo un gran éxito televisivo.

En 2008 aparece en la telenovela "Esta Sociedad 2" y en 2009, vuelve a la conducción con el programa "El otro show". Paralelamente ha realizado obras de teatro, principalmente para niños y se ha dedicado al modelaje, siendo el rostro oficial de algunas marcas de cosméticos en Perú.

Suggestion: Point out that in 1990 Vargas Llosa, a native son and internationally acclaimed writer, lost the presidential elections to Fujimori, a Peruvian of Japanese descent. Ask students to explain how this might have happened.

Otros peruanos sobresalientes

Ciro Alegría (1909–1967): novelista, cuentista, poeta y periodista

Alberto Benavides de la Quintana: empresario minero

Alfredo Bryce Echenique: catedrático, cuentista y novelista

Moisés Escriba: pintor

María Eugenia González: poeta

Ana María Gordillo: pintora

Miguel Harth-Bedoya: conductor

Ciro Hurtado: compositor y guitarrista

Tania Libertad: cantante

Wilfredo Palacios-Díaz: pintor

Javier Pérez de Cuéllar: catedrático, diplomático y ex secretario general de la Organización de las Naciones Unidas

Fernando de Szyszlo: pintor y grabador

Suggestions: Ask students what an **empresario minero/catedrático/grabador** might be. Ask students to look up two or more of the **Otros peruanos sobresalientes** on the Internet and have them turn in a brief written report on what they find. You may want to offer extra credit for this work

¿COMPRENDISTE?

A. **Los nuestros.** Usando su imaginación, describan cómo creen que fue la vida familiar de estos tres peruanos cuando eran niños.

B. **Miniprueba.** Demuestra lo que aprendiste de estos talentosos peruanos al completar estas oraciones.

1. El escritor peruano Mario Vargas Llosa escribe novelas, ensayos, crítica literaria y __b__.
   a. poesía
   b. periodismo
   c. teatro
2. El impacto de la canción "El último adiós" en la vida profesional de Gian Marco fue __b__.
   a. poco
   b. muy fuerte
   c. una sorpresa
3. Se puede decir que Marisol Aguirre Morales Prouvé es una persona con muchas __a__.
   a. habilidades
   b. virtudes
   c. grabaciones

VOCABULARIO ÚTIL

condecorado(a)	*awarded*
consagración *(f.)*	*consecration*
galardón *(m.)*	*award, prize*
modelaje *(m.)*	*modeling*
realizar	*to carry out, to achieve*
rostro	*face*

¡Diviértete en la red!

Busca "Mario Vargas Llosa", "Gian Marco" y/o "Marisol Aguirre" en YouTube para ver videos y escuchar a estos talentosos peruanos. Ven a clase preparado(a) para presentar lo que encontraste.

Cusco y Pisac: Formidables legados incas

Antes de empezar el video

En parejas. Contesten las siguientes preguntas en parejas.

1. ¿En qué consiste el legado indígena de los EE.UU.? ¿Qué hay en ese legado que se considera formidable? Den ejemplos específicos.
2. ¿Existe una artesanía indígena actual en los EE.UU.? Si la hay, ¿qué tipo de artesanía es? ¿de textiles, de barro, de cuero, de metales o piedras preciosas o de otros materiales? Den algunos ejemplos de los productos que hacen.

La fortaleza de Sacsayhuamán, una construcción monumental con cabeza de puma

Después de ver el video

A. Cusco y Pisac. Contesta las siguientes preguntas con un(a) compañero(a).

1. ¿Qué hace que Cusco sea hoy, igual que en el pasado, una ciudad de belleza excepcional?
2. ¿Qué es Sacsayhuamán? ¿Qué propósito tenía?
3. ¿Por qué se dice que en los productos de Pisac están presente el espíritu y el ingenio indígena?

B. A pensar y a interpretar. Contesten las siguientes preguntas en parejas.

1. ¿Qué significa que la mayoría de los edificios coloniales en Cusco estén construidos sobre los cimientos de la antigua ciudad incaica?
2. En tu opinión, ¿cómo se construyó Sacsayhuamán? ¿Cómo fue posible que los indígenas de esa época movieran rocas de 125 toneladas de peso? Explica. ¿Qué otros ejemplos conoces de civilizaciones que construyeron monumentos o fortificaciones similares?

C. Apoyo gramatical: *gustar* y construcciones similares. Expresa tus reacciones a las siguientes vistas de Perú. Usa los verbos que aparecen a continuación u otros semejantes que conozcas.

MODELO la fortaleza de Sacsayhuamán
Me impresionó (Me encantó) la fortaleza de Sacsayhuamán.

agradar   encantar   fascinar   impresionar   interesar   sorprender

1. el video sobre Cusco y Pisac
2. el mercado de artesanía de Pisac
3. la ciudad perdida de Machu Picchu
4. la tumba del señor de Sipán
5. Lima, la Ciudad de los Reyes

Gramática 3.2: Antes de hacer esta actividad conviene repasar esta estructura en las págs. 118–119.

¡Diviértete en la red!
Busca "Cusco", "Sacsayhuamán" y/o "Pisac" en Google Images y YouTube para ver imágenes de maravillosos legados incas. Ve a clase preparado(a) para presentar un breve reporte sobre uno de estos lugares.

¡Antes de leer!

A. Anticipando la lectura. Contesta estas preguntas para ver cómo defines tu personalidad.

1. ¿Cómo te definirías a tí mismo(a)? ¿Qué adjetivos usarías? Crea una lista y compárala con la de un(a) compañero(a).
2. ¿Te consideras una persona ambigua o crees que hay ambigüedades en tu vida? ¿Tienes ejemplos concretos para demostrar si sí o no? Crea una lista de ejemplos de estas ambigüedades y compara tu lista con las de dos compañeros(as) de clase.

B. Vocabulario en contexto. Busca estas palabras en la lectura que sigue y, en base al contexto en el cual aparecen, decide cuál es su significado. Para facilitar encontrarlas, las palabras aparecen en color en la lectura.

1. **se pelee**	(a.) tenga conflictos	b. sea amorosa	c. se ayude
2. **chismes**	a. de fantasía	b. documentales	(c.) rumores
3. **huelo mal**	a. no visto elegantemente	b. tengo malos pensamientos	(c.) tengo mal olor
4. **desnudo**	(a.) sin ropa	b. en shorts	c. en ropa deportiva
5. **ahorrar**	a. gastar dinero	(b.) guardar dinero	c. escribir cheques
6. **me niegan**	a. me aceptan	b. me molestan	(c.) no me dan

Sobre el autor

Jaime Bayly Letts es escritor, periodista y presentador de televisión. Como escritor se destaca por su estilo directo, sencillo y convincente, y por un manejo de diálogos muy sugestivos y persuasivos. En la actualidad conduce programas diarios de entrevistas en Lima, siendo además columnista de diversos medios de prensa. Muchas de las novelas de Bayly giran en torno a temas sexuales y la drogadicción. Otros elementos recurrentes en sus obras son los escenarios de la ciudad de Lima, la alta sociedad peruana y los conflictos en las relaciones interpersonales.

El canalla* sentimental

scoundrel

(Fragmento)

Suggestions: Ask students to anticipate what the reading will be about based on the title of the story. After reading the story, have students check their predictions to see if they are correct.

Soy agnóstico pero rezo* en los aviones. Soy optimista pero no espero nada bueno. Soy materialista pero no me gusta ir de compras. Soy pacifista pero me gusta que la gente **se pelee.** Soy vago* pero empeñoso.* Soy romántico pero duermo solo. Soy amable pero insoportable.* Soy honesto pero mitómano.* Soy limpio pero **huelo mal**. Tengo amor propio pero soy autodestructivo. Soy autodestructivo pero con espíritu constructivo. Soy insobornable pero pago sobornos.* Soy narcisista pero con impulsos suicidas. Estoy a dieta pero sigo engordando. Soy liberal pero no permito que fumen a mi lado. Soy libertino pero no me gustan las orgías. Soy libertario* pero no sé lo que es eso. Creo en la democracia pero no me gusta ir a votar. Creo en la libre competencia pero no me gusta competir con nadie. Creo en el mercado pero odio ir al mercado. No soy chismoso* pero compro revistas de **chismes.** Soy intelectual pero no inteligente. Soy vanidoso* pero no me corto los pelos de la nariz. Creo en la superioridad de Occidente pero no conozco Oriente. Amo a los animales pero odio a los gatos. Odio a los gatos pero no a los de mis hijas. Quiero a mis padres pero no los veo hace años. Quiero a mis hermanos pero no sé dónde viven. Creo en el sexo seguro, pero soy sexualmente inseguro. Soy comprensivo pero no sé perdonar. Respeto las leyes pero prefiero burlarlas.* Soy humanista pero no creo en la humanidad. Soy tímido pero no tengo pudor.* Soy impúdico* pero no me gusta andar **desnudo.** Me gusta **ahorrar** pero no ir al banco. Soy bisexual pero asexuado.* Me gusta leer pero no leerme. Me gusta escribir pero no que me escriban. Me gusta hablar por teléfono pero no que suene el teléfono. Creo en el capitalismo pero no tengo capitales. Estoy a favor de la globalización pero no la de mi cuerpo. No soy rico pero tengo fortuna. Hablo de mi vida privada pero nunca de mi vida pública. Soy coherente pero inconsecuente. Tengo principios pero me gusta que se terminen. Creo en la Virgen del Carmen pero no en la de Guadalupe. No creo en Dios pero sí en Jesucristo su único hijo. Soy frívolo pero profundamente. No consumo drogas pero las echo de menos.* No me gusta fumar marihuana pero me gusta que la fumen a mi lado. Soy intolerante con los que no me toleran. Me gusta el arte pero me aburren los museos. Me aburren los museos pero me gusta que me vean en ellos. No me gusta que me roben pero sí que pirateen mis libros. Creo en el amor a primera vista pero soy miope. Soy ciudadano del mundo pero **me niegan** las visas. No tengo techo propio pero sí amor propio. Me gusta ir contra la corriente* si sirve a mi cuenta corriente.* Soy mal escritor pero una buena persona. Soy una buena persona pero no cuando escribo...

I pray · *lazy / hardworking* · *unbearable /* no digo la verdad · *bribes* · anarquista · *gossipy* · *vain* · *poke fun at them* · *modesty / inmodest* · sin sexo · *I miss them* · *against the flow / bank account*

¡Después de leer!

A. Soy como soy. Indica (✓) los rasgos *(traits)* que admite el narrador.

1. __✓__ religioso
2. __✓__ pesimista
3. __✓__ maloliente
4. _____ buen escritor
5. __✓__ sobornable
6. __✓__ intransigente
7. _____ hablador
8. __✓__ parcial en su odio a los gatos
9. __✓__ orgulloso
10. __✓__ interesado en el dinero

B. A pensar y a analizar. En grupos de tres o cuatro, contesten las siguientes preguntas. Luego, compartan sus respuestas con la clase.

1. ¿Qué tipo de personalidad nos transmite el narrador? Usen un adjetivo para definir esta personalidad. Usen uno solo. Compárenlo con los que usan otros grupos hasta ponerse de acuerdo en uno para toda la clase.
2. ¿Se fían (*Do you trust*) del narrador? Expliquen por qué sí o no, y qué implica para la lectura del texto.
3. ¿Creen que el título *El canalla sentimental* sugiere que el narrador habla del autor? Expliquen por qué sí o no.

C. Tiempo para la lírica. Este texto tiene algunos elementos que se adaptarían bien para convertir el texto en un poema. Con un(a) compañero(a), conviertan las primeras seis u ocho oraciones en versos y abrévienlos *(abbreviate them)*, si es necesario, para crear un poema. Luego hagan lo mismo con una descripción de sus personalidades. Compartan los poemas con la clase.

D. Apoyo gramatical: la *a* personal. Utiliza la información que aparece a continuación para saber lo que dicen diversos amigos tuyos sobre algunas personalidades peruanas. Atención: en algunos casos necesitas usar la **a** personal.

MODELO escuchar / a menudo algunos cedés de Gian Marco
Yo escucho a menudo algunos cedés de Gian Marco.
escuchar / Gian Marco también
Yo escucho a Gian Marco también.

1. escuchar / otros cantantes peruanos también Yo escucho a otros...
2. no escuchar / ningún cantante peruano Yo no escucho a ningún...
3. no entender / todas las canciones de Gian Marco Yo no entiendo todas las canciones...
4. leer / las novelas políticas de Mario Vargas Llosa Yo leo las novelas...
5. preferir / sus novelas históricas Yo prefiero sus novelas...
6. no entender / los novelistas del *boom,* como Vargas Llosa Yo no entiendo a los novelistas...
7. entender / Vargas Llosa muy bien; no es complicado Yo entiendo a Vargas Llosa...
8. mirar / los programas de Marisol Aguirre Yo miro los programas...
9. ver / Marisol en algunos avisos publicitarios Yo veo a Marisol...
10. admirar / esa conductora de televisión Yo admiro a esa conductora...
11. preferir / su hermana gemela Celine Aguirre Yo prefiero a su hermana...

Gramática 3.1: Antes de hacer esta actividad conviene repasar esta estructura en las págs. 114–117.

3.1 Direct and Indirect Object Pronouns and the Personal *a*

Forms

Direct	Indirect
me	me
te	te
lo*/la	le
nos	nos
os	os
los*/las	les

› The direct object of a verb answers the question *what* or *whom*; the indirect object, answers the question *to whom* or *for whom*.

	Direct Object Noun	Direct Object Pronoun
I saw ... (what?)	*I saw* ***the movie.*** Vi **la película.**	*I saw* ***it.*** **La** vi.
I saw ... (whom?)	*I saw* ***the actor.*** Vi **al actor.**	*I saw* ***him.*** **Lo** vi.

	Indirect object noun	Indirect object pronoun
I spoke ... (to whom?)	*I spoke* ***to the actress.*** Hablé **a la actriz.**	*I spoke* ***to her.*** **Le** hablé.

› Direct and indirect object pronoun forms are identical, except for the third-person singular and plural forms.

El profesor **nos** *(direct)* saludó. Luego **nos** *(indirect)* habló del escritor Mario Vargas Llosa.
The teacher greeted us. Then he spoke to us about the writer Mario Vargas Llosa.

Vi a Marisol Aguirre en la televisión. El entrevistador **la** *(direct)* felicitó por su éxito y **le** *(indirect)* hizo preguntas sobre sus planes futuros.
I saw Marisol Aguirre on TV. The interviewer congratulated her on her success and asked her questions about her future plans.

› Object pronouns immediately precede conjugated verbs and negative commands.

Las ruinas incaicas **me** fascinan.
The Inca ruins fascinate me.

La historia *El canalla sentimental* no **nos** aburrió en absoluto.
The story El canalla sentimental *did not bore us at all.*

No **me** leas historias de horror; me dan miedo.
Don't read horror stories to me; they scare me.

*In some regions of Spain, **le** and **les** are used as direct object pronouns when they refer to males.

Mis hermanas admiran a Gian Marco Zignago y **le** escuchan a menudo.
My sisters admire Gian Marco Zignago and they often listen to him.

- Object pronouns are attached to the end of affirmative commands. A written accent is needed if the stress falls before the next-to-last syllable.

Cuénta**me** tu visita al Valle Sagrado y di**me** qué lugar te impresionó más.	*Tell me about your visit to the Sacred Valley and tell me which place impressed you most.*

- When an infinitive or a present participle follows a conjugated verb, object pronouns may be attached to the end of the infinitive or present participle, or they may precede the conjugated verb. When pronouns are attached to the end of an infinitive or present participle, a written accent is needed if the stress falls before the next-to-last syllable.

El profesor va a tocar**nos** una canción de Tania Libertad. (El profesor **nos** va a tocar una canción de Tania Libertad.)	*The teacher is going to play a song by Tania Libertad for us.*
—¿Terminaste el informe sobre la civilización inca?	*Did you finish the report about the Inca civilization?*
—No, todavía estoy escribiéndo**lo**. (No, todavía **lo** estoy escribiendo.)	*No, I'm still writing it.*

- Indirect object pronouns precede direct object pronouns when the two are used together.

—¿Nos leyó la profesora un poema de César Vallejo?	*Did the teacher read us a poem by César Vallejo?*
—Sí, **nos lo** leyó ayer.	*Yes, she read it to us yesterday.*

- The indirect object pronouns **le** and **les** change to **se** when used with the direct object pronouns **lo**, **la**, **los**, and **las**. The meaning of **se** can be clarified by using **a él/ella/usted/ellos/ellas/ustedes.**

—Mi hermano quiere saber dónde está su libro sobre Machu Picchu.	*My brother wants to know where his book on Machu Picchu is.*
—**Se lo** devolví hace una semana.	*I returned it to him a week ago.*
Mónica y Eduardo quieren ver las ruinas de Sacsayhuamán, pero no pueden ir juntos. **Se las** mostraré **a ella** primero.	*Monica and Eduardo want to see the ruins of Sacsayhuamán, but they can't go together. I'll show them to her first.*

- Indirect object pronouns may be emphasized or, if needed, clarified with phrases such as **a mí/ti/él/nosotros**, and so on.

¿**Te** gustó **a ti** la última novela de Vargas Llosa? **A mí me** pareció sensacional.	*Did you like Vargas Llosa's last novel? It seemed sensational to me.*
Irene dice que no le devolví las fotos de Lima, pero yo estoy segura de que **se las** di **a ella** hace una semana.	*Irene says that I did not return the photos of Lima to her, but I am sure that I gave them to her a week ago.*

- In Spanish, sentences with an indirect object noun also usually include an indirect object pronoun, which refers to that noun.

Varios canales de televisión **le** han ofrecido contratos **a Marisol Aguirre.**	*Several TV channels have offered contracts to Marisol Aguirre.*
Les recomendé el programa "Bayly" **a mis amigos peruanos.**	*I recommended the program "Bayly" to my Peruvian friends.*

The personal *a*

› The personal **a** is used before a direct object referring to a specific person or persons. It is not translated in English.

Muchas jóvenes admiran **a Marisol Aguirre.** — *Many young girls admire Marisol Aguirre.*

En muchas festividades los peruanos recuerdan **a sus héroes.** — *In many festivities Peruvians remember their heroes.*

› The personal **a** is not used before nouns referring to non-specific, anonymous persons.

Necesito **un voluntario.** — *I need a volunteer.*

Necesitan **trabajadores** en esta compañía. — *They need workers in this company.*

› The personal **a** is always used before **alguien, alguno, ninguno, nadie,** and **todos** when they refer to people.

El presidente actual no ha perdido **a todos** sus simpatizantes, pero no convence **a nadie** con su nuevo programa económico. — *The current president has not lost all his sympathizers, but he does not convince anyone with his new economic program.*

› The personal **a** is normally not used after the verb **tener.**

Tengo **varios amigos** que han visitado las líneas de Nazca. — *I have several friends who have visited the Nazca lines.*

Ahora, ¡a practicar!

A. Actividades deportivas. Trabajando con un(a) compañero(a) túrnense para hacerse las preguntas que siguen.

MODELO ¿Visitas los gimnasios de vez en cuando?
Sí, los visito a veces. o **No, no los visito nunca.**

1. ¿Ves a tus basquetbolistas favoritos en la tele?
2. ¿Ves los partidos del mundial de fútbol?
3. ¿Conoces a algún tenista peruano?
4. ¿Practicas el tenis?
5. ¿Estiras los músculos antes de hacer ejercicio?
6. ¿Consultas a tu médico antes de comenzar un programa de ejercicios?
7. ¿Escuchas tus canciones preferidas cuando haces ejercicio?
8. ¿Escuchas a tu entrenador cuando participas en competencias?
9. ¿Invitas a tus amigos a hacer caminatas?
10. ¿Compras los videos de ejercicio de tu artista predilecta?

B. Estudios. Usa estas preguntas para entrevistar a un(a) compañero(a) de clase. Luego, él (ella) hace las preguntas y tú contestas.

MODELO ¿Te aburren las clases de historia?
Sí, (a mí) me aburren esas clases. o **No, (a mí) no me aburren esas clases.**
Me fascinan esas clases.

1. ¿Te interesan las clases de ciencias naturales?
2. ¿Te parecen importantes las clases de idiomas extranjeros?
3. ¿Te entusiasman las clases de arte?
4. ¿Te es difícil memorizar información?
5. ¿Te falta tiempo siempre para completar la tarea?
6. ¿Te cuesta mucho trabajo obtener buenas notas?

C. Trabajo de jornada parcial. Han entrevistado a tu amiga para un trabajo en la oficina de unos abogados. Un amigo quiere saber si ella obtuvo ese trabajo.

MODELO ¿Cuándo entrevistaron a tu amiga? (el lunes pasado)
La entrevistaron el lunes pasado.

1. ¿Le pidieron recomendaciones? (sí)
2. ¿Le sirvieron sus conocimientos de español? (sí, mucho)
3. ¿Le dieron el trabajo? (sí)
4. ¿Cuándo se lo dieron? (el jueves)
5. ¿Cuánto le van a pagar por hora? (ocho dólares)
6. ¿Conoce a su jefe? (no)
7. ¿Por qué quiere trabajar con abogados? (fascinarle las leyes)

D. Hablando de Perú. Trabajando con un(a) compañero(a), túrnense para hacerse las siguientes preguntas.

1. ¿Conoces a algún cantautor peruano? ¿A cuál? ¿Qué canciones de él conoces?
2. ¿Cuál, crees tú, es el lugar más visitado de Perú? ¿Qué sabes de ese lugar? ¿Es un lugar que todo el mundo reconoce?
3. ¿Qué sabes de las culturas precolombinas de Perú? ¿Qué te sorprende más de esas culturas?
4. ¿Qué escritor peruano conoces? ¿Te gusta lo que escribe ese escritor? ¿Se lo recomiendas a tus amigos?
5. Si vas a Perú ¿qué te gustaría ver o volver a ver? ¿Por qué?

E. Regalos para todos. En grupos de tres, digan qué regalos recibieron para Navidad u otra celebración familiar el año pasado y quién se los dio. Luego mencionen dos regalos que compraron y digan a quiénes se los dieron. Cada persona debe mencionar por los menos dos regalos que recibió y dos que regaló.

3.2 *Gustar* and Similar Constructions

The verb *gustar*

› The verb **gustar** means *to be pleasing (to someone);* it is also equivalent to the English verb *to like.* The word order in sentences with **gustar** is different from English sentences with *to like.* In Spanish, the indirect object is the person or persons who like something. The subject is the person(s) or thing(s) that is(are) liked.*

Indirect Object	Verb	Subject
Me	gustan	las novelas de Vargas Llosa.

Subject	Verb	Direct Object
I	like	Vargas Llosa's novels.

› When the indirect object is a noun, the sentence also includes the indirect object pronoun.

A mi hermano no **le** gustan las competencias deportivas. — *My brother doesn't like sports competitions.*

› To clarify or emphasize the indirect object pronoun, the phrase **a** + *prepositional pronoun* is used.

Hablaba con los Morales. **A ella le** gusta mucho caminar por las calles, pero **a él** no **le** gustan esas caminatas. — *I was talking with Mr. and Mrs. Morales. She likes to walk along the streets a lot, but he doesn't like those walks.*

A mí me gustan mucho las novelas de Vargas Llosa, pero **a ti** no **te** gustan tanto. — *I like Vargas Llosa's novels a lot, but you don't like them so much.*

› The following verbs function like **gustar.**

agradar	fascinar	molestar
disgustar	importar	ofender
doler (ue)	indignar	preocupar
encantar	interesar	sorprender
enojar		

—¿Te **agradan** las frutas tropicales? — *Do you like tropical fruit?*

—Me **gustan** muchísimo. Me **sorprende** que mucha gente no las conozca. — *I like them a lot. It surprises me that many people don't know them.*

A los peruanos les **encanta** el fútbol. — *Peruvians love soccer.*

› The verbs **faltar, quedar,** and **parecer** are similar to **gustar** in that they may be used with an indirect object. However, unlike **gustar,** they often appear without an indirect object in impersonalized statements. Note the translation of the sentences that follow.

Nos faltan recursos para promover los deportes. — *We are lacking resources to promote sports.*

Faltan recursos para promover los deportes. — *Resources are lacking to promote sports.*

A mí me parecen ininteligibles las discusiones económicas. — *Economic discussions seem incomprehensible to me.*

Las discusiones económicas **parecen** ininteligibles. — *Economic discussions seem incomprehensible.*

*To identify the subject and the indirect object of the verb **gustar**, think of the English expression *to be pleasing to:* **Me gustan las canciones de Gian Marco Zignago.** *Gian Marco Zignago's songs are pleasing to me.*

Ahora, ¡a practicar!

A. Iquitos. Tú y tus amigos hacen comentarios acerca de su viaje a la ciudad de Iquitos, muy cerca de la selva amazónica.

MODELO a todo el mundo / fascinar el Parque Zoológico de Quistococha
A todo el mundo le fascinó el Parque Zoológico de Quistococha.

1. a algunos / encantar las caminatas por el bosque
2. a otros / doler no poder navegar por el Amazonas
3. a mí / sorprender la variedad de frutas tropicales
4. a todos nosotros / encantar los paseos por el malecón *(seafront)*
5. a muchos de mis amigos / no gustar algunos platos típicos de la selva
6. a todos nosotros / parecer fascinante la Plaza de Armas de la ciudad
7. a la mayoría / impresionar los paseos en mototaxi
8. a todos nosotros / faltar tiempo para conocer mejor los alrededores de la ciudad

B. Gian Marco Zignago. Tu amiga Mónica es gran admiradora de Gian Marco. Tú le haces algunas preguntas. ¿Cómo te contesta?

MODELO ¿Por qué te agrada Gian Marco? (por su gran originalidad)
Me agrada por su gran originalidad.

1. ¿Le gustan a todos los peruanos las canciones de Gian Marco? (en general, sí, y también a muchos latinoamericanos)
2. ¿Le preocupan a Gian Marco las causas sociales? (sí, en 1997 hizo un concierto para ayudar a los damnificados de un terremoto en su país)
3. ¿Le encanta cantar solamente? (no, también le encanta escribir canciones)
4. ¿Le atrae cantar con otros artistas? (sí, ha cantado con Jon Secada, por ejemplo)
5. ¿Le agrada comunicarse con sus admiradores? (sí, por supuesto, tiene un *blog* donde sus admiradores dejan comentarios)
6. ¿Te impresiona algún álbum de él en particular? (sí, el álbum *Desde adentro*)

C. Es tu turno de opinar. En la lectura *El canalla sentimental* Jaime Bayly expresa su opinión sobre muchos temas. Da tu propia opinión sobre los temas que aparecen a continuación. Usa verbos como **gustar, disgustar, agradar, aburrir, interesar, fascinar, encantar, molestar** u otros semejantes.

MODELO los museos **Me fascinan los museos.** o **Me aburren los museos.**

1. el humo de los cigarrillos
2. las dietas para adelgazar
3. los animales domésticos en general
4. los libros divertidos
5. las discusiones políticas
6. las personas incomprensivas

D. Gustos personales. En grupos de tres, completen estas oraciones para expresar sus opiniones sobre actividades deportivas.

MODELO dos actividades / disgustar / muchos / ser
Dos deportes que les disgustan a muchos son el boxeo y el hockey.

1. dos actividades / encantar / mis hermanos / ser
2. algunas carreras / agradar / mí / ser
3. dos modos de mantenerse en forma / gustar / todos / ser
4. un deporte / fascinar / los peruanos / ser
5. un torneo deportivo / impresionar / mi novio(a) / ser

Bolivia

Comprehension check: Point out that Bolivia changed it's official name in 2010, then ask: **¿Por qué crees que cambió su nombre? ¿A qué se refiere "plurinacional"? ¿Cuál es la capital de Bolivia? ¿Cuál es la sede de gobierno? ¿Cuáles crees que son las diferencias entre esas dos ciudades?**

Suggestion: Ask students if they have visited Bolivia. If so, have them share their experiences with the class.

Comprehension check: Ask: **1. ¿Crees que es fácil caminar por las calles de La Paz, que tiene continuas subidas y bajadas? ¿Por qué? 2. ¿Qué efecto crees que tiene la altura de La Paz en los turistas que visitan la ciudad? 3. ¿Qué significa para ti que Sucre sea una "hermosa joya colonial"? 4. ¿Cuál de los tres lugares mencionados —Tiwanaku, la Chiquitos y el Salar de Uyuni— te gustaría visitar? ¿Cuál de los festivales? ¿Por qué?**

Nombre oficial: Estado Plurinacional de Bolivia
Población: 9.247.816 (estimación de 2008)
Ciudades principales: La Paz (sede del gobierno), Sucre (capital oficial), Santa Cruz, Cochabamba
Moneda: Boliviano (Bs)

En la sede de gobierno, La Paz,

con una población de unos 2.757.000 y una altura que varía entre diez mil y trece mil pies, tienes que conocer...

- la Avenida 16 de Julio o "El Prado", en la que puedes ver modernos edificios y hermosos palacios de arquitectura colonial.
- la Plaza Murillo, rodeada del Palacio de Gobierno, la Catedral y la sede del Parlamento.
- el Templo y Convento de San Francisco, hermosa construcción colonial con hermosos retablos (*altarpieces*) de madera y oro.

Jeremy Woodhouse / Photolibrary

La Paz, Bolivia, la sede de gobierno más alta del mundo

En la capital, Sucre, hermosa joya colonial con una población de unos 265.300 habitantes, tienes que conocer...

- la Casa de la Libertad, donde se firmó el Acta de Independencia (*Declaration of Independence*) de Bolivia el 6 de agosto de 1825.
- el Palacio de la Glorieta, un castillo de fantasía en las afueras de la ciudad, que recuerda los cuentos de la infancia.
- el Convento de la Recoleta, fundado en el año 1601.

Chlaus Lotscher / Photolibrary

Una histórica misión jesuítica, Patrimonio Cultural de la Humanidad

En la historia y la cultura bolivianas, no dejes de apreciar...

- Tiwanaku, las ruinas de la ciudad capital de esta cultura que perduró más de mil años en el altiplano (*high plateau*) boliviano.
- las misiones jesuíticas de Chiquitos, declaradas Patrimonio de la Humanidad por UNESCO en 1990. Fueron establecidas en el siglo XVII y continúan siendo centro de enseñanza y conservatorio de música barroca.
- el Salar de Uyuni, el mayor desierto de sal y depósito de litio (*lithium*) del mundo.

Festivales bolivianos

- el Carnaval en Oruro, con sus más de veintiocho mil danzantes y diez mil músicos
- el Festival de la Virgen de Urkupiña, religiosidad popular en vivo
- un concurso de belleza en Santa Cruz, donde se dice que viven las mujeres más hermosas del mundo

Superstock / Photolibrary

Una colorida y desafiante máscara de la diablada

Adalberto Rios Szalay / Photolibrary

La Diablada de Oruro, una mezcla de teatro colonial español y rituales andinos precolombinos

¡Diviértete en la red!

Busca en Google Images o en YouTube para ver fotos y videos de cualquiera de los lugares, y/o festivales mencionados aquí. Ven a clase preparado(a) para describir en detalle el lugar que escogiste.

¡Estás de moda!

Suggestions: Ask students to describe in detail what they are wearing. Working with one or two partners, have them take turns describing what someone in the class is wearing without telling whom they are describing. Their partners have to guess the person being described.

Junto a la famosa diseñadora de moda boliviana Liliana Castellanos, el mundo entero reconoce la creatividad de muchos otros modistas hispano-latinos, como la venezolana Carolina Herrera, el dominicano Óscar de la Renta, la cubana Isabel Toledo, el cubanoamericano Narciso Rodríguez y el hispano-francés Paco Rabanne.

Patrick Giardino / Photolibrary

Al hablar de prendas de vestir

a rayas *striped*
ajustado(a) *tight*
escote *(m.)* *neckline*
estampado(a) *patterned, printed*
holgado(a) *loose-fitting, baggy*
lencería *lingerie*
lo último *the latest, most up-to-date*
manga *sleeve*
minifalda *miniskirt*
número de zapato *shoe size*
ponerse *to put on, to wear*
prenda *garment*
probador *(m.)* *fitting room*
quitarse la ropa *to take off clothing, to undress*
ropa interior *underwear*
tacón *(m.)* *heel (of shoe)*
tejido *fabric, weaving*
temporada *season*
tendencia *trend*

Al describir ropa

¿Cómo te quedan esos pantalones?

A mi medida. *Made to measure.*
Me quedan muy bien. *They fit me well.*
Me quedan fatal. *They don't fit me at all.*
Me están muy ajustados. *They are too tight.*
Me quedan muy holgados. *They are too loose.*
Me están cortos. *They are short.*
Me quedan largos. *They are long.*

David Stuart / Photolibrary

¿Y qué opinas de esta prenda?

Es... ☺
barata *cheap*
cara *expensive*
de tu talla *your size*
ideal para ti *ideal for you*
lujosa *luxurious*

Está... ☹
anticuada *old-fashioned*
arrugada *wrinkled*
manchada *stained*
pasada de moda *out of fashion*
rota *torn*
sucia *dirty*

Al probarse la ropa

—¿Dónde están los probadores?	*Where are the fitting rooms?*
—¿Quieres probártelos?	*Do you want to try them on?*
—¿Cuántas prendas puedo llevar al probador?	*How many garments can I bring to the fitting room?*

Al comentar cómo luces

—¡Esta no es mi talla!	*This is not my size!*
—Me sienta muy bien esta blusa.	*This blouse suits me.*
—Estás guapísimo(a) con esa chamarra.	*You look great in that jacket.*
—Oye, esa camisa no te va para nada.	*Hey, that shirt doesn't suit you at all.*
—Pues no sé... la falda la veo un poco corta.	*I don't know . . . the skirt looks a little short to me.*
—Esos pantalones no van con esa blusa.	*Those pants don't go with that blouse.*

¡A practicar, luego a conversar!

A. Palabras que casan. Decide si las siguientes palabras o expresiones son sinónimas (S) o no (NS).

1. __NS__ lo último/pasado de moda
2. __S__ anticuada/pasada de moda
3. __S__ a tu medida/de tu talla
4. __NS__ barato/lujoso
5. __NS__ holgado/ajustado
6. __S__ tendencia/moda
7. __S__ número de zapatos/talla
8. __S__ lencería/ropa interior
9. __S__ manchada/sucia
10. __S__ te va/ te sienta bien

Hill Street Studios / Photolibrary

Llevan chalecos elegantes con colores bien coordinados.

B. Palabras clave: llevar. Busca la palabra "llevar" en las siguientes expresiones idiomáticas y selecciona la frase que la traduce. Compara tu selección con las de dos compañeros(as) de clase y usen cada expresión en dos oraciones originales.

__c__	1. llevar una mala vida	a. contabilizar (*to keep accounting books*)
__e__	2. llevar ropa	b. mantener una buena relación
__a__	3. llevar la cuenta	c. vivir mal
__b__	4. llevarse bien	d. ejecutar
__d__	5. llevar a cabo	e. vestir

C. A debatir... ¿Qué piensan de la moda? ¿Les interesa? ¿Tratan de vestirse a la moda? ¿Cuánto cuesta estar vestido a la moda? ¿Creen que se justifica el trabajar para comprarse lo último en moda? ¿Están dispuestos a pagar más por una prenda de un(a) diseñador(a) de moda? Hablen en grupos de tres y luego compartan sus respuestas con la clase.

D. Desfile de modelos. Prepárate para participar en un desfile de modelos. Un(a) estudiante será el (la) locutor(a) *(announcer)* y va a describir toda la vestimenta de su compañero(a) cuando él / ella pase frente a la clase. Luego, cambien de papel. Tal vez quieras vestir un traje especial para esta ocasión, ya sea bien formal o exageradamente informal.

Suggestion: After completing the reading, have students explain the section titles. To what **alturas** might this refer? Why **desde**? What might the **maldición de las minas** be?

Bolivia: desde las alturas de América

Colonia y maldición de las minas

En 1545 se descubrieron grandes depósitos de plata en el cerro de Potosí, al pie del cual, el siguiente año, se fundó la ciudad del mismo nombre. A mediados del siglo XVII era la segunda ciudad más grande del mundo y la mayor ciudad de América. Se fundaron otras ciudades en las zonas mineras: La Paz (1548) y Cochabamba (1570). Las minas de plata del Alto Perú (hoy Bolivia) fueron el principal tesoro de los españoles durante la colonia. Pero para los indígenas de la región andina estas mismas minas eran lugares donde se les explotaba inhumanamente bajo el sistema de trabajo forzado llamado "mita", que también se aplicaba a la agricultura y al comercio.

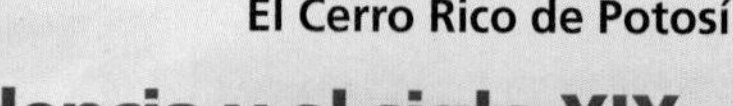

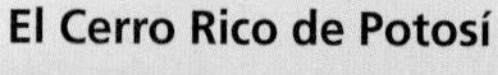

El Cerro Rico de Potosí

Manifestación en Buenos Aires, Argentina, a favor de Bolivia.

La independencia y el siglo XIX

La independencia se declaró el 6 de agosto de 1825 y se eligió el nombre de República Bolívar, en honor de Simón Bolívar, aunque después prevaleció el nombre de Bolivia. El general Antonio José de Sucre, vencedor de los españoles en la decisiva batalla de Ayacucho (1824), ocupó la presidencia de 1826 a 1828. La ciudad de Chuquisaca cambió su nombre a Sucre en 1839 en honor a este héroe de la independencia, quien murió asesinado en 1830.

Pérdida de territorios
Chile
Argentina
Paraguay
Brasil
Bolivia
Océano Pacífico

Guerras territoriales

Durante su vida independiente, Bolivia ha perdido más de la mitad de su territorio original a causa de disputas fronterizas con países vecinos: con Chile la provincia de Atacama, con Argentina una parte de la región del Chaco y con Brasil la rica región amazónica de Acre. En la Guerra del Chaco (1933–1935) con Paraguay, sufrió enormes pérdidas humanas y territoriales.

De la Revolución de 1952 al presente

- En abril de 1952, se inició la llamada Revolución Nacional Boliviana que, bajo la dirección de su líder, Víctor Paz Estenssoro, impulsó una ambiciosa reforma agraria, nacionalizó las principales empresas mineras y, en general, abrió las puertas para el avance social de los mestizos.
- Desde 1964 hasta 1982 Bolivia estuvo gobernada por distintas juntas militares.
- En enero de 2006 fue elegido Presidente Evo Morales Ayma, el primer presidente indígena de Bolivia y de América Latina, marcando un hito en la historia de este país.

Contemplando el inmenso Salar de Uyuni

- La pobreza, el desempleo, la falta de industria y el narcotráfico son algunos de los principales flagelos de la sociedad boliviana.
- De cara al futuro, los enormes yacimientos de litio del famoso Salar de Uyuni se presentan como una esperanza de este pueblo sacrificado y luchador.
- El 22 de enero de 2010, Evo Morales empezó su segundo período como presidente. Esta es también la fecha de la fundación del nuevo Estado Plurinacional de Bolivia.

¿COMPRENDISTE?

VOCABULARIO ÚTIL

desempleo	*unemployment*
empresa	*company, firm*
flagelo	*scourge*
fronterizo(a)	*border*
hito	*milestone*
maldición *(f.)*	*curse*
mitad *(f.)*	*half*
pérdida	*loss*
plata	*silver*
prevalecer	*to prevail*
tesoro	*treasure*
vencedor(a)	*victor, winner*
yacimiento	*deposit*

A. Hechos y acontecimientos. Completa las siguientes oraciones. Luego compara tus respuestas con las de un(a) compañero(a).

1. El resultado del descubrimiento de grandes depósitos de plata en el cerro de Potosí en 1545 fue...
2. Antonio José de Sucre fue importante en la historia de Bolivia porque...
3. El resultado para Bolivia en conflictos fronterizos con sus países vecinos fue...
4. Algunos de los efectos de la Revolución de 1952 fueron...
5. La importancia de las elecciones de 2006 es...
6. El Salar de Uyuni presenta una importante esperanza para el pueblo boliviano debido a...

B. A pensar y a analizar. Contesta las siguientes preguntas con dos o tres compañeros(as) de clase.

1. ¿Cómo es posible que Bolivia haya acabado por ser un país pobre, con toda la riqueza minera que ha existido en la región desde antes del siglo XVI?
2. En la opinión de Uds., ¿a qué se debe la falta de estabilidad política de Bolivia que permitió que sus vecinos anexaran más de la mitad de su territorio a fines del siglo pasado?
3. En su opinión, ¿qué necesita este país para asegurarse un futuro más próspero?

C. Apoyo gramatical: El pretérito: verbos regulares. Completa el siguiente párrafo usando el pretérito de los verbos que están entre paréntesis para saber de las minas de plata de Potosí.

Se cuenta que el descubrimiento de las minas de plata de Potosí (1) ___sucedió___ (suceder) por pura casualidad. Un pastor quechua (*shepherd*) quechua se (2) ___extravió___ (extraviar) durante una noche y (3) ___descansó___ (descansar) en un cerro, llamado después el Cerro Rico de Potosí. Para no tener frío (4) ___reunió___ (reunir) unos leños y los (5) ___encendió___ (encender) para calentarse. A la mañana siguiente se (6) ___despertó___ (despertar) y (7) ___encontró___ (encontrar) hilos (*threads*) de plata derretidos por el calor del fuego. Esto (8) ___ocurrió___ (ocurrir) en 1545 y en abril de ese año el capitán Juan de Villarroel (9) ___tomó___ (tomar) posesión del Cerro Rico de Potosí y poco después colonos españoles (10) ___fundaron___ (fundar) un pueblo. Así comenzó la historia de Potosí y de una de las minas de plata más rica del mundo. Desgraciadamente la riqueza no (11) ___significó___ (significar) riquezas para los indígenas de la región, quienes, obligados forzadamente a trabajar en la mina, (12) ___sufrieron___ (sufrir) inmensamente.

Gramática 3.3: Antes de hacer esta actividad conviene repasar esta estructura en las págs. 132–133.

LOS NUESTROS

Suggestions: Ask students: **¿Cómo creen que es el arte de Mamani Mamani, abstracto, realista o impresionista?** Then have them look up some of his work on YouTube or Google Images. Also have them listen to some of Los Kjarkas music on YouTube.

Roberto Mamani Mamani

El trabajo de este artista aymara es muy significativo por su fidelidad a las tradiciones artísticas indígenas y símbolos aymaras. Sus pinturas reflejan su herencia cultural e incluyen un uso muy fuerte de colores y de imágenes: madres, cóndores, soles y lunas..., todos temas muy importantes en la cosmovisión aymara. Los colores que usa buscan imitar los colores usados en los tejidos típicos del mundo aymara. Para Mamani Mamani, el color representa a la mujer, al hombre, a la esperanza, al amanecer como el comienzo del triunfo sobre la oscuridad de la noche.

Una escultura estilo aymara de Mamani Mamani

Los Kjarkas celebran 35 años de éxitos.

Los Kjarkas

Este grupo musical boliviano fue fundado en Capinota (Cochabamba, Bolivia) en 1965, por los hermanos Hermosa. El nombre del conjunto tiene su origen en la palabra kharka, del quechua sureño, que significa "temor o recelo". Tienen una producción discográfica de unos cincuenta discos. Sus composiciones reflejan los coloridos ritmos bolivianos: huayños, cuecas, t'inkus, caporales, sayas, bailecitos, chuntunquis y otros. Son magníficos representantes del colorido folklore boliviano.

Liliana Castellanos

Nació en Tarija, al sur de Bolivia. Allí desarrolló su pasión y creatividad que más tarde puso en la alta costura. Trabaja desde hace más de veinte años en la moda, dedicándose a las fibras y telas de alpaca, llama y vicuña. Su marca está presente en más de veinticinco países, con boutiques propias en Europa y América Latina, y cerca de ciento cincuenta puntos de venta en los Estados Unidos, Canadá, Japón, Corea del Sur y otros países. Sus hermosos diseños la han convertido en una verdadera embajadora de la lana de alpaca.

Liliana Castellanos y la elegancia de sus modelos

Otros bolivianos sobresalientes

Héctor Borda Leaño: poeta, político

Matilde Casazola: poeta y compositora

Jaime Escalante (1931–2010): ingeniero y profesor de física, matemáticas e informática

Agnes de Franck: artista

Alfonso Gumucio Dagron: escritor, cineasta, fotógrafo

Gil Imaná: pintor

Renato Oropeza Prada: escritor

Jorge Sanjinés Aramayo: cineasta

Pedro Shimose: escritor, poeta y músico

Piraí Vaca: músico

Gaby Vallejo: escritora y activista

Blanca Wiethüchter: poeta, ensayista

¿COMPRENDISTE?

A. **Los nuestros.** ¿Qué aspectos de la cultura boliviana han destacado estos personajes? ¿Por qué crees que han buscado resaltar aspectos concretos de la cultura boliviana?

B. **Miniprueba.** Demuestra lo que aprendiste de estos talentosos bolivianos al contestar estas preguntas.

1. ¿En qué se centra el arte de Roberto Mamani Mamani?
2. ¿A qué crees que se debe la popularidad de los Kjarkas? ¿Cuáles serían unos grupos parecidos en los Estados Unidos?
3. ¿Por qué crees que el presidente de Bolivia ha seleccionado a Liliana Castellanos como su diseñadora?

Suggestions: Ask students to describe what a **cineasta/informática/dibujante** might do. Then ask them to look up two or more of the **Otros bolivianos sobresalientes** on the Internet and have them turn in a brief written report on what they find. You may want to offer extra credit for this work.

VOCABULARIO ÚTIL

alta costura	*high fashion*
colorido(a)	*colorful*
conjunto	*band*
diseño	*design*
esperanza	*hope*
lana	*wool*
luna	*moon*
oscuridad *(f.)*	*darkness*
otro modo	*another way*
recelo	*suspicion, distrust*
sol *(m.)*	*sun*
sureño(a)	*southern*
venta	*sale*
vistoso(a)	*colorful*

¡Diviértete en la red!

Busca "Roberto Mamani Mamani", "Los Kjarkas" y/o "Liliana Castellano" en Google Images y/o en YouTube para ver videos y escuchar a estos talentosos bolivianos. Ven a clase preparado(a) para presentar lo que encontraste.

La maravillosa geografía musical boliviana

© Heinle, Cengage Learning

Antes de empezar el video

En parejas. Contesten estas preguntas en parejas.

1. ¿Cómo se imaginan Uds. que será vivir en un altiplano a más de doce mil pies sobre el nivel del mar? ¿Será difícil o agradable? ¿Por qué? Den algunos ejemplos específicos.
2. ¿Han escuchado alguna vez música andina? ¿Dónde? ¿Qué les pareció? ¿Cómo la describirían: alegre, dramática, triste, melancólica,...?

Suggestion: Have students anticipate what they will see based on the video title and the questions in **Antes de empezar el video.** Then, after viewing the video, have them check their predictions to see if they are correct. Keep in mind that some previewing questions are critical-thinking questions with several possible answers. Make sure students have valid reasons for answering as they do.

Después de ver el video

A. La maravillosa geografía musical boliviana. Contesta las siguientes preguntas con un(a) compañero(a) de clase.

1. ¿Cuál es la ciudad capital más alta del planeta?
2. ¿Cómo es el altiplano boliviano?
3. ¿Cuál es la lengua indígena más antigua de Sudamérica? ¿Dónde sigue hablándose?
4. ¿Se puede decir que el hacer instrumentos es para Micasio Quispe solo una manera de ganarse la vida? ¿Tiene para él una importancia más profunda?

B. A pensar y a interpretar. Contesta las siguientes preguntas.

1. ¿Qué impresión tienes de Bolivia después de ver este video? ¿De su geografía? ¿De la música aymara?
2. ¿Por qué crees que Nicasio Quispe se refiere a los instrumentos nativos como "sagrados"? Explica por qué dice que los instrumentos nativos están en contacto con la naturaleza. ¿Qué ejemplo da?
3. Bolivia, así nombrada en honor de Simón Bolívar, fue la república preferida del gran libertador. ¿Por qué crees que de los cinco países que liberó, Bolivia fue el preferido?

C. Apoyo gramatical: El pretérito: verbos regulares. Contesta las preguntas que te hace un(a) amigo(a) acerca de tu visita a la capital boliviana.

MODELO ¿Cuánto tiempo pasaste en La Paz? (seis días)
Pasé allí seis días.

1. ¿Qué día de la semana llegaste a La Paz? (un martes) Llegué a La Paz un martes.
2. ¿Dónde te hospedaste? (en un hostal) Me hospedé en un hostal.
3. ¿Te enfermaste a causa de la altura? (afortunadamente no) Afortunadamente no me enfermé a causa...
4. ¿Qué sitios visitaste? (muchos, como la Plaza Murillo, el Prado, la Basílica de San Francisco, el Valle de la Luna) Visité muchos sitios, como la Plaza Murillo,...
5. ¿Conociste a jóvenes bolivianos de tu edad? (sí, a algunos) Sí, conocí a algunos jóvenes...
6. ¿Te gustó tu estadía en La Paz? (sí, muchísimo) Sí, me gustó muchísimo mi estadía en La Paz.
7. ¿Paseaste por lugares arqueológicos? (sí; por las ruinas de Tiwanaku) Sí, paseé por las ruinas de Tiwanaku.
8. ¿Influyó esta visita en tu mejor conocimiento del país? (sí, bastante) Sí, esta visita influyó bastante en mi mejor...

Gramática 3.4: Antes de hacer esta actividad conviene repasar esta estructura en las págs. 146–149.

¡Antes de leer!

Anticipando...: After students do these activities, ask them to predict what this story will be about, based on the the photo, the title of the story and the questions they answered in this section. Have them come back to their predictions after reading to see if they are correct.

A. Anticipando la lectura. Contesta estas preguntas para ver cómo estableces la relación entre la realidad y la ficción.

1. ¿Te ayuda la ficción o fantasía a recordar enseñanzas (*set of ideas*) importantes o moralejas (*morals*)? Explica con ejemplos concretos.
2. ¿Estás de acuerdo en que "la realidad supera a la ficción"? ¿Tienes ejemplos concretos para demostrar si sí o no? Crea una lista de ejemplos y compara tu lista con las de dos compañeros(as) de clase.

B. Vocabulario en contexto. Busca estas palabras en la lectura que sigue y, en base al contexto, decide cuál es su significado. Para facilitar encontrarlas, las palabras aparecen en negrilla en la lectura. Ask volunteers to write original sentences with these vocabulary words.

1. se hallan	a. se saludan	b. se despiden	(c.) se encuentran
2. desastrada	(a.) sucia	b. nueva	c. elegante
3. carecen de	(a.) les falta	b. imponen	c. miran con
4. acaso	(a.) tal vez	b. fuertemente	c. definitivamente
5. leve	a. rápido	(b.) pequeño	c. difícil
6. reemprender	a. abandonar	(b.) volver a	c. buscar

Sobre el autor

José Edmundo Paz Soldán nació en Cochabamba, Bolivia, en 1967. Es licenciado en Ciencias Políticas y obtuvo un doctorado en Lenguas y Literatura Hispana otorgado por la Universidad de California en Berkeley. En la actualidad es profesor de la Universidad de Cornell. Ha sido ganador de varios premios literarios: el Premio Erich Guttentag de Bolivia (1992), el Premio Juan Rulfo (1997) y el Premio Nacional de Novela (2002) de Bolivia. Paz Soldán pertenece a una nueva corriente narrativa latinoamericana, que registra en sus obras el impacto de los medios de comunicación masivos y las nuevas tecnologías en el paisaje urbano del continente. Sus obras han sido traducidas a varios idiomas y han aparecido en antologías en España, Estados Unidos, Alemania, Suiza, Francia, Perú, Argentina y Bolivia.

La frontera

A la entrada de la mina La Frontera, que creía abandonada, se hallan dos hombres. Tienen el rostro terroso*, apariencia de mineros en la vestimenta **desastrada** y pancartas* en alto condenando el cierre de las minas decretado por Paz Estenssoro. La escena me parece curiosa; detengo el jeep, me bajo y me acerco* a ellos. Hace años que no venía por este camino abandonado, hace años que no visitaba la finca* de Sergio. Bien puede esperar unos minutos, me digo, y perdonar al periodista que siempre hay en mí.

De cerca, confirmo que son mineros. Los rayos del sol refulgen* en todas partes menos en sus cascos*, tan viejos y oxidados que **carecen de** fuerzas para reflejar cualquier cosa. Los mineros no mueven un músculo cuando me acerco a ellos, no pestañean,* miran a través de* mí. Sus pies de abarcas destrozadas* se hallan encima de huesos* blanquinegros. Miro el suelo,* y descubro que yo también estoy posando* mis pies sobre huesos: de todos los tamaños y formas, algunos sólidos y otros muy frágiles, pulverizándose al roce* de mis zapatos. En mi corazón se instala algo parecido al pavor.*

Las minas fueron cerradas hace más de siete años.

Muchos mineros entraron en huelga* pero al final terminaron aceptando lo inevitable y marcharon hacia su forzosa relocalización, a las ciudades o a cosechar* coca al Chapare.

¿Podía ser, me pregunto, que la noticia del fin de la huelga no hubiera llegado hasta ahora a los mineros de esta mina? La región de Sergio progresó con la inauguración del camino asfaltado, y aquí quedaron, abandonados, esta mina y el camino viejo.

Les pregunto qué están protestando.

Silencio.

Después de un par de minutos insisto esta vez tartamudeando,* **acaso** dirigiendo la pregunta más a mí mismo que a ellos. Y entonces veo un **leve** movimiento en la boca de uno de ellos. Un par de músculos faciales se estiran, quiere decirme algo.

Pero el esfuerzo es demasiado. Boquiabierto,* veo el quebrarse de la reseca piel de las mejillas* y el pesado caer de la pancarta: luego, súbitamente, el rostro se contrae* sobre sí mismo y la carne se torna polvo y se derrumba* y del minero no queda más que un montón de huesos blancos y secos.

Pienso que es hora de no hacer más preguntas, de **reemprender** mi camino, de aparentar,* una vez más, no haber visto nada.

"La frontera", Edmundo Paz-Soldán.

- sucio / *signs*
- **me...** / *approach*
- *farm*
- brillan
- *hardhats*
- **no...** *they don't blink* / **a...** *right through*
- **abarcas...** zapatos rústicos deteriorados / *bones* / tierra / poniendo
- **al...** *at the touch* / **al...** *to fear*
- *strike*
- *to harvest*
- *stuttering*
- Con la boca abierta
- **reseca...** *parched skin on his cheeks* / *contracts* / **se torna...** *becomes dust and collapses*
- *to pretend*

¡Después de leer!

A. Hechos y acontecimientos. ¿Recuerdas los datos más importantes de la lectura? Para asegurarte, completa las oraciones que siguen.

1. El narrador encuentra...
2. El narrador quiere que le perdonen la curiosidad típica del...
3. Los cascos no brillan porque...
4. Las minas llevaban más de 7 años...
5. El narrador pensó que los mineros podían no saber que...
6. Cuando uno de los mineros quiere hablar...

B. A pensar y a analizar. En grupos de tres o cuatro, contesten las siguientes preguntas. Luego, compartan sus respuestas con la clase.

1. ¿Creen que este cuento narra algo que ocurrió realmente? ¿Por qué sí o no?
2. ¿Cuál creen que es el punto de vista del autor de este cuento sobre la situación de los mineros?
3. ¿Qué tipo de sensaciones provoca en ustedes este cuento? ¿Creen que la narración sería más efectiva informando sobre la situación de los mineros en un ensayo o artículo periodístico, o con este cuento? Expliquen.
4. ¿Qué les pareció el final del cuento? ¿Pueden imaginarse otro tipo de final? Inventen dos o más posibilidades para terminar el cuento y compártanlas con la clase.

C. Teatro para ser leído. En grupos de tres, preparen una lectura dramática del cuento "La Frontera". Dos personas pueden narrar mientras el (la) tercero(a) hace el papel de protagonista y el cuarto el de minero.

Readers' Theater: Once their script is ready, have them perform their readers' theater for the class. Select the best performance and repeat it for another Spanish class. You may want to videotape the performances.

1. Escriban lo que ocurre en el cuento "La Frontera" usando diálogos solamente.
2. Añadan un poco de narración para mantener transiciones lógicas entre los diálogos.
3. Preparen cuatro copias del guión: una para la persona que hace el papel del protagonista, uno para la persona que hace el papel de minero, una para cada narrador(a) y el original para su profesor(a), que tendrá el papel de director(a).
4. ¡Preséntenlo!

D. Apoyo gramatical: El pretérito: verbos regulares. Tu profesor(a) te pide que escribas de nuevo el siguiente resumen de la historia "La Frontera" empleando el pretérito en vez del presente histórico.

El narrador descubre (1) __descubrió__ a dos mineros a la entrada de la mina La Frontera. Nota (2) __Notó__ unas pancartas de protesta en sus manos. Para (3) __Paró__ el jeep. Se baja (4) __bajó__ del vehículo y se acerca (5) __acercó__ a ellos. El narrador camina (6) __caminó__ y escucha (7) __escuchó__ ruido de huesos a sus pies. Los huesos blanquinegros se pulverizan (8) __pulverizaron__ con el peso del cuerpo. Algo refresca (9) __refrescó__ su memoria: el cierre de la mina, siete años atrás. Temeroso, habla (10) __habló__ a los mineros, que no contestan (11) __contestaron__ y se transforman (12) __transformaron__ en un montón de huesos. El narrador no pregunta (13) __preguntó__ nada más y se marcha (14) __marchó__.

Gramática 3.3: Antes de hacer esta actividad conviene repasar esta estructura en las págs. 132–133.

3.3 Preterite: Regular Verbs

Forms

-**ar** verbs	-**er** verbs	-**ir** verbs
prepar**ar**	comprend**er**	recib**ir**
prepar**é**	comprend**í**	recib**í**
prepar**aste**	comprend**iste**	recib**iste**
prepar**ó**	comprend**ió**	recib**ió**
prepar**amos**	comprend**imos**	recib**imos**
prepar**asteis**	comprend**isteis**	recib**isteis**
prepar**aron**	comprend**ieron**	recib**ieron**

› The preterite endings of regular -**er** and -**ir** verbs are identical.

› The **nosotros** forms of regular -**ar** and -**ir** verbs are identical in the preterite and present indicative. Context usually clarifies the meaning.

Gozamos ahora con las canciones de Los Kjarkas. Y también **gozamos** cuando las escuchamos por primera vez.

We now enjoy the songs by Los Kjarkas. And we also enjoyed them when we heard them for the first time.

Spelling Changes in the Preterite

Some regular verbs require a spelling change to maintain the pronunciation of the stem.

› Verbs ending in -**car,** -**gar,** -**guar,** and -**zar** have a spelling change in the first-person singular.

c → qu buscar: busqué
g → gu llegar: llegué
u → ü averiguar *(to find out):* averigüé
z → c alcanzar *(to reach; to achieve):* alcancé

Other verbs in these categories:

almorzar (ue), atestiguar *(to testify)*, comenzar (ie), entregar, indicar, jugar (ue), pagar, sacar, tocar

Comencé mi trabajo de investigación sobre las ruinas de Tiwanaku hace una semana y lo **entregué** ayer.

I began my paper on the ruins of Tiwanaku a week ago and I handed it in yesterday.

› Certain -**er** and -**ir** verbs with the stem ending in a vowel change **i** to **y** in the third-person singular and plural endings.

leer: leí, leíste, le**yó,** leímos, leísteis, le**yeron**
oír: oí, oíste, o**yó,** oímos, oísteis, o**yeron**

Other verbs in this category:

caer, contribuir, construir, creer, huir, influir

Los estudiantes **leyeron** acerca de Simón Bolívar, quien **influyó** en la historia de muchas naciones sudamericanas.

The students read about Simón Bolívar, who influenced the history of many South American nations.

Use

› The preterite is used to describe an action, event, or condition seen as completed in the past. It may indicate the beginning or the end of an action.

Bolivia **declaró** su independencia en 1825. **Recibió** el nombre de República Bolívar, pero luego **prevaleció** el nombre de Bolivia.

Bolivia declared its independence in 1825. It received the name of Bolivar Republic, but later the name Bolivia prevailed.

Ahora, ¡a practicar!

A. El rey del estaño *(tin)*. Usa el pretérito para completar la siguiente narración acerca de la vida de un boliviano famoso.

La vida del magnate minero Simón Patiño (1860–1949) (1) _______ (fascinar) a sus contemporáneos y a los bolivianos de hoy. Hombre visionario y emprendedor (*enterprising*), (2) _______ (realizar) varios trabajos y oficios; (3) _______ (ocupar) algunos puestos administrativos de cierta importancia. (4) _______ (Continuar) trabajando arduamente. (5) _______ (Pasar) tiempos difíciles, pero su suerte (6) _______ (cambiar) hacia 1900 cuando (7) _______ (descubrir) una de las minas de estaño más ricas del mundo. (8) _______ (Comprar) numerosas minas y su fortuna (9) _______ (prosperar). Hombre de una riqueza fabulosa, a partir de 1912 (10) _______ (dirigir) sus negocios desde París, ciudad donde este "Rey del Estaño" (11) _______ (instalarse). (12) _______ (Jugar) un papel clave en el Comité Internacional del Estaño, un cartel internacional. Por los años 40 (13) _______ (llegar) a ser uno de los hombres más ricos del mundo. Después de su muerte en 1949, sus herederos (14) _______ (crear) la Fundación Patiño para desarrollar actividades culturales y ofrecer becas de estudio en el extranjero.

B. Primer presidente indígena de Bolivia. Completa el siguiente párrafo para saber más de Evo Morales, quien fue elegido presidente de Bolivia en 2005.

Evo Morales (1) _______ (nacer) en 1959, segundo hijo de una humilde familia indígena, de etnia aymara. De niño (2) _______ (trabajar) la tierra y se (3) _______ (ocupar) de llamas. Su actividad política se (4) _______ (iniciar) en los sindicatos, en la década de los 80. Más tarde Evo Morales (5) _______ (fundar) un partido político, Movimiento al Socialismo, MAS. En 1997 ganó una elección como diputado. A comienzos de 2002 más de cien parlamentarios (6) _______ (votar) a favor de la expulsión de Morales del parlamento, acusado de terrorista. Sin embargo Morales (7) _______ (regresar) al parlamento a mediados de ese mismo año. En 2005 se (8) _______ (presentar) a las elecciones presidenciales, (9) _______ (triunfar) y (10) _______ (pasar) a ser el primer presidente indígena de Bolivia y de América Latina.

C. ¡De compras! Tu amiga Rebeca te cuenta cómo le fue en su visita a una tienda de ropa.

Yo (1) _______ (entrar) en la tienda a las diez y media y (2) _______ (salir) poco tiempo después. Primero me (3) _______ (llevar) al probador tres blusas. Me las (4) _______ (probar) una tras otra. Desgraciadamente dos me (5) _______ (quedar) muy holgadas y la tercera muy ajustada. (6) _______ (Decidir) intentar con zapatos de tacón alto. (7) _______ (Continuar) sin suerte porque el par que (8) _______ (escoger) me (9) _______ (quedar) muy ajustado. Por último, (10) _______ (encontrar) una prenda que me (11) _______ (quedar) divinamente: un par de pantalones que (12) _______ (comprar) de inmediato.

Ecuador

Comprehension check: Ask: **¿Cómo se llama la moneda de Ecuador? ¿Por qué se aceptarán dos monedas?**

Suggestions: Ask if any students have visited Ecuador and/or the Galapagos. If so, have them share their experiences with the class.

Comprehension check: Ask: **1. En tu opinión, ¿qué lugar en la Plaza Independencia te resultaría más interesante? ¿Por qué? 2. ¿Cómo se determina el sitio exacto de "la mitad del mundo"? 3. ¿Qué habrá en el Malecón de Guayaquil? 4. ¿Qué encontró Charles Darwin en las islas Galápagos que le llevaron a su Teoría de la Evolución? 5. ¿Quién será la Mama Negra?**

Nombre oficial: República del Ecuador
Población: 14.573.101 (estimación de 2009)
Principales ciudades: Quito (capital), Guayaquil, Cuenca, Machala
Moneda: Dólar (US$)

En Quito, la capital, declarada Patrimonio de la Humanidad por UNESCO en 1978 y con una población de unos 2 millones, tienes que conocer...

- la Plaza Independencia en el centro histórico de Quito con la catedral al sur, el Palacio del Arzobispo en el norte, el Palacio Presidencial en el este y el Palacio Municipal en el oeste.
- la Universidad Central de Quito, que se fundó en 1769 con la unificación de la Universidad de San Gregorio Magno y la Universidad de Santo Tomás de Aquino.
- el obelisco de la Mitad del Mundo, construido en el ecuador *(equator)* latitud 0 a una distancia de 22 km. al norte de Quito.

Doco Dalfiano / Photolibrary

La ciudad de Quito, con su impresionante catedral

En Guayaquil, no dejes de visitar...

- la Plaza Cívica, un complejo de parques, museos y tiendas comerciales, construida en torno al monumento de La Rotonda, que recuerda la célebre entrevista entre los libertadores Simón Bolívar y José de San Martín.
- el Parque Seminario, que también se conoce como el Parque de las Iguanas por la gran cantidad de iguanas que viven en él.
- el Malecón, el colorido pilar *(pillar)* histórico de la ciudad.
- el barrio Las Peñas, el más antiguo de la ciudad.

Gonzalo Azumendi / Photolibrary

Casas del Cerro Santa Ana en Guayaquil

Y no dejes de visitar las Islas Galápagos,...

- un archipiélago de unas 19 islas (13 mayores, 6 menores) y 42 islotes, distribuidas a lo largo del ecuador.
- donde Charles Darwin llevó a cabo los estudios que le llevaron a establecer su Teoría de la Evolución por la selección natural.
- donde especies únicas de flora y fauna *(plants and animals)* —algunas de singular importancia— habitan las islas, entre ellas la tortuga gigante, la iguana marina, la gaviota *(seagull)* de lava, el pingüino de Galápagos y la garza enana *(dwarf heron)*.

Pixtal Images / Photolibrary

Un ejemplo de la belleza y la riqueza marina de las Galápagos

Festivales ecuatorianos

- Carnaval en todo el país
- la Fiesta religiosa, indígena, de la Mama Negra en Latacunga
- las celebraciones de Inti Raymi y Yamor en Otávalo

Rob Francis / Photolibrary

Carnaval en la ciudad de Guaranda, en la provincia de Bolívar

¡Diviértete en la red!

Busca en Google Images o en YouTube para ver en qué consiste uno de los siguientes: Carnaval en Ecuador, la Fiesta de la Mama Negra, Inti Raymi o Yamor. Ven a clase preparado(a) para describir en detalle lo que descubriste.

¡Salud!

Suggestions: Mention to students that quinine was the first drug to be effective in treating malaria and that the **quino** tree is the national tree of Ecuador. Explain that tonic water is flavored with lemon, lime, and small quantities of quinine. Ask students what some common medicinal plants are used for.

El médico ecuatoriano Eugenio Espejo (1747–1795) contribuyó con sus estudios y publicaciones al conocimiento de las capacidades curativas de la quina *(quinine).* Considerada la planta medicinal más importante de origen americano, se descubrió a comienzos del siglo XVII en lo que hoy es Ecuador y dio la vuelta al mundo como una de las medicinas más efectivas y salvadoras.

Al hablar de enfermedades y remedios

acupuntura *acupuncture*
adolorido(a) *sore*
alergia *allergy*
aliviado(a) *recovered*
amigdalitis *(f.)* *tonsilitis*
antibiótico *antibiotic*
antidepresivo *antidepressant*
apendicitis *(f.)* *appendicitis*
artritis *(f.)* *arthritis*
cáncer *(m.)* *cancer*
catarro, resfriado *cold (illness)*
débil *(m. f.)* *weak*
diabetes *(f.)* *diabetes*
gripe *(f.)*, **influenza** *flu*
infarto *heart attack*
inyección *(f.)* *injection, shot*
mejorando(a) *getting better*
píldora, pastilla *pill*
tensión arterial *(f.)* *blood pressure*
tos *(f.)* *cough*

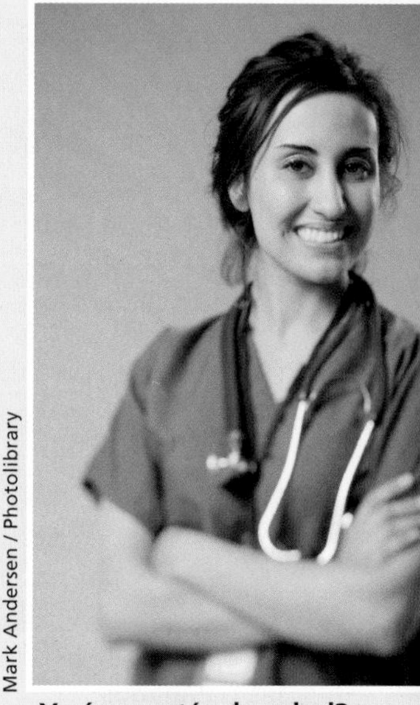
Mark Andersen / Photolibrary
¿Y cómo estás de salud?

Al hablar de cómo te sientes

¿Cómo estás?

☺
Estoy muy aliviado(a). *I am much better.*
Me siento estupendamente. *I feel great.*
Ya no tengo ningún problema. *I don't have problems any longer.*

☹
Me siento muy débil. *I feel very weak.*
Estoy resfriado y tengo fiebre. *I have a cold and a fever.*
Las alergias me están matando. *My allergies are killing me.*

¿Y cómo estás de salud?

Estoy sano y fuerte como un roble. *I'm healthy and strong as a horse.*
Estoy recuperándome de la gripe. *I'm recovering from the flu.*
No bien, porque me descubrieron un tumor. *Not well because they discovered that I have a tumor.*
Tengo un resfriado que no se me quita. *I have a cold that won't go away.*
Sigo con mis problemas de artritis. *I continue to have arthritis problems.*

¡A practicar, luego a conversar!

A. Test médico. Decide si los tratamientos/medicamentos indicados son apropiados para cada situación **(A)** o no **(NA)**.

1. _NA_ resfriado: baño en la playa
2. _A_ alergia: antihistamínico
3. _A_ diabetes: dieta baja en azúcar
4. _NA_ tensión arterial alta: mucho café
5. _NA_ tos: fumar varios cigarrillos
6. _A_ músculos adoloridos: acupuntura
7. _A_ cáncer: quimioterapia
8. _NA_ apendicitis: ocho vasos de agua

Nicole Hill / Photolibrary

Está resfriada, ¿no?

B. Apoyo gramatical. Pretérito: verbos con cambios en la raíz. Reconstruye la historia clínica de tu amigo Marcos, un hipocondríaco, usando el pretérito de los verbos que aparecen entre paréntesis.

1. Marcos casi se _murió_ (morir) de un infarto hace poco.
2. Se _sintió_ (sentir) muy enfermo el sábado pasado.
3. El mes pasado _contrajo_ (contraer) la fiebre porcina *(swine flu)*.
4. Anteayer le _pidió_ (pedir) hora a su cardiólogo para hablarle de la operación.
5. No _durmió_ (dormir) bien debido a la fiebre que tenía.
6. Ayer _prefirió_ (preferir) quedarse en cama por temor a contraer la gripe.
7. Su cardiólogo le _sugirió_ (sugerir) recientemente una batería de exámenes especiales.

C. Enfermedades. En grupos de tres o cuatro túrnense para hablar de la enfermedad más seria que han sufrido. ¿Cuál fue? ¿Cómo se sintieron? ¿Qué medicamentos tuvieron que tomar? ¿Quién los atendió?

D. Dramatización. Dramatiza la siguiente escena con un(a) compañero(a) de clase. Un(a) paciente está en la clínica hablando con su médico(a) después de examinarse. El (La) médico(a) tiene noticias para su paciente, el (la) cual, en cambio, tiene muchas preguntas.

Gramática 3.4: Antes de hacer esta actividad conviene repasar esta estructura en las págs. 146–149.

Ecuador: la línea que une

Proceso independentista

Entre 1794 y 1812 hubo varias rebeliones independentistas que fueron suprimidas por las autoridades españolas. El 9 de octubre de 1820 una revolución militar proclamó la independencia en Guayaquil. La victoria de Antonio José de Sucre el 24 de mayo de 1822 en Pichincha terminó con el poder español en el territorio ecuatoriano, el cual pasó a ser una provincia de la Gran Colombia. El 13 de mayo de 1830 una asamblea de notables proclamó en Quito la independencia ecuatoriana y promulgó una constitución de carácter conservador.

Alfredo Maiquez / Photolibrary

Placa conmemorativa de la visita de Simón Bolívar en 1822.

Ecuador independiente

En el siglo XIX, Ecuador pasó por un largo período de lucha entre liberales y conservadores. La rivalidad entre ambos partidos reflejaba la diferencia entre la sierra (Quito) y la costa (Guayaquil). A finales del siglo XIX, el gobierno fue ejercido por los liberales. Durante esta época se construyó el ferrocarril entre Quito y Guayaquil, el cual ayudó a la integración del país.

En la década de los 20 se produjo una fuerte crisis que llevó a la intervención del ejército en 1925. Esta duró hasta 1948 y fue una de las épocas más violentas en la historia del país. Durante este período ocurrió la guerra de 1941 con Perú, el cual se apoderó de la mayor parte de la región amazónica de Ecuador. Una conferencia de paz celebrada en Río de Janeiro en 1942 ratificó la pérdida del territorio, pero Ecuador no cesó de reclamar estas tierras.

Yoshio Tomii / Photolibrary

La hermosa Plaza Independencia de Quito

Segunda mitad del siglo XX

A partir de 1972, gracias a la explotación de reservas petroleras, Ecuador vio un acelerado desarrollo industrial. En 1982 los ingresos *(revenue)* del petróleo empezaron a disminuir, causando grandes problemas económicos en el país. En 1987 un terremoto destruyó parte de la línea principal de petróleo, afectando aún más la economía y dando origen a una serie de enfrentamientos políticos que perduraron hasta el 2000. Ese mismo año, tomó el poder Gustavo Noboa, un académico de carácter tranquilo y moderado. Al igual que El Salvador y Panamá, Ecuador cambió el sucre por el dólar en marzo de 2000.

Julian Love / Photolibrary

Tren en Ríobamba, Ecuador, que ayudó a conectar importantes zonas del país.

El Ecuador de hoy

- Noboa centró sus esfuerzos en la construcción de un gran oleoducto desde la Amazonía hasta la costa del océano Pacífico, para que la exportación de petróleo se duplicara a partir del 2003.
- En noviembre de 2006, Rafael Correa fue elegido para el período 2007–2011. En 2007 se eligió una Asamblea Constituyente, la que promulgó una nueva Constitución.
- Ecuador es el mayor exportador de bananas en el mundo. También exporta flores y es el octavo productor mundial de cacao. Es significativa también su producción de camarón, caña de azúcar, arroz, algodón, maíz, palmitos y café.

Doco Dalfiano / Photolibrary

Malecón 2000 en Guayaquil, con más de 300.000 m² de zonas recreativas

¿COMPRENDISTE?

A. Hechos y acontecimientos. Completa las siguientes oraciones con información que leíste sobre la historia de Ecuador.

1. El poder español terminó en el territorio ecuatoriano con...
2. La rivalidad entre Quito y Guayaquil reflejaba la diferencia entre...
3. El resultado de la guerra de 1941 con Perú fue...
4. El acelerado desarrollo económico que empezó en 1972 solamente duró...
5. Los problemas políticos de fines del siglo XX se debieron en gran medida a...
6. En marzo de 2000, Ecuador cambió el sucre por...
7. Ecuador se destaca por sus exportaciones en...

VOCABULARIO ÚTIL

a partir de	*starting from*
algodón *(m.)*	*cotton*
ambos(as)	*both*
apoderarse	*to seize, to take possession*
enfrentamiento	*confrontation*
ferrocarril *(m.)*	*railroad, railway*
lucha	*struggle, conflict*
oleoducto	*oil pipeline*
palmito	*heart of palm*
pérdida	*loss*
petrolero(a)	*oil, petroleum*
suprimido(a)	*suppressed*

B. A pensar y a analizar. Contesta las siguientes preguntas con dos o tres compañeros(as) de clase.

1. En su opinión, ¿por qué Ecuador se llama así y por qué se le llama también el "corazón de América"?
2. Además de petróleo, ¿qué productos exporta Ecuador? ¿Creen que sería mejor concentrarse en la producción de un solo producto, como el petróleo, o en una variedad de productos para exportar? Expliquen su respuesta.

Gramática 3.4: Antes de hacer esta actividad conviene repasar esta estructura en las págs. 146–149.

C. Apoyo gramatical. Pretérito: verbos con cambios en la raíz y verbos irregulares. Usa el pretérito para completar este párrafo acerca de la batalla de Pichincha.

Un episodio clave en el camino de Ecuador hacia su independencia (1) __fue__ (ser) la batalla de Pichincha, la cual (2) __tuvo__ (tener) lugar el 24 de mayo de 1822. La batalla (3) __estuvo__ (estar) llena de dificultades porque (4) __ocurrió__ (ocurrir) en las faldas *(sides)* del volcán Pichincha, a más de tres mil metros sobre el nivel del mar. Tanto los españoles como los soldados al mando de Antonio José de Sucre (5) __pusieron__ (poner) mucho empeño *(effort in winning)*. (6) __Hubo__ (Haber) muchas pérdidas por ambos lados, pero finalmente los soldados de Sucre (7) __consiguieron__ (conseguir) la victoria. La victoria se (8) __produjo__ (producir) a las doce del día. Este episodio (9) __puso__ (poner) término al poder español en el territorio ecuatoriano.

Oswaldo Guayasamín

© Pablo Corral Vega / Corbis

Este pintor, muralista y escultor de fama mundial, nació en Quito de padre indígena y madre mestiza. Prefirió ser conocido solamente como Guayasamín. Su obra, al igual que su vida personal, es altamente controvertida y fascinante. Su arte avergüenza al mundo porque retrata los crímenes humanos, dibuja la injusticia del hombre hacia sus semejantes y denuncia las injusticias que sufren los débiles a manos de los poderosos. De hecho, su colección más conocida lleva por título: *La edad de la ira.* Es considerado por muchos el creador del expresionismo kinético. Sus cuadros se valoran hasta en un millón de dólares.

Fundación Grace Polit; http://www.grace-polit.org.

Grace Polit

Esta artista nació en Santiago de Guayaquil en el seno de una familia de clase media pero caracterizada por su calidad intelectual. En 1974 empezó su creación artística con la obra *Herencia universal*. En ella, con la ayuda de los cuatro elementos básicos —agua, tierra, aire y fuego—, combinados con la figura humana, expresa diferentes matices de sentimientos positivos del ser humano. Ha sido galardonada con varios premios, medallas y menciones internacionales. Ha tenido exhibiciones en Ecuador, Suecia, Francia, Italia, Inglaterra y Canadá. Sus pinturas pueden ser encontradas en muchos museos y galerías de arte, así como en colecciones privadas en todo el mundo.

Fanny Carrión de Fierro

Latinstock USA - Photographer Frank Sanchez

Esta escritora, crítica literaria, ensayista y profesora universitaria, recibió el Doctorado en Literatura de la Pontificia Universidad Católica del Ecuador (Quito, 1981). Ha escrito y publicado ensayos y artículos sobre varios temas: política, cultura, sociedad, derechos de la mujer, derechos humanos, derechos de los niños, el movimiento indígena y lingüística. En las elecciones de Ecuador en 2006, escribió y publicó electrónicamente un ensayo titulado "Hacia el quinto poder", sobre la importancia de la participación de la sociedad civil para consolidar la democracia. Ha sido profesora en varias universidades de Ecuador y Estados Unidos. En la actualidad, es profesora en la Pontificia Universidad Católica del Ecuador.

Suggestions: Before reading the biographies, ask students the meaning of **ira,** as in the title of Guayasamín's series of paintings, ***La edad de la ira.*** If they don't know, give them the English cognate *ire*. After reading Guayasamín's biography, ask students to imagine what images the artist may have used in that series. Have individuals describe what they imagined.

Extension: Show students examples from the Internet or the library of Guayasamin's and Grace Polit's art. Divide students into groups of three or four, and give each group an example of one of the artist's works to discuss. If possible, use a painting from the ***La edad de la ira*** series.

Otros ecuatorianos sobresalientes

Jorge Enrique Adoum: poeta, dramaturgo, novelista, ensayista

César Dávila Andrade: poeta, cuentista, ensayista

Andrés Gómez: jugador de tenis

María Luisa González: bailarina, coreógrafa, maestra

Jaime Efraín Guevara: compositor y cantante de música popular

Julio Jaramillo: cantante de música folclórica y romántica

Viera Kléver: coreógrafo, bailarín, maestro, director

Camilo Luzuriaga: director de cine

Beatríz Parra Durango: cantante de ópera

Enrique Tábara: pintor

Abdón Ubidia: escritor

Alicia Yáñez Cosío: novelista

Suggestions: Ask students to describe what a **dramaturgo(a)** y/o **coreógrafo(a)** might do. Then ask them to look up two or more of the **Otros ecuatorianos sobresalientes** on the Internet and have them turn in a brief written report on what they find. You may want to offer extra credit for this work.

¿COMPRENDISTE?

A. **Los nuestros.** Contesta las siguientes preguntas con un(a) compañero(a) de clase.

1. ¿Por qué es fascinante y controvertida la obra de Guayasamín? ¿Qué creen que lo motivó a tratar el tema de la ira humana? ¿Por qué es tan importante mostrarle al mundo las barbaridades cometidas a lo largo de la historia?
2. ¿Creen Uds. que la combinación de los elementos de la naturaleza y del cuerpo humano puede expresar lo mejor de los sentimientos humanos? Expliquen su respuesta.
3. ¿Creen que la política es importante para la literatura en Ecuador? ¿Por qué? ¿Están de acuerdo en que la sociedad civil consolida una democracia o esa es más bien tarea del gobierno?

VOCABULARIO ÚTIL

al igual que	*the same as*
avergonzar (üe)	*to embarrass, to put to shame*
de hecho	*in fact, as a matter of fact*
fuego	*fire*
herencia	*heritage*
matices *(m.)*	*shades of meaning*
mestizo(a)	*of mixed parentage (Indian/Spanish)*
semejantes *(m.)*	*fellow men*
seno	*bosom*

B. Demuestra lo que aprendiste de estos talentosos ecuatorianos al completar estas oraciones.

1. Guayasamín es considerado el creador del __b__ kinético.
   a. movimiento b. expresionismo c. arte
2. En sus pinturas, Grace Polit trata de expresar __c__.
   a. formas abstractas b. arte impresionista c. sentimientos positivos
3. Para Fanny Carrión, el quinto poder de la democracia es __a__.
   a. la sociedad civil b. los pueblos indígenas c. la política

¡Diviértete en la red!
Busca "Oswaldo Guayasamín," "Grace Polit" y/o "Fanny Carrión de Fierro" en Google Images y YouTube para ver videos y escuchar a estos talentosos ecuatorianos. Ven a clase preparado(a) para presentar un breve resumen de lo que encontraste y lo que viste.

La descripción: a base de paradojas

Suggestion: Keep in mind that this writing activity should only take 3–5 minutes of class time. All other writing can be done at home.

1 **Para empezar.** La paradoja es una declaración aparentemente cierta que lleva unida una contradicción lógica. El cuento de Jaime Bayly Letts *El canalla sentimental* consta de una descripción detallada de una persona, plagada de paradojas. Desde el principio abundan los ejemplos:

"Soy agnóstico pero rezo en los aviones. Soy optimista pero no espero nada bueno. Soy materialista pero no me gusta ir de compras".

Luis Domingo / Photolibrary

Un martín pescador *(kingfisher)* junto al cartel de "prohibido pescar"

a. Identifica y explica las paradojas en cada una de estas oraciones.

b. ¿Qué efecto crea el narrador al definirse de una forma tan paradójica? ¿Es fiable (*reliable*)? ¿Por qué sí o no? Assign parts A and B as homework. Do part C in class.

c. Selecciona las tres descripciones de *El canalla sentimental* que más te gustaron y compártelas con la clase. Explica por qué te gustaron.

2 **A generar ideas.** Piensa ahora en tu propia persona. Escribe tu nombre y debajo, haz una tabla de dos columnas. Anota en la primera columna todas las características que consideras importantes en tu persona y en la segunda columna, características contradictorias que son muy parte de tu persona. Si prefieres, puedes describir a un pariente o un(a) amigo(a) favorito(a).

3 **Tu borrador.** Ahora desarrolla la información que anotaste en oraciones que vayan destacando contradicciones y/o ironía. Luego, organízalas en dos o tres párrafos descriptivos con ironía. Escribe tu borrador ahora. ¡Buena suerte!

4 **Revisión.** Intercambia tu borrador con un(a) compañero(a). Revisa la descripción, prestando atención a las siguientes preguntas. ¿Ha comunicado bien sus características? ¿Ha usado paradojas? ¿Ha revelado suficiente información? ¿Ayuda la descripción a entenderlo/la mejor? ¿Tienes algunas sugerencias sobre cómo podría mejorar su descripción?

5 **Versión final.** Considera las correcciones que tu compañero(a) te ha indicado y revisa tu descripción por última vez. Como tarea, escribe la copia final en la computadora. Antes de entregarla, dale un último vistazo a la acentuación, a la puntuación, a la concordancia y a las formas de los verbos.

6 **Publicación (opcional).** Cuando tu profesor(a) te devuelva la descripción corregida, revísala con cuidado y luego devuélvesela a tu profesor(a) para que las ponga todas en un libro que va a titular: **Lo especial de los estudiantes del señor (de la señora/señorita)...**

¡Antes de leer!

Anticipando...: After students do these activities, ask them to write down two topics they think this poem will deal with. Remind them to keep in mind the questions they answered here, the photo, and the poem's title. Have them check their predictions after reading the poem to see if they are correct.

A. Anticipando la lectura. Contesta estas preguntas para ver cómo te relacionas con tus antepasados.

1. ¿Has pensado alguna vez sobre la fugacidad *(fleetingness)* de la vida? ¿Conociste a personas que ya han muerto? ¿Qué huellas *(marks)* han dejado en ti o en los demás?
2. ¿Conoces a tus antepasados? ¿Quiénes son? ¿Crees que hay enseñanzas que podemos aprender de ellos? ¿Crees que vale la pena *(it's worth the effort)* repetir algunas de las cosas que hicieron? ¿Cuáles? Crea una lista de ejemplos y compara tu lista con la de dos compañeros(as) de clase.

B. Vocabulario en contexto. Busca estas palabras en el poema y, en base al contexto, decide cuál es su significado. Para facilitar encontrarlas, las palabras aparecen en negrilla en la lectura.

1. antepasados	a. amigos	(b.) abuelos	c. parientes
2. desengaños	a. deseos	(b.) decepciones	c. tiempos felices
3. alma	(a.) espíritu	b. camino	c. pistola
4. sangre	a. música	b. compañero	(c.) líquido en las arterias
5. yazgo	a. camino contigo	b. vivo	(c.) me acuesto
6. enamorado	(a.) querido	b. esposo	c. pariente

Vocabulario...: Ask volunteers to go to the board and write original sentences with these vocabulary words.

Sobre los autores

El poema hecho canción, *Vasija de barro*, es el producto de la espontánea colaboración de cuatro artistas ecuatorianos, inspirados por la obra *El origen* (1956) del pintor ecuatoriano Oswaldo Guayasamín. En una reunión en el departamento de Guayasamín, tres poetas —Jorge Carrera Andrade, Hugo Alemán y Jorge Enrique Adoum—, y un pintor —Jaime Valencia— escribieron las cuatro estrofas de *Vasija de barro*. En el mismo lugar, a continuación, Carlos Gonzalo Benítez y Luis Alberto 'Potolo' Valencia escribieron la música de esta hermosa y representativa canción.

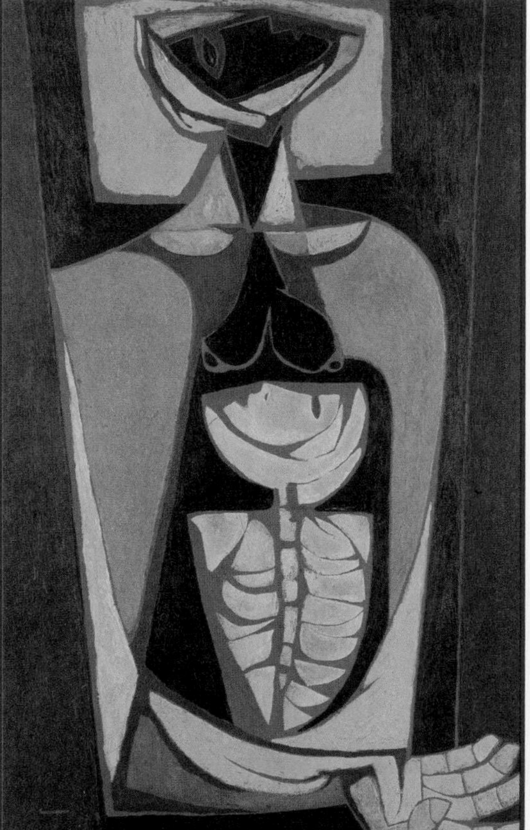

Fundación Guayasamin

Vasija de barro*

Earthenware pot

they bury "Yo quiero que a mí me entierren*
como a mis **antepasados**
belly en el vientre* oscuro y fresco
de una vasija de barro".

5 "Cuando la vida se pierda
tras una cortina de años
vivirán a flor de tiempo
amores y **desengaños**..."

Baked clay "Arcilla cocida* y dura
cerros 10 **alma** de verdes collados*,
luz y **sangre** de mis hombres,
sol de mis antepasados..."

"De ti nací y a ti vuelvo
arcilla vaso de barro
15 con mi muerte **yazgo** en ti
dust, remains en tu polvo* **enamorado**".

Extension: For homework, have students search "Vasija de barro" on YouTube where there are many versions of this song and choose their favorite version. You might want to tell them the best versions are by Gonzalo Benítez y Luis Alberto Valencia (original authors of the music), Atahualpa Yupanki and Los Clachakis. In class the next day, survey students to find our how many chose the same version and ask them to explain why they chose it.

¡Después de leer!

A. Hechos y acontecimientos. ¿Recuerdas los datos más importantes de la lectura? Para asegurarte, completa las oraciones que siguen.

1. El poeta quiere ser enterrado en...
2. Cuando la muerte llegue, vivirán los...
3. La vasija está hecha de...
4. La arcilla es...
5. Al final del poema, el poeta dice que va a yacer...

Poetry contest: In groups of five or six, have students read their poems and select the one they liked the most. Then have the winners from each group read their poems to the whole class and have the class vote on the one they liked the most. You may want to give the winner a little prize, like a book of poems or short stories in Spanish.

B. A pensar y a analizar. En grupos de tres o cuatro, contesten las siguientes preguntas. Luego, compartan sus respuestas con la clase.

1. Si no supieran que este poema es un trabajo de colaboración, ¿notarían que más de una persona participó en su creación? ¿Por qué sí o no? ¿Cuáles son algunas canciones que Uds. conocen en las que colaboraron varias personas?
2. El poema define una forma de ver la muerte, ¿Cómo se concibe la muerte? Según el poema, ¿hay vida después de la muerte? Defiendan su opinión.
3. El poema reflexiona sobre una práctica funeraria. Comparen su mensaje con las prácticas funerarias de nuestra sociedad. ¿Qué creen que aporta el poema a nuestra cultura? ¿Qué enseña?

C. Escribamos un poema. Individualmente y luego en grupos de tres, escriban un poema que comience con el siguiente verso: "Yo quiero que a mí me entierren..."

1. Pueden hablar de dónde, cómo, cuándo...
2. Hablen sobre la fugacidad de la vida.
3. Escriban un verso que sirva de conclusión.
4. ¡Recítenlo para la clase!

D. Apoyo gramatical. Pretérito: verbos con cambios en la raíz y verbos irregulares. Completa el siguiente párrafo sobre el poema de esta lección usando el pretérito de los verbos que están entre paréntesis.

"Vasija de barro" (1) ___fue___ (ser) el poema que yo (2) ___leí___ (leer). (3) ___Supe___ (Saber) por el diccionario que una vasija es un recipiente y que el barro es la mezcla de tierra y agua. Supongamos: el protagonista (4) ___murió___ (morir) y (5) ___fue___ (ser) enterrado *(buried)* en una vasija de barro porque él lo (6) ___quiso___ (querer) así. Cuando él (7) ___murió___ (morir), las alegrías y las penas *(sorrows)* de su vida siguen viviendo en esa vasija. El protagonista (8) ___nació___ (nacer) del barro y al morir él (9) ___volvió___ (volver) al barro, el barro de la vasija.

Gramática 3.4: Antes de hacer esta actividad conviene repasar esta estructura en las págs. 146–149.

3.4 Preterite: Stem-changing and Irregular Verbs

Stem-changing Verbs

› Stem-changing -**ar** and -**er** verbs in the present tense are completely regular in the preterite. (See pp. 67–68 for stem-changing verbs in the present indicative.)

Los ecuatorianos no **pierden** las esperanzas de un futuro mejor. Durante períodos de crisis anteriores tampoco **perdieron** las esperanzas de una vida mejor.
Ecuadorians don't give up hope for a better future. During earlier periods of crisis, they didn't give up hope for a better life either.

› Stem-changing -**ir** verbs are also regular in the preterite, except for the third-person singular and plural forms. In these two forms, they change **e** to **i** and **o** to **u.**

e → i **sentir**	e → i **pedir**	o → u **dormir**
sentí	pedí	dormí
sentiste	pediste	dormiste
s**i**ntió	p**i**dió	d**u**rmió
sentimos	pedimos	dormimos
sentisteis	pedisteis	dormisteis
s**i**ntieron	p**i**dieron	d**u**rmieron

Los ecuatorianos s**i**ntieron gran admiración por Guayasamín.
Ecuadorians felt great admiration for Guayasamín.

Guayasamín m**u**rió en 1999 en la ciudad de Baltimore.
Guayasamín died in 1999 in the city of Baltimore.

Irregular Verbs

› Some common verbs have an irregular stem in the preterite. Note that the -**e** and -**o** ending of these verbs are irregular as they are not accented.

Verb	*-u-* and *-i-* Stems	Endings
andar	anduv-	
caber	cup-	
estar	estuv-	
haber	hub-	
poder	pud-	**e** imos iste isteis **o** ieron
poner	pus-	
querer	quis-	
saber	sup-	
tener	tuv-	
venir	vin-	

Verb	*-j-* Stem	Endings	
decir	dij-	**e**	imos
producir	produj-	iste	isteis
traer	traj-	**o**	**eron**

Verbs derived of the ones above have the same irregularities, for example:

decir: contradecir, predecir tener: detener, mantener, sostener

poner: componer, proponer venir: convenir, intervenir

Desde pequeña Beatriz Parra Durango **quiso** ser una gran cantante de ópera y **puso** gran empeño para lograrlo.
From an early age Beatriz Parra Durango wanted to become a famous opera singer and put great effort into achieving it.

En la década de los 70 la explotación del petróleo **produjo** gran crecimiento económico en Ecuador.
In the 70s oil exploitation produced great economic growth in Ecuador.

› Other irregular verbs:

dar		hacer		ir / ser	
di	dimos	hice	hicimos	fui	fuimos
diste	disteis	hiciste	hicisteis	fuiste	fuisteis
dio	dieron	hizo	hicieron	fue	fueron

Note that **ir** and **ser** have the same preterite forms. Context usually clarifies the meaning intended.

Me **dieron** tanta tarea ayer que no la **hice** toda.
They gave me so much homework yesterday that I didn't do it all.

Una amiga mía **fue** a Quito por unos días. **Fue** una visita muy interesante, me dijo.
A friend of mine went to Quito for a few days. It was a very interesting visit, she told me.

Ahora, ¡a practicar!

A. Las islas Galápagos. Emplea el pretérito de los verbos que aparecen entre paréntesis para completar la siguiente información acerca de la historia de las islas Galápagos.

Las islas Galápagos (1) _______ (ser) descubiertas en 1535 por Tomás de Berlanga, obispo de Panamá. El obispo (2) _______ (salir) hacia Perú, pero su embarcación *(vessel)* se (3) _______ (desviar) *(went off course)* hacia el oeste y (4) _______ (llegar) a unas islas que él (5) _______ (llamar) Las Encantadas. Numerosos viajeros españoles se (6) _______ (detener) en las islas durante el siglo XVI. A fines del siglo siguiente los piratas (7) _______ (usar) las islas como su lugar de escondite *(hiding place)* y a comienzos del siglo XIX los cazadores de ballenas *(whales)* y focas *(seals)* (8) _______ (venir) a las islas. Por casi trescientos años nadie (9) _______ (reclamar) las islas como propias, pero en 1832 Ecuador (10) _______ (tomar) posesión oficial del archipiélago. Las islas se (11) _______ (hacer) famosas a nivel internacional cuando en 1835 se (12) _______ (detener) allí el naturalista inglés Charles Darwin. La fauna poco común de las islas (13) _______ (contribuir) a la formación de las ideas de este científico sobre la selección natural.

B. El malecón de Guayaquil. Una amiga escribe en su diario las impresiones de su visita a Guayaquil. Completa este fragmento usando el pretérito para conocer esas impresiones.

Unos amigos me (1) _______ (decir): "Debes visitar Guayaquil". Yo me (2) _______ (proponer) hacer la visita el mes pasado, pero no (3) _______ (poder), porque (4) _______ (tener) muchas otras cosas que hacer durante ese tiempo. Finalmente, la semana pasada yo (5) _______ (hacer) el viaje. Lo primero que (6) _______ (querer) hacer (7) _______ (ser) visitar el Malecón. (8) _______ (estar) recorriendo ese maravilloso complejo histórico y recreativo por mucho tiempo. (9) _______ (poder) gozar admirando las diversas construcciones y las áreas verdes. Yo (10) _______ (tener) una experiencia maravillosa allí y me (11) _______ (traer) un hermoso recuerdo de ese lugar de encanto.

C. La época de oro del petróleo ecuatoriano. Completa la siguiente información acerca del auge *(boom)* petrolero en Ecuador en los años 70. Cambia el presente histórico al pretérito.

En los años 70 se produce (1) _______ un cambio en la economía ecuatoriana. Se comienza (2) _______ a explotar y a exportar el petróleo. Los precios están (3) _______ altos en ese período. Hay (4) _______ un crecimiento económico excepcional. Por ejemplo, las exportaciones de petróleo dan (5) _______ al país casi 200 millones de dólares en 1970; la cantidad sube (6) _______ a 1300 millones de dólares en 1977. El país se vuelve (7) _______ más atractivo para los inversores y banqueros nacionales y extranjeros. Se predice (8) _______ un crecimiento sin fin. En esta década Ecuador entra (9) _______ en el mercado mundial. Hay (10) _______ prosperidad. Se construyen (11) _______ caminos y carreteras. Sin embargo, todo esto cambia (12) _______ en la década de los 80. La fiesta petrolera se interrumpe (13) _______, entre otras causas por la baja en el precio del petróleo. Es (14) _______ el fin de una época de oro.

D. Encuesta. Entrevista a tus compañeros(as) de clase hasta encontrar personas que hacen cada actividad. Escribe el nombre de cada uno al lado de la actividad que hace.

MODELO dormir mal anoche

—¿Dormiste mal anoche?

—No, no dormí mal. o **Sí, dormí mal.**

1. _____________ poder conversar con tu consejero ayer
2. _____________ tener que estudiar para un examen anoche
3. _____________ andar a clase hoy
4. _____________ venir a clase en autobús
5. _____________ traer una computadora a clase
6. _____________ estar enfermo(a) ayer
7. _____________ ir al cine durante el fin de semana
8. _____________ no hacer la tarea para la clase anoche

VOCABULARIO ACTIVO

Lección 3: Perú

Ejercicio

calentar (ie)	*to warm up*
caminata	*walk*
carrera	*race*
carrera ciclista	*bicycle race*
carreras y saltos	*track*
corredor(a)	*runner*
ejercicio aeróbico	*aerobic exercise*
ejercicio anaeróbico	*anaerobic exercise*
estirar	*to stretch*
hacer ejercicio	*to exercise, to work out*
hacer footing, hacer jogging, correr	*to go jogging or running*
lesionarse	*to be injured (in sports)*
levantar pesas	*to lift weights*
musculación *(f.)*	*muscles*
nadar	*to swim*
piscina	*swimming pool*
respirar	*to breathe*

Batallas

batalla	*battle*
dar muerte	*to kill*
estallar	*to break out*

Descripción

aburrido(a)	*boring*
beneficioso(a)	*beneficial*
cansador(a)	*tiring*
contraproducente *(m. f.)*	*counterproductive*
demasiado intenso	*too strenuous*
imprescindible *(m. f.)*	*essential*
peligroso(a)	*dangerous*
tedioso(a)	*tedious*
útil *(m. f.)*	*useful*

Palabras y expresiones útiles

darse cuenta	*to realize*
heredero(a)	*heir, heiress*
reino	*kingdom*
rincón *(m.)*	*corner*
sobresalir	*to stand out*

Lección 3: Bolivia

Ropa y calzado

chamarra	*jacket*
escote *(m.)*	*neckline*
holgado(a)	*loose-fitting, baggy*
lencería	*lingerie*
manga	*sleeve*
minifalda	*miniskirt*
número de zapato	*shoe size*
prenda	*garment*
ropa interior	*underwear*
tacón *(m.)*	*heel (of shoe)*

Telas

a rayas	*striped*
ajustado(a)	*tight*
estampado(a)	*patterned*
tejido	*fabric, weaving*

Probador

ponerse	*to put on, to wear*
probador *(m.)*	*fitting room*
probarse	*to try on (clothing)*
quedar	*to fit*
quitarse la ropa	*to take off clothing, to undress*

Empresas

desempleo	*unemployment*
empresa	*company, firm*
pérdida	*loss*
venta	*sale*

Día y noche

luna	*moon*
oscuridad *(f.)*	*darkness*
sol *(m.)*	*sun*
temporada	*season*

Verbos

carecer	*to lack, to be without*
hallarse	*to find oneself, to meet up with*
prevalecer	*to prevail*
reemprender	*to start over, to start again*

Descripción de ropa

a medida	*made to measure*
alta costura	*high fashion*
anticuado(a)	*old-fashioned*
arrugado(a)	*wrinkled*
barato(a)	*cheap*
caro(a)	*expensive*
colorido(a)	*colorful*
de tu talla	*your size*

diseño	*design*
ideal para ti	*ideal for you*
lo último	*the latest, most up-to-date*
lujoso(a)	*luxurious*
manchado(a)	*stained*
pasado(a) de moda	*out of fashion*
roto(a)	*torn*
sucio(a)	*dirty*
vistoso(a)	*colorful*

En la frontera

fronterizo(a)	*border*
hito	*milestone*
maldición *(f.)*	*curse*
plata	*silver*
tesoro	*treasure*
yacimiento	*deposit*

Descripción general

acaso	*by chance, by accident*
desastrado(a)	*dirty, slovenly*
leve *(m. f.)*	*slight, trivial*
mitad *(f.)*	*half*
sureño(a)	*southern*

Palabras y expresiones útiles

conjunto	*band*
esperanza	*hope*
flagelo	*scourge*
otro modo	*another way*
recelo	*suspicion, distrust*
tendencia	*trend*
vencedor(a)	*victor, winner*

Lección 3: Ecuador

La salud

acupuntura	*acupuncture*
alergia	*allergy*
amigdalitis *(f.)*	*tonsilitis*
antibiótico	*antibiotic*
antidepresivo	*antidepressant*
apendicitis *(f.)*	*appendicitis*
artritis *(f.)*	*arthritis*
cáncer *(m.)*	*cancer*
catarro	*cold* (illness)
diabetes *(f.)*	*diabetes*
gripe *(f.)*, **influenza**	*flu*
infarto	*heart attack*
inyección *(f.)*	*injection, shot*
píldora, pastilla	*pill*
resfriado	*cold* (illness)
salud *(f.)*	*health*
sangre *(f.)*	*blood*
sano(a)	*healthy*
tensión arterial *(f.)*	*blood pressure*
tos *(f.)*	*cough*
tumor *(m.)*	*tumor*

Verbos y expresiones verbales

a partir de	*starting from*
al igual que	*the same as*
avergonzar (üe)	*to embarrass, to put to shame*
de hecho	*in fact, as a matter of fact*
yacer	*to lie*

Condición física

adolorido(a)	*sore*
aliviado(a)	*recovered*
débil *(m. f.)*	*weak*
estupendo(a)	*stupendous*
fuerte *(m. f.)*	*strong*
mejorando	*getting better*
recuperándose	*recovering*

Relaciones humanas

antepasado(a)	*ancestor*
desengaños	*bitter lessons of life*
enamorado(a)	*sweetheart, lover*
herencia	*heritage*
mestizo(a)	*of mixed parentage (Indian/Spanish)*

Petróleo

apoderarse	*to seize, to take possession*
enfrentamiento	*confrontation*
ferrocarril *(m.)*	*railroad, railway*
fuego	*fire*
lucha	*struggle, conflict*
oleoducto	*oil pipeline*
petrolero(a)	*oil, petroleum*
suprimido(a)	*suppressed*

Palabras útiles

algodón *(m.)*	*cotton*
alma	*soul*
ambos(as)	*both*
palmito	*palm heart*

Potencias del Cono Sur

CHILE Y ARGENTINA

Per-Gunner Ostby / Photolibrary

Suggestion: Have students comment on the lesson title. What is **el Cono Sur**? Why **potencias**?

LOS ORÍGENES

Descubre las características de la conquista y colonización de Chile y Argentina, con la férrea *(fierce)* resistencia de los indígenas mapuches o araucanos y guaraníes (págs. 154–155).

SI VIAJAS A NUESTRO PAÍS...

- En **Chile** visitarás la capital, Santiago, con una población de unos cinco millones, Valparaíso, Viña del Mar, impresionantes lugares de la rica naturaleza chilena y varios festivales chilenos (págs. 156–157).
- En **Argentina** conocerás la capital, Buenos Aires, donde de día puedes conversar con las Madres y Abuelas de la Plaza de Mayo y de noche visitar un sinnúmero de clubes de tango. También subirás el Aconcagua (22.841 pies) y otras majestuosas montañas, e irás a Córdoba, Bariloche, la Pampa, las cataratas de Iguazú y varios festivales argentinos (págs. 172–173).

MEJOREMOS LA COMUNICACIÓN

Descubre qué pasos ya has dado para ser un verdadero estudiante bilingüe (págs. 158–159) y para gritar ¡goooooool! en un partido de fútbol (págs. 174–175).

AYER YA ES HOY

Haz un recorrido por la historia de Chile desde su independencia hasta el presente (págs. 160–161) y por la de Argentina desde la independencia hasta nuestros días (págs. 176–177).

LOS NUESTROS

- En **Chile** admira a un reconocido cantautor, a una actriz chilena de fama internacional y a una escritora chilena que comenzó a escribir intensamente desde el exilio (págs. 162–163).
- En **Argentina** conoce a un anarquista cristiano en busca de la libertad, a una de las mejores tenistas sudamericanas de todos los tiempos y a un grupo de música de humor (págs. 178–179).

¡LUCES! ¡CÁMARA! ¡ACCIÓN!

- Visita "Chile: tierra de arena, agua y vino" (pág. 164).

ESCRIBAMOS AHORA

Descríbete a ti mismo(a) al crear tu propio autorretrato (pág. 180).

LECTURA

- Mírate en un espejo y descubre tu personalidad inspirado(a) por la sinceridad y genialidad del poema "Autorretrato", del poeta chileno Pablo Neruda (págs. 165–167).
- Experimenta la transformación de lector a protagonista en el cuento "Continuidad de los parques", del escritor argentino Julio Cortázar (págs. 181–184).

¡EL CINE NOS ENCANTA!

- Disfruta de la experiencia de un adolescente que considera que el cortejo *(courting)* es "un juego absurdo" (págs. 185–188).

GRAMÁTICA

Repasa los siguientes puntos gramaticales:

- 4.1 Imperfect (págs. 168–170)
- 4.2 Preterite and Imperfect: Completed and Background Actions (págs. 170–171)
- 4.3 Preterite and Imperfect: Simultaneous and Recurrent Actions (págs. 189–191)
- 4.4 Comparatives and Superlatives (págs. 192–195)

La conquista y colonización de Chile y Argentina tuvieron características especiales con respecto a las de otros territorios americanos, debido a la resistencia de los indígenas araucanos en Chile y guaraníes en Argentina.

Chile y Argentina: una feroz resistencia

¿Quién lideró la colonización del territorio chileno? ¿la del argentino?

En 1535, Diego de Almagro, un lugarteniente de Francisco Pizarro, lideró una expedición terrestre hacia Chile en busca de oro, sin resultado. En 1540, Pedro de Valdivia, también lugarteniente de Pizarro, inició la colonización de la región que ahora se conoce como Chile. Valdivia consiguió fundar varias ciudades, entre ellas Santiago (1541), Concepción (1550) y Valdivia (1552).

Líderes mapuches

Por su parte, Pedro de Mendoza fundó en 1536 el fuerte de Nuestra Señora Santa María del Buen Aire, la futura ciudad de Buenos Aires, el cual fue abandonado cinco años después como consecuencia de los ataques de los indígenas guaraníes. En 1580, el gobernador de Asunción le encargó a Juan de Garay el restablecimiento de la ciudad de Buenos Aires.

¿Cómo recibieron los pueblos de la zona la colonización española?

Por parte de Chile, la resistencia perduró hasta finales del siglo XIX. Tuvo su momento álgido en 1553, cuando el araucano Lautaro logró capturar y matar a Valdivia, destruyendo todas las ciudades excepto Santiago, Concepción y La Serena. Estos hechos los recogió Alonso de Ercilla en su obra *La Araucana*, un poema épico que narra la rebelión y la fase inicial de la resistencia mapuche.

La resistencia activa de los guaraníes contra los europeos establecidos en sus tierras se manifestó en las más de veinte acciones de rebelión entre 1537 y 1609. A esos ataques y escaramuzas hay que añadir las huidas y la resistencia pasiva con que los guaraníes se oponían a la invasión y dominación.

¿Qué otras características tuvo esta colonización?

A pesar de formar parte del Virreinato del Perú y del Río de la Plata, la colonia en lo que hoy conocemos como el Cono Sur permaneció muy aislada y pobre en comparación con otras colonias del imperio español, debido a la falta de metales preciosos y lo vasto y aislado del territorio.

Victor Rojas / Getty Images

Manifestación en el siglo XXI de indígenas mapuches en Chile

¿COMPRENDISTE?

A. Hechos y acontecimientos. Completa las siguientes oraciones.

1. Pedro de Valdivia inició la...
2. La futura ciudad de Buenos Aires fue fundada por...
3. La conquista y colonización de Chile se extendió por muchos años debido a...
4. La conquista y colonización de Argentina se extendió por muchos años debido a...
5. El cacique araucano Lautaro capturó y mató a...
6. La colonia del Cono Sur permaneció muy aislada y pobre debido a...

VOCABULARIO ÚTIL

aislado(a)	*isolated*
álgido(a)	*decisive*
cacique *(m.)*	*Indian chief*
encargar	*to entrust, to put in charge*
escaramuzas	*skirmishes*
falta	*lack*
feroz *(m. f.)*	*ferocious*
fuerte *(m.)*	*fort*
lugarteniente *(m. f.)*	*lieutenant; deputy*

B. A pensar y a analizar. Contesta las siguientes preguntas con dos o tres compañeros(as) de clase.

1. En su opinión, ¿fue la falta de metales preciosos y lo vasto y aislado de la región una ventaja o desventaja en la conquista y colonización de Chile y Argentina? ¿Por qué?
2. ¿Qué creen ustedes que pasó con los grandes números de indígenas que habitaban el Cono Sur? Expliquen sus respuestas.

¡Diviértete en la red!
Busca "Pedro de Valdivia", "*La Araucana*", "mapuches", "Lautaro" y/o "guaraníes" en YouTube para ver fascinantes videos de estos colonizadores y/o estas grandes culturas indígenas. Ve a clase preparado(a) para compartir la información que encontraste.

Chile

Suggestion: Ask students if they have visited any of these cities or attended any of these festivals. If so, have them share their experiences with the class.

Comprehension check: Ask: **1. Tienes la oportunidad de visitar sólo una de las ciudades o sitios mencionados aquí. ¿Cuál vas a visitar y por qué? 2. ¿Cuál es la importancia del Templo Votivo de Maipú? 3. ¿A cuál de estos festivales te gustaría ir? ¿Por qué?**

Nombre oficial: República de Chile
Población: 16.601.707 (estimación de 2009)
Principales ciudades: Santiago (capital), Concepción, Valparaíso, Viña del Mar
Moneda: Peso (Ch$)

En Santiago, la capital, con una población de más de cinco millones, tienes que conocer...

- el Palacio de la Moneda, de estilo neoclásico. Es la sede de la Presidencia de la República de Chile, Ministerio del Interior, Secretaría General de la Presidencia y Secretaría General de Gobierno.
- el cerro Santa Lucía, donde se puede disfrutar de una vista panorámica y espectacular de la ciudad.
- el Museo Nacional de Bellas Artes, con una colección de aproximadamente 5600 pinturas y esculturas de los más importantes artistas chilenos y del mundo.

Tiftonimages / Shutterstock

Los impresionantes Andes se elevan sobre Santiago.

- el Templo Votivo de Maipú, un monumento conmemorativo del triunfo patriota obtenido en la batalla de Maipú y que fue ofrecido por Bernardo O´Higgins, como agradecimiento a la Virgen del Carmen.

Además, no dejes de visitar en Valparaíso y Viña del Mar...

- la ciudad de Valparaíso, declarada en 2003 Patrimonio de la Humanidad por la UNESCO por su valor histórico, artístico, científico, estético, arqueológico y antropológico.
- el Muelle Prat, entrada y salida marítima del puerto de Valparaíso.
- el Barrio del Puerto de esta "Joya del Pacífico", con su artesanía y su pesca.
- las hermosas playas de Viña del Mar, en especial las playas Caleta Abarca, Acapulco, El Sol, Las Salinas, Blanca, Reñaca, Los Marineros y Cochoa.
- el casino Viña del Mar, con su animada vida nocturna.

Geoff Renner / Photolibrary

Disfrutando de la playa Reñaca en Viña del Mar

Andrzej Gibasiewicz / Shutterstock

Los 7 moais de Ahu Akivi en la isla de Pascua o Rapa Nui

De la rica naturaleza chilena,

no dejes de apreciar...

- La Patagonia, una impresionante mezcla de hermosos bosques, increíble pesca y espectaculares montañas de hielo.
- San Pedro de Atacama, un oasis en el desierto de Atacama, donde se encuentran unas ruinas atacameñas con más de 3000 años de antigüedad.
- la isla de Pascua, centro de la cultura Rapa Nui con sus gigantescas estatuas de piedra volcánica llamadas "moais".
- los lagos y volcanes en el sur de Chile, donde se puede gozar de las excursiones tanto como de las pintorescas ciudades como Puerto Montt, Puerto Varas y Valdivia.

Festivales chilenos

- *Derby Day* en el Valparaíso Sporting Club
- El Festival de la Canción de Viña del Mar, que atrae la atención de la prensa y televisión local e internacional
- El Festival del Huaso de Olmué, lugar de encuentro de los artistas folclóricos del Cono Sur
- El Festival de Cine de Viña del Mar

¡Diviértete en la red!

Busca "Santiago", "Valparaíso", "Viña del Mar" u otra ciudad chilena en Google Web. Selecciona un sitio y ve a clase preparado(a) para presentar un breve resumen sobre lo más destacado de esa ciudad y algunos detalles sobre sus fiestas.

Suggestion: You may want to explain to students the use of "low/mid/high" in rating each level: a speaker may perform as expected for a specific level with "lots of difficulty," "very well," or "occasionally (not consistently) the functions of the next level."

¡Ser monolingüe tiene cura!

Note: This section introduces students to the concept of oral proficiency testing and more specifically to the Oral Proficiency Interview (OPI) process. It is helpful for them to understand the various levels they go through as they learn a language, what they are expected to demonstrate that they can do at each level, and what is required to move on to the next level.

Poder hablar y pensar en dos o más idiomas ofrece unas ventajas impresionantes. El hablante bilingüe no solamente puede comunicarse con un grupo de personas más amplio; puede también ver la vida, sentirla y gozarla como lo hacen en varias culturas. Es probable que el hablante bilingüe sea más comprensivo, tolerante y respetuoso de la identidad cultural, así como de los derechos y valores de los otros.

Luis Castenada / Photolibrary

Para ser bilingüe es necesario...

- desarrollar competencia y fluidez lingüística y cultural en dos lenguas.
- saber interpretar, traducir y utilizar indistintamente dos lenguas.
- mostrar control nativo de dos lenguas.

Características lingüísticas de estudiantes que aspiran a ser bilingües

Principiantes

Usan frases u oraciones memorizadas en clase.
Contestan con palabras aisladas.
Tienen un vocabulario muy limitado.
Sacan listas: colores, clases, miembros de la famila, ...

Intermedios

Crean oraciones originales.
Hablan en oraciones, no en párrafos.
Hacen y contestan preguntas.
Sobreviven situaciones sencillas.

Avanzados

Hablan en párrafos.
Hablan del presente, el pasado y el futuro.
Narran y describen.
Sobreviven situaciones con complicaciones.

Superiores

Expresan opiniones y las defienden.
Saben formular hipótesis.
Hablan de temas abstractos.
Se defienden en situaciones desconocidas.

Preguntas apropiadas para el nivel principiante

¿Cómo te llamas?
¿Cómo es tu padre/madre/hemano(a)?
¿De qué color es mi blusa/falda/camisa?
¿A qué hora son tus clases?
¿Cuál es tu clase favorita?
¿Qué deportes practicas?

Preguntas apropiadas para el nivel intermedio

¿De dónde eres? ¿Cómo es esa ciudad?
¿Quién es tu profesor(a) favorito(a)?
¿Por qué te gusta tanto?
¿Qué haces los fines de semana?
Describe a tu mejor amigo(a) o a tu novio(a).

Situación: Imagínate que estás en Santiago y piensas pasar un fin de semana en Viña del Mar, pero no tienes una reservación. Llama a la recepcionista del Hotel Las Brisas y haz una reservación para ti y dos amigos(as).

Preguntas apropiadas para el nivel avanzado

—¿Adónde fuiste en tus últimas vacaciones?
—Ah, sí. Yo no conozco ese lugar. ¿Cómo es? Descríbelo.
¿Qué planes tienes para este verano?
¿Qué te gusta y qué no te gusta de esta universidad?

Situación: Imagínate que acabas de llegar al aeropuerto de Santiago pero tus maletas no llegaron. Explícale a la persona encargada que no llegaron e indaga sobre el proceso que debes seguir para encontrarlas.

Preguntas apropiadas para el nivel superior

¿Qué opinas del trabajo que está haciendo el presidente? Ah sí, pues yo no estoy de acuerdo en absoluto. ¿Por qué crees eso? Defiende tus opiniones.
¿Qué piensas del calentamiento mundial? ¿Crees que los EE.UU. están haciendo lo suficiente para evitarlo? ¿Por qué sí o no?

Si tú fueras presidente, ¿qué harías en el país y a nivel internacional para evitar el problema?
Yo entiendo muy poco de los nuevos teléfonos electrónicos con todo tipo de características. ¿Me puedes explicar cómo funciona el *iPhone* o el *Blackberry*?

¡A practicar, luego a conversar!

A. Definiendo los niveles. Sin duda sabes relacionar estos niveles con sus capacidades.

_c_ 1. bilingües
_e_ 2. principiantes
_a_ 3. intermedios
_d_ 4. avanzados
_b_ 5. superiores

a. Crean sus propias oraciones.
b. Defienden sus opiniones.
c. Muestran control nativo de dos lenguas.
d. Describen en párrafos.
e. Hablan con palabras aisladas u oraciones memorizadas.

B. Palabras clave: lengua. Selecciona la frase que mejor traduce las siguientes expresiones idiomáticas con la palabra **lengua**. Compara tu selección con las de dos compañeros(as) de clase y usen cada expresión en dos oraciones originales.

_e_ 1. hablar bien la lengua
_c_ 2. tenerlo en la punta de la lengua
_b_ 3. darle a la lengua
_a_ 4. sacar la lengua
_d_ 5. lengua materna

a. hacer un gesto
b. charlar
c. no recordar algo en un momento dado
d. el idioma dominante
e. tener fluidez en un idioma

C. ¿Principiante, intermedio, avanzado o superior? En parejas, describan su propio talento o dificultad para hablar español y decidan cuál es su nivel. Si pueden hacer todo lo de un nivel bien y un poco del siguiente nivel, entonces pueden decir que son un plus (+) en ese nivel. Si pueden hacer todo pero con muchas dificultades, entonces deben decir que son un menos (-) en ese nivel.

D. Entrevístense para comprobar. Trabajando en parejas, uno(a) debe decir el nivel que cree que tiene. Para confirmar el nivel, su compañero(a) va a hacerle una serie de preguntas y pedirle que actúe una situación en el nivel indicado. Pueden usar las preguntas y situaciones que aparecen arriba o crear sus propias. Finalmente, repitan el proceso cambiando de papeles.

Suggestions: Ask students to comment on the title: What is a **desafío**? To what **desafío** does this refer? Why is it described as **largo y variado**? Why **al futuro**?

Chile: un largo y variado desafío al futuro

© Mary Evans Picture Library / The Image Works

La independencia

En 1810, Bernardo O'Higgins estableció en Santiago la independencia de Chile con un gobierno provisional. Sin embargo, cuatro años más tarde, Chile volvió a quedar bajo el dominio español. El general argentino José de San Martín y el chileno Bernardo O'Higgins comandaron un ejército que derrotó a los españoles en 1817. O'Higgins tomó Santiago y pasó a gobernar el país con el título de director supremo. El 5 de abril de 1818, tras la batalla de Maipú, los españoles abandonaron la región y Chile se convirtió en una república. En 1822, O'Higgins promulgó la primera constitución, pero abandonó el poder al año siguiente.

Los siglos XIX y XX

Entre 1823 y 1830 existió un caos político; en solo siete años hubo treinta gobiernos. La crisis terminó cuando Diego Portales tomó control del país en 1830 y promulgó una nueva constitución con un sistema político centralizado. En 1879 Chile inició la Guerra del Pacífico; la victoria sobre la coalición peruano-boliviana le permitió la anexión de varios territorios en la costa del Pacífico.

Michael Mauney / Getty Images

De 1830 a 1973 la historia política de Chile se distingue de otras naciones latinoamericanas por tener gobiernos constitucionales democráticos y civiles. En 1970 triunfó en las elecciones el socialista Salvador Allende, que proponía mejoras sociales para el beneficio de las clases más desfavorecidas. Sin embargo, en 1973, las fuerzas armadas tomaron el poder. Allende murió durante el asalto al palacio presidencial de la Moneda. Una junta militar, presidida por Augusto Pinochet, jefe del ejército, tomó control del país. El congreso fue disuelto, todos los partidos políticos fueron prohibidos y miles de intelectuales y artistas salieron al exilio. Además, se calcula que cerca de cuatro mil personas "desaparecieron".

El regreso de la democracia

A fines de la década de los 80, el país gozaba de una evidente recuperación económica. En 1990 asumió el poder el demócrata-cristiano Patricio Aylwin. Mantuvo la estrategia económica exitosa del régimen anterior, pero buscó liberalizar la vida política. En diciembre de 1993, fue elegido presidente con un alto porcentaje de la votación el candidato del Partido Demócrata Cristiano Eduardo Frei Ruiz-Tagle, hijo del ex presidente Eduardo Frei Montalva. En enero del año 2000 resultó elegido presidente, en una segunda vuelta y por un margen estrecho, el candidato socialista Ricardo Lagos Escobar. Entre sus principales logros se encuentran su participación en el Consejo de Seguridad de las Naciones Unidas y la firma de tratados de libre comercio con la Unión Europea, los Estados Unidos y Corea del Sur.

El Chile de hoy

- La socialista Michelle Bachelet fue elegida presidenta en 2006, convirtiéndose en la primera mujer en alcanzar dicho cargo en la historia del país. Su gobierno se caracterizó por una mayor paridad entre hombres y mujeres, el establecimiento de una red de protección social para los más pobres y el ingreso del país a la Organización para la Cooperación y el Desarrollo Económico.

- Sebastián Piñera, representando a la Coalición por el Cambio, se convierte en 2010 en el primer centroderechista en ser elegido presidente del país después de cincuenta y dos años.
- Sus más de diecisiete millones de habitantes disfrutan de unos índices de desarrollo humano, de un porcentaje de globalización, de un nivel de crecimiento económico y de una calidad de vida que se encuentran entre los más altos de América Latina.
- Durante la primera década del siglo XXI, Chile se convirtió en un país atractivo para las inversiones de otros países de Latinoamérica y muchas empresas han comenzado a instalar sus sedes corporativas en Santiago.

¿COMPRENDISTE?

A. Hechos y acontecimientos. ¿Recuerdas los datos más importantes de la lectura? Para asegurarte, contesta las siguientes preguntas.

1. ¿Quién fue Bernardo O'Higgins?
2. ¿En qué consistió la Guerra del Pacífico? ¿Qué territorios adquirió Chile como resultado de esta guerra?
3. ¿Qué proponía Salvador Allende?
4. ¿Qué ocurrió en 1973? ¿Qué consecuencias tuvo este evento para la historia de Chile?
5. ¿Quién es Michelle Bachelet y cuáles fueron algunos de sus logros?

VOCABULARIO ÚTIL

a fines de	*at the end of*
cargo	*post*
consejo de seguridad	*security council*
desaparecer	*to disappear*
disuelto(a)	*dissolved*
índice *(m.)*	*rate*
ingreso	*joining*
inversión *(f.)*	*investment*
libre comercio	*free trade*
paridad *(f.)*	*parity, equality*
poder *(m.)*	*power*
red *(f.)*	*network*
segunda vuelta	*runoff election*

B. A pensar y a analizar. Contesta las siguientes preguntas con dos o tres compañeros(as) de clase.

1. ¿Por qué creen que Chile ha oscilado entre el socialismo y la derecha a lo largo de su historia? ¿Qué tipo de gobierno fue el de Augusto Pinochet?
2. En su opinión, ¿quiénes son los cuatro mil que "desaparecieron" durante su presidencia?
3. ¿Cuál es el significado de que en la primera década de este siglo, Chile se haya convertido en plataforma de inversiones extranjeras para otros países de Latinoamérica?

C. Apoyo gramatical: el imperfecto. Completa con el imperfecto para repasar fechas importantes de la historia de Chile.

1. En la época prehistórica diversas tribus __poblaban__ (poblar) el territorio que hoy es Chile.
2. Antes de la llegada de los españoles, Chile __formaba__ (formar) parte del imperio inca.
3. Los españoles __pensaban__ (pensar) que __había__ (haber) oro y plata en Chile.
4. Los mapuches, independientes hasta fines del siglo XIX, __eran__ (ser) un pueblo que __vivía__ (vivir) en el sur de Chile.
5. Los mapuches __querían__ (querer) ser independientes.
6. Como en el resto de América a comienzos del siglo XIX, __soplaban__ (soplar) *(to blow)* vientos independentistas en Chile.
7. A fines del siglo XIX y a comienzos del XX, el monopolio del salitre *(saltpeter)* __constituía__ (constituir) la base económica del país.
8. En gran parte del siglo XX, presidentes democráticos __gobernaban__ (gobernar) el país.
9. En la primera década del siglo XXI una mujer, Michelle Bachelet, __estaba__ (estar) a cargo del país.

Gramática 4.1: Antes de hacer esta actividad conviene repasar esta estructura en las págs. 168–170.

Alberto Plaza

Suggestions: After reading the biographies, ask students what they think the theme of Alberto Plaza's song "Que cante la vida" is. Then ask if any of them have seen any of Leonor Varela's movies mentioned here, and if so, what they thought of her performance. Ask students if any of them read Isabel Allende's novel (or saw the film) *House of Spirits.* If so, have them tell the class the plot.

Con un talento único, este reconocido cantautor cantó y tocó la guitarra por primera vez con tan solo cinco años en un show de la televisión chilena. A los quince años ganó su primer festival de la canción y a los diecisiete comenzó a componer sus primeras canciones. Su carrera profesional se lanzó en el Festival Internacional de Viña del Mar en 1985, cuando interpretó "Que cante la vida". Quince años después, "Que cante la vida" fue señalada como "La mejor canción chilena" de las que han pasado por toda la historia de ese importante evento musical. La mayoría de sus canciones refleja temas de la vida real, expresados e interpretados con maestría a través de la música hecha poesía.

Maury Phillips / Getty Images

Jason LaVeris / Getty Images

Leonor Varela

Esta actriz chilena ha participado en diversas producciones cinematográficas a nivel internacional. Comenzó como modelo y luego se convirtió en actriz. Hizo su debut en Hollywood en *El hombre de la máscara de hierro* con Leonardo DiCaprio. Ha participado en varios proyectos para la televisión, siendo coprotagonista en *Jeremiah* y en la miniserie *Cleopatra*, donde interpretó a la legendaria reina. En enero de 2005, la cinta mexicana *Voces inocentes*, en la que interpretó a uno de los principales protagonistas, consiguió el premio Stanley Kramer que distingue a las películas que resaltan problemas sociales. En octubre de 2007 interpretó a la protagonista de la miniserie *Como ama una mujer*, inspirada en la vida de la cantante Jennifer López. La serie fue transmitida por Univisión y contó con altos índices de audiencia.

Suggestion: Point out that Allende was exiled in 1973. Ask what might have made her a threat to Pinochet's government.

Isabel Allende

Esta escritora chilena, salió exiliada de Chile en 1973, cuando su tío, Salvador Allende, murió en un golpe militar. No pudo regresar a su país hasta 1990, cuando se restituyó la democracia. Se dio a conocer con su primera novela, *La casa de los espíritus* (1982), que constituye un resumen de la agitación política y económica en Chile durante el siglo XX. Continuó desarrollando estos temas en otras novelas. Sus últimas obras se publicaron en los EE.UU. donde también se filmó una película basada en su primera novela. Es fundadora de la "Fundación Isabel Allende", dedicada a la defensa de los derechos fundamentales de la mujer y de los niños.

AP / Wide World Photos

Suggestions: Ask students to look up two or more of the **Otros chilenos sobresalientes** on the Internet and have them turn in a brief written report on what they find. You may want to offer extra credit for this work.

Otros chilenos sobresalientes

Miguel Arteche: poeta, novelista, cuentista y ensayista

Alejandra Basualto: poeta y cuentista

Gustavo Becerra-Schmidt: compositor

Tito Beltrán: cantante de ópera

Eduardo Carrasco: compositor, escritor y catedrático

Marta Colvin Andrade: escultora y catedrática

Inti Illimani: grupo musical

Andrea Labarca: cantante de música popular

Ricardo Latchman: crítico literario, ensayista, diplomático y catedrático

Roberto Matta (1911–2002): pintor

Guillermo Núñez: pintor

¿COMPRENDISTE?

VOCABULARIO ÚTIL

a través de	*by means of*
coprotagonista *(m. f.)*	*co-star*
golpe *(m.)*	*coup (military)*
hierro	*iron*
interpretar	*to play; to interpret*
máscara	*mask*
reina	*queen*
señalar	*to designate*

A. **Los nuestros.** Contesta las siguientes preguntas con un(a) compañero(a).

1. ¿Qué te sugiere el título de la canción "Que cante la vida"? ¿Por qué crees que ha alcanzado tanta fama en Chile?
2. ¿Por qué crees que Leonor Varela destacó en una producción que fue premiada por su alcance *(reach)* social? ¿Crees que los artistas pueden ayudar a cambiar y mejorar nuestro mundo? ¿Por qué?
3. ¿Qué crees que es lo más destacado de la carrera de Isabel Allende? Expliquen su respuesta.

B. **Miniprueba.** Demuestra lo que aprendiste de estos talentosos chilenos al completar estas oraciones.

1. Alberto Plaza lanza su carrera profesional cantándole a la __c__.
   a. humanidad　　b. existencia　　c. vida
2. Entre sus diversas producciones cinematográficas, Leonor Varela ha actuado con __c__.
   a. Stanley Kramer　　b. Jennifer López　　c. Leonardo DiCaprio
3. Isabel Allende salió exiliada de Chile cuando Salvador Allende, su __c__, murió en un golpe militar.
   a. abuelo　　b. padre　　c. tío

¡Diviértete en la red!
Busca "Alberto Plaza", "Leonor Varela" y/o "Isabel Allende" en YouTube para ver videos y escuchar a estos talentosos chilenos. Ven a clase preparado(a) para presentar un breve resumen de lo que encontraste y lo que viste.

Chile: tierra de arena, agua y vino

Antes de empezar el video

En parejas. Contesten estas preguntas en parejas.

1. ¿Qué significa "desierto" para Uds.? Expliquen en detalle.
2. ¿Les gustaría vivir en un pueblo donde no haya tiendas, ni bares, ni avenidas, ni tráfico? ¿Qué hará que la gente quiera vivir en tal lugar? ¿Cómo pasarán el tiempo allí?
3. ¿Qué tipo de terreno y clima es necesario para cultivar la uva de la que se hace el vino? ¿Dónde se produce el vino en los EE.UU.? ¿Son lugares atractivos? Expliquen.

Suggestion: Have students write down three things that they anticipate they will see on the video based on the title, the photo, and the questions in **Antes de empezar el video.** Then, after watching the video, have them check their predictions to see if they are correct. Make sure students have valid reasons for answering as they do.

Después de ver el video

A. Chile: tierra de arena, agua y vino. Contesta las siguientes preguntas con un(a) compañero(a) de clase.

1. ¿De qué tiene fama el desierto de Atacama? ¿Cuál es su magia y magnificencia?
2. ¿Qué es el salar de Atacama? ¿Por qué es de interés turístico internacional?
3. Compara el pueblo de San Pedro de Atacama con Antofagasta. ¿En qué se parecen? ¿En qué se diferencian?
4. ¿Adónde exporta Chile su vino? ¿Qué lugar ocupa Chile entre los grandes exportadores de vino en las Américas?

B. A pensar y a interpretar. Contesta las siguientes preguntas.

1. Después de ver el video, ¿qué puedes decir de la geografía chilena?
2. ¿Por qué crees que un terreno tan largo y angosto *(narrow)* resultó ser un país?
3. ¿En qué parte del país crees que vive la mayoría de los habitantes de Chile? ¿Por qué?
4. ¿Por qué será que las exportaciones chilenas de vino, fruta y verdura son tan populares en los EE.UU.?

C. Apoyo gramatical: el imperfecto. Completa el siguiente párrafo usando el imperfecto de indicativo para saber lo que hacían unos amigos durante su visita a San Pedro de Atacama.

Hace unos meses unos amigos y yo (1) ___estábamos___ (estar) en San Pedro de Atacama, a 2400 metros de altura y en pleno desierto. Nosotros (2) ___habíamos___ (haber) viajado en autobús desde Santiago para visitar ese pintoresco lugar. No nos (3) ___aburríamos___ (aburrir) en absoluto: a veces (4) ___hacíamos___ (hacer) caminatas, otras veces nos (5) ___entreteníamos___ (entretener) mirando a algún ceramista practicar su arte, (6) ___salíamos___ (salir) en excursiones a ruinas arqueológicas o a lugares vecinos con paisajes irreales e incluso uno de nosotros por las tardes (7) ___sacaba___ (sacar) su tabla y se (8) ___deslizaba___ (deslizar *[to slide]*) por las dunas haciendo *sandsurfing.* (9) ___Hacía___ (Hacer) calor durante el día y frío por la noche. A pesar del frío, por la noche nos (10) ___gustaba___ (gustar) contemplar las estrellas en ese cielo tan claro y limpio. Nosotros (11) ___sabíamos___ (saber) que (12) ___estábamos___ (estar) en el mejor lugar del mundo para admirar el cielo. ¡Qué estadía más inolvidable!

Gramática 4.1: Antes de hacer esta actividad conviene repasar esta estructura en las págs. 168–170.

¡Antes de leer!

A. Anticipando la lectura. A continuación vas a leer un autorretrato. En este caso, se trata de un poema en que el autor se describe a sí mismo tanto físicamente como en relación a su entorno *(environment)*, sus gustos, sus virtudes y defectos. Ahora intenta determinar cómo eres tú (los rasgos *[traits]* de tu personalidad), escribiendo en una columna lo que consideras tus virtudes y en otra tus defectos. Luego, responde a estas preguntas.

1. ¿Has escrito más rasgos en la columna de las cosas positivas o de las negativas? ¿Por qué?
2. ¿Qué opinión tienes de ti mismo(a) según las cosas que has escrito? ¿Qué rasgos generales puedes extraer? ¿Eres trabajador(a) o perezoso(a)? ¿Valiente o cobarde? ¿Realista o idealista?
3. ¿Qué rasgos de los que has escrito crees que son más conocidos por tus familiares y amigos? ¿Cuáles más desconocidos? ¿Por qué crees que es así?

B. Vocabulario en contexto... Busca estas palabras en la lectura que sigue y, en base al contexto, decide cuál es su significado. Para facilitar el encontrarlas, las palabras aparecen en negrilla en la lectura. ***Vocabulario:*** Ask volunteers to create original sentences with these vocabulary words.

1. **creciente**	a. que cree	b. que piensa	c. que aumenta
2. **tierno**	a. rápido	b. suave	c. fuerte
3. **arenas**	a. bosques	b. cerros	c. polvo granuloso
4. **mudo**	a. sin hablar	b. con muchos	c. con pocos
5. **nubarrones**	a. nubes negras	b. nubes blancas	c. nubes bajas
6. **incansable**	a. caminante	b. enérgico	c. amante de

Sobre el autor

Pablo Neruda (1904–1973), cuyo verdadero nombre era Neftalí Ricardo Reyes Basoalto, escribió obras que sorprenden por su gran variedad, desde los poemarios de forma tradicional y contenido muy lírico: *Crepusculario* (1923) y *Veinte poemas de amor y una canción desesperada* (1924) hasta *Tercera Residencia* (1947) y *Canto General* (1950) en los que muestra su conciencia política a favor de los oprimidos. Se esfuerza también por alcanzar una expresión que pueda ser comprendida por el pueblo. Esta nueva visión culmina con *Odas elementales* y *Nuevas odas elementales* (ambas de 1956). En 1971 recibió el Premio Nobel de Literatura. Póstumamente se publicaron sus memorias, *Confieso que he vivido*, en 1974.

AFP / Getty Images

Autorretrato

Por mi parte soy o creo ser duro* de nariz,
mínimo de ojos, escaso de pelos
en la cabeza, creciente de abdomen,
largo de piernas, ancho de suelas,*
5 amarillo de tez,* generoso de amores,
imposible de cálculos,
confuso de palabras,
tierno de manos, lento de andar,
inoxidable* de corazón,
10 aficionado a las estrellas, mareas,*
maremotos,* admirador de
escarabajos,* caminante de **arenas,**
torpe* de instituciones, chileno a perpetuidad,
amigo de mis amigos, **mudo**
15 de enemigos,
entrometido* entre pájaros,
maleducado en casa,
tímido en los salones, arrepentido*
sin objeto, horrendo administrador,
20 navegante de boca
y yerbatero de la tinta,*
discreto entre los animales,
afortunado de **nubarrones,**
investigador de mercados, oscuro
25 en las bibliotecas,
melancólico en las cordilleras,*
incansable en los bosques,
lentísimo de contestaciones,
ocurrente* años después,
30 vulgar durante todo el año,
resplandeciente* con mi cuaderno,
monumental de apetito,
tigre para dormir, sosegado*
en la alegría, inspector del
35 cielo nocturno,
trabajador invisible,
desordenado, persistente, valiente
por necesidad, cobarde* sin
pecado [*sin*], soñoliento* de vocación,
40 amable de mujeres,
activo por padecimiento,*
poeta por maldición
y tonto de capirote.*

hard-featured
ancho... *wide soles (shoe)*
complexion
rustproof
tides
tidal waves
scarabs, black beetles
poco acostumbrado
busybody
remorseful
yerbatero... *witch doctor of pen writers*
montañas
clever
radiant
tranquilo
coward
sleepy
sufrimiento
tonto... *nitwit*

¡Después de leer!

A. Hechos y acontecimientos. ¿Recuerdas los datos más importantes de la lectura? Para asegurarte, indica con [✓] cuáles de estos rasgos **no se identifica** la voz poética.

__✓__ 1. Tiene la nariz pequeña.

__✓__ 2. Tiene mucho pelo en la cabeza.

__✓__ 3. No tiene piernas largas.

__✓__ 4. Es muy moreno.

__✓__ 5. Es muy elocuente.

_____ 6. No habla con sus enemigos.

_____ 7. Le interesan los mercados.

_____ 8. Come mucho.

__✓__ 9. Es muy ordenado.

__✓__ 10. No le gustan las mujeres.

B. A pensar y a analizar. Contesta las siguientes preguntas con dos o tres compañeros(as) de clase.

1. ¿Crees que el poeta se describe a sí mismo sinceramente? ¿Por qué crees que sí o que no?
2. ¿Qué rasgos son los que más te llaman la atención? ¿Te identificas con algunos? ¿Cuáles? ¿Por qué? Explica en detalle.

C. A investigar. En grupos de cuatro, decidan cuáles de los rasgos con que se describe Neruda son positivos y cuáles negativos. Escríbanlos en dos columnas, y luego compártanlos con la clase para ver si están todos de acuerdo en cuáles son los positivos y cuáles los negativos.

Suggestion: Have students divide the poem into four equal parts and have each group work on one part of the activity.

D. Apoyo gramatical: El pretérito y el imperfecto: acciones acabadas y acciones que sirven de trasfondo. Completa el siguiente párrafo basado en el texto "Autorretrato" de Pablo Neruda usando el pretérito o el imperfecto de los verbos que están entre paréntesis, según convenga.

Cuando Neruda (1) ___era___ (ser) estudiante él nunca (2) ___obtuvo___ (obtener) buenas notas en matemáticas porque hacer cálculos (3) ___era___ (ser) prácticamente imposible para él. De adulto, muchas veces (4) ___entró___ (entrar) en mercados porque (5) ___investigaba___ (investigar) los objetos que (6) ___estaban___ (estar) en venta y de vez en cuando (7) ___compraba___ (comprar) algunos. Muchas noches durante su vida (8) ___se reunió___ (reunirse) con amigos y (9) ___comió___ (comer) con poca moderación porque (10) ___tenía___ (tener) un apetito monumental. En general él (11) ___podía___ (poder) controlar muchas cosas en su vida, pero lo que nunca (12) ___pudo___ (poder).

Gramática 4.2: Antes de hacer esta actividad conviene repasar esta estructura en las págs. 170–171.

4.1 Imperfect

Forms

-**ar** verbs	-**er** verbs	-**ir** verbs
ayud**ar**	aprend**er**	escrib**ir**
ayud**aba**	aprend**ía**	escrib**ía**
ayud**abas**	aprend**ías**	escrib**ías**
ayud**aba**	aprend**ía**	escrib**ía**
ayud**ábamos**	aprend**íamos**	escrib**íamos**
ayud**abais**	aprend**íais**	escrib**íais**
ayud**aban**	aprend**ían**	escrib**ían**

Note that the imperfect endings of -**er** and -**ir** verbs are identical.

Only three verbs are irregular in the imperfect tense: **ir**, **ser**, and **ver.**

ir: iba, ibas, iba, íbamos, ibais, iban
ser: era, eras, era, éramos, erais, eran
ver: veía, veías, veía, veíamos, veíais, veían

Uses

The imperfect is used to:

› express actions that were in progress in the past.

Ayer, cuando tú viniste a verme, yo **leía** un libro sobre la poesía de Pablo Neruda.

Yesterday, when you came to see me, I was reading a book on Pablo Neruda's poetry.

› relate descriptions in the past. This includes the background or setting of actions as well as mental, emotional, and physical conditions.

Después de pasar horas caminando por el centro de Santiago me **sentía** cansado, pero **estaba** contento porque **me encontraba** en una ciudad atractiva. **Era** un sábado. El cielo **estaba** despejado y **hacía** bastante calor. De pronto,...

After spending hours walking through downtown Santiago, I was feeling tired, but I was happy because I was in an interesting city. It was a Saturday. The sky was clear and it was fairly hot. Suddenly, . . .

› relate habitual, customary actions in the past.

Cuando yo vivía en Valparaíso, **iba** a clases por la mañana. Por la tarde me **juntaba** con mis amigos y **salíamos** a pasear, **íbamos** al cine o **charlábamos** en un café.

When I was living in Valparaíso, I used to go to classes in the morning. In the afternoon I would join my friends and we would go for walks or to the movies or we would chat at a coffee house.

› tell the time of day in the past.

Eran las siete de la mañana cuando unas amigas y yo salimos hacia la estación de esquí de Farellones.

It was seven o'clock in the morning when some friends and I left for the ski resort of Farellones.

Ahora, ¡a practicar!

A. Estudiar leyes. Completa el siguiente párrafo usando el pretérito o el imperfecto, según convenga, para saber lo que te cuenta un joven profesional chileno acerca de los comienzos de su vida universitaria.

En esa época yo (1) __________ (estudiar) leyes porque (2) __________ (querer) ser abogado. Me (3) __________ (gustar) la clase de derecho civil, pero (4) __________ (odiar) la clase de derecho romano. Yo (5) __________ (aprobar) derecho civil, pero (6) __________ (reprobar) derecho romano y (7) __________ (tener) que repetir esa asignatura. Afortunadamente esa (8) __________ (ser) la única clase en que no (9) __________ (salir) bien la primera vez. Yo (10) __________ (sentir) una gran satisfacción cuando (11) __________ (terminar) mis estudios y (12) __________ (obtener) mi título de abogado.

B. Neruda en Madrid. Completa la siguiente descripción del barrio madrileño que nos describe Pablo Neruda en su poema "Explico algunas cosas".

Yo (1) __________ (vivir) en un barrio
de Madrid, con campanas,
con relojes, con árboles.
Desde allí se (2) __________ (ver)
el rostro seco de Castilla
como un océano de cuero *(leather).*
Mi casa (3) __________ (ser) llamada
la Casa de las flores, porque por todas partes
(4) __________ (estallar) *(to burst)* geranios: (5) __________ (ser)
una bella casa
con perros y chiquillos *(kids).*

C. Al teléfono. Di lo que hacían tú y los miembros de tu familia cuando recibieron una llamada telefónica.

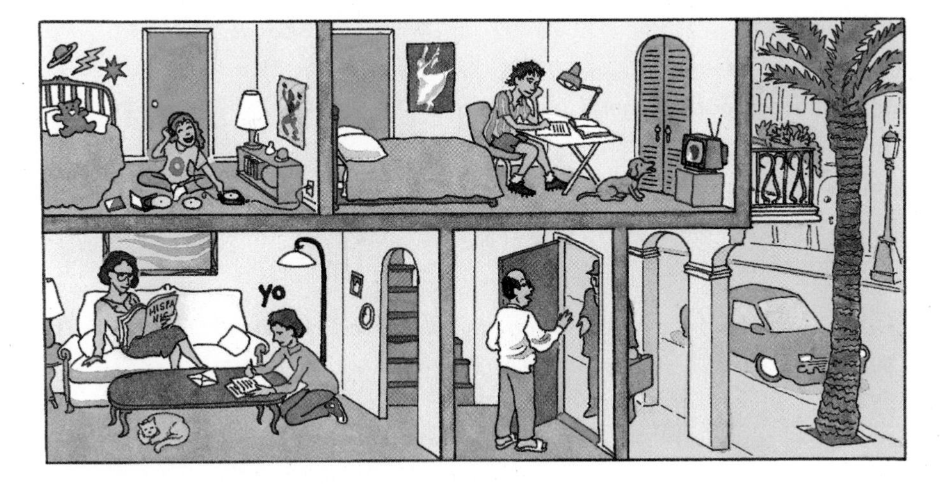

1. hermanita
2. hermano
3. papá
4. mamá
5. yo
6. gato

D. Un semestre como los otros. Di lo que hacías el semestre pasado.

MODELO estudiar todas las noches
Estudiaba todas las noches.

1. poner mucha atención en la clase de español
2. asistir a muchos partidos de básquetbol
3. ir a dos clases los martes y jueves
4. leer en la biblioteca
5. no tener tiempo para almorzar a veces
6. trabajar los fines de semana
7. estar ocupado(a) todo el tiempo

4.2 Preterite and Imperfect: Completed and Background Actions

› When narrating, the imperfect gives background information and the preterite reports completed actions or states.

Eran las ocho de la mañana. **Hacía** un sol hermoso. **Fui** al garaje, **encendí** el motor de mi vehículo todo terreno y **fui** a dar una vuelta.

It was eight o'clock. It was a sunny day. I went to the garage, started the motor of my all-terrain vehicle and went for a ride.

› The imperfect is used to describe a physical, mental, or emotional state or condition; the preterite is used to indicate a change in physical, mental, or emotional condition.

Ayer, cuando tú me viste, **tenía** un dolor de cabeza terrible y **estaba** muy nervioso.

Yesterday, when you saw me, I had a terrible headache and I was very nervous.

Ayer, cuando leí una noticia desagradable en el periódico, me **sentí** mal y me **puse** muy nervioso.

Yesterday, when I read an unpleasant bit of news in the newspaper, I felt ill and I became very nervous.

› Following is a list of time expressions that tend to signal either the preterite or the imperfect.

Usually Preterite	Usually Imperfect
anoche	**a menudo** *(often)*
ayer	**cada día**
durante	**frecuentemente**
el (verano) pasado	**generalmente, por lo general**
la (semana) pasada	**mientras** *(while)*
hace (un mes)	**muchas veces**
	siempre
	todos los (días)

Hace dos días me **sentí** mal. **Durante** varias horas **estuve** con fiebre. **Ayer noté** una cierta mejoría.

Two days ago I felt ill. For several hours I had a fever. Yesterday I noticed a certain improvement.

Antes, **todos los días** yo **compraba** el periódico local. **Generalmente leía** las noticias económicas **mientras tomaba** el desayuno.

Before every day I would buy the local newspaper. Generally I would read the economic news while I was having breakfast.

Ahora, ¡a practicar!

A. De viaje. Tu amigo(a) te pide que le digas cómo te sentías la mañana de tu viaje a Chile.

MODELO sentirse entusiasmado(a)
Me sentía muy entusiasmado(a).

1. estar inquieto(a)
2. sentirse un poco nervioso(a)
3. caminar de un lado para otro en el aeropuerto
4. querer estar ya en Santiago
5. no poder creer que salía hacia Santiago
6. esperar poder usar mi español
7. tener miedo de olvidar mi cámara

B. Sumario. Cuenta tu primer día en Santiago.

MODELO llegar a Santiago a las siete de la mañana
Llegué a Santiago a las siete de la mañana.

1. pasar por la aduana
2. llamar un taxi para ir al hotel
3. decidir no deshacer las maletas todavía
4. entrar en un café
5. sentirse mejor después de un espreso
6. salir a dar un paseo por el cerro Santa Lucía
7. sentirse muy cansado(a) después de una hora
8. regresar al hotel
9. dormir hasta las cuatro de la tarde

C. Los comienzos del grupo Inti Illimani. Completa el siguiente párrafo para saber cómo se originó el grupo Inti Illimani. A veces necesitas usar el pretérito, otras el imperfecto.

En los años 60 unos jóvenes (1) ___________ (asistir) a una universidad de Santiago. Les (2) ___________ (gustar) la música y (3) ___________ (tener) sueños de formar un conjunto folclórico. Unos (4) ___________ (tocar) la guitarra, otros (5) ___________ (preferir) instrumentos musicales andinos. Algunos ya (6) ___________ (actuar) en peñas *(groups)* folclóricas. Y antes del fin de esa década un sexteto (7) ___________ (aparecer) en el horizonte artístico chileno. El grupo (8) ___________ (tener) un éxito inmediato. Un poco más tarde, el grupo (9) ___________ (ser) bautizado con el nombre de Inti Illimani. El resultado de sus viajes y talento colectivo se (10) ___________ (incorporar) a un nuevo estilo de música, la Nueva Canción.

D. Viña a comienzos del siglo XX. Completa el siguiente párrafo para aprender un poco de la historia de Viña del Mar.

A comienzos del siglo pasado Viña del Mar no (1) ___________ (ser), ciertamente, la famosa ciudad balneario *(seaside resort)* que es hoy. (2) ___________ (Haber) algunas casas junto al mar, el ferrocarril hacia Santiago (3) ___________ (pasar) por la ciudad, la Compañía Refinadora *(Refining)* de Azúcar (4) ___________ (estar) instalada en la ciudad y (5) ___________ (constituir) una fuente de trabajo importante. El área junto al estero *(marsh)* Marga Marga recién (6) ___________ (comenzar) a desarrollarse y por supuesto el famoso casino todavía no (7) ___________ (existir). Las playas junto al mar azul, prácticamente casi desiertas, (8) ___________ (esperar) la llegada de veraneantes *(vacationers).*

Argentina

Suggestion: Ask students if they have visited any of these cities or attended any of these festivals. If so, have them share their experiences with the class.

Comprehension check: Ask: **1. ¿Cuál de los sitios mencionados en Buenos Aires o Córdoba te interesa visitar más y por qué? 2. ¿Por qué crees que hay tantos distintos barrios en Buenos Aires?** (Ask if any students have been to Buenos Aires and if so, ask them to describe *barrios* they have visited.) **3. ¿Cuál de los atractivos naturales y/o festivales te interesan más a ti? ¿Por qué?**

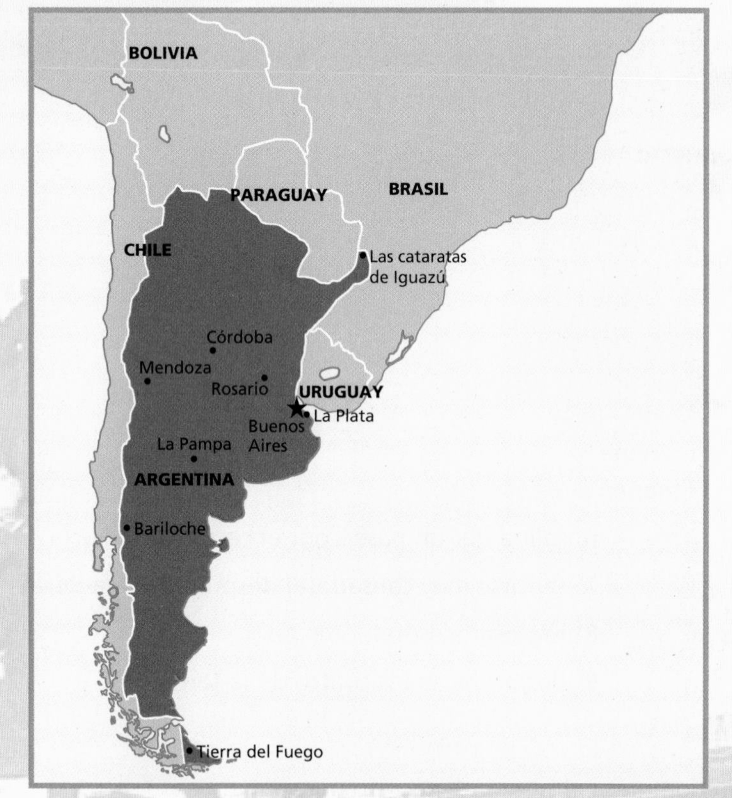

Nombre oficial: República Argentina
Población: 40.913.584 (estimación de 2009)
Principales ciudades: Buenos Aires (capital), Córdoba, La Plata, Rosario, Mendoza
Moneda: Peso ($)

En Buenos Aires, la capital, con una población de casi 13,5 millones, tienes que conocer...

- la Casa Rosada (palacio presidencial), el Palacio del Congreso Nacional y el Teatro Colón, impresionantes edificios de gobierno y de cultura.
- la Plaza de Mayo, el centro político de la ciudad que las "Madres y Abuelas de la Plaza de Mayo" continúan ocupando para exigir respuestas sobre la desaparición de sus hijos durante la dictadura de 1976-1983.
- los fascinantes y variados barrios de la ciudad, como la Recoleta, Belgrano, San Telmo, Palermo, Retiro, Puerto Madero y La Boca.
- los encantadores clubes de tango: Boca Tango, Esquina Carlos Gardel, La Ventana, Madero Tango, Piazolla Tango y tantos más.

Angelo Cavali / Photolibrary

El café-bar de los artistas, en la calle Caminito, La Boca, Buenos Aires

En Córdoba, no dejes de hacer…

- un recorrido *(tour)* por las hermosas iglesias de los siglos XVI y XVII: la Catedral, la Iglesia y Convento de Santa Catalina de Siena, la Iglesia de Santa Teresa y Convento de las Carmelitas Descalzas y la Iglesia de la Compañía de Jesús.
- una visita a los muchos museos: el Museo de Ciencias Naturales, el Museo Provincial de Bellas Artes, el Museo de Meteorología, entre tantos otros.
- un tour por la Universidad Nacional de Córdoba, que abrió sus puertas en 1613 y actualmente tiene diez facultades.
- una caminata por los hermosos parques de la ciudad: el enorme Parque Sarmiento, el invitador Parque San Martín y el Parque Las Heras, entre el Puente Centenario y el Puente Antártida.

En la rica naturaleza argentina, no dejes de apreciar...

- la extraordinaria belleza de Bariloche.
- la Pampa, la provincia agrícola más rica del país, que solo en 2006 generó más de tres mil millones de dólares en productos.
- las imponentes y majestuosas cataratas de Iguazú, un insuperable espectáculo natural calificado *(declared)* como Patrimonio Natural de la Humanidad.
- las majestuosas montañas: Aconcagua (22.841 pies),Tupungato (21.000 pies), El Plata (21.000 pies), Negro (19.100 pies) y muchas más.

JTB Photo / Photolibrary

La extraordinaria belleza de Bariloche

Festivales argentinos

- Fiesta Nacional del Folclore en Cosquín, cerca de Córdoba
- Fiesta Nacional de la Vendimia en Mendoza, un homenaje a la cosecha de la uva
- Festival de Tango en Buenos Aires
- Festival Internacional de Cine Independiente en Buenos Aires
- Fiesta Nacional del Esquí en la Patagonia

¡Diviértete en la red!

Busca "Buenos Aires", "Córdoba" o uno de los sitios naturales mencionados aquí en YouTube. Ve a clase preparado(a) para presentar un breve resumen sobre lo más destacado del lugar que seleccionaste.

¡GOOOOOOOOOOL!

El fútbol es para los argentinos una tradición, una fuente de entusiasmo y una pasión constante. Hablar de Maradona, de Messi, de la Albiceleste (la selección argentina) es hablar de algo muy serio y relevante. Cada domingo se vive la pasión en los estadios argentinos con cánticos *(chants)* de las hinchadas *(fans)* situadas en las distintas tribunas del estadio, el colorido de las banderas, los fuegos artificiales, las bengalas *(flares)*. Todo un espectáculo de un pueblo que ama el fútbol y lo muestra.

Chad Ehlers / Photolibrary

Otro emocionante partido en el estadio River Plate

Al hablar de un partido de fútbol

anotar/marcar un gol/un tanto	*to score a goal/point*
césped *(m.)*	*grass*
cometer muchas faltas	*to commit many fouls*
empatar	*to tie (in a game)*
gradas	*stands, grandstand*
lesión *(f.)*	*injury*
vencer	*to defeat, to vanquish*

Note: You may want to refer students to the Lesson 2 **cortometraje *Tiro de gracia*** to review the soccer vocabulary presented in **Antes de ver el corto.**

Vocabulary practice: Ask students who have played soccer to describe the game.

Suggestions: Ask students how, in their opinion, one becomes a sports fanatic. Ask if they think this fanaticism is good or bad, or have a debate on this topic in class.

Al hablar del árbitro

El árbitro...	*The referee...*
amonestó al entrenador local.	*warned the local coach.*
añadió 3 minutos de descuento.	*added 3 minutes of injury time.*
enseñó dos tarjetas rojas a instancias del juez de línea.	*showed two red cards at the linesman's request.*
expulsó a dos jugadores.	*expelled two players.*
mostró tres tarjetas amarillas.	*showed three warning (yellow) cards.*
pitó un penalti.	*gave a penalty.*

Note: Point out: **Este diálogo usa el voseo, el habla típico del Cono Sur y de algunos países centroamericanos. En el "voseo" se sustituyen el pronombre "vos" y sus formas verbales por "tú" y sus formas verbales.** Then have students identify the **voseo** forms in the dialog.

Al hablar del próximo partido

—Ya conseguí las entradas, che. A propósito, ¿vos sabés si Messi va a jugar esta noche? Se lesionó el pie izquierdo en el partido con Paraguay. Dudaban que estuviera listo para el partido de esta noche.	*Hey, I already got our tickets. By the way, do you know if Messi is playing tonight? He injured his left foot in the game against Paraguay. They doubted that he would be ready for tonight's game.*
—Más vale que esté listo; es el mejor jugador que tenemos. Anotó dos goles la semana pasada.	*He'd better be ready; he's the best player we have. He scored two goals last week.*
—¿Recordás el gol de tiro libre que hizo contra Chile?	*Do you remember the free kick goal he made against Chile?*
—¡Como si uno pudiera olvidarse!	*As if one could forget!*

¡A practicar, luego a conversar!

A. Cada uno a lo suyo. Seguro que puedes relacionar a los protagonistas de un partido con lo que hacen.

_a_ 1. defensor	a. Procura que la pelota se mantenga lejos de su área.
_d_ 2. portero	b. Marca goles y pone presión sobre la defensa contraria.
_b_ 3. atacante	c. Decide cuándo los jugadores cometen faltas.
_c_ 4. árbitro	d. Defiende la portería.
_f_ 5. juez de línea	e. Anima a su equipo.
_e_ 6. el público	f. Asiste al árbitro central.

B. Palabras clave: tiro/tirar. Selecciona la frase de la segunda columna que complete mejor la oración y explica el significado del uso de "tiro/tirar". Luego, compara tu selección con las de dos compañeros(as) de clase y usen cada expresión en dos oraciones originales.

_e_ 1. Hacía tanto calor	a. es tirar el dinero.
_d_ 2. El jugador marcó	b. cada uno tira para su lado.
_a_ 3. Invertir en esa empresa	c. tira del carro del amanecer al anochecer.
_b_ 4. En esa familia	d. al ejecutar un tiro libre directo.
_c_ 5. El caballo cansado	e. que se tiró de cabeza a la piscina.

C. Dramatización. Dramatiza la siguiente situación con un(a) compañero(a) de clase. Dos amigos(as) están comparando el fútbol con el fútbol americano. Un(a) amigo(a) favorece uno, su compañero(a) favorece al otro. ***Suggestion:*** Have the class determine which arguments in favor of soccer and which in favor of football are the most convincing.

Suggestions: Ask students to comment on the subtitle: To what does **dos continentes** refer? Why **en uno**?

Argentina: dos continentes en uno

© Kit Houghton / CORBIS

La independencia y el siglo XIX

A principios de 1806, una pequeña fuerza expedicionaria británica ocupó Buenos Aires, que fue reconquistada por sus propios habitantes, sin ayuda de las tropas españolas. El 9 de julio de 1816, el congreso de Tucumán proclamó la independencia de España de las Provincias Unidas del Río de la Plata.

El "granero del mundo"

A finales del siglo XIX y a comienzos del XX aumentó notablemente la llegada de inmigrantes europeos, principalmente españoles e italianos, que convirtieron a Buenos Aires en una gran ciudad que recordaba a las capitales europeas. Una extensa red ferroviaria unió las provincias con el gran puerto de Buenos Aires facilitando la exportación de carne congelada y cereales. Argentina pasó a ser el "granero del mundo".

La era de Perón

En 1946 Juan Domingo Perón fue elegido presidente con el cincuenta y cinco por ciento de los votos. La presencia y compañía de su esposa, María Eva Duarte de Perón (Evita), fue decisiva en su campaña. Durante los nueve años que estuvo en el poder, desarrolló un programa político en el que se mezclaban el populismo y el autoritarismo. En 1973, fueron elegidos Perón y su tercera esposa María Estela Martínez (conocida como Isabel Perón) como presidente y vicepresidenta de la república, respectivamente. Perón murió en 1974 y así su esposa se convirtió en la primera mujer latinoamericana en ascender al cargo de presidente.

Las últimas décadas

Los conflictos sociales, la acentuación de la crisis económica y una ola de terrorismo urbano condujeron a un golpe militar en 1976. Con esto se inició un período de siete años de gobiernos militares en los que la deuda externa aumentó drásticamente, el aparato productivo del país se arruinó y se estima que entre nueve mil y treinta mil personas "desaparecieron". En 1983 subió al poder Raúl Alfonsín. Carlos Saúl Menem asumió la presidencia en 1989, promoviendo de inmediato una gran reforma económica.

La Argentina de hoy

Chad Ehlers / Photolibrary

- Fernando de la Rúa, elegido presidente en octubre de 1999, fue depuesto violentamente en diciembre de 2001. Le sucedieron cinco presidentes en menos de quince días plagados por problemas causados por una de las mayores crisis económicas y políticas por las cuales ha pasado Argentina, y que duró 4 años.
- En 2003 fue elegido presidente Néstor Kirchner. Durante su presidencia se nacionalizaron algunas empresas y se registró un aumento considerable del PIB (Producto Interior Bruto) *(Gross Domestic Product)*, además de una disminución del desempleo.
- El 28 de octubre de 2007 ganó las elecciones presidenciales Cristina Fernández, siendo la primera mujer elegida por el voto popular en la historia del país. Enfrentó la Crisis económica de 2008 con una serie de medidas, impulsando la industria automotriz y dando créditos a trabajadores y empresas.
- Argentina ocupa el segundo lugar en el índice de Desarrollo Humano, después de Chile. Es miembro del G-20, lo que la sitúa entre las 20 economías más grandes del mundo.

¿COMPRENDISTE?

VOCABULARIO ÚTIL

depuesto(a)	*removed from office*
deuda externa	*foreign debt*
enfrentar	*to confront, to face*
ferroviara	*railway*
gasto	*expenditure*
golpe militar *(m.)*	*military coup*
mezclar	*to mix*
ola	*wave*
recorte *(m.)*	*cutting, cut, reduction*

A. Hechos y acontecimientos. Completa las siguientes oraciones. Luego compara tus respuestas con las de un(a) compañero(a).

1. Las Provincias Unidas del Río de La Plata proclamaron su independencia de España en...
2. Argentina pasó a ser conocida como el "granero del mundo" a finales del siglo XIX y a comienzos del XX cuando...
3. Juan Domingo Perón fue...
4. Cuando Perón murió en 1974, ... se convirtió en la primera mujer latinoamericana en ascender al cargo de presidente.
5. Se estima que durante el período de gobernantes militares, entre 1976 y 1983, entre... y... mil personas "desaparecieron".
6. A fines de 2001, Argentina tuvo cinco presidentes en menos de quince días debido a...
7. En 2003, el recién elegido presidente... logra mejorar la situación económica y política de los cuatro años anteriores.
8. En 2007, ... llega a ser la primera mujer elegida presidenta por voto popular en la Argentina.

B. A pensar y a analizar. A pesar de ser un gran país con excelentes recursos naturales y un alto nivel de alfabetización *(literacy)*, ¿qué permitió tanta corrupción en el gobierno durante la segunda mitad del siglo XX? ¿Puede un gobierno democrático, como el que hoy existe en Argentina, garantizar los derechos humanos para que no se repitan los casos de desaparecidos? Explica.

C. Apoyo gramatical. El pretérito y el imperfecto: acciones simultáneas y recurrentes. Completa las siguientes oraciones usando el pretérito o el imperfecto.

1. En el siglo XVI, cuando Juan Díaz de Solís exploraba lo que hoy es Argentina, ___murió___ (morir) a manos de poblaciones indígenas.
2. En el siglo XIX, cuando comenzaron a llegar inmigrantes europeos a Argentina, Buenos Aires no ___era___ (ser) una gran metrópolis.
3. Los argentinos esperaban grandes cosas del gobierno cuando Juan Perón ___llegó___ (llegar) a la presidencia en 1946.
4. Cuando Juan Perón murió en 1974, quien era su esposa, Isabel Perón, ___ocupaba___ (ocupar) el cargo de vicepresidenta del país.
5. Argentina ___pasaba___ (pasar) por una crisis económica y política cuando los militares tomaron el poder en 1976.
6. La economía de Argentina ___empeoró___ (empeorar) cuando los militares estaban a cargo del país.
7. En 1983, cuando Raúl Alfonsín ___fue___ (ser) elegido presidente democráticamente, el índice de pobreza en Argentina era de un veinticinco por ciento.
8. Un peso argentino ___valía___ (valer) un dólar cuando Carlos Menen ocupó la presidencia entre 1989 y 1999.
9. En octubre de 2007, cuando los argentinos ___fueron___ (ir) a votar por un nuevo presidente, ellos podían votar por una mujer, Cristina Fernández de Kirchner, quien fue elegida.

Gramática 4.3: Antes de hacer esta actividad conviene repasar esta estructura en las págs. 189–191.

Suggestions: Point out that Sábato's novel *El tunel* was read by the famous French existentialist Albert Camus, who then requested that it be translated to French. Ask students if they have seen Gabriela Sabatini play. If so, ask what is their impression of her.

Ernesto Sábato

Sofía Moro / Getty Images

Nació en la ciudad de Rojas, provincia de Buenos Aires. Es escritor, ensayista y pintor. Empezó sus estudios en Física en la Universidad Nacional de La Plata, en la que obtuvo su doctorado. Después de la Segunda Guerra Mundial perdió su fe en la ciencia y comenzó a escribir. Publicó su primera novela, *El túnel,* en 1948. Debido a su vasta producción literaria ha sido nominado tres veces al Premio Nobel de Literatura, la última vez en 2009. En sus últimos escritos (como *Los libros y su misión en la liberación e integración de la América Latina* y *La resistencia*) y apariciones públicas, Ernesto Sábato ha declarado considerar que "es desde una actitud anarcocristiana que habremos de encaminar la vida". Por esto mismo, puede ser considerado un anarquista cristiano en busca de la libertad.

AFP / Getty Images

Gabriela Sabatini

Es considerada una de las mejores tenistas sudamericanas de todos los tiempos y, por supuesto, la mejor tenista que Argentina haya tenido hasta hoy. En su trayectoria como tenista profesional conquistó veintisiete títulos individuales y trece títulos en dobles. En 1989 alcanzó su mejor ranking en el circuito profesional siendo la tercera mejor jugadora del mundo. El 15 de julio de 2006 fue incluida en el Salón Internacional de la Fama del Tenis Femenino, siendo la primera mujer argentina en lograr tal distinción. Desde hace ya varios años dirige una línea de perfumería propia con variadas fragancias, por lo que es considerada un ejemplo de belleza y elegancia en el deporte y en perfumería.

Les Luthiers

Quim Llenas / Getty Images

Les Luthiers es el nombre de un grupo de comedia musical argentino. Tienen a gala el hacer reír con la música pero no de la música, con instrumentos informales creados por ellos mismos. Se caracterizan por ser músicos profesionales y por expresar un humor fresco, elegante y sutil. Desde 1975 han recibido una treintena de premios, el último de ellos el "Premio Gardel a la Trayectoria" (2008). Sus repertorios van desde el estilo barroco hasta las serenatas. Últimamente han diversificado su estilo con repertorios que van desde el estilo romántico a la ópera, al pop, al mariachi e, inclusive, al rap. Su fama llega a casi toda Latinoamérica y a Europa. Es por eso que son considerados lo mejor del humor argentino.

Otros argentinos sobresalientes

Suggestion: Ask students what a **bandoneonista** is. Also ask what they can tell you about "Mafalda" and about those listed in **Otros argentinos sobresalientes.** Have them look up two of the **Otros argentinos sobresalientes** on the Internet and turn in a brief written report on what they find. You may want to offer extra credit for this work.

Adolfo Aristarain: director de cine

Marcos-Ricardo Barnatán: poeta, crítico

Héctor Bianciotti: escritor

Jorge Luis Borges (1899–1996): poeta, cuentista, ensayista

Joaquín Lavado (Quino): dibujante y caricaturista, creador de "Mafalda"

Jorge Marona: compositor, escritor

Lionel Messi: futbolista

Rodolfo "Fito" Páez: compositor, cantante y director de cine

Astor Piazzolla (1921–1992): bandoneonista y compositor

Enrique Pinti: autor de teatro y *musicales*, coreógrafo

Cecilia Roth: actriz

¿COMPRENDISTE?

A. **Los nuestros.** Tú eres uno de estos tres grandes argentinos que acaba de recibir una cuarta nominación al Premio Nobel, otro título individual en tenis o una condecoración del gobierno argentino. Tu compañero(a) es un(a) periodista que te está entrevistando. Dramaticen la situación.

B. **Miniprueba.** Demuestra lo que aprendiste de estos talentosos argentinos al completar estas oraciones.

1. El escritor Ernesto Sábato ha declarado ser __b__.
   a. conservador
   b. anarquista
   c. científico
2. Gabriela Sabatini es más conocida en __a__.
   a. el deporte y la perfumería
   b. el cine y teatro
   c. la literatura mundial
3. El grupo musical Les Luthiers se expresa no solo con su música sino también con __c__
   a. baile
   b. generosidad
   c. humor

VOCABULARIO ÚTIL

en busca de	*in search of*
encaminar	*to direct, to channel*
fe *(f.)*	*faith*
género	*genre, type*
por supuesto	*of course*
reír (i)	*to laugh*
tener a gala	*to take pride in oneself*
trayectoria	*career*

¡Diviértete en la red!

Busca "Ernesto Sábato", "Gabriela Sabatini" y/o "Les Luthiers" en YouTube para ver videos y escuchar a estos talentosos argentinos. Ven a clase preparado(a) para presentar lo que encontraste.

ESCRIBAMOS AHORA

Suggestion: Keep in mind that this writing activity should only take 3-5 minutes of class time. All other writing can be done at home.

Ensayo persuasivo: expresar opiniones y apoyarlas

1 **Para empezar.** Para expresar opiniones, es importante saber la diferencia entre un hecho y una opinión. Una opinión es una interpretación o creencia personal. Un hecho es un dato objetivo que se puede verificar. Mira aquí la diferencia entre una opinión y algunos hechos que la apoyan.

Opinión: Los militares argentinos deberían ser castigados por lo que hicieron a fines del siglo XX.

Hechos: Durante siete años el gobierno en Argentina fue dirigido por militares.

Durante ese período, entre nueve mil y treinta mil personas "desaparecieron".

Nota cómo los hechos expresados aquí apoyan la opinión. Es importante siempre, al persuadir, escribir opiniones y apoyarlas con varios hechos que muestren que tus opiniones se basan en algo concreto y no son solo exageraciones.

Suggestion: Assign parts 2 and 3 as homework. Do part 4 in class.

2 **A generar ideas.** Prepárate ahora para escribir un ensayo persuasivo sobre algún tema de interés particular. Puede tratarse de tus opiniones sobre algún asunto político —por ejemplo, el gobierno actual—, algún incidente internacional o sobre algo más personal —tus relaciones con tus padres o la manera de ser de tu novio(a) o mejor amigo(a). Escribe el nombre del tema sobre el que vas a opinar y debajo, haz una tabla de dos columnas. Anota en la primera columna tus opiniones sobre el tema y en la segunda columna varios datos que apoyan tus opiniones.

3 **Tu borrador.** Usa la información en la sección anterior para escribir tres o cuatro párrafos expresando tus opiniones y apoyándolas con hechos específicos. Es una buena idea que cada párrafo exprese una opinión y contenga los hechos que apoyan esa opinión.

4 **Revisión.** Intercambia tu ensayo persuasivo con el de un(a) compañero(a). Revisa el ensayo de tu compañero(a), prestando atención a las siguientes preguntas. ¿Expresa sus opiniones con claridad? ¿Apoya cada opinión con hechos probados? ¿Te convence o te deja con bastantes dudas?

5 **Versión final.** Considera las correcciones y sugerencias que tu compañero(a) te ha indicado y revisa tu ensayo persuasivo por última vez. Como tarea, escribe la copia final en la computadora. Antes de entregarla, dale un último vistazo a la acentuación, a la puntuación y a la concordancia.

6 **Reacciones (opcional).** Léele tu ensayo persuasivo a un grupo de unos cuatro o cinco compañeros(as) de clase y escucha mientras ellos /ellas te leen el suyo. Luego, decidan cuál es el que más convence y pidan que esa persona lea su ensayo a toda la clase.

¡Antes de leer!

Anticipando...: After students answer the questions, ask them to predict what this story will be about based on the title and the questions they answered. After reading the story, have them check their predictions to see if they are correct.

A. Anticipando la lectura. Contesta las siguientes preguntas.

1. ¿Has tenido la sensación alguna vez, mientras lees un cuento o una novela de misterio, o ves un programa de terror en la televisión, de que tú mismo(a) estás en la escena? ¿Has sentido que el peligro de lo que lees o el terror de lo que ves está presente en el mismo cuarto contigo? Si así es, describe el incidente.
2. ¿Qué causa que a veces nos imaginemos que somos parte de lo que leemos o vemos en la televisión? Explica tu respuesta.
3. ¿Es posible que cada tipo de novela —realista, de terror, de fantasía, de ciencia ficción, de misterio, de amor o algún otro tipo— sea una manera de hacer ficticia la realidad? Explica cómo se consiguen los distintos efectos dando ejemplos concretos.

Vocabulario...: Ask volunteers to create original sentences with these vocabulary words.

B. Vocabulario en contexto. Busca estas palabras en la lectura que sigue y, en base al contexto, decide cuál es su significado. Para facilitar el encontrarlas, las palabras aparecen en negrilla en la lectura.

1. **los ventanales**	a. los vientos	(b.) las ventanas grandes	c. el aire acondicionado
2. **se concertaban**	a. se abrazaban	b. se chocaban	(c.) se ponían de acuerdo
3. **recelosa**	a. orgullosa	(b.) temerosa	c. con bravura
4. **senderos**	a. jardineros	b. insectos	(c.) caminitos
5. **latía**	(a.) palpitaba	b. sentía	c. lloraba
6. **suelto**	(a.) libre	b. largo	c. corto

Sobre el autor

Luis Magan / Getty Images

Julio Cortázar (1914–1984) es uno de los escritores argentinos más reconocidos de la segunda mitad del siglo XX. Nació en Bruselas, Bélgica, de padres argentinos, pero se crió en las afueras de Buenos Aires. En 1951 publicó su primer libro de relatos, *Bestiario,* para poco después trasladarse a París, donde residió desde entonces. En 1963 apareció *Rayuela,* novela experimental ambientada en París y Buenos Aires, y considerada su obra maestra. En este libro el autor invita al lector a tomar parte activa sugiriéndole alternativas diferentes en el orden de la lectura. Cortázar murió en 1984 en París tras haber contribuido decisivamente a la difusión de la literatura latinoamericana en el mundo.

"Continuidad de los parques" está tomado de su segundo libro de cuentos, *Final del juego* (1956). Este cuento, como muchas obras de Cortázar, se desarrolla alrededor de una contraposición entre lo real y lo ficticio.

Suggestion: After reading the story, ask if they can name any other stories that have similar plots, in which the actors at one level become part of the story or play they are performing (e.g., *Shakespeare in Love* and *The French Lieutenant's Woman*).

Continuidad de los parques

Había empezado a leer la novela unos días antes. La abandonó por negocios urgentes, volvió a abrirla cuando regresaba en tren a la finca; se dejaba interesar lentamente por la trama, por el dibujo de los personajes. Esa tarde, después de escribir una carta a su apoderado* y discutir con su mayordomo* una cuestión de aparcerías,* volvió al libro en la tranquilidad del estudio que miraba hacia el parque de los robles.*

Arrellanado* en su sillón favorito, de espaldas a la puerta que lo hubiera molestado como una irritante posibilidad de intrusiones, dejó que su mano izquierda acariciara* una y otra vez el terciopelo* verde y se puso a leer los últimos capítulos. Su memoria retenía sin esfuerzo los nombres y las imágenes de los protagonistas; la ilusión novelesca lo ganó casi en seguida. Gozaba del placer casi perverso de irse desgajando* línea a línea de lo que lo rodeaba, y sentir a la vez que su cabeza descansaba cómodamente en el terciopelo del alto respaldo,* que los cigarrillos seguían al alcance de la mano, que más allá de los **ventanales** danzaba el aire del atardecer bajo los robles. Palabra a palabra, absorbido por la sórdida disyuntiva* de los héroes, dejándose ir hacia las imágenes que **se concertaban** y adquirían color y movimiento, fue testigo del último encuentro en la cabaña del monte. Primero entraba la mujer, **recelosa,** ahora llegaba el amante, lastimada la cara por el chicotazo* de la rama. Admirablemente estañaba ella la sangre* con sus besos, pero él rechazaba sus caricias,* no había venido para repetir la ceremonia de una pasión secreta, protegida por un mundo de hojas secas y **senderos** furtivos. El puñal se entibiaba* contra su pecho y debajo **latía** la libertad agazapada.* Un diálogo anhelante* corría por las páginas como un arroyo* de serpientes, y se sentía que todo estaba decidido desde siempre. Hasta esas caricias que enredaban* el cuerpo del amante como queriendo retenerlo y disuadirlo, dibujaban abominablemente la figura de otro cuerpo que era necesario destruir. Nada había sido olvidado:

Marginal glosses:

- apoderado: administrador (5)
- mayordomo: *foreman*
- aparcerías: contratos laborales
- robles: *oak trees*
- Arrellanado: Extendido cómodamente
- (10)
- acariciara / terciopelo: *caress / velvet*
- desgajando: separando
- (15)
- respaldo: *back (of chair)*
- disyuntiva: opción
- (20)
- chicotazo / estañaba…: *whiplash* / **estañaba…** *she stopped the flow of blood* / caricias: atenciones
- **puñal…** cuchillo se calentaba (25)
- agazapada / anhelante: *hidden / expectant*
- arroyo: *stream*
- enredaban: *were entangling*
- (30)

coartadas,* azares,* posibles errores. A partir de esa hora cada instante tenía su empleo minuciosamente atribuido. El doble repaso despiadado* se interrumpía apenas para que una mano acariciara una mejilla.* Empezaba a anochecer. Sin mirarse ya, atados* rígidamente a la tarea que los esperaba, 35 se separaron en la puerta de la cabaña. Ella debía seguir por la senda que iba al norte. Desde la senda opuesta él se volvió un instante para verla correr con el pelo **suelto**. Corrió a su vez, parapetándose* en los árboles y los setos,* hasta distinguir en la bruma malva* del crepúsculo* la alameda que llevaba a la casa. Los perros no debían ladrar,* y no ladraron. El mayordomo no 40 estaría a esa hora, y no estaba. Subió los tres peldaños* del porch y entró. Desde la sangre galopando en sus oídos le llegaban las palabras de la mujer: primero una sala azul, después una galería, una escalera* alfombrada. En lo alto, dos puertas. Nadie en la primera habitación, nadie en la segunda. La puerta del salón, y entonces el puñal en la mano, la luz de los ventanales, 45 el alto respaldo de un sillón de terciopelo verde, la cabeza del hombre en el sillón leyendo una novela.

excusas / circunstancias imprevistas
doble... revisión cruel
cheek
unidos
protegiéndose / *bushes*
bruma... *light fog* / anochecer
bark
steps
stairwell

¡Después de leer!

Suggestion: Have students work in pairs to answer the questions. When they have finished, have them compare their answers with others in the class.

A. Hechos y acontecimientos. ¿Recuerdas los datos más importantes de la lectura? Para asegurarte, contesta las siguientes preguntas.

1. ¿Cuándo comenzó el protagonista a leer la novela?
2. ¿Por qué abandonó la lectura de la novela?
3. ¿Qué hizo después de ver a su mayordomo?
4. ¿Qué tipo de novela era la que leía? ¿de misterio? ¿de amor? Explica.
5. ¿Qué relación tenían la mujer y el hombre de la novela?
6. ¿Adónde se dirigió el hombre después de que la pareja se separó?
7. ¿Por qué no estaba el mayordomo a esa hora?
8. ¿A quién encontró el amante al final del cuento?
9. ¿En qué momento del cuento lo "ficticio" se convierte en lo "real"?
10. ¿Qué sugiere el título del cuento, "Continuidad de los parques"?

B. A pensar y a analizar. Haz estas actividades con un(a) compañero(a) de clase. Luego comparen sus resultados con los de otros grupos.

1. Expliquen la relación entre los tres personajes del cuento —el señor que leía la novela, el hombre del puñal y la mujer. ¿Se conocían o solo el señor que leía era un personaje verdadero y los otros dos eran ficticios?
2. ¿Es posible que la realidad ficticia literaria se convierta en la realidad verdadera? Expliquen.
3. ¿Qué opinan Uds. de la falta de diálogo en este cuento? ¿Creen que sería mejor si hubiera diálogo? ¿Por qué? ¿Por qué habrá decidido el autor no usar diálogos?

C. Teatro para ser leído. En grupos de seis, adapten el cuento de Julio Cortázar, "Continuidad de los parques", a un guión de teatro para ser leído. Luego, ¡preséntenlo!

1. Conviertan la parte narrativa del cuento, "Continuidad de los parques", a solo diálogo, dentro de lo posible.
2. Añadan un poco de narración para mantener transiciones lógicas entre los diálogos.
3. Preparen siete copias del guión: una para cada uno de los tres actores, una para los dos narradores, una para el (la) director(a) y una para el (la) profesor(a).
4. ¡Preséntenlo!

D. Apoyo gramatical. El pretérito y el imperfecto: acciones simultáneas y recurrentes. Completa el siguiente párrafo acerca del cuento "Continuidad de los parques" empleando el pretérito o el imperfecto.

Mientras el protagonista (1) __viajaba__ (viajar) en tren comenzó a leer la novela de nuevo. Una vez en la finca, siguió leyendo cuando (2) __había__ (haber) terminado de ocuparse de negocios. Él (3) __estaba__ (estar) muy interesado en la novela cuando llegó a los capítulos finales. En la novela, cuando la mujer (4) __llegó__ (llegar) a la cabaña, el amante todavía no llegaba. Una vez reunidos, cada vez que la mujer (5) __daba__ (dar) muestras de cariño, el hombre la rechazaba. Al separarse, mientras la mujer se iba hacia el norte, él (6) __partió__ (partir) en dirección opuesta. Cuando llegó a la casa, todo (7) __estaba__ (estar) tranquilo. El protagonista (8) __seguía__ (seguir) leyendo su novela cuando el amante entró en el salón. ¿Sabemos todos lo que le (9) __ocurrió__ (ocurrir) al lector cuando el amante se paseaba por el salón con el puñal en la mano?

Gramática 4.3: Antes de hacer esta actividad conviene repasar esta estructura en las págs. 189–191.

Un juego absurdo

Un cortometraje de Gastón Rothschild

Premio Cóndor de Plata al mejor cortometraje por la Asociación de Cronistas Cinematográficos de la Argentina y Ganador de V festival Internacional de Cortos de Olavarría. Mención Especial al Mejor Guión de UNCIPAR 2010

Michaela Begsteiger/Photolibrary

DIRECCIÓN: **GASTÓN ROTHSCHILD** GUIÓN: **JAVIER ZEVALLOS** PRODUCCIÓN EJECUTIVA: **DIEGO CORSINI** JEFE DE PRODUCCIÓN: **ALEXIS TRIGO** ASISTENTE DE DIRECCIÓN: **JULIETA LEDESMA** FOTOGRAFÍA: **GERMÁN DREXLER** DIRECCIÓN DE ARTE: **LETICIA NANOIA** VESTUARIO: **LUCÍA SCIANNAMEA** MONTAJE: **DANIEL PRINK, LEONARDO MARTÍNEZ** MÚSICA: **BACCARAT** SONIDO: **GERARDO KALMAR** ASISTENTE DE PRODUCCIÓN: **JULIA FRANCUCCI** ACTORES PRINCIPALES: **ELIANA GONZÁLEZ EN EL PAPEL DE "ELLA" Y MARTÍN PIROYANSKY EN EL PAPEL DE "ÉL"**

Antes de ver el corto

Suggestion: Read these words with your students. Model pronunciation. To facilitate comprehension, ask students to create sentences using one or more words.

¿Qué sabes de relaciones?

a la inversa	*on the contrary*	**dar bola**	*pay attention*
a medida que	*as*	**flaco(a)**	*skinny*
acá	*here*	**lástima**	*pity, shame*
amplificar	*to amplify*	**mina**	*girl*
apestar	*to stink*	**nulo(a)**	*null, invalid*
apretar	*to tighten*	**objeto deseado**	*desired object*
asunto	*matter*	**ombligo**	*belly button*
autoimpuesto	*self imposed*	**¡Pará con eso!**	*Quit it!*
¡basta!	*Enough!*	**primordial** *(m. f.)*	*original, primitive*
boludo(a)	*jerk*	**pulsión** *(f.)*	*propulsion, drive*
capaz de	*capable of*	**¿Qué sé yo?**	*What do I know?*
chaleco	*vest, waistcoat*	**sangüichito**	*little sandwich*
cobardía	*cowardice*	**sudor** *(m.)*	*sweat*
consumación *(f.)*	*fulfillment*	**vigoroso(a)**	*vigorous*
cosquillas	*tickling*		

A. ¿Sinónimos? Con tu compañero(a), indiquen si estas palabras están relacionadas o no.

1. mina / chica Sí
2. boludo / idiota Sí
3. flaco / chaleco No
4. asunto / tema Sí
5. pulsión / atracción Sí
6. sudor / pudor No
7. lástima / consumación No
8. ¡Basta! / ¡Sí! No
9. chaleco / suéter Sí
10. ¡Pará con eso! / ¡Basta! Sí

B. Palabras. Con tu compañero(a), completen las siguientes oraciones usando palabras del vocabulario.

1. Juan ha perdido mucho peso. Yo lo encuentro muy __flaco__ .
2. ¡No conozco a nadie más egocéntrico! ¡Se pasa la vida mirándose su propio __ombligo__!
3. Creo que soy bastante cobarde. No soy __capaz de__ confrontarlo en un tema tan delicado.
4. El jugador de baloncesto cayó y se quebró una mano, porque el piso estaba lleno de __sudor__.
5. Yo creo que este es un __asunto__ muy serio. Yo no me atrevo a opinar sin tener más información.

C. Expresiones. Con tu compañero(a), indiquen otra manera de decir las siguientes palabras y expresiones.

__f__ 1. vigoroso
__e__ 2. objeto deseado
__b__ 3. sangüichito
__c__ 4. autoimpuesto
__a__ 5. boludo
__d__ 6. ¡basta!

a. estúpido
b. aperitivo
c. que se lo impone el sujeto sobre sí mismo
d. ¡Ya es suficiente!
e. algo que nos atrae
f. que tiene mucha energía

Fotogramas de *Un juego absurdo*

Este cortometraje cuenta la historia de un chico que se siente atraido por una chica. Con un(a) compañero(a), observen estos fotogramas y relacionen cada uno con las siguientes frases extraidas del cortometraje. Después, escriban una sinopsis de lo que creen que es la trama. Compartan su sinopsis con las de otras dos parejas de la clase.

__5__ a. Ella allí y yo acá. Y entre nosotros... el deseo.

__6__ b. Porque la consumación es la gran enemiga del deseo.

__2__ c. ¿Es a mí? ¡Sí! ¡Me está mirando!

__3__ d. ¿Te puedes ir, por favor?

__1__ e. ¿Le hablaste a esa chica que te gusta ya?

__4__ f. Lo bueno de pensar es que lo puedo hacer mientras me como un sángüiche.

1

2

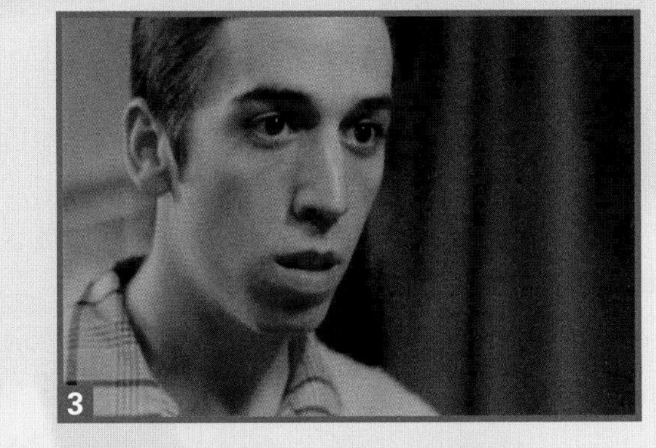
3

4

5

6

Después de ver el corto

A. Lo que vimos. Con tu compañero(a), decidan si acertaron al anticipar la trama en la sinopsis que escribieron. ¿Hasta qué punto acertaron? ¿Dónde variaron de la trama?

B. ¿Entendiste? Prepara 5 ó 6 preguntas sobre *Un juego absurdo* y házselas a tu compañero(a). Luego responde a sus preguntas.

C. ¿Qué piensan? Con tu compañero(a), respondan ahora a las siguientes preguntas.

1. ¿Qué opinan de este corto? ¿Les gustó? ¿Por qué sí o no?
2. ¿Qué es lo que defiende el corto? ¿Están de acuerdo, sí o no? ¿Por qué?
3. ¿Creen que es un corto realista y que muestra bien lo que ocurre en el proceso de cortejar? Expliquen.

D. Un juego. Con tu compañero(a), respondan a las siguientes preguntas. Luego compartan sus respuestas con la clase.

1. ¿Creen que es fácil o difícil conectar con una persona cuando se tiene interés en ella? ¿Por qué?
2. ¿Creen que es muy difícil ser joven o adolescente? ¿Cuál es/fue su propia experiencia? Expliquen.
3. ¿Se consideran personas sensibles? ¿En qué consiste ser sensible? ¿Creen que ser sensible ayuda o no en el cortejo? ¿Por qué sí o no? Expliquen.
4. ¿Creen que las personas se sienten atraídas por quienes las tratan peor? Expliquen.

E. Debate. En grupos de tres preparen un debate sobre los cortejos. ¿Creen que es verdad que no se puede mostrar mucho interés en las relaciones? ¿Por qué sí o no? Un grupo defiende que sí y otro que no. Preparen sus argumentos y defiéndalos frente a la clase. Decidan quién ganó con sus argumentos.

F. Apoyo gramatical: comparativos y superlativos. Contesta las siguientes preguntas relacionadas con el cortometraje.

1. El joven del cortometraje piensa que es flaquísimo. ¿Estás tú de acuerdo?
2. ¿Es él más sensible que la mayoría de los jóvenes de su edad?
3. ¿Tiene el joven más experiencia en el amor que sus compañeros?
4. En tu opinión, ¿es tan fácil para un joven como para una joven participar en el proceso de cortejar?
5. Según tú, ¿quién ayuda más al joven, la madre o el padre, o ninguno de los dos? ¿Cómo lo sabes?
6. ¿Por quién crees tú que el espectador del cortometraje siente más simpatías, por el joven o por la joven? ¿Por qué?
7. ¿Quién, piensas tú, juega mejor al "juego absurdo" descrito en el cortometraje? Explica por qué piensas así.

Gramática 4.4: Antes de hacer esta actividad conviene repasar esta estructura en las págs. 192–195.

Películas que te recomendamos

- ***Al otro lado de la cama*** **(Emilio Martínez Lázaro, 2002)**
- ***El hijo de la novia*** **(Juan José Campanella, 2001)**
- ***Cilantro y perejil*** **(Rafael Montero,1995)**

4.3 Preterite and Imperfect: Simultaneous and Recurrent Actions

› When two or more past events or conditions are viewed together, it is common to use the imperfect in one clause to describe the setting, the conditions, or actions that were in progress; the preterite is used in the other clause to tell what happened. The clauses may occur in either order.

Cuando nuestro avión **aterrizó** en el aeropuerto de Ezeiza, **eran** las cuatro de la tarde y **estaba** un poco nublado.
When our plane landed in the Ezeiza airport, it was four in the afternoon and it was a bit cloudy.

Unos amigos nos **esperaban** cuando **salimos** del avión.
Some friends were waiting for us when we got off the plane.

› When describing recurring actions or conditions, the preterite indicates that the actions or conditions have taken place and are viewed as completed in the past; the imperfect emphasizes habitual or repeated past actions or conditions.

El verano pasado **tomamos** un curso intensivo de español en Buenos Aires. Por las tardes, **asistimos** a muchas conferencias y conciertos.
Last summer we took an intensive Spanish course in Buenos Aires. In the afternoons, we attended many lectures and concerts.

El verano pasado, **íbamos** a un curso intensivo de español en Buenos Aires y por las tardes **asistíamos** a conferencias o conciertos.
Last summer we used to go to an intensive Spanish course in Buenos Aires and in the afternoons we would attend lectures or concerts.

› **Conocer, poder, querer,** and **saber** change their meaning when used in the preterite.

Verb	Imperfect	Preterite
conocer	*to know*	*to meet* (first time)
poder	*to be able to*	*to manage*
querer	*to want*	*to try* (affirmative); *to refuse* (negative)
saber	*to know*	*to find out*

Yo no **conocía** a ningún porteño, pero anoche **conocí** a una joven del barrio de Palermo.
I did not know anybody from Buenos Aires, but last night I met a young woman from the Palermo neighborhood.

Esta mañana yo **quería** comprar recuerdos, pero mi compañero(a) de cuarto **no quiso** llevarme al mercado porque llovía. **Quise** ir a pie, pero abandoné la idea porque llovía demasiado.
This morning I wanted to buy souvenirs, but my roommate refused to take me to the market because it was raining. I tried to walk there, but I abandoned the idea because it was raining too much.

Ahora, ¡a practicar!

A. Último día. Explica lo que hiciste el último día de tu estadía en Buenos Aires.

MODELO salir del hotel después del desayuno
Salí del hotel después del desayuno.

1. ir al barrio de La Boca para comprar artículos típicos en la feria artesanal
2. comprar regalos para mi familia y mis amigos
3. tomar mucho tiempo en encontrar algo apropiado
4. pasar tres horas en total haciendo compras
5. regresar al hotel
6. hacer las maletas rápidamente
7. llamar un taxi
8. ir al aeropuerto

B. Verano cordobés. Pregúntale a un(a) compañero(a) lo que él /ella y sus amigos hacían el verano pasado cuando estudiaban en Córdoba.

MODELO ir a clases por la mañana
Tú: **¿Iban Uds. a clases por la mañana?**
Amigo(a): **Sí, íbamos a clases a las ocho todos los días.**

1. vivir con una familia cordobesa
2. regresar a casa a almorzar
3. pasear por la plaza San Martín algunas veces
4. a veces ir de compras
5. cenar en restaurantes típicos de vez en cuando
6. algunas noches ir a bailar a alguna discoteca
7. salir de excursión los fines de semana

C. Noche de tangos. Completa el párrafo con el verbo más apropiado para saber lo que hicieron dos amigos una noche en Buenos Aires.

Hasta hace poco yo no (1) _______ (sabía/supe) nada de la cultura del tango. Pero el mes pasado (2) _______ (aprendía/aprendí) mucho durante una visita que (3) _______ (hacía/hice) a Buenos Aires. Cuando alguien me (4) _______ (decía/dijo) que (5) _______ (tenía/tuve) que visitar una tanguería, de inmediato (6) _______ (decidía/decidí) que lo haría. Así, durante una tarde y noche libre, (7) _______ (podía/pude) ir al barrio San Telmo, lugar que unos amigos me (recomendaban/ recomendaron). Un amigo porteño, quien (8) _______ (conocía/conoció) bien el barrio, (9) _______ (estaba/estuvo) conmigo. Esa noche nosotros (10) _______ (nos divertíamos /nos divertimos) en varias tanguerías, probando algunos platos y, especialmente, admirando a los gráciles bailarines que se (11) _______ (movían/movieron) al compás [ritmo] de tangos de letras dolidas y sentimentales. No, yo no (12) _______ (aprendía/aprendí) a bailar el tango esa noche, pero sí (13) _______ (aprendía/aprendí) que el tango sigue vivo en Argentina.

D. Sábado. Los miembros de la clase dicen lo que hacían el sábado por la tarde.

MODELO estar en el centro comercial / ver a mi profesor de historia
Cuando (Mientras) estaba en el centro comercial, vi a mi profesor de historia.

1. mirar un partido de básquetbol en la televisión / llamar por teléfono a mi abuela
2. preparar un informe sobre Ernesto Sábato / llegar unos amigos a visitarme
3. escuchar mi grupo de rock favorito / los vecinos me / pedir que bajara el volumen
4. andar de compras en el supermercado / encontrarme con unos viejos amigos
5. caminar por la calle / ver un choque entre una motocicleta y un automóvil
6. estar en casa de unos tíos / ver unas fotografías de cuando yo era niño(a)
7. tomar refrescos en un café / presenciar una discusión entre dos novios

E. El padre de Mafalda. Completa el siguiente párrafo acerca del dibujante Quino usando el pretérito o el imperfecto, según convenga.

Quino (Joaquín Salvador Lavado) (1) _______ (nacer) en 1932 en la ciudad de Mendoza. Cuando él (2) _______ (ser) pequeño los miembros de su familia (3) _______ (comenzar) a llamarlo Quino para diferenciarlo de un tío de nombre Joaquín, pintor y dibujante. Cuando Quino (4) _______ (tener) tres años (5) _______ (descubrir) su vocación de dibujante con su tío Joaquín. Más tarde, (6) _______ (ingresar) en la escuela de Bellas Artes, pero la (7) _______ (abandonar) para dedicarse a dibujar historietas. Su hora de la fama (8) _______ (llegar) en 1964 cuando (9) _______ (aparecer) Mafalda por primera vez. Mafalda (10) _______ (ser) todo un éxito. Cuando los argentinos (11) _______ (leer) las historietas de Mafalda no (12) _______ (poder) dejar de reír y apreciar el ingenio de Quino. Mafalda (13) _______ (dejar) de publicarse en 1973 pero su fama sigue viviendo.

F. El club de barrio. Completa el siguiente párrafo, acerca de un miembro de un club de barrio, usando el pretérito o el imperfecto, según convenga.

Cuando yo (1) _______ (estar) en la secundaria, (2) _______ (practicar) muchos deportes, pero el deporte que más me (3) _______ (gustar) (4) _______ (ser) el fútbol. En ese tiempo yo (5) _______ (pertenecer) a un club de mi barrio. Mis compañeros de equipo y yo nos (6) _______ (entrenar) durante la semana y (7) _______ (jugar) los domingos. Una vez, cuando nosotros (8) _______ (tener) un equipo fuerte, (9) _______ (llegar) a la final del campeonato. Desgraciadamente, cuando todos nosotros (10) _______ (estar) listos para el partido más importante, yo no (11) _______ (poder) participar. (12) _______ (Sufrir) una lesión mientras (13) _______ (estar) practicando unos días antes.

4.4 Comparatives and Superlatives

Comparisons of Inequality

› The following are the patterns used to express superiority or inferiority.

más / menos + { adjective / adverb / noun } + **que**
verb + **más / menos** + **que**

Ernesto Sábato es **más** conocido **que** Marcos-Ricardo Barnatán. — *Ernesto Sábato is more well-known than Marcos-Ricardo Barnatán.*

Marcos-Ricardo Barnatán es **menos** conocido **que** Ernesto Sábato. — *Marcos-Ricardo Barnatán is less well-known than Ernesto Sábato.*

Buenos Aires tiene **más** habitantes **que** Córdoba. — *Buenos Aires has more inhabitants than Córdoba.*

El tango se baila **más** en Argentina **que** en los EE.UU. — *More people dance the tango in Argentina than in the U.S.*

› When making comparisons with **más** or **menos,** the word **de** is used instead of **que** before a number.

El Buenos Aires metropolitano tiene **más de** trece millones de habitantes. — *Metropolitan Buenos Aires has more than thirteen million inhabitants.*

Comparisons of Equality

› The following constructions are used to express equality.

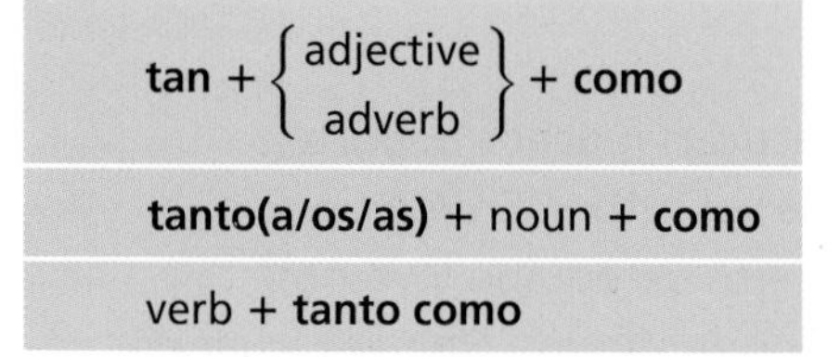

tan + { adjective / adverb } + **como**
tanto(a/os/as) + noun + **como**
verb + **tanto como**

No soy **tan** divertido **como** Les Luthiers. — *I am not as funny as Les Luthiers.*

Hablo **tan** lentamente **como** mi padre. — *I speak as slowly as my father.*

Tengo **tantos** amigos **como** mi hermano. — *I have as many friends as my brother.*

Trabajo **tanto como** mi prima Esperanza. — *I work as much as my cousin Esperanza.*

Superlatives

› The superlative expresses the highest or lowest degree of a quality when comparing people or things to many others in the same group or category. Note that **de** is used in this construction.

el/la/los/las + noun + **más/menos** + adjective + **de**

Tomás es **el estudiante más alto de** la clase. — *Tomás is the tallest student in the class.*

La Pampa es **la provincia agrícola más próspera de** todo el país. — *The Pampa is the most prosperous agricultural province of the whole country.*

› To indicate the highest degree of a quality, adverbs such as **muy, sumamente,** or **extremadamente** can be placed before the adjective; or the suffix **-ísimo/a/os/as** can be attached to the adjective.

The chart that follows shows the most common spelling changes that occur when the suffix **-ísimo** is added to an adjective.

final vowel is dropped	alto	→	altísimo
written accent is dropped	fácil	→	facilísimo
-ble becomes **-bil-**	amable	→	amabilísimo
-c- becomes **-qu-**	loco	→	loquísimo
-g- becomes **-gu-**	largo	→	larguísimo
-z- becomes **-c-**	feroz	→	ferocísimo

Córdoba es una ciudad **sumamente** (**muy/ extremadamente**) atractiva. — *Córdoba is a highly (very/extremely) attractive city.*

Gabriela Sabatini siempre está **ocupadísima.** — *Gabriela Sabatini is always extremely busy.*

Les Luthiers son **comiquísimos.** — *Les Luthiers are extremely funny.*

Irregular Comparative and Superlative Forms

A few adjectives have, in addition to their regular forms, irregular comparative and superlative forms. It is important to know these forms because they are used frequently.

Comparative and Superlative Forms of *bueno* and *malo*

Comparative		Superlative	
Regular	**Irregular**	**Regular**	**Irregular**
más bueno(a)	mejor	el (la) más bueno(a)	el (la) mejor
más buenos(as)	mejores	los (las) más buenos(as)	los (las) mejores
más malo(a)	peor	el (la) más malo(a)	el (la) peor
más malos(as)	peores	los (las) más malos(as)	los (las) peores

To indicate a degree of excellence, the irregular comparative and superlative forms **mejor(es)** and **peor(es)** are normally used. The regular comparative and superlative forms **más bueno(a/os/as)** and **más malo(a/os/as),** when used, refer to moral qualities.

Según tu opinión, ¿cuál es **el mejor** lugar para ver bailar tangos?	*In your opinion, what's the best place to go see tango dancing?*
La situación en Argentina está **mejor** ahora que en la década de los ochenta.	*The situation in Argentina is better now than in the 80's.*
Este es el **peor** invierno que he pasado en esta ciudad.	*This is the worst winter I have spent in this city.*
Tu padre es el hombre **más bueno** que conozco.	*Your father is the kindest person I know.*

Comparative and Superlative Forms of *grande* and *pequeño*

Comparative		Superlative	
Regular	**Irregular**	**Regular**	**Irregular**
más grande	mayor	el (la) más grande	el (la) mayor
más grandes	mayores	los (las) más grandes	los (las) mayores
más pequeño(a)	menor	el (la) más pequeño(a)	el (la) menor
más pequeños(as)	menores	los (las) más pequeños(as)	los (las) menores

The irregular comparative and superlative forms **mayor(es)** and **menor(es)** refer to age in the case of people or to degree of importance in the case of things. The regular comparative and superlative forms **más grande(s)** and **más pequeño(a/os/as)** usually refer to size.

Mi hermano **menor** es **más grande** que yo.	*My younger brother is taller than I.*
La representación política es una de las **mayores** preocupaciones de las minorías.	*Political representation is one of the biggest concerns of minorities.*
Un puñal es **más pequeño** que una espada.	*A dagger is smaller than a sword.*

Ahora, ¡a practicar!

A. El campo de la comunicación en MERCOSUR. Lee las siguientes estadísticas del año 2000 sobre los países miembros de MERCOSUR y contesta las preguntas que siguen. Las preguntas se refieren a la situación en esos países en el año 2000.

	Argentina	Uruguay	Paraguay	Brasil
Líneas de teléfono (por mil habitantes)	213	278	50	182
Teléfonos celulares (por mil habitantes)	163	132	149	136
Computadora personal (por 1000 habitantes)	51	105	13	44
Usuarios de Internet (en miles)	2500	370	40	5000

1. ¿Cuál es el país con el mayor número de líneas telefónicas por mil habitantes? ¿Y el país con el menor número de líneas telefónicas?
2. Entre Uruguay y Paraguay, ¿dónde hay más teléfonos celulares por mil habitantes?
3. ¿Qué país tiene casi tantos teléfonos celulares por mil habitantes que Brasil?
4. ¿En qué país tienen las personas menos computadoras personales? ¿Y en qué país tienen más?
5. ¿En qué país hay menos usuarios de Internet? ¿Y en qué país hay más usuarios de Internet?
6. En tu opinión, ¿qué país es más desarrollado en el campo de la comunicación? ¿Y el menos desarrollado? ¿Por qué?

B. Les Luthiers. Basándote en lo que has aprendido sobre estos artistas argentinos, contesta las preguntas que siguen.

1. ¿Piensas que a Les Luthiers les gusta tanto la música popular como la música clásica o que les gusta más la música clásica que la música popular?
2. ¿Crees tú que se interesan más por los instrumentos musicales normales o por instrumentos musicales inventados por ellos?
3. ¿Son más famosos en Latinoamérica o en Europa?
4. ¿Crees que Les Luthiers hacen reír más con la música o con la palabra?
5. ¿Piensas que el grupo tiene más de ocho miembros o menos de ocho miembros?
6. ¿Piensas que Les Luthiers actúan más en teatro o más en televisión?

C. Opiniones. En grupos de tres, da tus opiniones acerca de las materias que estudias. Utiliza adjetivos como **aburrido, complicado, entretenido, difícil, fácil, fascinante, instructivo, interesante** u otros que conozcas.

MODELO matemáticas / física
Para mí las matemáticas son tan difíciles como la física. o **Encuentro que la física es más (menos) interesante que las matemáticas.**

1. antropología / ciencias políticas
2. química / física
3. historia / geografía
4. literatura inglesa / filosofía
5. sicología / sociología
6. español / alemán
7. biología / informática

D. Argentinos de ahora. Da tu opinión acerca de las tres personas que conociste en la sección **Los nuestros.**

MODELO entender de perfumes
Pienso que Gabriela Sabatini entiende más de perfumes porque tiene una línea de perfumería propia.

1. ser más atlético
2. aparecer más en televisión
3. ser más formal
4. saber más de asuntos científicos
5. tener más contacto con el público
6. practicar más con instrumentos musicales
7. tener más interés en los deportes
8. estar más ocupado(a)
9. ser más admirado(a) en todo el país
10. tener la profesión más gratificante *(rewarding)*

Lección 4: Chile

Características de principiantes

frases *(f.)* *phrases*
limitado(a) *limited*
memorizar *to memorize*
oraciones sencillas *(f.)* *simple sentences*
palabras aisladas *isolated words*
principiante *(m. f.)* *beginner*
sacar listas *to list*

Características de intermedios

crear *to create*
hacer preguntas *to ask questions*
intermedio(a) *intermediate*
situaciones sencillas *simple situations*

Características de avanzados

avanzado(a) *advanced*
describir *to describe*
hablar en párrafos *to speak in paragraphs*
narrar *to narrate*
situaciones con complicaciones *complicated situations*

Características de superiores

defender opiniones *to defend opinions*
expresar opiniones *to express opinions*
hacer hipótesis *to hypothesize*
situaciones *(f.)* **desconocidas** *unfamiliar situations*
superior *superior*
temas abstractos *abstract topics*

Colonización

aislado(a) *isolated*
cacique *(m.)* *Indian chief*
cargo *post*
encargar *to entrust, to put in charge*
falta *lack*
feroz *(m. f.)* *ferocious*
fuerte *(m.)* *fort*
lugarteniente *(m. f.)* *lieutenant; deputy*
reina *queen*

Descripción

álgido(a) *decisive*
incansable *(m. f.)* *untiring*
mudo(a) *silent, mute*
tierno(a) *tender*

Andrzej Gibasiewicz / Shutterstock

Verbos y expresiones verbales

a fines de *at the end of*
a través de *by means of*
desaparecer *to disappear*
interpretar *to play; to interpret*
señalar *to designate*

Comercio internacional

consejo de seguridad *security council*
creciente *(m. f.)* *growing, increasing*
disuelto(a) *dissolved*
índice *(m.)* *rate*
ingreso *joining*
inversión *(f.)* *investment*
libre comercio *free trade*
paridad *(f.)* *parity, equality*
poder *(m.)* *power*
red *(f.)* *network*
segunda vuelta *runoff election*

Palabras útiles

arena *sand*
coprotagonista *(m. f.)* *co-star*
golpe *(m.)* *coup (military)*
hierro *iron*
máscara *mask*
nubarrón *(m.)* *large black cloud*

Lección 4: Argentina

Partido de fútbol

anotar	*to score*
césped *(m.)*	*grass*
cometer muchas faltas	*to commit many fouls*
empatar	*to tie (in a game)*
entrada	*ticket*
gol *(m.)*	*goal*
gradas	*stands, grandstand*
lesión *(f.)*	*injury*
marcar	*to score*
partido	*game*
tanto	*point*
vencer	*to defeat, to vanquish*

Descripción

depuesto(a)	*removed from office*
listo(a)	*ready*
receloso(a)	*suspicious, fearful*

Verbos y expresiones verbales

a propósito	*by the way*
concertarse	*to agree*
en busca de	*in search of*
encaminar	*to direct, to channel*
latir	*to beat, to throb*
olvidar	*to forget*
por supuesto	*of course*
reír (i)	*to laugh*
tener a gala	*to take pride in oneself*

Las leyes del juego

amonestar	*to warn*
añadir	*to add*
árbitro *(m. f.)*	*referee*
descuento	*injury time (soccer)*
entrenador(a)	*coach*
expulsar	*to expel*
instancia	*request*
juez de línea *(m.)*	*linesman*
mostrar (ue)	*to show*
pitar un penalti	*to call a penalty (soccer)*
tanto	*point, goal*
tarjeta	*card*
tiro libre	*free kick*

Michaela Begsteiger/Photolibrary

Deudas

deuda externa	*foreign debt*
enfrentar	*to confront, to face*
gasto	*expenditure*
mezclar	*to mix*
recorte *(m.)*	*cutting, cut, reduction*

Palabras útiles

fe *(f.)*	*faith*
género	*genre, type*
ola	*wave*
sendero	*path, track*
suelto(a)	*loose*
trayectoria	*career*
ventanal *(m.)*	*large window*

Aspiraciones y contrastes

PARAGUAY Y URUGUAY

Corbis / Photolibrary

Suggestion: Have students comment on the lesson title. To what **aspiraciones** might this refer? Why the reference to **contrastes**?

LOS ORÍGENES

Descubre quiénes eran los indígenas que poblaban lo que ahora es Paraguay y Uruguay y las reducciones, que eran una forma de organización social colonial (págs. 200–201).

SI VIAJAS A NUESTRO PAÍS…

- En **Paraguay** visitarás la capital, Asunción, con una población de unos seiscientos mil, Ciudad del Este y varios sitios históricos, y participarás de la rica musicalidad paraguaya (págs. 202–203).
- En **Uruguay** conocerás la capital, Montevideo, con una población de casi un millón y medio, Punta del Este y Colonia del Sacramento, y aprenderás el ¡candombe!, una tradición musical afro-uruguaya (págs. 222–223).

MEJOREMOS LA COMUNICACIÓN

Aprende a distinguir algunas palabras que provienen de las lenguas precolombinas y que fueron adoptadas por el español (págs. 204–205) y diviértete al hablar de los días festivos en los países hispanos y en los Estados Unidos (págs 224–225).

AYER YA ES HOY

Haz un recorrido por la historia de Paraguay desde la evangelización de los jesuitas hasta el presente (págs. 206–207) y por la de Uruguay, la Banda Oriental, desde su independencia hasta nuestros días (págs. 226–227).

LOS NUESTROS

- En **Paraguay** conoce al más galardonado escritor del país, a un sobresaliente arpista y a una verdadera maestra de la guitarra clásica (págs. 208–209).
- En **Uruguay** conoce a uno de los escritores más importantes de Latinoamérica, a una muy popular actriz de teatro, cine y televisión y a un jugador de fútbol con fama de ser uno de los mejores delanteros centro *(center forwards)* del mundo (págs. 228–229).

LUCES! ¡CÁMARA! ¡ACCIÓN!

- Disfruta "Paraguay: al son del arpa paraguaya" (pág. 210).

ESCRIBAMOS AHORA

Narra un incidente impactante en tu vida o en la de un(a) amigo(a) o un(a) pariente (pág. 230).

LECTURA

- Experimenta el trauma de una jovencita que descubre que es adoptada cuando tiene un encuentro con su verdadera madre en "Elisa", de la escritora paraguaya Milia Gayoso (págs. 211–214).
- Comparte con el escritor uruguayo Eduardo Galeano el mundo al revés que traerá este milenio (págs. 231–234).

GRAMÁTICA

Repasa los siguientes puntos gramaticales:

- 5.1 The Infinitive (págs. 215–216)
- 5.2 Present Subjunctive Forms and the Use of the Subjunctive in Main Clauses (págs. 217–221)
- 5.3 Formal and Familiar *(tú)* Commands (págs. 235–237)
- 5.4 Present Subjunctive: Noun Clauses (págs. 238–241)

LOS ORÍGENES

En el Río de la Plata desembocan *(flow)* los ríos que marcan la historia y los límites de Paraguay, Uruguay y Argentina. En los valles de estos dos ríos y en las sierras del interior, se hallaban los indígenas guaraníes, que vivían en aldeas fortificadas llamadas *tavas* y que practicaban la agricultura.

Paraguay

¿Quiénes fueron los primeros exploradores y quién fundó la ciudad de Asunción?

Los primeros europeos en la región que conocemos como Paraguay fueron, en 1524, los hombres de una expedición portuguesa. En 1526, las naves de Sebastiano Caboto exploraron los ríos Paraná y Paraguay. En agosto de 1537, Juan Salazar de Espinosa fundó el fuerte de Nuestra Señora de la Asunción, que en pocos años se convirtió en un núcleo de exploración de la región y eventualmente, en la Ciudad de Nuestra Señora Santa María de la Asunción. Allí mismo los españoles encontraron una población guaraní amistosa con la que comenzó de inmediato un proceso de mestizaje. Esta ciudad se convirtió en un importante centro de descanso y aprovisionamiento para los colonos europeos que llegaban al Río de la Plata atraídos por el oro y la plata del Alto Perú.

José Enrique Molina / Photolibrary

Restos de una misión bien conservada en Paraguay

¿Qué son las reducciones?

Desde el siglo XVII, los jesuitas empezaron a colonizar estas tierras por medio de "reducciones", o misiones jesuíticas. Estas comunidades estaban separadas de las zonas colonizadas por los europeos y allí los indígenas podían vivir con libertad y dignidad, aunque tuvieran que pagar tasas a la Corona. Cada persona contaba con propiedades personales y con bienes comunes. La planificación de los pueblos se centraba alrededor de una gran plaza con una iglesia. Junto a la plaza se encontraba la escuela, donde se impartía la formación religiosa y humanista.

La Banda Oriental

¿Quiénes la poblaban?

La región que ocupa hoy Uruguay se llamó la Banda Oriental, ya que se sitúa al este de Buenos Aires y al otro lado del Río de la Plata. La poblaban diversas tribus, en su mayoría nómadas charrúas, que resistieron la penetración europea. Esto dificultó la colonización española de la región.

¿Quién fundó la ciudad de Montevideo?

En 1603 el gobernador de Paraguay, Hernando Arias de Saavedra, exploró la Banda Oriental y se dio cuenta del gran potencial ganadero de la región. Mientras tanto, franciscanos y jesuitas comenzaron la labor de evangelización. Aunque hacían un gran esfuerzo en sus reducciones, estuvieron expuestos continuamente a los ataques de los portugueses *(Os bandeirantes)* desde Brasil. Para impedir el avance de los portugueses y para consolidar el dominio español sobre el territorio, el gobernador de Buenos Aires, Bruno Mauricio de Zabala, fundó en 1726 el fuerte de San Felipe de Montevideo.

Montevideo visto desde la altura

¿COMPRENDISTE?

A. Los orígenes. Con tu compañero(a), completen las siguientes oraciones.

1. Los dos ríos principales de Paraguay son...
2. Las reducciones eran...
3. La región que Uruguay ocupa hoy se llamó...
4. Según Hernando Arias de Saavedra, el gobernador de Paraguay a principios del siglo XVII, el gran potencial de la Banda Oriental era...
5. Paraguay hoy día se identifica con los indígenas...
6. En la Banda Oriental, la labor de los franciscanos y los jesuitas en las reducciones fue continuamente interrumpida por...
7. Un rol importante de la Ciudad de Nuestra Señora Santa María de la Asunción en el Río de la Plata fue...

VOCABULARIO ÚTIL

aldea	*village*
alrededor	*around*
amistoso(a)	*friendly*
aprovisionamiento	*supplies, provisions*
atraído(a)	*attracted*
banda	*strip*
ganadero(a)	*ranching, cattle-raising*
impartir	*to teach, to impart*
mestizaje *(m.)*	*mixture of white and Indian races*
nave *(f.)*	*ship*
reducciones *(f.)*	*missions*
tasa	*rate*

B. A pensar y a analizar. Contesta las siguientes preguntas con dos o tres compañeros(as) de clase.

1. ¿Por qué creen Uds. que fueron tan importantes las reducciones jesuitas en esta región? ¿Qué labor hacían? ¿Con quiénes trabajaban?
2. ¿Qué impulsó a los españoles a fundar el fuerte de Montevideo? ¿Qué motivaba la defensa de esa región? ¿Creen Uds. que fue una buena decisión? Expliquen sus respuestas.

¡Diviértete en la red!
Busca "Paraguay", "guaraníes", "reducciones" y/o "Banda Oriental" en YouTube para ver fascinantes videos de esta fase en la historia del Cono Sur. Ve a clase preparado(a) para compartir la información que encontraste.

Comprehension check: Ask: **¿Cómo se llama la moneda de Paraguay? ¿Cuál será el origen del nombre de la moneda?**

Paraguay

Comprehension check: Ask: 1. ¿Cuál será un equivalente al Panteón Nacional de los Héroes en los Estados Unidos? 2. ¿Cuáles serán algunas ventajas en tener la represa más grande del mundo? 3. ¿Cómo se explica la popularidad del arpa en la música paraguaya? ¿Será igual que el arpa clásica o se usará más como la guitarra? Explica tu respuesta.

Nombre oficial: República del Paraguay
Población: 6.996.245 (estimación de 2009)
Principales ciudades: Asunción (capital), Ciudad del Este, Encarnación
Moneda: Guaraní (G/)

En la capital, Asunción,

con una población de más de seiscientos mil, tienes que conocer...

› el Museo Nacional de Bellas Artes, sede del archivo nacional.

› el Panteón Nacional de los Héroes, un verdadero monumento a los héroes de la patria.

› el Palacio de los López, la sede del gobierno de la república y uno de los edificios más hermosos y emblemáticos de la capital.

› la Casa de la Independencia, uno de los pocos ejemplos de arquitectura colonial que aún se mantienen.

Marc Vérin / Photolibrary

En la zona de Ciudad del Este, tienes que visitar…

- la represa de Itaipú, la central hidroeléctrica más grande del mundo.
- el Lago de la República, un espacio de recreación rodeado por una hermosa vegetación.
- los Saltos del Monday, imponentes caídas de agua del río del mismo nombre.

De la historia y la cultura paraguaya, no dejes de ver…

- las ruinas jesuíticas de Jesús y Trinidad, consideradas una de las más impresionantes creaciones de la evangelización de Paraguay.
- Luque, ciudad con características de arquitectura colonial y neoclásica del siglo XVII.
- el Carnaval en Encarnación, considerado el más colorido, organizado e importante del país.

Aprecia la musicalidad paraguaya

- los estilos musicales autóctonos: la polca paraguaya, la guarania, el purahéi y el rasguido doble, entre otros
- los instrumentos de la música paraguaya: el arpa paraguaya, el requinto, el bandoneón, el acordeón y el "bajo chancho"
- los grandes arpistas paraguayos: Félix Pérez Cardozo, Digno García, Luis Bordón, Lorenzo Leguizamón, Nicolasito Caballero, César Cataldo e Ismael Ledesma

¡Diviértete en la red!

Busca "Asunción", "Ciudad del Este", "música paraguaya" y/o uno de los otros sitios mencionados aquí en Google Web y/o YouTube. Selecciona uno y ve a clase preparado(a) para presentar un breve resumen sobre lo que aprendiste.

¡El mestizaje de la palabra!

Suggestions: Ask students what legacy remains of the indigenous peoples of the U.S. What contributions did they make to the English language? To American cooking? To American art? Also ask them what influences indigenous cultures currently have on Hispanic culture. Have them think about food, dress, religion, language, art, literature, government, architecture, and so on.

A su regreso a España tras las primeras exploraciones de las Américas, los exploradores llevaban consigo la impronta *(impression)* de la nueva realidad americana y con ella una serie de palabras nuevas y fácilmente aceptadas. Ya en 1493 Colón hablaba de canoas, término que Antonio de Nebrija registró en su diccionario de 1495. Hoy día se hace evidente que el español que hablamos tiene una fuerte impronta *(lasting stamp)* de las lenguas indígenas de las Américas.

AP / Wide World Photos

Al hablar de distintas culturas precolombinas

Lugar	Raza	Lengua
Caribe	caribes	taíno
México	aztecas	náhuatl
Mesoamérica	mayas	quiché, cakchiquel,...
selva brasileña	tupí-guaraníes	guaraní
zona andina	incas	quechua
zona andina	aymaras	aymara

Al hablar de lenguas indígenas

—Me imagino que habrán hablado una cantidad de lenguas. ¿Cómo se comunicaban el uno con el otro?

I suppose they must have spoken a number of languages. How did they communicate with each other?

—Bueno, con frecuencia no se comunicaban. Pero en algunas regiones predominaban ciertas lenguas. Por ejemplo, en México los aztecas hablaban náhuatl.

Well, they often didn't communicate with each other. But in some regions certain languages predominated. For example, in Mexico the Aztecs spoke Nahuatl.

—¿Ha habido alguna influencia de las lenguas indígenas en el español?

Has there been any influence on Spanish from the indigenous languages?

Suggestion: Ask students if they see any logic or patterns in the types of words from indigenous cultures that have been adopted into the Spanish language.

—¡Por supuesto! Muchas palabras que usamos diariamente han venido directamente de lenguas indígenas. Mira aquí. Acabo de preparar esta breve lista de ejemplos solo del taíno, del náhuatl y del quechua. ¡Imagina cuántas más habrá!

Of course! Many of the words that we use daily have come directly from indigenous languages. See here. I've just finished preparing this short list of examples taken only from Taino, Nahuatl, and Quechua. Imagine how many more there must be!

Palabras indígenas comunes en español

taíno	náhuatl	quechua
cacique *(Indian chief)*	chicle *(chewing gum)*	alpaca
caníbal	chocolate	cóndor
canoa	coyote	guano *(fertilizer)*
hamaca	cuate *(twin)*	llama
huracán	guajolote *(turkey)*	pampa
maíz	petate *(sleeping mat)*	papa
tabaco	tomate	quinina

Suggestion: After completing the activity, ask volunteers to go to the board and write original sentences, using some of these words. Have the class correct any errors.

A. ¿Taíno? ¿Náhuatl? ¿Quechua? Con un(a) compañero(a) de clase, indiquen cuáles de estas palabras han venido al español del taíno **(T)**, del náhuatl **(N)** y del quechua **(Q)**.

__Q__ 1. alpaca
__T__ 2. cacique
__T__ 3. caníbal
__T__ 4. canoa
__N__ 5. chocolate
__N__ 6. chicle
__Q__ 7. cóndor
__N__ 8. coyote
__N__ 9. cuate
__N__ 10. guajolote
__Q__ 11. guano
__T__ 12. hamaca
__T__ 13. huracán
__Q__ 14. papa
__T__ 15. maíz
__Q__ 16. llama
__N__ 17. petate
__Q__ 18. pampa
__Q__ 19. quinina
__T__ 20. tabaco
__N__ 21. tomate

B. Palabras clave: eso. Para ampliar tu vocabulario, relaciona las expresiones de la primera columna con las definiciones de la segunda columna. Luego, escribe dos oraciones originales con cada expresión.

__e__ 1. a eso de
__d__ 2. por eso
__c__ 3. para eso
__b__ 4. con eso
__a__ 5. ¡Eso es!

a. ¡exactamente!
b. acompañado de eso
c. con ese objetivo
d. por esa razón
e. más o menos a esa hora

C. Culturas y lenguas en contacto. En grupos de tres o cuatro, hablen de cómo el español y el inglés han intercambiado palabras. Hagan una lista lo más larga posible de términos del inglés incorporados al español y viceversa. Compartan sus listas con la clase.

Suggestion: Have volunteers from two groups write their lists on the board. Ask the remaining groups to add any additional words they had on their lists.

Suggestion: Ask students to comment on the title. To what **progreso** does it refer? Why **consolidación**?

Paraguay: la consolidación del progreso

Las reducciones jesuitas

Desde el siglo XVII, los jesuitas llevaron a cabo una intensa labor de evangelización y colonización. Organizaron un total de treinta y dos reducciones, o misiones, que llegaron a acoger a más de cien mil indígenas. Las reducciones jesuitas llegaron a constituir un verdadero estado prácticamente independiente. Su riqueza se basaba en una próspera producción agrícola y artesanal. En 1767, el rey de España decretó la expulsión de los jesuitas del Imperio Español. En pocas décadas las reducciones perdieron su esplendor y se convirtieron en ruinas.

Courtesy of Fabian Samaniego

La independencia y la Guerra de la Triple Alianza

La independencia de Paraguay de la autoridad española se declaró formalmente el 12 de octubre de 1813. Fue el primer país latinoamericano en proclamarse como república. En 1864, el gobierno de Solano López se enfrentó a Brasil y causó un conflicto conocido como la Guerra de la Triple Alianza en la que Brasil, Argentina y Uruguay unieron sus fuerzas contra Paraguay. La guerra fue un desastre para Paraguay. Grandes porciones de territorio paraguayo fueron anexadas por Brasil y por Argentina, y tropas brasileñas ocuparon el país durante seis años.

La Guerra del Chaco y Alfredo Stroessner

Un conflicto fronterizo entre Bolivia y Paraguay resultó en la Guerra del Chaco entre 1932 y 1935, en la que murieron más de cien mil paraguayos. Según un tratado de paz firmado tres años más tarde, Paraguay quedó en posesión de tres cuartas partes del Chaco.

El general Alfredo Stroessner fue nombrado presidente en 1954. Stroessner dominó el país hasta su derrocamiento en 1989, constituyéndose en la dictadura militar más larga y cruel de la historia de Paraguay. En 1993 se llevó a cabo la primera elección democrática y salió elegido Juan Carlos Wasmosy.

Heiner Heine / Photolibrary

El Paraguay de hoy

- En 2008, Fernando Lugo juró como presidente de la República. Su gobierno ha mantenido un país macroeconómicamente estable, proyectando una mejor imagen del país e intentando romper el miedo a invertir de los inversores extranjeros.
- Las agro-exportaciones crecieron en el periodo 2007–2008 casi en un 60%. Con el bajo costo de la mano de obra y un precio bastante accesible de la tierra agrícola, el sector está siendo competitivo a nivel global.
- Gracias a un acuerdo binacional con Brasil, Paraguay cuenta con la represa hidroeléctrica más grande y poderosa del mundo: Itaipú. En 1995 fue incluida entre las siete maravillas del mundo moderno. En febrero de 2009 alcanzó el récord de quince millones de visitantes.

¿COMPRENDISTE?

A. Hechos y acontecimientos. ¿Recuerdas los datos más importantes de la lectura? Para asegurarte, completa las siguientes oraciones.

1. El éxito de las reducciones jesuitas se debía a...
2. El resultado de la Guerra de la Triple Alianza para Paraguay fue...
3. En la Guerra del Chaco con Bolivia, Paraguay...
4. La dictadura de Alfredo Stroessner se caracteriza como...
5. Fernando Lugo ha mantenido un país...
6. El gobierno actual se ha esforzado en proyectar una mejor imagen del país para...
7. Itaipú es...

VOCABULARIO ÚTIL

acoger	*to accept, to take in*
acuerdo	*agreement*
artesanal	*handicraft*
derrocamiento	*overthrow*
enfrentarse	*to confront*
invertir (ie)	*to invest*
jurar	*to swear in*
mano de obra *(f.)*	*labor*
represa	*dam*

B. A pensar y a analizar. Contesta las siguientes preguntas con dos o tres compañeros(as) de clase.

1. Paraguay tiene una tradición de gobernantes que ocupan el cargo por largos períodos de tiempo. ¿Por qué será? ¿Qué efecto tiene esto en la economía y en las distintas ramas de gobierno del país?
2. En varias ocasiones Paraguay ha tenido conflictos militares con sus vecinos. ¿Cuál será la causa de tantas dificultades con sus vecinos? ¿Por qué no habrá podido defenderse mejor en estos casos?

C. Apoyo gramatical: el infinitivo. Completa las oraciones siguientes según el modelo. **Atención:** a veces necesitas usar una preposición delante del infinitivo.

MODELO Los jesuitas _______________ (comenzar / fundar) misiones en el siglo XVII.
Los jesuitas comenzaron a fundar misiones en el siglo XVII.

1. Los jesuitas ___debieron vencer___ (deber / vencer) muchos obstáculos para fundar sus misiones.
2. Los jesuitas ___consiguieron tener___ (conseguir / tener) treinta y dos misiones en Paraguay.
3. Los misioneros ___trataron de evangelizar___ (tratar / evangelizar) a la población local.
4. También los misioneros ___se propusieron ofrecer___ (proponerse / ofrecer) instrucción a los guaraníes.
5. Los indígenas ___aprendieron a tocar___ (aprender / tocar) instrumentos musicales.
6. Los jesuitas ___enseñaron a mejorar___ (enseñar / mejorar) el cultivo de vegetales.
7. Los misioneros ___ayudaron a conservar___ (ayudar / conservar) el idioma guaraní.
8. Los jesuitas ___dejaron de administrar___ (dejar / administrar) las misiones en el siglo XVIII, cuando fueron expulsados del país.

Gramática 5.1: Antes de hacer esta actividad, conviene repasar esta estructura en las págs. 215–216.

LOS NUESTROS

Suggestions: Ask students if they think that Augusto Roa Bastos is representative of Paraguayan men of his generation. Have them explain their responses. Also ask why a harpist and/or guitarrist such as Bordón and Bobadilla might attain such a high level of popularity.

Augusto Roa Bastos

Extensions: Play a recording of Luis Bordón's "Pájaro campana" in class and tell students to listen for the sounds of the harp as it imitates the shrill sounds of this Paraguayan bird.

Uno de los más destacados literatos de América Latina del siglo XX, Augusto Roa Bastos (1917–2005) es muy conocido por su novela *Yo el supremo.* La crítica del poder y del autoritarismo constituye el tema central de sus obras, que han sido traducidas, por lo menos, a veinticinco idiomas. En sus propias palabras: "El poder constituye un tremendo estigma, una especie de orgullo humano que necesita controlar la personalidad de otros. Es una condición antilógica que produce una sociedad enferma. La represión siempre produce el contragolpe de la rebelión. Desde que era niño sentí la necesidad de oponerme al poder, al bárbaro castigo por cosas sin importancia, cuyas razones nunca se manifiestan". A lo largo de su carrera, Roa Bastos recibió varios premios, entre ellos el Premio Cervantes (1989), el Premio Nacional de Literatura (1955) y la condecoración José Martí del gobierno cubano (2003).

© Juan Britos / LatinFocus.com

Note: The ¡Luces! ¡Cámara! ¡Acción! section for this lesson includes a segment on the harpist Luis Bordón.

Courtesy of Fabian Samaniego

Luis Bordón

Luis Bordón (1926–2006) fue un estilista incomparable del arpa paraguaya. Apoyado e impulsado por su padre, desde muy temprana edad empezó con sus estudios del arpa paraguaya y al poco tiempo su virtuosismo hizo que la tocara como pocos, imponiendo un estilo delicado y particular. El éxito alcanzado con sus trabajos discográficos le hizo acreedor de ocho discos de oro y numerosos galardones, entre los que destaca la medalla *Orbis Guaraniticus*, que le concedió la UNESCO en 2001, especialmente diseñada para las personalidades del arte y de la cultura de fama internacional. Sus discos han sido lanzados en ceremonias especiales realizadas en los Estados Unidos, Francia, España, Portugal, Holanda, Japón y por toda Sudamérica. Aunque sus dedos ya no se deslicen con magia y delicadeza por las cuerdas de su arpa, su música ha quedado inmortalizada para todos los amantes del arpa paraguaya.

Luz María Bobadilla

Esta mujer es una brillante intérprete de la guitarra clásica paraguaya. Nació en Asunción en el seno de una familia de músicos. Por su talento innato, ha sido calificada por la prensa internacional como una intérprete de exquisita sensibilidad y exhaustivo dominio técnico, siendo elogiada por la revista *Classical Guitar* de Londres (Edición Junio/2000). Ha llevado sus interpretaciones a célebres escenarios de Europa, América, El Cairo y Tel Aviv. Entre los muchos premios y distinciones que ha recibido, cabe destacar la distinción "Artista Internacional del Año", con el galardón Medalla de Oro, que le concedió el *International Biographical Centre* de Cambridge, Inglaterra, en 2003. Su indiscutida calidad interpretativa y sus conocimientos de la guitarra clásica la llevaron a dictar clases maestras en escuelas y universidades de música de distintos países.

Martín Miguel Crespo

Suggestions: Ask students what **guaraní** means after the names of several writers. Also ask what a **ceramista** does.

Otros paraguayos sobresalientes

Delfina Acosta: poeta, narradora y periodista

Margot Ayala: novelista (guaraní)

Susy Delgado: novelista (guaraní)

Modesto Escobar Aquino: poeta y compositor (guaraní)

René Ferrer: poeta, narradora y ensayista

Nila López: periodista, actriz, catedrática y poeta

Carlos Martínez Gamba: poeta y escritor (guaraní)

Félix Pérez Cardoso: arpista

Josefina Plá (1909–1999): poeta, dramaturga, narradora, ensayista, ceramista, crítica de arte y periodista

José María Rivarola Matto: dramaturgo

Héctor Rodríguez Alcalá: ensayista

Ramón R. Silva: poeta y compositor (guaraní)

¿COMPRENDISTE?

A. **Los nuestros.** Contesta estas preguntas con un(a) compañero(a).

1. Augusto Roa Bastos vivió muchos años en el exilio. ¿Por qué crees que tuvo que salir de su país? ¿Qué peligro representaba un escritor como él?
2. ¿Qué hizo de Luis Bordón uno de los máximos exponentes del arpa paraguaya? ¿Te parece justo que se premie a personas destacadas en el arte y la cultura? ¿Por qué?
3. ¿Crees que Luz María Bobadilla necesitó un talento especial para destacarse en la guitarra clásica? ¿Qué distingue a los verdaderos artistas de los que no lo son a pesar de haber estudiado mucho?

B. **Miniprueba.** Demuestra lo que aprendiste de estos talentosos paraguayos al completar estas oraciones.

1. El tema principal de las obras de Augusto Roa Bastos es __a__.
   a. el poder b. la rebelión c. el castigo
2. En 2001, el arpista Luis Bordón recibió de la UNESCO la medalla *Orbis Guaraniticus* diseñada para artistas de fama __a__.
   a. internacional b. discográfica c. inmortalizada
3. Luz María Bobadilla es una brillante intérprete __c__ paraguaya.
   a. del arpa b. de la música c. de la guitarra clásica

VOCABULARIO ÚTIL

acreedor(a)	*deserving*
arpa	*harp*
bárbaro(a)	*barbaric, cruel*
caber	*to be fitting*
castigo	*punishment*
célebre *(m. f.)*	*famous, renowned*
contragolpe *(m.)*	*counterattack*
cuerdas	*strings*
deslizarse	*to glide*
dictar	*to give*
elogiar	*to praise*
imponer	*to impose*
innato(a)	*innate, natural*
literato(a)	*writer, a learned person*
orgullo	*pride*
seno	*bosom*

¡Diviértete en la red!

Busca "Augusto Roa Bastos", "Luis Bordón" y/o "Luz María Bobadilla" en YouTube para escuchar entrevistas o música y ver videos de estos talentosos paraguayos. Ven a clase preparado(a) para presentar lo que seleccionaste ver o escuchar.

¡LUCES! ¡CÁMARA! ¡ACCIÓN!

Suggestions: Have students anticipate what they will see based on the questions in **Antes de empezar el video.** Then, after watching the video, have them check their predictions to see if they are correct.

Paraguay: al son del arpa paraguaya

© Heinle, Cengage Learning

Antes de empezar el video

En parejas. Contesten las siguientes preguntas en parejas.

1. ¿Qué significa el arpa para Uds.? ¿Qué tipo de música se toca en el arpa? ¿Dónde tiende a escucharse la música del arpa?
2. ¿Les gustaría vivir en un país bilingüe? ¿Por qué? ¿Les gustaría ser bilingües? ¿Por qué sí o no?

Después de ver el video

A. Al son del arpa paraguaya. Contesta las siguientes preguntas con un(a) compañero(a) de clase.

1. ¿A qué comparan muchos paraguayos los sonidos del arpa?
2. ¿Qué lenguas se hablan en Paraguay?
3. ¿En qué consiste la dualidad de la vida paraguaya?
4. ¿Qué relación hay entre los jesuitas y los indígenas guaraníes?
5. ¿Qué importancia tiene la "puntera" de un arpa?

B. A pensar y a interpretar. Contesta las siguientes preguntas.

1. ¿Por qué crees que es tan importante para los paraguayos preservar las tradiciones guaraníes?
2. En tu opinión, ¿por qué sigue siendo tan popular en el país la música del arpa paraguaya?

C. Apoyo gramatical: las formas del presente de subjuntivo y el uso del subjuntivo en las cláusulas principales. Completa las oraciones con la forma apropiada del presente de subjuntivo para saber lo que piensan dos jóvenes paraguayos acerca de sus responsabilidades y de las responsabilidades de los gobernantes.

1. Ojalá que nosotros no (1) ___perdamos___ (perder) el gusto por nuestra música tradicional, que (2) ___conservemos___ (conservar) nuestras tradiciones, que (3) ___mantengamos___ (mantener) vivo el idioma guaraní y que (4) ___ingresemos___ (ingresar) con éxito en la sociedad de nuestro país.
2. Sí, y ojalá que los gobernantes (5) ___den___ (dar) acceso a la educación a todos, que (6) ___combatan___ (combatir) el ausentismo escolar, que (7) ___creen___ (crear) fuentes de trabajo y que (8) ___mejoren___ (mejorar) el sistema educacional.

Gramática 5.2: Antes de hacer esta actividad conviene repasar esta estructura en las págs. 217–221.

Anticipando...: After completing these activities, ask students to predict what this story will be about based on their answers. After reading the story, have them check their predictions to see if they are correct.

¡Antes de leer!

A. Anticipando la lectura. Contesta las siguientes preguntas con dos compañeros(as) de clase. Luego, comparen sus respuestas con las de otros grupos.

1. Piensen en alguna persona que conocen que fue adoptada. ¿Vive todavía con sus padres adoptivos?
2. ¿Conoce esa persona a sus padres biológicos? Si no, ¿por qué no? Si sí los conoce, ¿qué opina de ellos?
3. ¿Creen Uds. que sería difícil ser hijo(a) adoptivo(a)? ¿Por qué? Si Uds. lo fueran, ¿les gustaría saber quiénes eran sus padres biológicos? ¿Estarían dispuestos(as) a conocerlos si ellos se presentaran? ¿Por qué?
4. ¿Qué opinan Uds. de los hijos adoptivos que rehúsan *(refuse)* conocer a sus padres biológicos? ¿Tendrán razón o no? Expliquen sus respuestas.
5. ¿Qué opinan Uds. de las personas adoptadas que se pasan toda la vida buscando a sus padres biológicos? ¿Lo harían Uds.? ¿Por qué sí o no?

Vocabulario...: Ask volunteers to create original sentences with these words.

B. Vocabulario en contexto. Busca estas palabras en la lectura que sigue y, en base al contexto, decide cuál es su significado. Para facilitar el encontrarlas, las palabras aparecen en negrilla en la lectura.

1. **rumbo**	(a.) dirección	b. espacio	c. zapatos
2. **con maldad**	a. con compasión	b. con curiosidad	(c.) con malas intenciones
3. **vacío**	(a.) nada	b. frío	c. sorpresa
4. **sin rodeos**	a. sin dificultades	b. con compasión	(c.) directamente
5. **demoras**	(a.) tardanzas	b. dificultades	c. reacciones
6. **acogieron**	a. rechazaron	(b.) aceptaron	c. consideraron

Sobre la autora

Courtesy Milia Gayaso Manzur

Milia Gayoso es cuentista, periodista y poeta. Nació en 1962 en Villa Hayes y forma parte de una joven generación de mujeres paraguayas nacidas después de 1955 que comenzaron a publicar sus obras en la década de los 90. Estudió periodismo en la Universidad Nacional de Asunción (1985) y colabora regularmente para el periódico *Hoy*. La problemática de sus cuentos está tratada con una especial sensibilidad propia de la mujer que pretende denunciar la injusticia humana desde el espacio interior y cerrado de las intimidades de un hogar. Sus protagonistas son antihéroes que se mueven en ambientes urbanos —los relatos tienen lugar generalmente en la ciudad de Asunción o de Villa Hayes.

Ha publicado ya cuatro libros de cuentos: *Ronda en las olas* (1990), *Un sueño en la ventana* (1991), *El peldaño gris* (1995) y *Cuentos para tres mariposas* (1996).

Suggestions: (a) Have students read the first two paragraphs and write down three things they expect to find out about Delicia Saravia, the protagonist. When they have finished the story, have them check their predictions to see if they are correct. (b) Ask students if they can find any examples of the *voseo* in this reading.

Elisa

Quise salir corriendo, sin rumbo, quise morir, que me tragara* la tierra. Quise no haber existido nunca cuando lo supe. Ella me tiró, me sacó de su vida, me dejó y luego desapareció. Y ahora vuelve y me busca, quiere tratar de explicar lo inexplicable; yo no la quiero oír, quiero que se marche.

consumiera

Ya me lo habían dicho varias veces en la escuela, o sea, me lo habían insinuado suavemente algunas compañeras, y **con maldad** otras, pero papá decía que no tenía que darle importancia a las habladurías. «Te envidian»,* susurraba,* mientras me apretaba contra su pecho.

Te... *They envy you*

decía en voz baja

Una vez le planteé seriamente a mamá: «dicen que no soy hija de ustedes, que soy adoptada; por favor contame la verdad», y ella se estremeció,* preguntó quién me lo había dicho y cuando se lo conté dijo que era una tontería. «Claro que sos nuestra hija; de lo contrario, ¿cómo te explicás que te queramos tanto?» Y salió de la habitación, pero a mí me quedó una sensación de **vacío** que no supe explicarme, quizás porque ella no es tan cariñosa como papá. Sí, me quiere, eso lo sé bien.

she shuddered

Mis amigas suelen decir siempre que tengo una familia hermosa: mis padres están en buena posición económica, son alegres y afectuosos; papá mucho más que mamá pero, a cambio de las demostraciones, ella suele sentarse a conversar conmigo sobre mis amigas, el colegio, las cosas nuevas que quiero y planeamos juntas mi fiesta de quince años, que va a ser el próximo año. Es una buena mamá, pero él es especial, sé que me adora.

Pero mi vida rosa cambió. Un sábado no me dejaron salir a la tarde porque según dijeron «venía una visita», que se presentó a las cuatro de la tarde. La visita era una mujer morena, un poco gorda y no muy bien vestida. Fueron rápidos, **sin rodeos**; sin **demoras** me tiraron la verdad a la cara. Que no soy hija de ellos sino de la mujer y de vaya a saber quién, que yo no soy Delicia Saravia, sino... quizás ni siquiera había tenido tiempo de ponerme nombre. Dijo que me había dado porque no podía criarme* porque... no

cuidarme

quise oír más y salí corriendo hacia mi habitación, a hundir* mi cara contra el colchón,* aunque hubiera querido continuar hasta quedar extenuada, lejos.

to sink

mattress

Ella me dejó una carta, escrita con letra desigual e infantil. Ella se llama Elisa y, ¡hablaba de tanto amor!, pero no le creí. Durante los días siguientes,
35 seguí recibiendo cartas; en ellas me explicaba una y otra vez que estaba sola, sin trabajo, sin familia, que no quiso abortar y optó por darme a una buena familia. Mis padres, ¿mis padres?, estaban callados; trataron de explicar pero no quise oírles. Estaba furiosa, no sé con quién pero furiosa.

Continuaron llegando cartas que decían lo mismo: que estuvo sola, que
40 estuvo tan triste, sola, triste, sola, triste... Papá me habló ayer y dijo que el amor de ellos está intacto, que yo soy el verdadero amor en esta casa, que me **acogieron** con afecto, que eligieron que fuera su hija.

Recibí otra carta de Elisa. «No quise perturbarte, ni llevarte de allí, tenía una inmensa necesidad de verte y darte un abrazo y que por una vez en la
45 vida me digas mamá, sólo eso mi bebé y después me iría, y resulta que me voy sin abrazo, sin esa palabra que hace años quiero oír y con tu odio».

No terminé la carta; lo llamé a papá al trabajo y le pedí que me llevara a despedirme de ella.

¡Después de leer!

A. Hechos y acontecimientos. ¿Recuerdas los datos más importantes de la lectura? Para asegurarte, contesta las siguientes preguntas. Luego, compara tus respuestas con las de un(a) compañero(a) de clase.

1. ¿Sobre qué problemática trata el cuento de Milia Gayoso?
2. ¿En qué persona y en qué tiempo verbal está narrado el relato?
3. ¿Por qué algunas frases aparecen entre comillas en el texto?
4. ¿Aparece el nombre de la narradora-protagonista en el relato?
5. ¿Cómo son los padres adoptivos de Delicia? ¿Con cuál de los dos se siente mejor y por qué?
6. ¿Cómo es su madre biológica? ¿Qué siente Delicia hacia ella?
7. ¿Cómo se siente la joven cada vez que recibe una carta de Elisa?
8. ¿Por qué llama a su padre al final?

B. A pensar y a analizar. Contesta las siguientes preguntas con un(a) compañero(a) de clase. Luego, comparen sus respuestas con las de otras parejas.

1. ¿Creen Uds. que los nombres Delicia y Elisa tienen algo en común? ¿Qué y por qué?
2. ¿Por qué creen Uds. que Delicia se siente avergonzada de ser hija de Elisa?
3. ¿Habrá en Latinoamérica un cierto menosprecio *(scorn, contempt)* por una persona adoptada? ¿Por qué creen eso? ¿Lo hay en los EE.UU.? Expliquen.

C. Apoyo gramatical: las formas del presente de subjuntivo y el uso del subjuntivo en las cláusulas principales. Completa las siguientes oraciones para enterarte de algunos de los temores de Delicia Saravia antes de conocer a su madre biológica.

1. Ojalá que mis padres no me __oculten__ (ocultar) la verdad.
2. Ojalá que mis padres no me __mientan__ (mentir).
3. Ojalá que yo no __sea__ (ser) una hija adoptada.
4. Ojalá que mis padres no me __quieran__ (querer) sólo porque soy adoptada.
5. Ojalá que mis compañeras no __digan__ (decir) cosas sobre mí por maldad.
6. Ojalá que esta señora morena, un poco gorda que nos visita __sepa__ (saber) algo de mi vida.
7. Ojalá yo __pueda__ (poder) sobrevivir a este choque que he sufrido.

Gramática 5.2: Antes de hacer esta actividad conviene repasar esta estructura en las págs. 217–221.

5.1 The Infinitive

The infinitive may be used:

› as the subject of a sentence. The definite article **el** may precede the infinitive. Note that English may use a present participle where Spanish uses the infinitive, as in the first example below.

El visitar las ruinas jesuíticas de Trinidad fascina a todo el mundo. (A todo el mundo le fascina **visitar** las ruinas jesuíticas de Trinidad.)
Visiting the Jesuit ruins in Trinidad fascinates everyone.

Es difícil **reformar** los sistemas políticos. (**Reformar** los sistemas políticos es difícil.)
It is difficult to reform political systems. (Reforming political systems is difficult.)

› as the object of a verb. In this case, some verbs require a preposition before the infinitive.

Verb + *a* + Infinitive	Verb + *de* + Infinitive	Verb + *con* + Infinitive	Verb + *en* + Infinitive
aprender a	acabar de *to have just*	contar con *to count on*	insistir en
ayudar a	acordarse de *to remember*	soñar con *to dream of/ about*	pensar en *to think about*
comenzar a	dejar de *to fail to, to stop*		
decidirse a	quejarse de *to complain*		
empezar a	tratar de *to try to, to attempt to*		
enseñar a	tratarse de *to be about*		
volver a *to do (an action) again*			

La visita al Panteón de los Héroes me **ayudó a entender** mejor la historia de Paraguay.
The visit to the National Pantheon of Heroes helped me understand better the history of Paraguay.

Víctor **insiste en volver a hacer** una visita al mercado artesanal La Recova.
Víctor insists on making a visit to the La Recova handicraft market again.

Sueño con visitar Encarnación durante la época del carnaval.
I dream about visiting Encarnación during the Carnaval period.

› as the object of a preposition. Note that Spanish uses an infinitive after prepositions, whereas English uses an *-ing* form of the verb.

Los jesuitas fundaron misiones **para evangelizar** a la población local **sin desatender** la cultura indígena.
The Jesuits founded missions to evangelize the local population without abandoning the indigenous culture.

Ayer, **después de cenar,** mis amigos y yo salimos a dar un paseo.
Yesterday, after having dinner, my friends and I went out to take a walk.

The construction **al** + infinitive indicates that two actions occur at the same time. It means *at the (moment of), upon, on,* or *when.*

Al llegar al Museo del Barro descubrí que estaba cerrado.	*When I reached (Upon reaching) the Museo del Barro, I discovered that it was closed.*

› as an impersonal command. This construction appears frequently on signs.

No fumar.	*No smoking.*
No estacionar.	*No parking.*

Ahora, ¡a practicar!

A. Valores. Tú y tus amigos mencionan valores que son importantes.

MODELO importante / tener objetivos claros
Es importante tener objetivos claros.

1. esencial / respetar a los amigos
2. necesario / seguir sus ideas
3. indispensable / tener una profesión
4. fundamental / luchar por sus ideales
5. bueno / saber divertirse
6. ... (añade otros valores)

B. Letreros. Trabajas en un museo y tu jefe te pide que prepares nuevos letreros *(signs),* esta vez usando mandatos impersonales.

MODELO No abra esta puerta.
No abrir esta puerta.

1. No haga ruido.
2. Guarde silencio.
3. No toque los artefactos.
4. No fume.
5. No saque fotografías en la sala.

C. Opiniones. Tú y tus amigos expresan opiniones acerca de la guerra.

MODELO todos nosotros / tratar / evitar las guerras
Todos nosotros tratamos de evitar las guerras.

1. todo el mundo / desear / evitar las guerras
2. la gente / soñar / vivir en un mundo sin guerras
3. los pueblos / necesitar / entenderse mejor
4. los diplomáticos / tratar / resolver los conflictos
5. la gente / aprender / convivir en situaciones difíciles durante una guerra
6. el fanatismo / ayudar / prolongar las guerras
7. los extremistas / insistir / imponer sus ideas intolerantes

D. Robo. Hubo un robo en un banco de Asunción ayer y tú fuiste uno de los testigos *(witnesses).* Usa el dibujo para describir lo que pasó.

5.2 Present Subjunctive Forms and the Use of the Subjunctive in Main Clauses

› The two main verbal moods in Spanish are the *indicative* and the *subjunctive*. The indicative mood relates or describes something considered to be definite or factual. The subjunctive mood expresses emotions, doubts, judgment, or uncertainty about an action.

Asunción **tiene** un clima subtropical. (Indicative) — *Asunción has a subtropical climate.*

Quizás Asunción **tenga** el clima más caluroso de todas las capitales latinoamericanas. (Subjunctive) — *Perhaps Asunción has the hottest climate of all Latin American capitals.*

› The subjunctive is used much more frequently in Spanish than in English. It generally occurs in dependent clauses introduced by **que.**

Dudo **que** tus amigos **sepan** quién es Luis Bordón. — *I doubt that your friends know who Luis Bordón is.*

Forms

-*ar* verbs	-*er* verbs	-*ir* verbs
progresar	**aprender**	**vivir**
progres**e**	aprend**a**	viv**a**
progres**es**	aprend**as**	viv**as**
progres**e**	aprend**a**	viv**a**
progres**emos**	aprend**amos**	viv**amos**
progres**éis**	aprend**áis**	viv**áis**
progres**en**	aprend**an**	viv**an**

› To form the present subjunctive of all regular and most irregular verbs, drop the **-o** ending of the first-person singular form (the **yo** form) of the present indicative and add the appropriate endings. Note that the endings of **-ar** verbs all share the vowel **-e,** whereas the endings of **-er** and **-ir** verbs all share the vowel **-a.**

› Most verbs that have an irregular stem in the first-person singular form (the **yo** form) in the present indicative maintain the same irregularity in all forms of the present subjunctive. Following are some examples.

conocer (**conozc**ø): conozca, conozcas, conozca, conozcamos, conozcáis, conozcan
decir (**dig**ø): diga, digas, diga, digamos, digáis, digan
hacer (**hag**ø): haga, hagas, haga, hagamos, hagáis, hagan
influir (**influy**ø): influya, influyas, influya, influyamos, influyáis, influyan
proteger (**protej**ø): proteja, protejas, proteja, protejamos, protejáis, protejan
tener (**teng**ø): tenga, tengas, tenga, tengamos, tengáis, tengan

Verbs with Spelling Changes

Some verbs require a spelling change to maintain the pronunciation of the stem. Verbs ending in -**car,** -**gar,** -**guar,** and -**zar** have a spelling change in all persons.

c → qu	sacar: saque, saques, saque, saquemos, saquéis, saquen
g → gu	pagar: pague, pagues, pague, paguemos, paguéis, paguen
u → ü	averiguar: averigüe, averigües averigüe, averigüemos, averigüéis, averigüen
z → c	alcanzar: alcance, alcances, alcance, alcancemos, alcancéis, alcancen

Other verbs in these categories:

c → qu	g → gu	u → ü	z → c
atacar	entregar	atestiguar *(to testify)*	comenzar (ie)
indicar	jugar (ue)		empezar (ie)
tocar	llegar		almorzar (ie)

Stem-Changing Verbs

› Stem-changing **-ar** and **-er** verbs have the same stem changes in the present subjunctive as in the present indicative. Remember that all forms change except **nosotros** and **vosotros.** (See Appendix for a list of stem-changing verbs.)

Present Subjunctive: Stem-changing *-ar, -er* Verbs	
e → ie	o → ue
pensar	***volver***
piense	vuelva
pienses	vuelvas
piense	vuelva
pensemos	volvamos
penséis	volváis
piensen	vuelvan

› Stem-changing **-ir** verbs have the same stem changes as in the present indicative, except the **nosotros** and **vosotros** forms have an additional change.

Present Subjunctive: Stem-changing *-ir* Verbs		
e → *ie, i*	o → *ue, u*	e → *i, i*
mentir	***dormir***	***pedir***
mienta	duerma	pida
mientas	duermas	pidas
mienta	duerma	pida
mintamos	durmamos	pidamos
mintáis	durmáis	pidáis
mientan	duerman	pidan

Irregular Verbs

› The following six verbs, which do not end in **-o** in the first-person singular of the present indicative, are irregular in the present subjunctive. Note the accent marks on some forms of **dar** and **estar**.

haber	*ir*	*saber*	*ser*	*dar*	*estar*
haya	vaya	sepa	sea	dé	esté
hayas	vayas	sepas	seas	des	estés
haya*	vaya	sepa	sea	dé	esté
hayamos	vayamos	sepamos	seamos	demos	estemos
hayáis	vayáis	sepáis	seáis	deis	estéis
hayan	vayan	sepan	sean	den	estén

*Note that the present subjunctive of **hay** is **haya**.

Ahora, ¡a practicar!

A. Visita a San Bernardino. Menciona las sugerencias que un amigo paraguayo les hace a tus amigos y a ti que desean visitar la ciudad de San Bernardino.

MODELO no viajar en un día de calor extremo
Les sugiero que no viajen en un día de calor extremo.

1. dar un paseo en lancha por el lago Ypacaraí
2. mirar las fotografías históricas del Hotel del Lago en San Bernardino
3. no dejar de visitar el museo histórico de la Casa Hassler
4. asistir a un taller de artesanos
5. explorar los pueblos vecinos a San Bernardino
6. llevar de recuerdo un artículo con tejido ñandutí
7. admirar las artesanías de oro o plata en el pueblo de Luque
8. sacar muchas fotografías

B. Opiniones contrarias. Tú y tu compañero(a) expresan opiniones opuestas sobre lo que es bueno para el desarrollo de Paraguay.

MODELO seguir desarrollando la energía hidroeléctrica
Tú: **Es bueno que sigan desarrollando la energía hidroeléctrica.**
Compañero(a): **Es malo que sigan desarrollando la energía hidroeléctrica.**

1. exportar más productos
2. reducir las importaciones
3. subir los precios de productos de lujo
4. reformar el sistema educativo
5. explotar los recursos naturales
6. limitar el crecimiento urbano
7. continuar como miembro de MERCOSUR
8. prestar más atención a Asunción que a otras regiones

C. Recomendaciones. Un conocedor de la música paraguaya da recomendaciones para los jóvenes que se interesen por aprender a tocar el arpa.

MODELO practicar todos los días
Les recomiendo que practiquen todos los días.

1. tomar lecciones privadas
2. escuchar los consejos del profesor
3. poner atención durante las prácticas
4. formar parte de un grupo interesado en el instrumento
5. ir a conciertos de maestros arpistas
6. no perder su entusiasmo por el instrumento
7. tener paciencia
8. … *(añade otras recomendaciones)*

The Subjunctive in Main Clauses

› The subjunctive is always used after **ojalá (que)** because it means *I hope*. The use of **que** after **ojalá** is optional.

Ojalá (que) yo **pueda** visitar la represa de Itaipú algún día.	*I hope I can visit the Itaipú Dam some day.*
Ojalá (que) te **recuerdes** de traerme un mantel de ñandutí.	*I hope you remember to bring me a ñandutí lace tablecloth.*

› The subjunctive is used after the expressions **probablemente** *(probably)* and **a lo mejor, acaso, quizá(s),** and **tal vez** (all meaning *maybe, perhaps*) to imply that something is doubtful or uncertain. The use of the indicative after these expressions indicates that the idea expressed is definite, certain, or very probable.

Probablemente hable de mi viaje a Encarnación en la próxima clase. *(less certain)*	*I will probably talk about my trip to Encarnación in our next class.*
Probablemente hablaré de mi viaje a Encarnación en la próxima clase. *(more certain)*	*I will probably talk about my trip to Encarnación in our next class.*
Tal vez mi hermano **viaje** a Paraguay pronto. *(less certain)*	*Perhaps my brother will soon travel to Paraguay.*
Tal vez mi hermano **viaja** a Paraguay pronto. *(more certain)*	*Perhaps my brother will soon travel to Paraguay.*

Ahora, ¡a practicar!

A. Preparativos apresurados. Eres periodista y tu jefe(a) te ha pedido que hagas un reportaje sobre Paraguay. Tienes que salir para allá lo más pronto posible.

MODELO el pasaporte estar al día
Ojalá que el pasaporte esté al día.

1. (yo) encontrar un vuelo para el sábado próximo
2. (yo) conseguir visa pronto
3. haber cuartos en un hotel de la parte histórica de Asunción
4. (yo) tener tiempo para visitar la represa de Itaipú
5. la computadora portátil funcionar sin problemas
6. (yo) poder entrevistar a muchas figuras artísticas importantes
7. el reportaje resultar todo un éxito

B. Planes. Di lo que tú y tus amigos esperan hacer para las vacaciones de primavera.

MODELO Mónica y yo / poder ir a Fort Lauderdale
Ojalá (que) Mónica y yo podamos ir a Fort Lauderdale.

1. Jaime, Carlos y Paco / encontrar un apartamento en la playa
2. Andrea / ir a visitar a sus padres en Maine
3. Marcos y su amigo / poder pasar una semana en las montañas
4. Natalia y tú / no tener que estudiar
5. mi novio(a) / ir a Fort Lauderdale también
6. las muchachas / elegir un lugar con artesanías interesantes

C. Suposiciones. Unos jóvenes paraguayos admiradores de la guitarrista clásica Luz María Bobadilla saben de su activa vida artística y hacen suposiciones sobre lo que hará próximamente.

MODELO grabar un CD
Probablemente (Tal vez, Quizás, A lo mejor) grabe un CD.

1. dar un nuevo concierto
2. viajar a un país extranjero
3. dictar una conferencia
4. colaborar con otros artistas paraguayos
5. asistir a una ceremonia oficial
6. enseñar en una universidad otra vez
7. preparar un nuevo álbum
8. organizar algo especial para el programa radial que ella tiene

D. Indecisión. Un(a) compañero(a) de clase te pregunta lo que vas a hacer el próximo fin de semana. Como no estás seguro(a), no puedes darle una respuesta definitiva. Por eso, le mencionas cuatro o cinco posibilidades.

MODELO **Quizás (Tal vez, Probablemente) vaya al cine.**

Uruguay

Comprehension check: Ask: ¿Cuál es el nombre oficial de Uruguay? ¿Por qué se le llama la República "Oriental"? ¿Cómo se llama la moneda de Uruguay?

Comprehension check: Ask: 1. ¿Por qué son importantes el Estadio Centenario y el Palacio Salvo? 2. Si pudieras visitar o Punta del Este o Colonia del Sacramento, ¿cuál visitarías y por qué? 3. En tu opinión, ¿cómo se explica la presencia de música africana en la cultura uruguaya?

Nombre oficial: República Oriental del Uruguay
Población: 3.494.382 (estimación de 2009)
Principales ciudades: Montevideo (capital), Salto, Paysandú, Las Piedras, Punta del Este
Moneda: Peso uruguayo (U$)

En Montevideo, la capital, con una población de casi 1.5 millones, tienes que conocer...

- la Ciudad Vieja, un barrio con las construcciones más bonitas de la era colonial, muchas de las cuales han sido convertidas en discotecas, boliches *(bowling alleys)* y pubs, en los que ciudadanos y turistas pasan las noches.
- el Estadio Centenario, uno de los más importantes en el desarrollo deportivo de Sudamérica y del fútbol internacional, declarado por la Federación Internacional de Fútbol Asociación (FIFA) "Monumento Histórico del Fútbol Mundial".
- el Teatro Solís, símbolo de la cultura uruguaya.
- el Palacio Salvo, un rascacielos de estilo *art déco* ecléctico que fue el más alto de Latinoamérica cuando fue construido en 1928.
- el Mercado del Puerto, donde se ofrece la más sabrosa y exquisita gastronomía uruguaya y la posibilidad de descubrir una arquitectura típica de otras épocas.

Ken Welsh / Photolibrary

La Plaza de la Independencia de Montevideo, con sus impresionantes edificios

En Punta del Este, no dejes de visitar...

- sus hermosas y tranquilas costas y playas, que marcan lo que es el fin del Río de la Plata y el comienzo del océano Atlántico.
- sus hoteles de lujo, sus casinos y aprovechar sus ofertas gastronómicas.
- su atractivo puerto de yates.

Raymond Forbes / Photolibrary

Playas y hoteles de Punta del Este, Uruguay

En Colonia del Sacramento en la confluencia *(point of convergence)* del río Uruguay y el Río de la Plata, conocerás...

- la primera colonización en Uruguay.
- su barrio histórico, declarado Patrimonio de la Humanidad en 1995. También es conocido como La Colonia Portuguesa.
- una fusión exitosa de los estilos arquitectónicos portugués, español y post-colonial.

Suggestions: Point out that **candombe** is an African rhythm brought to Uruguay by Bantu slaves and is created using three **tamboriles: tamboril piano, tamboril chico,** and **tamboril repique**.

Don Klein / Photolibrary

Niños y hombres tocando tamboriles en Montevideo, Uruguay

¡Candombe!

- Es un festival de música afro-uruguaya en el que los participantes bailan y se divierten toda la noche y hasta por varios días.
- El candombe ha llegado a ser la música nacional de Uruguay.
- El tamboril, el instrumento del candombe, es la versión afro-americana del tambor africano tradicional. Aparece en pinturas, literatura y, por supuesto, en la música popular y sinfónica de Uruguay.
- La comparsa es un grupo o banda de tamborileros que puede formarse con tres o cuatro miembros y puede llegar a tener hasta sesenta, setenta o más.

¡Diviértete en la red!

Busca en Google Images o en YouTube para ver fotos o videos de cualquiera de los lugares mencionados aquí y/o para gozar de la música de candombe. Ven a clase preparado(a) para describir en detalle lo que viste o oíste.

¿Y cómo lo celebran ustedes?

Las celebraciones son una parte fundamental de la vida del mundo hispanohablante. Cada familia tiene siempre algo que celebrar. Cada pueblo, cada ciudad, además de las celebraciones nacionales o religiosas, tiene días en los que todo se detiene para celebrar algún acontecimiento *(occasion, event)* o la vida de alguna persona. Así, cada año se renueva el ciclo de la vida en el que cada uno se encuentra con sus seres queridos, sus amigos y sus paisanos en un ambiente festivo que dura horas, días o semanas.

Randy Faris / Photolibrary

Para hablar de días festivos

Año nuevo	*New Year's Day*
Aniversario de la revolución	*Anniversary of the Revolution*
carnaval	*carnival*
Cinco de mayo	*Fifth of May*
cumpleaños	*birthday*
Día de la Bandera *(m.)*	*Flag Day*
Día de la Constitución *(m.)*	*Constitution Day*
Día de la Independencia *(m.)*	*Independence Day*
Día de los Enamorados *(m.)*	*Valentine's Day*
Día de los Inocentes *(m.)*	*April Fool's Day*
Día de los Muertos *(m.)*	*Day of the Dead (All Souls' Day)*
Día de las Madres *(m.)*	*Mother's Day*
Día de los Padres *(m.)*	*Father's Day*
Día del Trabajador *(m.)*	*Labor Day*
feria	*fair*
fiesta local	*local holiday*
Nochevieja	*New Year's Eve*
Pascua Florida	*Easter*

—Nosotros no celebramos el Día de Acción de Gracias pero lo celebraríamos si ustedes estuvieran visitándonos.
We don't celebrate Thanksgiving Day, but we would celebrate it if you were visiting us.

Al hablar de días feriados patrióticos

—¿Celebran el 4 de Julio en Uruguay?
Do you celebrate the Fourth of July in Uruguay?

—No, porque el Día de la Independencia de Uruguay es el 25 de agosto. Ese día nos divertimos mucho y tenemos fuegos artificiales.
No, because Uruguay's Independence Day is the 25th of August. That day we have a lot of fun and we have fireworks.

Suggestions: Ask students how they celebrate the 4th of July. **¿Tienen un asado barbacoa? ¿Ponen una bandera frente a la casa? ¿Asisten a un desfile o miran uno en la televisión?** and so on. Also ask students who they think has more holidays in a calendar year: the U.S. or Latin countries. Have them explain their responses.

Al hablar de festivales religiosos

—¿Celebran ustedes festivales religiosos también?

Do you celebrate religious festivals also?

—¡Sí, claro! Ojalá no tuviéramos tantos festivales religiosos. Como has de saber, nosotros celebramos el Día del Santo además del cumpleaños. Todos los pueblos también celebran el de sus santos patrones. El Día de los Reyes Magos es muy especial para los niños de toda Latinoamérica porque en ese día reciben regalos. Creo que ustedes no lo celebran, ¿verdad?

Yes, of course! I wish we didn't have so many religious festivals. As you must know, we celebrate our Saint's Day in addition to our birthdays. All the towns also celebrate the day of their patron saint. Epiphany is very special for children in all of Latin America because they receive gifts that day. I believe you don't celebrate it, right?

Extension: Play a game: you give a specific date, students say what holiday is celebrated on that date.

¡A practicar, luego a conversar!

A. Tipos de fiestas. Determina qué tipo de fiesta es cada una de la lista de la izquierda. Luego escribe una oración con cada una de las celebraciones que se mencionan en la izquierda.

__c__ 1. Carnaval	a. fiesta del calendario
__b__ 2. cumpleaños	b. fiesta personal
__a__ 3. Nochevieja	c. fiesta pagana y/o religiosa
__e__ 4. Pascua Florida	d. fiesta patriótica
__d__ 5. Día de la Bandera	e. fiesta religiosa

B. Palabras clave: fiesta. Determina qué expresión idiomática de la izquierda se corresponde con las frases de la derecha. Luego escribe dos oraciones originales con cada expresión. Compara tus oraciones con las de dos compañeros(as) de clase.

__d__ 1. irse de fiesta	a. No sé qué le pasa. ¡Anda bastante enojado!
__c__ 2. estar de fiesta	b. Estábamos tan contentos… hasta que llegó con esa noticia tan triste.
__e__ 3. dar una fiesta	c. En el apartamento de Raquel hay música y baile.
__a__ 4. no estar para fiestas	d. Oye, ¿nos juntamos esta noche los tres para salir?
__b__ 5. aguar la fiesta	e. Es su cumpleaños y quiere que vayamos a su casa a celebrar.

C. Fiestas favoritas. Contesta las siguientes preguntas. Luego, comparte tus respuestas con tres o cuatro compañeros(as). Finalmente, díganle a la clase quién de los (las) compañeros(as) celebró mejor.

1. ¿Cuál es tu celebración favorita?
2. ¿Qué hiciste para celebrarla la última vez?
3. ¿Qué celebrarías si vivieras por un año en Uruguay, en Montevideo?

D. Debate. En grupos de cuatro, preparen argumentos para debatir lo siguiente: un grupo considera que las personas que viven en países o comunidades hispanohablantes tienen más gusto por la vida que la gente en los Estados Unidos y lo expresan en sus celebraciones; otro grupo defiende lo contrario. Tengan un debate —la mitad de la clase está a favor de un argumento, la otra mitad a favor del otro. Su instructor(a) puede dirigir la discusión.

AYER YA ES HOY

Suggestion: Ask students to comment on the subtitle: Why **una democracia**? Why **completa**?

Uruguay: una democracia completa

© AISA / Everett Collection

El proceso de la independencia

En 1777, la Banda Oriental quedó incorporada al Virreinato del Río de la Plata, con capital en Buenos Aires. José Gervasio Artigas dirigió una rebelión en 1811, que puso fin al dominio de los españoles en 1814, cuando estos entregaron la ciudad de Montevideo. En 1828, Argentina y Brasil firmaron un tratado en el que reconocieron la independencia de Uruguay.

Los blancos y los colorados

Las hostilidades entre la clase media de las ciudades y los defensores de los intereses de los grandes propietarios dieron origen a las dos fuerzas políticas que iban a dominar la historia de Uruguay: el Partido Colorado y el Partido Nacional, este último conocido popularmente como el de los blancos.

"Suiza de América"

A finales del siglo XIX y comienzos del XX, el país se benefició con la inmigración de europeos, principalmente italianos y españoles. Montevideo se convirtió en una gran ciudad. En la década de los 20, el país conoció un período de gran prosperidad económica y de estabilidad institucional. Por eso se le llamó la "Suiza de América". Pero la crisis económica mundial de 1929 provocó en Uruguay bancarrotas, desempleo y paralización de la actividad productiva.

Marc Vérin / Photolibrary

Avances y retrocesos

En 1972, el presidente Juan María Bordaberry declaró un "estado de guerra interna" para contener a la guerrilla urbana conocida como los Tupamaros. En 1973 Bordaberry fue sustituido por una junta de militares y civiles que reprimió toda forma de oposición. Los once años de gobierno militar volvieron a devastar la economía, y más de trescientos mil uruguayos salieron del país por razones económicas o políticas. La normalidad constitucional retornó en 1984 con la elección de Julio Sanguinetti Cairolo, el candidato propuesto por el Partido Colorado. Volvió a ser presidente en 1995.

El Uruguay de hoy

- Desde el primer período de gobierno de Julio María Sanguinetti, Uruguay ha enfrentado una dura recesión económica.
- A principios del siglo XXI, la economía uruguaya fue castigada por el contagio de la crisis en Argentina, lo cual obligó a acelerar el ritmo de la devaluación controlada de la moneda uruguaya.
- En las elecciones presidenciales de 2004 resultó electo el socialista Tabaré Vázquez, candidato por la coalición izquierdista Encuentro Progresista-Frente Amplio-Nueva Mayoría con el 50,6% de los

votos. Es la primera vez en la historia del país que un partido político no tradicional accede al Poder Ejecutivo. En noviembre de 2009 fue elegido el presidente José Mujica.

› Según el informe del año 2009 de la agencia internacional Reporteros sin Fronteras, Uruguay es el país con el índice de libertad de prensa más alto de Sudamérica. Asimismo es el país más democrático de toda Latinoamérica, según el "Índice de Democracia" de *The Economist*, siendo, junto a Costa Rica, los únicos países latinoamericanos considerados como una "democracia completa".

¿COMPRENDISTE?

VOCABULARIO ÚTIL

asimismo	*likewise*
bancarrota	*bankruptcy*
castigado(a)	*affected; punished*
contagio	*contagion*
índice *(m.)*	*index*
propietario(a)	*landowner*
quedar	*to remain*
prensa	*press*
reprimir	*to repress; to suppress*

A. Hechos y acontecimientos. ¿Recuerdas los datos más importantes de la lectura? Para asegurarte, completa las siguientes oraciones.

1. José Gervasio Artigas es conocido por...
2. Los dos países que firmaron el tratado de 1828 que reconoció la independencia de Uruguay fueron...
3. Los orígenes e intereses específicos del Partido Colorado y del Partido Nacional son...
4. En la década de los 20, Uruguay comenzó a ser llamado...
5. El efecto que el gobierno militar tuvo en la economía de Uruguay de 1973 a 1984 fue...
6. El candidato elegido a la presidencia en 1984 y otra vez en 1995, que ha traído el retorno a la normalidad constitucional a Uruguay, es...
7. A principios del siglo XXI, la economía de Uruguay...
8. Según informes de Reporteros sin Fronteras y de *The Economist,* Uruguay es...

B. A pensar y a analizar. Contesta las siguientes preguntas con dos o tres compañeros(as) de clase.

1. Se puede decir que Uruguay es una ciudad-estado. ¿Qué significa esto?
2. ¿Por qué también se le ha llamado la "Suiza de América"? ¿Qué aspectos de su imagen de la "Suiza de América" ha podido recuperar? ¿Cuáles no?

C. Apoyo gramatical: mandatos formales e informales. Tu profesor(a) da sugerencias primero a un estudiante y luego a varios estudiantes sobre posibles trabajos de investigación. Sigue el modelo.

MODELO leer sobre la emigración europea a Uruguay
Lee sobre la emigración europea a Uruguay.
Lean sobre la inmigración europea a Uruguay.

1. investigar la influencia del modelo político suizo en Uruguay Investiga / Investiguen
2. buscar información sobre el papel de José Gervasio Artigas en la independencia de Uruguay Busca / Busquen
3. hacer un informe sobre la revolución antibrasileña de los "33 orientales" Haz / Hagan
4. escribir sobre la dictadura militar de los años 70 y 80 Escribe / Escriban
5. informarse sobre la importancia de la familia Batlle en la política uruguaya Infórmate / Infórmense
6. ir a la biblioteca y consultar libros sobre el movimiento guerrillero de los Tupamaros Ve / Vayan

Gramática 5.3: Antes de hacer esta actividad conviene repasar esta estructura en las págs. 235–237.

Suggestions: After reading Mario Benedetti's biography, ask students to comment on how someone can write more than 80 books in a lifetime. Then point out that he also worked as a bookkeeper, stenographer, translator, and reporter.

Mario Benedetti

© Eduardo Longoni / Corbis

Conocido periodista, escritor y poeta uruguayo, Mario Benedetti es considerado uno de los escritores más importantes de Latinoamérica. Es un autor profundamente comprometido con la realidad política y social de su país. Su prolífica producción literaria suma más de 80 libros, algunos de los cuales fueron traducidos a más de 20 idiomas. Su extensa obra abarcó los géneros narrativos, dramáticos, poéticos y ensayos. Recibió doctorados *Honoris Causa* de la Universidad de la República, Uruguay, de la Universidad de Alicante y de la Universidad de Valladolid, España. El 7 de junio de 2005 recibió el Premio "Menéndez y Pelayo"; además recibió muchos otros a lo largo de toda su carrera. Su poesía fue usada en la película argentina *El lado oscuro del corazón.* El 17 de mayo de 2009 murió en su casa de Montevideo. El gobierno uruguayo decretó duelo nacional y dispuso que su velatorio se realizara con honores patrios en el Salón de los Pasos Perdidos del Palacio Legislativo.

Photofest

China Zorrilla

Concepción Zorrilla de San Martín Muñoz es una conocida actriz de teatro, cine y televisión, que ha desarrollado una importante carrera en su país y en el exterior. Proveniente de una familia de artistas, creció en París. En 1948 le fue concedida una beca para estudiar en la Real Academia de Arte Dramático, en Londres. Allí tuvo como profesora a la famosa Katina Paxinou. Desde 1971 ha tenido más de 40 apariciones en películas y en televisión. *Grande Dame* del teatro rioplatense, es actriz y directora teatral premiada en cine, radio y televisión, con larga trayectoria en ambas márgenes del Río de La Plata. En noviembre de 2008 le fue otorgada, por el gobierno de Francia, la condecoración de la Legión de Honor en el grado de *Chevalier (Caballero).* Debido a su reconocida trayectoria artística, bien puede ser considerada una personalidad artística y carismática del Río de la Plata.

Diego Forlán

Pierre-Philippe Marcou / Getty Images

Conocido jugador uruguayo de fútbol, es uno de los mejores delanteros centro del mundo. Se inició en el tenis, pero decidió continuar con la tradición familiar y dedicarse al fútbol. Su carrera profesional incluye equipos de Uruguay y Argentina y grandes clubes europeos como el *Manchester United* de Inglaterra, y los españoles Villarreal CF y Atlético de Madrid, club en el que juega actualmente. El año 2005 fue nombrado como Embajador de la UNICEF en Uruguay. Entre las distinciones individuales que ha obtenido, cabe destacar: Trofeo Pichichi (al máximo goleador) en España: 2005 y 2009; Bota de Oro por la UEFA (organización europea de fútbol): 2005 y 2009 y el Balón de Oro (al mejor jugador de la Copa Mundial de Fútbol de 2010).

Suggestions: Ask students what a **modisto** might do for a living. Ask them to look up two or more of the **Otros uruguayos sobresalientes** on the Internet and have them turn in a brief written report on what they find. You may want to offer extra credit for this work.

Otros uruguayos sobresalientes

Miguel de Águila: compositor

Julio Alpuy: pintor, dibujante y escultor

Germán Cabrera: escultor

Beatriz Flores Silva: directora de cine

Hugo "Foca" Machado: compositor y músico

José Gamarra: pintor, dibujante y grabador

Gabriel Inchauspe: modisto

Sylvia Lago: escritora

Juan Carlos Onetti (1909–1995): periodista, bibliotecario, cuentista y novelista

Cristina Peri Rossi: poeta, novelista, traductora y ensayista

Hermenegildo Sabat: pintor y caricaturista

¿COMPRENDISTE?

A. Los nuestros. Contesta las siguientes preguntas con un(a) compañero(a) de clase. Luego, compartan sus respuestas con el resto de la clase.

1. Describe lo que, en tu opinión, podría haber sido una semana típica en la vida del prolífico escritor Mario Benedetti. ¿Tendrá tiempo libre para dedicar a su familia y/o amigos o se la pasará escribiendo todo el tiempo?
2. ¿Qué necesita una actriz como China Zorrilla para obtener el éxito que ella ha logrado? Haz una pequeña lista de cualidades imprescindibles para triunfar en el mundo artístico.
3. ¿En equipos de cuántos países ha jugado Diego Forlán? ¿Qué países?

VOCABULARIO ÚTIL

abarcar	*to cover*
beca	*scholarship*
comprometido(a)	*committed*
disponer	*to arrange, to stipulate*
duelo nacional	*national mourning*
márgen *(m.)*	*side*
proveniente	*coming from*
rioplatense *(m. f.)*	*of/from the River Plate region*
velatorio	*wake*

B. Miniprueba. Demuestra lo que aprendiste de estos talentosos uruguayos al completar estas oraciones.

1. Se puede decir que Mario Benedetti es un autor muy __b__.
   a. complicado b. prolífico c. liberal
2. Concepción "China" Zorrilla ha actuado principalmente en __c__.
   a. Montevideo b. Buenos Aires c. ambos lados del Río de la Plata
3. Actualmente, Diego Forlán juega en un equipo __a__.
   a. español b. inglés c. argentino

¡Diviértete en la red!

Busca "Mario Benedetti", "China Zorrilla" y/o "Diego Forlán" en YouTube para escuchar entrevistas o lecturas de poesía y ver videos de partidos de fútbol o películas de estos talentosos uruguayos. Ven a clase preparado(a) para presentar lo que seleccionaste ver o escuchar.

ESCRIBAMOS AHORA

Suggestion: Keep in mind that this writing activity should only take 3-5 minutes of class time. All other writing can be done at home.

Narrar: de una manera ordenada

Images.com / Photolibrary

1 **Para empezar.** Narrar es relatar o contar algún suceso de una manera ordenada. El orden con frecuencia es cronológico aunque no tiene por qué ser estrictamente cronológico. El que se mantenga cierto orden, sin embargo, facilita la comprensión de lo escrito. En el cuento de Milia Gayoso "Elisa", el orden se da en la memoria o los sentimientos de la narradora, una chica que acaba de darse cuenta que es adoptada. Ve cómo la narradora y protagonista nos cuenta lo primero que le ocurre:

> "Quise salir corriendo, sin rumbo, quise morir, que me tragara la tierra. Quise no haber existido nunca cuando lo supe".

Luego, reflexiona sobre eventos del pasado que le deberían haber hecho saber que era adoptada:

> "Ya me lo habían dicho varias veces en la escuela, o sea, me lo habían insinuado suavemente algunas compañeras, y con maldad otras..."

Finalmente incluye también otros datos anteriores que confirman su sospecha:

> "Un sábado no me dejaron salir a la tarde porque según dijeron «venía una visita», que se presentó a las cuatro de la tarde. La visita era..."

2 **A generar ideas.** Piensa ahora en un incidente impactante en tu vida o en la de un(a) amigo(a) o un(a) pariente. Escribe tu nombre y debajo, haz una tabla de tres columnas. Anota en la primera columna, en orden cronológico, tres o cuatro hechos relacionados al incidente que consideras importantes. En la segunda columna anota todo lo que sentiste relacionado a cada hecho, por ejemplo: miedo, furia, vergüenza,... y en la tercera columna anota las reacciones que tuviste en relación a cada hecho, por ejemplo: llorar, gritar, maldecir,... Si prefieres, puedes describir un incidente que le ocurrió a un(a) pariente o un(a) amigo(a) favorito(a).

3 **Tu borrador.** Ahora desarrolla la información que anotaste en párrafos cortos que vayan narrando el incidente. Puedes narrar en orden cronológico o, si prefieres, basándote en tus memorias, tal como hace la narradora protagonista en "Elisa". No dejes de incluir en cada párrafo las emociones que sentiste y las reacciones que tuviste. Escribe tu borrador ahora. ¡Buena suerte!

4 **Revisión.** Intercambia tu borrador con un(a) compañero(a). Revisa su narración, prestando atención a las siguientes preguntas. ¿Ha comunicado bien el incidente? ¿Ha desarrollado varios hechos relacionados al incidente? ¿Ha descrito sus emociones y reacciones? ¿Tienes algunas sugerencias sobre cómo podría mejorar su descripción?

5 **Versión final.** Considera las correcciones que tu compañero(a) te ha indicado y revisa tu descripción por última vez. Como tarea, escribe la copia final en la computadora. No olvides darle un título a tu narración. Antes de entregarla, dale un último vistazo a la acentuación, a la puntuación, a la concordancia y a las formas de los verbos.

6 **Publicación (opcional).** Cuando su profesor(a) les devuelva la narración corregida, revísenla con cuidado y luego, en grupos de tres o cuatro, lean sus narraciones al grupo por turnos. Decidan cuál es la mejor en cada grupo y devuélvanle esa a su profesor(a) para que las ponga todas en un libro que va a titular: **Los mejores cuentos de los estudiantes del señor (de la señora/señorita)...**

Suggestions: Have students predict what they think this essay is about based on the title, the photo, and the questions they answer in **Anticipando la lectura.**

¡Antes de leer!

A. Anticipando la lectura. Contesta las siguientes preguntas con dos compañeros(as) de clase. Luego, comparen sus respuestas con las de otros grupos.

1. ¿Conoces alguna profecía milenarista (de fin de milenio)? ¿Qué es lo que normalmente anuncian estas profecías?
2. ¿Por qué creen que el cambio de milenio hace temer tragedias, incluso el fin del mundo? Expliquen.
3. ¿Se les ocurre una profecía milenarista para un mundo mejor? ¿Cómo sería ese mundo? ¿Qué cambiaría? Creen una breve lista de cambios.

B. Vocabulario en contexto. Busca estas palabras en la lectura que sigue y, en base al contexto, decide cuál es su significado. Para facilitar encontrarlas, las palabras aparecen en negrilla en la lectura. *Vocabulario...:* Ask volunteers to create original sentences with these vocabulary words.

1. **voceros**	a. rebeldes	(b.) profetas	c. ángeles
2. **ejercer**	a. olvidar	(b.) practicar	c. analizar
3. **manejada**	a. matada	(b.) controlada	c. divertida
4. **el delito**	a. la práctica	b. la inocencia	(c.) el crimen
5. **invadidos**	a. víctimas	b. liberados	(c.) atacados
6. **la defunción**	(a.) la muerte	b. la inteligencia	c. los malos hábitos

Sobre el autor

© Andres Cristaldo / Corbis

Eduardo Galeano nació en Montevideo en 1940. Estuvo exiliado en Argentina y España de 1973 a 1985. En Buenos Aires fundó y dirigió la revista *Crisis*. Es autor de más de una docena de libros y de una gran cantidad de artículos periodísticos. Entre sus libros más conocidos está la trilogía *Memoria del fuego,* serie que en 1989 recibió un premio del Ministerio de Cultura de Uruguay y el *American Book Award*. Galeano también recibió dos veces el Premio Casa de las Américas, en 1975 y en 1978, y el Premio *Aloa* de los editores daneses, en 1993. Es uno de los maestros más destacados del arte del ensayo en Latinoamérica.

El derecho al delirio

(Fragmento)

Ya está naciendo el nuevo milenio. No da para tomarse el asunto demasiado en serio: al fin y al cabo,* el año 2001 de los cristianos es el año 1379 de los musulmanes, el 5114 de los mayas y el 5762 de los judíos. El nuevo milenio nace un primero de enero por obra y gracia de un capricho* de los senadores del imperio romano, que un buen día decidieron romper la tradición que mandaba celebrar el año nuevo en el comienzo de la primavera. Y la cuenta de los años de la era cristiana proviene* de otro capricho: un buen día, el papa de Roma decidió poner fecha al nacimiento de Jesús, aunque nadie sabe cuándo nació.

al... *after all*
whim
comes

El tiempo se burla de los límites que le inventamos para creernos el cuento de que él nos obedece; pero el mundo entero celebra y teme esta frontera.

Una invitación al vuelo

Milenio va, milenio viene, la ocasión es propicia* para que los oradores de inflamada verba peroren* sobre el destino de la humanidad, y para que los **voceros** de la ira de Dios anuncien el fin del mundo y la reventazón* general, mientras el tiempo continúa, calladito la boca, su caminata a lo largo de la eternidad y del misterio.

favorable
hablen
caos

La verdad sea dicha, no hay quien resista: en una fecha así, por arbitraria que sea, cualquiera siente la tentación de preguntarse cómo será el tiempo que será. Y vaya uno a saber cómo será. Tenemos una única certeza: en el siglo veintiuno, si todavía estamos aquí, todos nosotros seremos gente del siglo pasado y, peor todavía, seremos gente del pasado milenio.

Aunque no podemos adivinar el tiempo que será, sí que tenemos, al menos, el derecho de imaginar el que queremos que sea. En 1948 y en 1976, las Naciones Unidas proclamaron extensas listas de derechos humanos; pero la inmensa mayoría de la humanidad no tiene más que el derecho de ver, oír y callar. ¿Qué tal si empezamos a **ejercer** el jamás proclamado derecho de soñar? ¿Qué tal si deliramos*, por un ratito? Vamos a clavar los ojos* más allá de la infamia, para adivinar otro mundo posible:

el aire estará limpio de todo veneno* que no venga de los miedos humanos y de las humanas pasiones; (35)

en las calles, los automóviles serán aplastados* por los perros;

la gente no será **manejada** por el automóvil, ni será programada por la computadora, ni será comprada por el supermercado, ni será mirada por el televisor;

el televisor dejará de ser el miembro más importante de la familia, y será tratado como la plancha* o el lavarropas; (40)

la gente trabajará para vivir, en lugar de vivir para trabajar;

se incorporará a los códigos penales* **el delito** de estupidez, que cometen quienes viven por tener o por ganar, en vez de vivir por vivir nomás, como canta el pájaro sin saber que canta y como juega el niño sin saber que juega; (45)

en ningún país irán presos* los muchachos que se nieguen a cumplir* el servicio militar, sino los que quieran cumplirlo;

los economistas no llamarán *nivel de vida** al nivel de consumo, ni llamarán *calidad* de vida* a la cantidad de cosas; (50)

los cocineros no creerán que a las langostas les encanta que las hiervan* vivas;

los historiadores no creerán que a los países les encanta ser **invadidos**;

los políticos no creerán que a los pobres les encanta comer promesas;

la solemnidad se dejará de* creer que es una virtud, y nadie tomará en serio a nadie que no sea capaz de tomarse el pelo;* (55)

la muerte y el dinero perderán sus mágicos poderes, y ni por **defunción** ni por fortuna se convertirá el canalla en virtuoso caballero;

nadie será considerado héroe ni tonto por hacer lo que cree justo en lugar de hacer lo que más le conviene; (...) (60)

si... *if we became delirious*
clavar... *to fix our eyes*
poison
run over
iron
códigos... *penal codes*
irán... *will be arrested /* **se...** *refuse to fulfill*
nivel... *standard of living*
quality
boil
se... *will stop*
tomarse... *make fun of himself, loosen up*

¡Después de leer!

A. Hechos y acontecimientos. ¿Recuerdas los datos más importantes de la lectura? Para asegurarte, contesta las siguientes preguntas.

1. Según el autor, ¿cómo se estableció el calendario cristiano? ¿Está basado en conocimientos científicos?
2. A pesar de los derechos humanos declarados por las Naciones Unidas, ¿qué derechos tiene la gran mayoría de la gente del mundo?
3. ¿Cómo desearía Galeano que cambiara el mundo? Selecciona las realidades que él se imagina.

_____ 1. Los automóviles aplastan a los perros.

__✓__ 2. Los objetos no dominan a las personas.

_____ 3. Mi equipo de fútbol nunca gana.

__✓__ 4. El televisor no es el rey de la casa.

__✓__ 5. El trabajo no dominará la vida de la gente.

__✓__ 6. El servicio militar obligatorio es absurdo.

__✓__ 7. El dinero no es poder.

_____ 8. La gente no tiene sentido del humor.

_____ 9. Los niños tienen muchos problemas.

__✓__ 10. El bienestar basado en el consumo es malo.

B. A pensar y a analizar. Contesta las siguientes preguntas con un(a) compañero(a) de clase. Luego, comparen sus respuestas con las de otras parejas.

1. ¿Tuvo el cambio de milenio algún significado especial para Uds.? Si contestan que sí, ¿cuál fue? Si contestan que no, ¿por qué no?
2. ¿Están Uds. de acuerdo con el autor cuando dice que la inmensa mayoría de la humanidad no tiene más que tres derechos humanos? ¿Por qué?
3. ¿Hay algunos deseos para el mundo que no compartan con el autor? ¿Cuáles son? ¿Por qué no están Uds. de acuerdo con el autor?
4. ¿Con qué propósito comunica el autor esta visión del mundo? Expliquen.

C. Apoyo gramatical. Presente de subjuntivo: cláusulas nominales. Siguiendo las sugerencias de Eduardo Galeano en "El derecho al delirio" tú dices lo que todos nosotros debiéramos hacer.

MODELO esencial / tener derecho a soñar
Es esencial que tengamos derecho a soñar.

Gramática 5.3: Antes de hacer esta actividad conviene repasar esta estructura en las págs. 238–241.

1. importante / vivir sin respirar aire lleno de veneno — Es importante que vivamos...
2. necesario / no pasar el tiempo pegados (*glued*) al televisor — Es necesario que no pasemos...
3. esencial / no creer en las promesas de los políticos — Es esencial que no creamos...
4. preciso / apoyar los programas de reforestación — Es preciso que apoyemos...
5. urgente / educar a todo el mundo, no solo a los que pueden pagar — Es urgente que eduquemos...
6. importante / proteger los recursos naturales — Es importante que protejamos...
7. necesario / eliminar el hambre — Es necesario que eliminemos...
8. preciso / respetar la justicia y la libertad — Es preciso que respetemos...

5.3 Formal and Familiar *(tú)* Commands

Formal Commands

	-ar Verbs		*-er* Verbs		*-ir* Verbs	
	usar		*correr*		*sufrir*	
Ud.	use	no use	corra	no corra	sufra	no sufra
Uds.	usen	no usen	corran	no corran	sufran	no sufran

› **Usted** and **ustedes** affirmative and negative commands have the same forms as the present subjunctive.

› In Spanish, the subject pronoun is normally not used with commands. It may be included for emphasis or contrast, or as a matter of courtesy.

Espere unos minutos, por favor. — *Wait a few minutes, please.*

Quédense ustedes aquí; **pase usted** a la sala de ventas. (*contrast*) — *Stay here (all of you); (you [singular]) go in the sales room.*

Mire usted este catálogo, por favor. (*courtesy*) — *Take a look at this catalog, please.*

› In affirmative commands, reflexive and object pronouns are attached to the end of the verb. A written accent is needed if normally the command is stressed in the next-to-last syllable.

Este parque nacional es suyo. **Úselo, cuídelo, manténgalo** limpio. — *This national park is yours. Use it, take care of it, keep it clean.*

› In negative commands, reflexive and object pronouns precede the verb.

Guarde ese maletín de cuero; no **me lo pase** todavía. — *Keep that leather briefcase; don't give it to me yet.*

Ahora, ¡a practicar!

A. Atracciones turísticas. Eres agente de viaje y un cliente tuyo te consulta sobre actividades que debería hacer durante su próximo viaje a Uruguay. ¿Qué recomendaciones le haces?

MODELO caminar por la avenida 18 de Julio
Camine por la avenida 18 de Julio.

1. pasear por la Ciudad Vieja de Montevideo
2. asistir al cambio de la guardia en la Plaza Independencia
3. dar un paseo por la rambla *(esplanade)* y admirar las vistas del Río de la Plata
4. no dejar de probar una deliciosa comida en el Mercado del Puerto
5. ver la puesta de sol desde la playa Pocitos
6. escuchar tangos en un café de barrio
7. asistir a una ópera en el Teatro Solís; hacer reservaciones con tiempo
8. entrar en el Museo Histórico Nacional

B. **¡Escúchenme!** Tú eres el (la) profesor(a) de la clase de español por un día. Tienes que decirles a los estudiantes lo que deben hacer o no hacer. ¿Qué les vas a decir?

MODELO **Abran sus libros en la página 225, por favor.** o
No hablen en inglés, solamente en español.

C. **En la tienda de artesanías.** Tus amigos van a entrar en una tienda de artesanías. ¿Qué consejos les vas a dar?

MODELO **Tengan cuidado con romper los objetos de vidrio.** o
No compren sin mirar bien los objetos.

Familiar *tú* Commands

-ar Verbs		*-er* Verbs		*-ir* Verbs	
usar		***correr***		***sufrir***	
usa	no uses	corre	no corras	sufre	no sufras

› Affirmative **tú** commands have the same form as the third-person singular (the **él**, **ella**, and **Ud.** form) present indicative. Negative **tú** commands have the same form as the present subjunctive.

Conserva tus tradiciones. **No olvides** tus orígenes. — *Keep your traditions. Don't forget your origins.*

¡**Insiste** en tus derechos! ¡No **temas** defenderlos! — *Insist on your rights! Don't be afraid to defend them!*

› Only the following verbs have irregular affirmative **tú** commands. Their negative commands are regular.

decir:	**di**	salir:	**sal**
hacer:	**haz**	ser:	**sé**
ir:	**ve**	tener:	**ten**
poner:	**pon**	venir:	**ven**

Sé bueno. **Haz**me un favor. **Ven** a pasear por la zona colonial conmigo. Pero **pon**te un suéter porque hace frío. — *Be good. Do me a favor. Come to stroll through the colonial district with me. But put a sweater on because it is cold.*

Ahora, ¡a practicar!

A. Receta de cocina. Un(a) amigo(a) te llama por teléfono para pedirte una receta de un plato caribeño que tú tienes. La receta aparece del modo siguiente en tu libro de cocina.

Instrucciones:

1. Cortar las vainitas verdes a lo largo; cocinarlas en un poco de agua.
2. Pelar los plátanos; cortarlos a lo largo; freírlos en aceite hasta que estén tiernos; secarlos en toallas de papel.
3. Mezclar la sopa con las vainitas; tener cuidado: no romper las vainitas.
4. En una cacerola, colocar los plátanos.
5. Sobre los plátanos, poner la mezcla de sopa y vainitas; echar queso rallado encima.
6. Repetir hasta que la cacerola esté llena.
7. Hornear a 350° hasta que todo esté bien cocido.
8. Cortar en cuadritos para servir; poner cuidado; no quemarse.

Ahora dale instrucciones a tu amigo(a) para preparar el plato.

MODELO **Corta las vainitas verdes a lo largo; cocínalas en un poco de agua.**

B. Consejos contradictorios. Gloria y Mario acaban de regresar de Uruguay. Como tú piensas visitar ese país algún día, hablas con ellos, pero ellos te dan consejos muy contradictorios. ¿Qué te dicen?

MODELO dejar propina en los restaurantes
Gloria: **Deja propina en los restaurantes.**
Mario: **No dejes propina en los restaurantes.**

1. leer acerca de la historia y las costumbres del país
2. esforzarse por hablar español
3. pedir información en la oficina de turismo
4. tener el pasaporte siempre contigo
5. cambiar dinero en los cajeros automáticos
6. comer en los puestos que veas en la calle
7. salir solo(a) de noche
8. probar un mate amargo
9. visitar los museos históricos
10. regatear los precios en las tiendas

5.4 Present Subjunctive: Noun Clauses

Wishes, Recommendations, Suggestions, and Commands

› The subjunctive is used in a dependent clause when the verb or impersonal expression in the main clause indicates a wish, a recommendation, a suggestion, or a command and there is a change of subject in the dependent clause. If there is no change of subject, the infinitive is used.

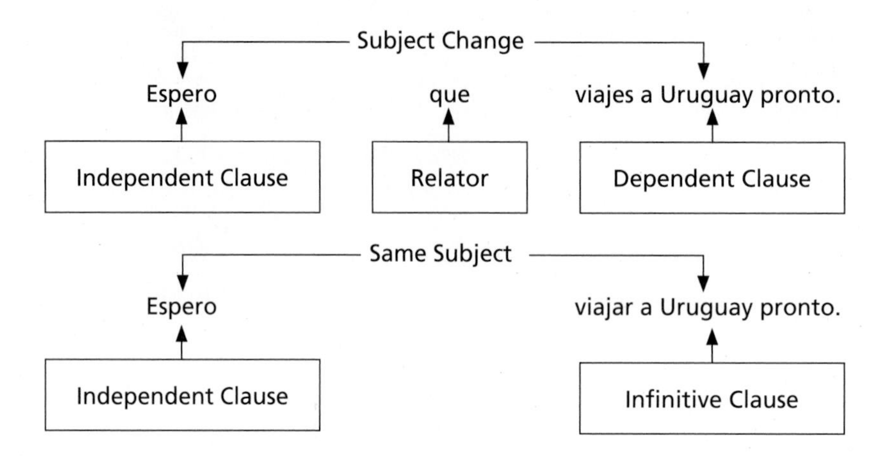

› Common verbs and expressions in this category:

aconsejar	exigir *to require*	prohibir
decir (i)	mandar *to order*	querer (ie)
dejar	pedir (i)	recomendar (ie)
desear	permitir	rogar (ue) *to beg*
esperar	preferir (ie)	sugerir (ie)
ser esencial	ser mejor	ser preciso *to be necessary*
ser importante	ser necesario	ser urgente

Te aconsejo que **pases** una semana en Montevideo.	*I advise you to spend one week in Montevideo.*
Te recomiendo que **vayas** al Teatro Solís.	*I recommend you go to the Solís Theater.*
Es importante **visitar** la iglesia Matriz.	*It is important to visit the Matriz Church.*

Doubt, Uncertainty, Disbelief, and Denial

› The subjunctive is used in a dependent clause after verbs or expressions indicating doubt, uncertainty, disbelief, or denial. When the opposite of these verbs and expressions are used, they are followed by the indicative because they imply certainty.

› Common verbs and expressions in this category:

Subjunctive: Disbelief/Doubt		Indicative: Belief/Certainty	
no creer	ser dudoso	creer	no ser dudoso
dudar	no ser evidente	no dudar	ser evidente
no estar seguro(a) (de)	no ser seguro	estar seguro(a) (de)	ser seguro
negar (ie)	no ser verdad	no negar (ie)	ser verdad
no pensar (ie)	no suponer	pensar (ie)	suponer
no ser cierto		ser cierto	

Es dudoso que la situación política de Uruguay **cambie** en el futuro. — *It is doubtful that Uruguay's political situation will change in the future.*

Estoy seguro de que el turismo **trae** mucho dinero, pero **no estoy seguro** de que no **traiga** problemas también. — *I am certain that tourism brings lots of money, but I am not certain that it does not bring problems also.*

No dudo de que me **graduaré, pero dudo** de que me **gradúe** el semestre próximo. — *I don't doubt that I will graduate, but I doubt that I will graduate next semester.*

› In interrogative sentences, either the subjunctive or the indicative may be used. Use of the subjunctive betrays doubt or disbelief on the part of the speaker or writer. Use of the indicative indicates that the person speaking or writing is merely asking for information and does not know the answer.

¿Piensas que el turismo **es** beneficioso para el país? *(person is asking for information and does not know the answer)* — *Do you think tourism is beneficial for the country?*

¿Piensas que el turismo **sea** beneficioso para el país? *(person doubts that tourism is beneficial)* — *Do you think tourism is beneficial for the country?*

Emotions, Opinions, and Judgments

› The subjunctive is used in a dependent clause after verbs and expressions that convey emotions, opinions, and judgments when there is a change of subject. If there is no change of subject, the infinitive is used.

Common verbs and expressions in this category:

alegrarse	lamentar	sorprenderse
enojarse	sentir (ie)	temer
estar contento(a) de	ser extraño	ser raro
ser agradable	ser increíble	ser sorprendente
ser bueno	ser malo	ser (una) lástima
ser curioso	ser natural	ser vergonzoso
ser estupendo	ser normal	

Me alegro de que **vayas** al concierto en el Teatro Solís. — *I am glad you will be going to the concert at the Solís Theater.*

Es increíble que todavía la gente **admire** tanto a Artigas. — *It is incredible that people still admire Artigas so much.*

Es bueno **tener** preocupaciones sociales. — *It is good to have social concerns.*

Ahora, ¡a practicar!

A. El mundo de hoy. Después de leer "El derecho al delirio", tú y tus compañeros(as) expresan opiniones sobre el mundo de hoy. **Atención:** A veces debes usar un verbo en subjuntivo, otras veces un verbo en indicativo en la cláusula subordinada.

MODELO dudar / las computadoras programar a la gente
Dudo que las computadoras programen a la gente.
no dudar / las computadoras programar a la gente
No dudo que las computadoras programan a la gente.

1. querer / el televisor no ser más importante que el lavarropas
2. preferir / el ejército aceptar solo voluntarios para el servicio militar
3. pensar / los niños pobres, desgraciadamente, no tener las mismas oportunidades que los niños ricos
4. lamentar / los políticos hacer tantas promesas que no cumplen
5. estar seguro de / todos estar contra las guerras y las invasiones
6. no creer / los códigos penales incorporar como crimen el delito de estupidez
7. esperar / el dinero perder su importancia
8. dudar / el consumismo acabarse
9. temer / los economistas seguir preocupados con los números
10. no dudar / mucha gente vivir para trabajar solamente

B. Datos sorprendentes. Tú les cuentas a tus amigos las cosas que te sorprenden de Uruguay, lugar que visitas por primera vez.

MODELO el carnaval de Uruguay / durar cuarenta días

Me sorprende (Es sorprendente) que el carnaval de Uruguay dure cuarenta días.

1. el país / ofrecer tantos sitios de interés turístico
2. Montevideo / ser la más joven de las capitales latinoamericanas
3. Uruguay / tener el nivel de alfabetización más alto de Sudamérica
4. en el país / haber tantas bellas playas
5. el territorio uruguayo / ser uno de los más pequeños de América del Sur
6. nadie / saber con certeza el significado de la palabra *Uruguay*
7. casi la mitad de la población del país / vivir en Montevideo
8. los uruguayos / recordar los años de la dictadura en el Museo de la Memoria

C. Opiniones. Tú y tus compañeros dan opiniones acerca de Uruguay.

MODELO ser verdad / Uruguay es un país amante de la democracia
Es verdad que Uruguay es un país amante de la democracia.
no estar seguro(a) / los uruguayos apoyan a su presidente
No estoy seguro(a) (de) que los uruguayos apoyen a su presidente.

1. ser evidente / Uruguay tiene un excelente sistema educativo
2. pensar / la industria ganadera es muy importante para la economía uruguaya
3. no creer / Uruguay va a modificar su constitución
4. no dudar / el fútbol siempre va a ser un deporte importantísimo en Uruguay
5. dudar / los uruguayos dejan de tomar mate
6. ser cierto / todos los uruguayos están muy orgullosos de su país

D. Situación mundial. Con un(a) compañero(a), habla de la situación mundial y de cómo se puede mejorar.

MODELO prevenir / las guerras
Es bueno (preferible, importante) que prevengamos las guerras.

1. vivir en armonía
2. crear un mundo de paz
3. saber leer y escribir
4. pensar en los demás
5. intentar mejorar la vida de todo el mundo
6. resolver el problema del hambre
7. proteger el medio ambiente
8. decirles a los líderes políticos lo que pensamos
9. ofrecer más oportunidades de empleo
10. ... *(añade otros comentarios)*

E. Consejos para los teleadictos. ¿Qué consejos puedes darle a un(a) amigo(a) que está en peligro de convertirse en un teleadicto(a) *(couch potato)*? Menciona cinco por lo menos.

MODELO **Te aconsejo que seas más activo(a).**
Te recomiendo que vayas a un gimnasio.

VOCABULARIO ACTIVO

Lección 5: Paraguay

Palabras de origen indígena

caníbal *(m.)*	*cannibal*
canoa	*canoe*
chicle *(m.)*	*chewing gum*
cuate *(m.)*	*twin*
guajolote *(m.)*	*turkey*
guano	*fertilizer*
hamaca	*hammock*
huracán *(m.)*	*hurricane*
indígena *(m. f.)*	*native*
maíz *(m.)*	*maize, corn*
pampa	*plain*
petate *(m.)*	*sleeping mat*
tabaco	*tabacco*

Courtesy of Febrián Samaniego

Expulsión de los jesuitas

bárbaro(a)	*cruel*
castigo	*punishment*
con maldad	*with malice*
contragolpe *(m.)*	*counterattack*
derrocamiento	*overthrow*
jesuita *(m. f.)*	*Jesuit*
mano de obra *(f.)*	*labor*
vacío	*emptiness, meaningless*
enfrentarse	*to confront*
ganadero(a)	*ranching, cattle-raising*
impartir	*to teach, to impart*
mestizaje *(m.)*	*mixture of white and Indian races*
nave *(f.)*	*ship*
reducción *(f.)*	*mission*
tasa	*rate*

Palabras útiles

acuerdo	*agreement*
banda	*strip*
demora	*delay*
represa	*dam*
rumbo	*direction*
seno	*bosom*
sin rodeos	*without complications*

Reducciones

aldea	*village*
alrededor	*around*
amistoso(a)	*friendly*
aprovisionamiento	*supplies, provisions*
artesanal *(m. f.)*	*handicraft*
atraído(a)	*attracted*
cantidad *(f.)*	*a large number*

Talento musical

acreedor(a)	*deserving*
arpista *(m. f.)*	*harpist, harp player*
célebre *(m. f.)*	*famous*
competir (i)	*to compete*
deslizarse	*to glide*
dictar	*to give*
elogiado(a)	*praised*
innato(a)	*innate, natural*
orgullo	*pride*
virtuosismo	*virtuosity*

Verbos

acoger	*to receive, to welcome*
invertir (ie)	*to invest*
jurar	*to swear in*

Lección 5: Uruguay

Días festivos

Aniversario de la revolución	*Anniversary of the Revolution*
Año nuevo	*New Year's Day*
carnaval	*carnival*
Cinco de mayo	*May fifth*
cumpleaños	*birthday*
Día de Acción de Gracias *(m.)*	*Thanksgiving Day*
Día de la Bandera *(m.)*	*Flag Day*
Día de la Constitución *(m.)*	*Constitution Day*
Día de la Independencia *(m.)*	*Independence Day*
Día de los Enamorados *(m.)*	*Valentine's Day*
Día de los Inocentes *(m.)*	*April Fool's Day*
Día de los Muertos *(m.)*	*Day of the Dead (All Souls' Day)*
Día de las Madres *(m.)*	*Mother's Day*
Día de los Padres *(m.)*	*Father's Day*
Día de los Reyes Magos *(m.)*	*Epiphany*
Día del Santo *(m.)*	*Saint's Day*
Día del Trabajador *(m.)*	*Labor Day*
día feriado *(m.)*	*holiday*
fiesta local	*local holiday*
Nochevieja	*New Year's Eve*
Pascua Florida	*Easter*

Propietarios

bancarrota	*bankruptcy*
castigado(a)	*affected; punished*
índice *(m.)*	*index*
propietario(a)	*landowner*
quedar	*to remain*
reprimir	*to repress; to suppress*

Rituales y efectos

abarcar	*to cover*
compenetrado(a)	*committed*
defunción *(f.)*	*death*
disponer	*to arrange, to stipulate*
duelo nacional	*national mourning*
invadido(a)	*invaded, attacked*
manejado(a)	*controled, managed*
margen *(m.)*	*side*
prensa	*press*
proveniente	*coming from*
velatorio	*wake*

Images.com / Photolibrary

Palabras útiles

asimismo	*likewise*
beca	*scholarship*
contagio	*contagion*
delito	*crime, offense*
ejercer	*to practice, to exert*
rioplatense *(m. f.)*	*of/from the River Plate region*
vocero(a)	*spokesperson*

LECCIÓN 6

La modernidad en desafío

COLOMBIA Y VENEZUELA

Martin Siepmann / Photolibrary

Suggestion: Have students infer meaning from the title. To what **modernidad** might this refer? What is **en desafío**?

LOS ORÍGENES

Descubre qué leyenda motivó la exploración y conquista del interior de Colombia y Venezuela (págs. 246–247).

SI VIAJAS A NUESTRO PAÍS...

- En **Colombia** visitarás la capital, Bogotá, con una población de unos siete millones y medio, Medellín, Cartagena y varios festivales de Medellín (págs. 248–249).
- En **Venezuela** conocerás la capital, Caracas, con una población de más de tres millones, Maracaibo, Maracay y tres parques nacionales venezolanos (págs. 266–267).

MEJOREMOS LA COMUNICACIÓN

Aprende a hablar con facilidad de las fuentes de energía, la energía renovable (págs. 250–251) y de desafíos ecológicos en el siglo XXI (págs. 268–269).

AYER YA ES HOY

Haz un recorrido por la historia de Colombia desde su independencia hasta el presente (págs. 252–253) y en la de Venezuela desde la presidencia de Simón Bolívar hasta nuestros días (págs. 270–271).

LOS NUESTROS

- En **Colombia** conoce a una excelente escritora colombiana, al artista vivo originario de Latinoamerica más cotizado *(sought after)* y a un muy galardonado realizador y director de cine (págs. 254–255).
- En **Venezuela** conoce a una modista que ha sabido interpretar los gustos y las necesidades de las mujeres amantes de la elegancia, a un joven actor y productor de televisión en los Estados Unidos y a una joven actriz y modelo que se destaca en el intrincado mundo de las telenovelas (págs. 272–273).

¡LUCES! ¡CÁMARA! ¡ACCIÓN!

- Visita "Medellín: el paraíso colombiano recuperado" (pág. 256).

ESCRIBAMOS AHORA

Narra un suceso en tu vida donde el diálogo tuvo un efecto impactante (pág. 274).

LECTURA

- Asómate *(Take a look at)* al mundo de la venganza y la violencia contenida, tal y como la experimentan los personajes del cuento "Un día de estos", del muy galardonado escritor colombiano Gabriel García Márquez (págs. 257–260).
- Reflexiona sobre las prioridades de la sociedad estadounidense al compararlas con las de muchos países del Caribe, tal y como lo presenta el cuento folclórico "¿Para qué?" que narra el escritor venezolano Armando José Sequera (págs. 275–277).

¡EL CINE NOS ENCANTA!

- Experimenta la angustia de dos hermanos que buscan venganza en el cortometraje *Los elefantes nunca olvidan* (págs. 278–281).

GRAMÁTICA

Repasa los siguientes puntos gramaticales:

- 6.1 Relative Pronouns (págs. 261–265)
- 6.2 Present Subjunctive: Adjective Clauses (págs. 282–283)
- 6.3 Present Subjunctive: Adverbial Clauses (págs. 284–287)

Distintos pueblos indígenas ocuparon, antes de la conquista española, el territorio que hoy comprende Venezuela y Colombia. Las costas venezolanas del Caribe fueron pobladas por los indígenas arawak que habían sido conquistados progresivamente por los caribes. En la región colombiana, la cultura conocida como la de San Agustín, todavía causa admiración por sus enormes ídolos de piedra. También en la región colombiana vivieron los pueblos chibchas, que ocupaban las tierras altas de esta área.

Exploración y conquista

¿Quién realizó el descubrimiento europeo de las costas, y qué motivó la exploración y conquista del interior?

imagebroker / Alamy

En su tercer viaje, Cristóbal Colón pisó tierra firme en lo que hoy conocemos como Venezuela el 1 de agosto de 1498. Un año después, Américo Vespucio denominó a la zona "Venezuela", o sea, "pequeña Venecia" al ver las casas sobre pilotes que habitaban los indígenas de las orillas del lago de Maracaibo. La colonización de la costa colombiana se inició en 1525. En sus cercanías fundaron la ciudad de Santa Fe de Bogotá en 1538, dándole a la región el nombre de "Nueva Granada". Pronto corrió la voz de la leyenda de El Dorado, un reino fabulosamente rico donde el jefe se bañaba en oro antes de sumergirse en un lago. Esto motivó la exploración y conquista de los territorios del interior de Colombia y Venezuela.

The Art Archive

La colonia

¿Cuáles fueron las consecuencias de la conquista y colonización para la población indígena?

Con la conquista española, la población indígena que habitaba el territorio que hoy día es Colombia y Venezuela disminuyó considerablemente debido a enfermedades introducidas por los españoles y al hecho de que muchos fueron enviados a Perú a trabajar las minas de oro. La disminución de la población indígena dio inicio a un mestizaje racial y permitió que el castellano y el catolicismo reemplazaran muchas de las lenguas y religiones nativas. Viéndose sin grandes números de indígenas para trabajar las grandes plantaciones de caña de azúcar y las minas de oro y plata, los españoles importaron esclavos africanos que instalaron en la costa del Caribe.

¿Por qué se instauró el Virreinato de Nueva Granada?

En 1717, para enfrentarse con el problema de los piratas y para facilitar la búsqueda de oro, España instituyó el Virreinato de Nueva Granada, con su capital en Bogotá, el cual comprendía aproximadamente el territorio de las que hoy son las repúblicas de Venezuela, Colombia, Ecuador y Panamá. Este fue suprimido en 1723 y reestablecido en 1739 cuando Panamá pasó a formar parte del virreinato. Se trataba de una entidad territorial muy del gusto de los Borbones, casa real a la que pertenecía el rey español Felipe V.

¿COMPRENDISTE?

VOCABULARIO ÚTIL

búsqueda	*search*
cercanías	*vicinity; surrounding area*
corrió la voz	*there was a rumor; the news spread*
denominar	*to name, to call*
disminuir	*to decrease, to diminish*
entidad *(f.)*	*entity*
esclavo(a)	*slave*
instaurarse	*to establish*
orilla	*shore*
pilote *(m.)*	*(wooden) pile*
reemplazar	*to replace*

A. Los orígenes. Con tu compañero(a), contesten las siguientes preguntas.

1. ¿Cuáles fueron algunos de los pueblos indígenas que ocuparon el territorio que ahora conocemos como Colombia y Venezuela?
2. ¿Cuál es el origen del nombre "Venezuela"?
3. ¿En qué consiste la leyenda de El Dorado? ¿Qué importancia tiene esta leyenda en la historia de Colombia?
4. ¿Para qué se importaron esclavos africanos durante la época colonial?
5. ¿Qué territorios pertenecían al Virreinato de Nueva Granada? ¿Por qué y para qué se creó esta entidad territorial?

B. A pensar y a analizar. Contesta las siguientes preguntas con dos o tres compañeros(as) de clase.

1. Aparte de la leyenda de El Dorado, sabemos que la leyenda de La Fuente de la Eterna Juventud determinó la exploración de parte del Caribe y la Florida. ¿Por qué, según Uds., los españoles creían que esas leyendas se hacían realidad en las Américas? ¿Creen que en la actualidad nos dejamos llevar *(we let ourselves be led)* también por las leyendas y la fantasía? Expliquen.
2. Aparte de las razones expuestas para explicar la importación de esclavos africanos, ¿qué otras razones creen que usaron los conquistadores españoles para justificar la esclavitud? Marquen las que creen que usaron y comparen sus respuestas con el resto de la clase.

   __X__ a. Las dificultades legales para esclavizar a los indígenas, considerados súbditos *(subjects)* de la corona española.

   __X__ b. Las dificultades de adaptación por parte de los indígenas a nuevas regiones y la climatología.

   __X__ c. La resistencia de la mayor parte de los grupos indígenas.

   _____ d. La cercanía *(proximity)* entre el continente africano y el americano para el transporte.

   __X__ e. El gran desarrollo del mercado esclavista por parte de negociantes de distintos países europeos.

¡Diviértete en la red!
Busca "Leyenda de El Dorado" en Google Web y/o YouTube. Selecciona un sitio y ve a clase preparado(a) para presentar un breve resumen sobre lo que más te impresionó de esta leyenda.

Colombia

Comprehension check: Ask: 1. ¿Por qué crees que la colección del Museo del Oro de Bogotá se considera la más importante del mundo? 2. ¿Qué evidencia hay que indica que Cartagena era atacada con frecuencia durante la colonia? 3. ¿Por qué crees que hay tantas universidades en Medellín? ¿Qué ciudades en los Estados Unidos tienen muchas universidades?

Nombre oficial: República de Colombia
Población: 43.677.372 (estimación de 2009)
Principales ciudades: Santa Fe de Bogotá (capital), Cali, Medellín, Cartagena
Moneda: Peso (Col$)

En Bogotá, la capital, con una población de casi siete millones y medio, tienes que conocer...

- el Cerro de Monserrate con su santuario *(sanctuary)*, el símbolo por excelencia de la capital colombiana y, sin duda alguna, la mejor vista de la ciudad.
- el Museo del Oro, declarado Monumento Nacional y cuya colección, con unos 34 mil artefactos de oro de culturas precolombinas en Colombia, es considerada como la más importante del mundo.
- la Plaza de Toros de Santamaría, con una capacidad de 14.500 espectadores. Es considerada una de las mejores del mundo taurino.

Florian Kopp / Photolibrary

Algunas de las piezas presentadas en el impresionante Museo del Oro de Bogotá

- la Catedral de Sal a cincuenta kilómetros de Bogotá, un templo construido en el interior de las minas de sal en el pueblo de Zipaquirá. Es considerada como uno de los logros arquitectónicos y artísticos más notables de la arquitectura colombina.

En Medellín, conocida como "la Ciudad de las Flores" y "la Ciudad de la Eterna Primavera", no dejes de visitar...

- el Teatro Metropolitano con capacidad para 1.634 espectadores, en la actualidad el máximo recinto *(building)* cultural de la ciudad y sede de la Orquesta Filarmónica de Medellín.
- el Museo de Antioquia, el más importante de la ciudad, con una colección de obras de Fernando Botero y otros artistas colombianos.
- uno de los cinco Parques Biblioteca que fomentan *(promote)* actividades culturales, recreativas y deportivas para jóvenes y adultos.
- uno de los veinte centros educativos universitarios, entre los que destacan la Universidad EAFIT y la Universidad de Medellín.

En Cartagena de Indias, puedes visitar...

- el Corralito de Piedra, una villa colonial que data de 1556, rodeada de murallas con el fin de proteger con el fin de proteger la ciudad.
- el Pie de la Popa, uno de los primeros barrios de Cartagena, con importantes casas coloniales.
- los diecinueve kilómetros de playas en el área urbana.
- el Castillo de San Felipe de Barajas, una construcción militar que protegió a la ciudad de ataques piratas.
- la Plaza de los Coches, como se conoce actualmente, en sus inicios designada para la venta de africanos que llegaban a la ciudad en condición de esclavos.

Jean-Baptiste Rabouan / Photolibrary

Música en vivo en un restaurante de Cartagena, Colombia

Festivales de Medellín

Jon Spaull / Photolibrary

Celebrando la Feria de las Flores en Medellín, Colombia

- La Feria de las Flores, realizada a fines de julio y comienzos de agosto, el evento más representativo de la ciudad de Medellín.
- El Festival Internacional de Poesía, una congregación anual de poetas de casi todo el mundo.

¡Diviértete en la red!
Busca "Bogotá", "Medellín", "Cartagena" u uno de los festivales mencionados aquí, en Google Web y/o YouTube. Selecciona un sitio y ve a clase preparado(a) para presentar un breve resumen sobre lo que más te impresionó.

Energía, ¿renovable o no?

Los primeros datos sobre la existencia de petróleo en Colombia nos remontan *(take us back)* a la conquista española, cuando las tropas de Gonzalo Jiménez de Quesada llegaron por el río Magdalena a La Tora, en lo que hoy es Barrancabermeja. Allí encontraron lugares donde surgía *(spurted up)* un líquido negro que los nativos yariguíes usaban domésticamente. A su vez, los españoles lo utilizaron para impermeabilizar *(to waterproof)* sus embarcaciones.

Con el paso de los siglos, la explotación de esta fuente de energía no renovable se ha desarrollado tanto en Colombia como en otros países sudamericanos, especialmente Venezuela, uno de los principales países exportadores de petróleo del mundo.

Brian A. Jackson / Shutterstock

Para hablar de la energía

abastecimiento	*supply*
carbón *(m.)*	*coal*
central nuclear *(f.)*	*nuclear plant*
combustible *(m.)*	*fuel*
consumo de energía	*energy consumption*
energía eólica	*wind power*
energía hidráulica	*water power, hydropower*
energía (no) renovable	*(non)renewable energy*
fuente de energía *(f.)*	*energy source*
gas natural *(m.)*	*natural gas*
gasolina	*gas*
impacto ambiental	*environmental impact*
petróleo	*oil*
placa solar	*solar panel*
reciclar	*to recycle*
residuo nuclear	*nuclear waste*
sostenible *(m. f.)*	*sustainable*
vertido (o derrame) tóxico	*toxic spill*

Al defender (o no) la prevalencia de la energía renovable

—¿Sabes si la utilización de energías renovables para producir el 100% de la energía que consume el país es técnica y económicamente viable?

Do you know if the use of renewable energy to produce 100% of the energy consumed by the country is technically and economically viable?

A favor

—Sí, y realmente lo único que falta para que se abandonen las energías sucias es voluntad política por una parte y la del pueblo por otra.

Yes, and truly the only thing needed for people to abandon dirty energies is political willingness on the one hand and that of the people on the other.

—**Para lograrlo, tenemos que desarrollar las energías renovables y eliminar el consumo superfluo.**

In order to achieve it, we have to develop the renewable energy and eliminate superfluous consumption.

En contra

—**Pues no sé. Según el sitio en Internet de la Administración de Energía de los Estados Unidos, no se puede hacer.**

Well, I don't know. According to the U.S. Energy Information Administration website, it can't be done.

—**Algunos de los recursos renovables (limpios) están en áreas remotas, y resulta muy caro transportar la energía a las zonas que la necesitan. La energía solar no es viable en días nublados, especialmente en climas lluviosos o de mucha nieve. El viento no es viable donde hay muchos días sin viento.**

Some of the renewable (clean) resources are in remote areas, and it is very expensive to transport the energy to areas that need it. Solar energy is not viable on cloudy days, especially in rainy or snowy climates. Wind is not viable where there are a lot of calm days.

¡A practicar, luego a conversar!

A. ¿Limpias o sucias? Con un(a) compañero(a) de clase, determinen si las siguientes fuentes de energía o sus consecuencias son sucias (S) o limpias (L).

1. __L__ energía eólica
2. __S__ carbón
3. __S__ petróleo
4. __L__ energía solar
5. __S__ energía nuclear
6. __S__ vertido tóxico
7. __S__ gasolina

B. Palabras clave: fuerza. Para ampliar tu vocabulario, completa las oraciones de la segunda columna con las expresiones de la primera columna. Luego, escribe dos oraciones originales con cada expresión.

__c__ 1. a la fuerza
__e__ 2. por fuerza
__d__ 3. con fuerza
__a__ 4. a fuerza de
__b__ 5. ¡Fuerza!

a. La puerta se abrió ... golpes.
b. ¡Vamos!, ¡Ánimo!,...
c. Su matrimonio fue arreglado. Se casaron...
d. Dicen las instrucciones que hay que sacudir (*to shake*)...
e. Yo creo que, al ser el mejor, ... tiene que ganar.

C. Energía y el futuro. En grupos de tres o cuatro, hablen de cuáles son las fuentes de energía del futuro y qué consecuencias tendrán para su comunidad. Hagan una lista de cosas que se pueden hacer para evitar consumir energía superfluamente y una lista de tipos de energía renovable que ya se usan en su comunidad. Luego, digan si creen que el petróleo será sustituido pronto por otras fuentes de energía. Compartan sus listas y opiniones con la clase.

Suggestion: Have volunteers from two groups write their lists on the board. Ask the remaining groups to add any additional words they had on their lists.

Suggestions: Have students explain the subtitle of this reading. Why would Colombia be called **la esmeralda del continente**? Also ask students why they think there has been so much violence and corruption in this country.

Colombia: la esmeralda del continente

El proceso de independencia

El 20 de julio de 1810, el último virrey español, Antonio Amar y Borbón, fue destituido de su cargo en el Virreinato de Nueva Granada y obligado a tomar un barco para España. Esta es la fecha en que se conmemora la independencia de Colombia de España. Los españoles volvieron a invadir Nueva Granada en 1816. Simón Bolívar derrotó a los españoles el 7 de agosto de 1819. Así, el 17 de diciembre de ese año se proclamó la República de la Gran Colombia y Simón Bolívar fue nombrado presidente. En 1829, la República de la Gran Colombia, que poco antes había sido el Virreinato de la Nueva Granada, quedó dividida en tres estados independientes: Venezuela, Ecuador y la República de Nueva Granada, hoy Colombia y Panamá.

Guerra de los Mil Días (1899–1902)

La violencia

Entre 1899 y 1903, tuvo lugar la más sangrienta de las guerras civiles colombianas, la Guerra de los Mil Días, que dejó al país exhausto. En noviembre de ese último año, Panamá declaró su independencia. El gobierno estadounidense apoyó esta acción pues facilitaba considerablemente su plan de abrir un canal a través del istmo centroamericano. En 1914, Colombia reconoció la independencia de Panamá.

El café fue el producto que trajo una relativa prosperidad económica después de la Primera Guerra Mundial. Aunque la gran depresión de la década de los 30 ocasionó un colapso de la economía colombiana, paradójicamente también impulsó la industrialización del país. Muchos productos manufacturados que se importaban tuvieron que ser sustituidos por productos elaborados en el país.

El 9 de abril de 1948, Jorge Eliécer Gaitán, popular líder del Partido Liberal, fue asesinado. Este hecho resultó en una ola de violencia generalizada que se llama "el bogotazo" y que continuó por varios años culminando en un golpe de estado en junio de 1953 y un golpe militar en 1957. Desde 1958 se han efectuado regularmente elecciones para presidente en Colombia. Los candidatos del Partido Liberal han resultado triunfadores en estas elecciones desde 1974.

Fines del siglo XX

La década de los años 80 se caracterizó por la tremenda violencia causada por los ataques de grupos guerrilleros y también de grupos de narcotraficantes, principalmente en la ciudad de Medellín. En 1991 se proclamó una nueva constitución. En 1993, la muerte de Pablo Escobar, líder del cartel de drogas de esa ciudad, trajo la promesa de paz, por la cual los colombianos, con la cooperación del gobierno estadounidense, continúan luchando esforzadamente.

La Colombia de hoy

- En 2002, Álvaro Uribe Vélez se convirtió en el primer presidente colombiano elegido por un partido diferente al liberal o al conservador en más de 150 años. Obtuvo su segundo mandato en 2006.
- Su administración negoció un proceso de desmovilización de grupos paramilitares, y el ejército nacional continúa combatiendo a los grupos guerrilleros y paramilitares.
- Colombia es reconocida a nivel mundial por la producción de café suave, flores, esmeraldas, carbón y petróleo, por su diversidad y por ser el segundo de los países más ricos en biodiversidad del mundo.
- Es el cuarto centro económico de la América hispanohablante, y en 2009 la economía número veintisiete a nivel planetario.
- En 2010 Juan Manuel Santos fue elegido presidente de Colombia.

¿COMPRENDISTE?

VOCABULARIO ÚTIL

a través de	*across*
destituido(a)	*removed, dismissed*
esmeralda	*emerald*
hecho	*event; fact*
impulsar	*to give a boost to*
istmo	*isthmus*
mandato	*term of office*
ocasionar	*to cause*
sangriento(a)	*bloody*
virrey *(m.)*	*viceroy*

A. Hechos y acontecimientos. ¿Recuerdas los datos más importantes de la lectura? Para asegurarte, contesta las siguientes preguntas.

1. ¿Cuál es la importancia del 20 de julio de 1810 en la historia de Colombia? ¿Qué sucedió ese día?
2. ¿Quién fue elegido presidente de la República de la Gran Colombia? ¿Qué países formaron parte de la Gran Colombia?
3. ¿Qué producto agrícola trajo prosperidad a Colombia después de la Primera Guerra Mundial?
4. ¿Qué fue "el bogotazo" y qué resultado tuvo?
5. ¿Qué partido ganó las elecciones colombianas desde 1974 hasta principios del siglo XXI?
6. ¿Quién fue Pablo Escobar y qué significa su muerte?
7. ¿Por qué es significativa la elección de Álvaro Uribe Vélez en el año 2002?

B. A pensar y a analizar. ¿Cómo se caracteriza el siglo XX en Colombia? Contesten la pregunta trabajando en parejas. Citen hechos específicos para apoyar su respuesta. ¿Qué ha hecho el gobierno colombiano en el siglo XXI para mejorar la situación del país? ¿Qué queda por hacer?

C. Apoyo gramatical: los pronombres relativos. Completa cada oración con los pronombres relativos **que, quien** o **quienes**, según convenga, para hablar de la historia de Colombia.

1. El virrey ___que___ salió de Nueva Granada para España en 1810 fue Antonio Amar y Borbón.
2. El general José María Barreiro, a ___quien___ Simón Bolívar derrotó en la decisiva batalla de Boyacá, fue prisionero de guerra al final de esa batalla.
3. Simón Bolívar y el general Francisco de Paula Santander, de ___quienes___ provienen la ideología conservadora y liberal, respectivamente, fueron héroes de las guerras de independencia.
4. Una de las guerras más sangrientas ___que___ ha tenido Colombia es la Guerra de los Mil Días.
5. La persona ___que___ asesinó a Jorge Eliécer Gaitán fue un joven llamado Juan Roa Sierra.
6. Los presidentes ___que___ gobernaron Colombia desde 1974 hasta 2002 han pertenecido al Partido Liberal.
7. La muerte de Pablo Escobar en 1993 fue un duro golpe para el narcotráfico ___que___ afectaba a Colombia en esa época.

Gramática 6.1: Antes de hacer esta actividad, conviene repasar esta estructura en las págs. 261–265.

LOS NUESTROS

Fanny Buitrago González

Esta escritora colombiana comenzó a leer y a escribir desde muy temprano, bajo la influencia de su padre y su abuelo materno. Desde 1980 vive en Bogotá, que es el medio *(environment)* donde se desarrollan la mayoría de sus narraciones. También ha escrito relatos destinados al público infantil, obras de teatro y guiones *(scripts)* de radio y televisión. Algunas de sus obras han sido traducidas al inglés, al alemán, al portugués y al francés. Su obra de teatro, *El hombre de paja* (1964), por la cual recibió el Premio Nacional de Teatro, trata de la violencia política y social que vivía Colombia. Como ella misma dice: «Tengo muchas historias para la literatura, la vida no me va a alcanzar y ese es mi único miedo».

photolatino / Fotolia

La casa natal de la escritora Fanny Buitrago se encuentra en Barranquilla, Colombia.

Julio Donoso / Sygma / Corbis

Fernando Botero

Partidario de una corriente pictórica figurativa y realista, a partir de 1950 Fernando Botero exageró los volúmenes de la figura humana en sus composiciones. Posteriormente estas figuras adoptaron la forma de sátiras de tipo político y social. Durante los años 70 empezó a hacer esculturas en mármol y bronce, conservando la monumentalidad en su expresión. Para entonces ya había sido reconocido como uno de los genios de la pintura contemporánea. En su obra reciente, Botero ha recurrido *(has turned to)* temáticamente a la situación política colombiana y mundial.

Rodrigo García Barcha

Hijo del gran escritor Gabriel García Márquez, Ricardo García Barcha sigue las huellas *(footsteps)* creativas de su padre en el cine y en la fotografía. A los cuarenta años debutó con gran éxito como realizador *(producer)* de la afamada *(famous)* película *Things You Can Tell Just by Looking at Her / Con sólo mirarla* (1999), en la cual trabajó con Glenn Close, Cameron Díaz y otras famosas actrices. El filme fue premiado en el Festival de Cine Sundance y posteriormente recibió otro galardón en el Festival de Cannes del año 2000. También ha dirigido una variedad de filmes independientes y varios episodios de las series televisivas de HBO *Six Feet Under, Carnivale* y *Big Love*. Desde 2008 vive en los Estados Unidos.

Gabriel Bouys / Getty Images

Otros colombianos sobresalientes

Extension: Show the class examples from the Internet or the library of Fernando Botero's art. Divide students into groups of three or four, and give each group one of Botero's works to discuss. Have them determine if that piece is simply humorous or if it also criticizes society, indicate the elements that show humor or social criticism, and explain if the work conveys any meaning beyond the obvious.

Suggestion: Ask students to look up two or more of the **Otros colombianos sobresalientes** on the Internet and have them turn in a brief written report on what they find. You may want to offer extra credit for this work.

Arturo Alape: cuentista, novelista y pintor
Roberto Burgos Cantor: cuentista y novelista
Santiago Cárdenas: pintor, dibujante y catedrático
Andrea Echeverri: cantante
Beatriz González: pintora y grabadora
Ana Mercedes Hoyos: pintora
Shakira Mebarak: cantante
Marvel Moreno: cuentista y novelista
Rafael Humberto Moreno Durán: cuentista, novelista y ensayista
Edgar Negret: escultor
Darío Ruiz Gómez: cuentista, novelista, poeta y ensayista
Carlos Vives: cantante y actor

¿COMPRENDISTE?

A. **Los nuestros.** Contesta estas preguntas con un(a) compañero(a). Luego, comparte tus respuestas con dos o tres compañeros(as) de clase.

1. ¿Qué tipo de literatura ha cultivado Fanny Buitrago? ¿Crees que es necesario e importante destacar el papel que juega el autor en una novela? Explica.
2. ¿Qué se destaca en el arte de Fernando Botero? En tu opinión, ¿es ofensivo tratar el tamaño de la gente de esta manera o no? Explica.
3. ¿Quién es el famoso pariente de Rodrigo García Barcha? ¿A qué crees que se debe el éxito de este gran realizador y director de cine?

B. **Miniprueba.** Demuestra lo que aprendiste de estos talentosos colombianos al completar estas oraciones.

1. Un buen número de las obras de Fanny Buitrago se desarrollan en los alrededores de __b__.
   a. el campo colombiano
   b. Bogotá
   c. la industria cafetera
2. Las obras de Fernando Botero son reconocidas en el mundo entero por __b__ de las figuras.
   a. lo realista
   b. la amplificación
   c. lo serio
3. Ricardo García Barcha sigue las huellas __c__ de su padre en el cine y en la fotografía.
   a. seguras
   b. decididas
   c. creativas

¡Diviértete en la red!
Busca "Fanny Buitrago", "Fernando Botero" y/o "Ricardo García Barcha" en YouTube para ver videos y escuchar a estos talentosos colombianos. Ven a clase preparado(a) para presentar un breve resumen de lo que encontraste y lo que viste.

Medellín: el paraíso colombiano recuperado

Antes de empezar el video

En parejas. Contesten las siguientes preguntas en parejas.

1. ¿En qué piensan Uds. cuando oyen mencionar a Colombia o la ciudad de Medellín? ¿Por qué hacen esas asociaciones? ¿Qué validez tienen esas asociaciones?
2. ¿Qué asocian Uds. con las orquídeas? ¿De dónde vienen?
3. En la opinión de Uds., ¿cuál es el papel del arte? (¿Representar la realidad? ¿Sólo dar una impresión de la realidad? ¿Divertir? ¿...?) ¿Qué es "el arte culto"? ¿Consideran Uds. que el arte humorístico sea arte culto? ¿Por qué?

Suggestion: Have students anticipate what they will see based on these previewing questions. Then, after viewing the video, have them check their predictions to see if they are correct. Keep in mind that some previewing questions are critical-thinking questions with several possible answers. Make sure students have valid reasons for answering as they do.

Después de ver el video

A. Medellín: el paraíso colombiano recuperado. Contesta las siguientes preguntas con un(a) compañero(a) de clase.

1. ¿Cuál es el origen del nombre de Medellín?
2. ¿A qué se atribuye la belleza natural de la ciudad?
3. ¿Con quién o con qué se identifica Medellín? ¿Por qué se hace esta asociación desafortunada?
4. Describan una obra de Fernando Botero. ¿Les gusta su arte? ¿Por qué?

B. A pensar y a interpretar. Contesta las siguientes preguntas.

1. ¿Por qué no es ni justa ni válida la imagen que el mundo tiene de Medellín? ¿Por qué es tan difícil cambiar una imagen negativa de ese tipo?
2. ¿Cómo describe el narrador a los medellinenses, mejor conocidos como "paisas"? ¿Por qué crees que son así?
3. ¿Es aceptable en nuestra sociedad satirizar sobre la apariencia física de un individuo? ¿Por qué habrá llegado a ser tan popular el arte de Fernando Botero?

C. Apoyo gramatical: los pronombres relativos. Selecciona el pronombre relativo apropiado para completar las siguientes oraciones acerca de la ciudad de Medellín.

1. Los habitantes de Medellín, (el cual / quienes) se llaman medellinenses, se sienten muy orgullosos de su ciudad.
2. Poco a poco va cambiando la imagen (la cual / que) la gente tenía de Medellín como un centro de violencia y de tráfico de drogas.
3. En Medellín se celebran importantes convenciones y exhibiciones durante (que / las cuales) se muestra al mundo lo mejor de la productividad colombiana.
4. La ciudad de Medellín, (el cual / la cual) se conoce como la Ciudad de las Flores, es una metrópolis de gran dinamismo.
5. Las orquídeas (que / las cuales) se cultivan en Medellín son unas de las más hermosas del mundo.
6. Fernando Botero es tal vez el ciudadano más famoso (que / quien) ha nacido en Medellín.
7. Fernando Botero, (cuyo / cuyas) obras exageran el volumen de la figura humana, ayudó a fundar el Museo de Antioquia, con sede en Medellín.
8. Medellín tiene muchas universidades (cuyas / que) contribuyen a la riqueza cultural de la ciudad.

Gramática 6.1: Antes de hacer esta actividad, conviene repasar esta estructura en las págs. 261–265.

Anticipando...: Have students answer item 1 in pairs. After reading the short story, have students check their predictions in items 2 and 3 to see if they are correct.

¡Antes de leer!

A. Anticipando la lectura. Haz estas actividades.

1. ¿Con qué frecuencia vas a visitar a un dentista? ¿Te gusta o no te gusta ir al dentista? ¿Por qué? ¿Cómo reaccionas cuando tienen que sacarte un diente o rellenarte una muela? ¿Temes la fresa *(drill)*? ¿Insistes en el uso de anestesia?
2. ¿Qué opinas de la venganza? ¿Crees que vengarse es justo y práctico? ¿Te vengaste alguna vez de alguien de una manera sutil o humorística? ¿Crees que las pequeñas venganzas son sanas, o que es mejor dejar pasar los rencores (*grudges*)? Da ejemplos en que sí y otros que no.
3. Lee el primer párrafo del cuento e identifica la voz narrativa y al protagonista. Luego, decide si va a ser un cuento realista, de horror, de fantasía o de misterio.

B. Vocabulario en contexto. Busca estas palabras en la lectura que sigue y, en base al contexto, decide cuál es su significado. Para facilitar encontrarlas, las palabras aparecen en negrilla en la lectura. *Vocabulario...*: Ask volunteers to create original sentences with these vocabulary words.

1. **dentadura postiza**	a. herramienta	b. vaso de cristal	(c.) dientes artificiales
2. **apresurarse**	(a.) darse prisa	b. considerarlo	c. poner presión
3. **el cráneo**	(a.) la cabeza	b. el sombrero	c. la almohada
4. **cautelosa**	a. rápida	(b.) moderada	c. fuerte
5. **rodó**	a. hizo caer	b. levantó	(c.) movió con ruedas
6. **la guerrera**	a. la pistola	b. el revólver	(c.) la chaqueta militar

Sobre el autor

Gabriel García Márquez, escritor colombiano galardonado con el Premio Nobel de Literatura en 1982, nació en Aracataca el 6 de marzo de 1928. Cursó estudios de derecho y periodismo en las universidades de Bogotá y Cartagena de Indias. Su consagración como novelista se produjo con la publicación de *Cien años de soledad* (1967). En muchas de las narraciones de García Márquez convergen el humor y la crítica social con una visión fabulada de la realidad que se ha llamado "realismo mágico". El contexto histórico del cuento "Un día de estos" se sitúa en el período conocido como "La Violencia", una década de terror que comenzó en 1948 y que dividió a Colombia en dos bandos y causó miles de muertos.

Un día de éstos

Suggestions: Before reading, ask students if it is common in this country for active military personnel to hold public office. Ask if students know of countries where it is common.

El lunes amaneció tibio* y sin lluvia. Don Aurelio Escovar, dentista sin título y buen madrugador,* abrió su gabinete* a las seis. Sacó de la vidriera* una **dentadura postiza** montada aún en el molde de yeso* y puso sobre la mesa un puñado* de instrumentos que ordenó de mayor a menor, como en una exposición. Llevaba una camisa a rayas, sin cuello, cerrada arriba con un botón dorado, y los pantalones sostenidos con cargadores* elásticos. Era rígido, enjuto,* con una mirada que raras veces correspondía a la situación, como la mirada de los sordos.*

Cuando tuvo las cosas dispuestas sobre la mesa **rodó** la fresa* hacia el sillón de resortes y se sentó a pulir* la dentadura postiza. Parecía no pensar en lo que hacía, pero trabajaba con obstinación, pedaleando* en la fresa incluso cuando no se servía de ella.*

Después de las ocho hizo una pausa para mirar el cielo por la ventana y vio dos gallinazos* pensativos que se secaban al sol en el caballete* de la casa vecina. Siguió trabajando con la idea de que antes del almuerzo volvía a llover. La voz destemplada* de su hijo de once años lo sacó de su abstracción.

—Papá.

—Qué.

—Dice el alcalde* que si le sacas una muela.*

—Dile que no estoy aquí.

Estaba puliendo un diente de oro. Lo retiró* a la distancia del brazo y lo examinó con los ojos a medio cerrar. En la salita de espera volvió a gritar su hijo.

—Dice que sí estás porque te está oyendo.

El dentista siguió examinando el diente. Sólo cuando lo puso en la mesa con los trabajos terminados, dijo:

—Mejor.

Volvió a operar la fresa. De una cajita de cartón* donde guardaba las cosas por hacer, sacó un puente de varias piezas y empezó a pulir el oro.

—Papá.

—Qué.

Aún no había cambiado de expresión.

—Dice que si no le sacas la muela te pega un tiro.*

Sin **apresurarse,** con un movimiento extremadamente tranquilo, dejó de pedalear en la fresa, la retiró del sillón y abrió por completo la gaveta* inferior de la mesa. Allí estaba el revólver.

—Bueno —dijo—. Dile que venga a pegármelo.

Hizo girar* el sillón hasta quedar de frente a la puerta, la mano apoyada en el borde de la gaveta. El alcalde apareció en el umbral.* Se había afeitado la mejilla* izquierda, pero en la otra, hinchada* y dolorida, tenía una barba de cinco días. El dentista vio en sus ojos marchitos* muchas noches de desesperación. Cerró la gaveta con la punta de los dedos y dijo suavemente:

amaneció... empezó ni frío ni caluroso
persona que se levanta temprano
oficina / *display case*
plaster of Paris / handful
suspenders / delgado
personas que no pueden oír
dentist's drill
to polish
pedaling
se... la usaba
buzzards / techo
high-pitched (out of tune)
mayor / molar
movió
cajita... *small cardboard box*
te... *he'll shoot you*
drawer
rotar
entrada
cheek / inflamada
debilitados

—Siéntese.

—Buenos días —dijo el alcalde.

Mientras hervían* los instrumentos, el alcalde apoyó **el cráneo** en el cabezal* de la silla y se sintió mejor. Respiraba un olor glacial.* Era un gabinete pobre: una vieja silla de madera, la fresa de pedal y una vidriera con pomos de loza.* Frente a la silla, una ventana con un cancel* de tela hasta la altura de un hombre. Cuando sintió que el dentista se acercaba, el alcalde afirmó los talones* y abrió la boca.

Don Aurelio Escovar le movió la cara hacia la luz. Después de observar la muela dañada, ajustó la mandíbula* con una **cautelosa** presión de los dedos.

—Tiene que ser sin anestesia —dijo.

—¿Por qué?

—Porque tiene un absceso.

El alcalde lo miró en los ojos.

—Está bien —dijo, y trató de sonreír. El dentista no le correspondió.* Llevó a la mesa de trabajo la cacerola con los instrumentos hervidos y los sacó del agua con unas pinzas* frías, todavía sin apresurarse. Después rodó la escupidera* con la punta del zapato y fue a lavarse las manos en el aguamanil.* Hizo todo sin mirar al alcalde. Pero el alcalde no lo perdió de vista.

Era una cordal* inferior. El dentista abrió las piernas y apretó* la muela con el gatillo* caliente. El alcalde se aferró* a las barras de la silla, descargó* toda su fuerza en los pies y sintió un vacío helado* en los riñones,* pero no soltó* un suspiro. El dentista sólo movió la muñeca.* Sin rencor, más bien con una amarga ternura,* dijo:

—Aquí nos paga veinte muertos, teniente.

El alcalde sintió un crujido de huesos* en la mandíbula y sus ojos se llenaron de lágrimas. Pero no suspiró hasta que no sintió salir la muela. Entonces la vio a través de las lágrimas. Le pareció tan extraña a su dolor, que no pudo entender la tortura de sus cinco noches anteriores. Inclinado sobre la escupidera, sudoroso,* jadeante,* se desabotonó* **la guerrera** y buscó a tientas* el pañuelo en el bolsillo del pantalón. El dentista le dio un trapo* limpio.

—Séquese las lágrimas —dijo.

El alcalde lo hizo. Estaba temblando.* Mientras el dentista se lavaba las manos, vio el cielorraso desfondado* y una telaraña* polvorienta con huevos de araña e insectos muertos. El dentista regresó secándose las manos.

—Acuéstese —dijo— y haga buches* de agua de sal.

El alcalde se puso de pie, se despidió con un displicente* saludo militar y se dirigió a la puerta estirando* las piernas, sin abotonarse* la guerrera.

—Me pasa la cuenta —dijo.

—¿A usted o al municipio?*

El alcalde no lo miró. Cerró la puerta, y dijo, a través de la red metálica:*

—Es la misma vaina.*

boiled
headrest / **olor...** aroma frígido
pomos... *earthenware bottles* / división
heels
jaw
devolvió (la sonrisa)
tongs / *spittoon*
washbasin
wisdom tooth / *grasped*
forceps / *grasped*
bajó / **vacío...** *cold emptiness*
kidneys / hizo / *wrist*
amarga... *bitter tenderness*
crujido... *cracking of bones*
sweaty
panting / **se...** se abrió / **a...** *gropingly*
rag
trembling
cielorraso... *crumbling ceiling* / *cobweb*
haga... *rinse your mouth*
indiferente
extendiendo / *buttoning up*
city hall
red... screen door
thing

¡Después de leer!

A. Hechos y acontecimientos. ¿Recuerdas los datos más importantes de la lectura? Para asegurarte, decide si estás de acuerdo o no con los siguientes comentarios. Si no lo estás, explica por qué no.

1. Don Aurelio Escovar fue a trabajar a su oficina al anochecer.
2. Don Aurelio no pensaba en nada en particular cuando lo interrumpió la voz de su hijo.
3. Cuando su hijo le informó que el alcalde quería que le sacara una muela, don Aurelio inmediatamente salió a recibir al alcalde.
4. El alcalde dijo que iba a morir del dolor si el dentista no le sacaba la muela.
5. Para emergencias como esta, el dentista guardaba un revólver en una gaveta de la mesa.
6. El dentista le dijo al alcalde que ya no tenía anestesia.
7. El dolor fue tan intenso que le salieron lágrimas al alcalde cuando el dentista le sacó la muela.
8. "Es la misma vaina" quiere decir que el municipio nunca paga los gastos personales del alcalde.

B. A pensar y a analizar. Contesta las siguientes preguntas con un(a) compañero(a). Luego, comparen sus respuestas con las de otros grupos.

1. ¿Cuál es el tema principal de este cuento? Expliquen.
2. ¿Creen Uds. que el alcalde representa o simboliza a todos los militares de Colombia de aquella época? ¿Por qué sí o por qué no? ¿A quiénes representa o simboliza el dentista? Expliquen.
3. Comenten el diálogo en este cuento. ¿Creen Uds. que debería haber más? ¿Menos? ¿Por qué? ¿Qué efecto tiene el diálogo tal como está?

C. Teatro para ser leído. En grupos de cinco, adapten el cuento de Gabriel García Márquez "Un día de estos" a un guión de teatro para ser leído.

1. Escriban lo que ocurre en el cuento "Un día de estos" usando diálogos solamente.

2. Añadan un poco de narración para mantener transiciones lógicas entre los diálogos.

3. Preparen siete copias del guión: una para cada uno de los tres actores, una para los dos narradores, una para el (la) director(a) y una para el (la) profesor(a) y ¡preséntenlo!

D. Apoyo gramatical: los pronombres relativos. Completa las siguientes oraciones con los pronombres relativos **el cual, la cual, los cuales, las cuales** o **lo cual**, según convenga, para repasar el cuento.

1. Aurelio Escobar, __el cual__ era una persona madrugadora, era el dentista del pueblo.
2. Don Aurelio no tenía título de dentista, __lo cual__ no les importaba a los habitantes del pueblo.
3. Un lunes por la mañana, una dentadura postiza, __la cual__ estaba montada en un molde de yeso, necesitaba ser pulida.
4. El dentista, __el cual__ trabajaba con obstinación, usaba la fresa para pulir.
5. El alcalde del pueblo sufría terriblemente, __lo cual__ lo tenía sin dormir desde hacía varias noches.
6. El alcalde visitó al dentista y este le dijo que tenía que sacar la muela, __la cual__ estaba infectada, sin usar anestesia.
7. El alcalde, __el cual__ sufrió mucho durante la extracción, casi derramó lágrimas.

Gramática 6.2: Antes de hacer esta actividad conviene repasar esta estructura en las págs. 261–265.

6.1 Relative Pronouns

Relative pronouns link a dependent clause to a main clause. As pronouns, they refer back to a noun in the main clause called the *antecedent*. They provide a smooth transition from one idea to another and eliminate the repetition of a noun. In contrast to English, the relative pronoun is never omitted in Spanish.

antecedent → la violencia; relative pronoun (link) → que

Lamentamos [la violencia] [que] vemos en Colombia.

› The main relative pronouns are: **que, quien(es), el (la, los, las) cual(es), el (la, los, las) que,** and **cuyo**.

Uses of *que*

› **Que** *(that, which, who, whom)* is the most frequently used relative pronoun. It can refer to people, places, things, or abstract ideas.

Gabriel García Márquez es un escritor colombiano **que** tiene renombre mundial. — *Gabriel García Márquez is a Colombian writer who has international renown.*

El producto **que** domina la economía colombiana es el café. — *The product that dominates the Colombian economy is coffee.*

› **Que** is used after the simple prepositions **a, con, de,** and **en** when it refers to places, things, or abstract ideas, not to people.

Santa Marta fue el lugar **en que** murió Simón Bolívar. — *Santa Marta was the place in which Simón Bolívar died.*

Muchos piensan que la educación es el arma **con que** se debe combatir el subdesarrollo económico. — *Many think that education is the weapon with which one should fight economic underdevelopment.*

Uses of *quien(es)*

› **Quien(es)** *(who, whom)* is used after simple prepositions like **a, con, de, en,** and **por** to refer to people. Note that it agrees in number with the antecedent.

Las personas **a quienes** entrevistaron son miembros del Congreso colombiano. — *The persons (whom) they interviewed are members of the Colombian Congress.*

No conozco al pintor colombiano **con quien (de quien)** hablas. — *I don't know the Colombian painter with whom (about whom) you are talking.*

› **Quien(es)** may also be used in a clause set off by commas when it refers to people.

Álvaro Uribe, **quien (que)** fue el presidente hasta el año 2006, fue reelegido por un segundo período de cuatro años. — *Álvaro Uribe, who was the President until 2006, was reelected for a second four-year term.*

Muchas jóvenes colombianas, **quienes** admiran a Shakira, asisten a algunos de sus conciertos. — *Many Colombian young women, who admire Shakira, attend some of her concerts.*

Ahora, ¡a practicar!

A. Estilo más complejo. Estás revisando la composición de un(a) compañero(a), en la cual aparecen demasiadas oraciones simples. Le sugieres que combine dos oraciones en una.

MODELO Fanny Buitrago González es una de las mejores escritoras colombianas contemporáneas. Nació en Barranquilla.
Fanny Buitrago González, quien (que) nació en Barranquilla, es una de las mejores escritoras colombianas contemporáneas.

1. Fernando Botero exagera los volúmenes de la figura humana. Es reconocido como uno de los genios de la cultura moderna.
2. Los músicos colombianos Andrea Echeverri y Héctor Buitrago han tenido un éxito nacional e internacional. Forman el grupo de rock Aterciopelados.
3. Shakira Mebarak ha triunfado en países hispanos y en los Estados Unidos. Nació y se crió en Barranquilla.
4. Rodrigo García Barcha ha triunfado como director de cine y de televisión. Es hijo del célebre escritor Gabriel García Márquez.

B. Conozcamos Colombia. Para aprender más sobre Colombia, identifica los siguientes lugares y cosas usando la información dada entre paréntesis.

MODELO el fútbol (deporte / practicarse más en Colombia)
El fútbol es el deporte que se practica más en Colombia.

1. Bogotá (ciudad / ser la capital de Colombia)
2. El peso (unidad monetaria / usarse en Colombia)
3. Colombia (país / tener el mayor número de pájaros exóticos del mundo, más de 1800 especies)
4. El café (cultivo / tener más importancia en la economía colombiana)

C. Identificaciones. Identifica a las personas que aparecen a continuación.

MODELO Jorge Eliécer Gaitán
Fue un político que ocupó puestos importantes en la política colombiana.
Fue un ciudadano que llegó a ser el líder del Partido Liberal. o
Fue un candidato presidencial que fue asesinado en 1948.

1. Fernando Botero
2. Antonio Amán y Borbón
3. Simón Bolívar
4. Pablo Escobar

Uses of *el cual* and *el que*

el cual Forms		*el que* Forms	
el cual	los cuales	el que	los que
la cual	las cuales	la que	las que

› These forms are more frequent in formal writing and speech. Both mean *that, which, who,* and *whom.* They are used to refer to people, things, and ideas and agree in number and gender with their antecedent. They are frequently used after prepositions.

La Guerra de los Mil Días, **durante la cual** perdieron la vida más de cien mil personas, tuvo lugar entre 1899 y 1902.
The Thousand Day War, during which more than one hundred thousand people lost their lives, took place between 1899 and 1902.

Visité un pueblo **cerca del cual** hay un parque nacional.
I visited a village near which there is a national park.

› In adjective clauses that are set off by commas, **el cual** may be used instead of **que** or **quien,** even though the latter two are preferred. **El cual** is favored when there is more than one antecedent and it is important to avoid ambiguity.

Fernando Botero, **quien (que)** nació en Medellín, es un escultor de renombre mundial.
Fernando Botero, who was born in Medellín, is a world-renowned sculptor.

El producto principal de esta granja, **el cual** (=producto) genera bastante dinero, es el café.
The main product of this farm, which (=product) generates enough money, is coffee.

El producto principal de esta granja, **la cual** (=granja) genera bastante dinero, es el café.
The main product of this farm, which (=farm) generates enough money, is coffee.

› The forms of **el que** are often used to refer to an unexpressed antecedent when that antecedent has been mentioned previously or when context makes it clear.

—¿Te gusta la música colombiana?
Do you like Colombian music?

—¿Cuál? ¿**La que** se escucha en la costa o **la que** se escucha en los llanos?
Which one? The one people listen to on the coast or the one people hear in the plains?

› The forms of **el que** and **quien(es)** are used to express *he who, the one(s) who, those who,* and so forth.

Quien (El que) adelante no mira, atrás se queda.
He who does not look ahead, remains behind.

Quienes (Los que) se esfuerzan triunfarán.
Those (The ones) who make an effort will succeed.

Ahora, ¡a practicar!

A. Necesito explicaciones. Tu profesor te ha dicho que el último ensayo que entregaste no es apropiado. Le haces preguntas para saber exactamente por qué no es apropiado.

MODELO el tema / escribir sobre
¿El tema sobre el que escribí no es apropiado?

1. la bibliografía / basarse en
2. el esquema / guiarse por
3. la tesis central / presentar argumentación para
4. ideas / escribir acerca de

B. La leyenda de las esmeraldas. Para contar la leyenda del origen de las esmeraldas usando oraciones complejas, combina las dos oraciones en una usando la forma apropiada de **el cual**.

MODELO Dos montañas simbolizan una historia de amor. Se encuentran en el occidente de Boyacá.
Dos montañas, las cuales se encuentran en el occidente de Boyacá, simbolizan una historia de amor.

1. Según una leyenda, un príncipe llamado Tena vivía en esa región. Estaba enamorado de una bella joven llamada Fura.
2. Fura juró fidelidad eterna a su amado príncipe. Estaba igualmente enamorada.
3. El dios del mal Zarbe se interpuso entre los dos amantes. Tentó a Fura.
4. La joven Fura rompió su promesa de fidelidad a Tena. Dio su amor a Zarbe pensando que sería inmortal.
5. El príncipe no pudo aceptar la traición de Fura y se quitó la vida. Sintió una profunda tristeza.

C. Definiciones. Explica el significado de los siguientes términos que aparecen en la lección.

MODELO la fresa (dentista)
La fresa es un aparato que usan los dentistas para pulir. o
La fresa es una herramienta con la cual trabajan los dentistas.

1. el residuo nuclear
2. la guerra civil
3. el alcalde
4. la anestesia

Uses of *lo cual* and *lo que*

› The neuter forms **lo cual** and **lo que** are used in adjective clauses, set off by commas, that refer to a situation or a previously stated idea. In this usage they correspond to the English *which*.

En 1948 el popular político Jorge Eliécer Gaitán fue asesinado, **lo cual (lo que)** produjo una ola de violencia.	*In 1948, the popular politician Jorge Eliécer Gaitán was assassinated, which caused a wave of violence.*

› **Lo que** is also used to mean *what* when something indefinite has not yet been mentioned.

Me gustaría saber **lo que** piensas de la situación política de Colombia.	*I would like to know what you think about the political situation in Colombia.*

Use of *cuyo*

Cuyo(a, os, as), meaning *whose, of whom, of which,* indicates possession. It precedes the noun it modifies and agrees with that noun in gender and number.

No conozco a ese cantante colombiano **cuyas** canciones me gustan tanto.	*I don't know that Colombian singer whose songs I like so much.*
Los muiscas eran un pueblo precolombino **cuya** economía estaba basada en la agricultura.	*The Muiscas were a pre-Columbian people whose economy was based on agriculture.*

Ahora, ¡a practicar!

A. ¡Impresionante! Uno a uno, los viajeros que regresan de Bogotá dicen qué es lo que más les impresionó.

MODELO ver en las calles
Me impresionó lo que vi en las calles.

1. leer en los periódicos
2. escuchar en la radio
3. aprender en el Museo del Oro
4. contarme algunos amigos colombianos

B. Reacciones. Usa la información dada para indicar tu reacción al leer diversos datos acerca de Colombia. Puedes utilizar el verbo que aparece al final de cada oración u otro que conozcas.

MODELO Colombia es el segundo productor de café del mundo / impresionar
Colombia es el segundo productor de café del mundo, lo cual (lo que) me impresionó mucho.

1. Colombia tiene la mayor red para ciclismo en Latinoamérica / sorprender
2. las más bellas esmeraldas provienen de Colombia / impresionar
3. algunos artículos documentan progreso lento en áreas de la salud / entristecer
4. muchos todavía ven a Colombia como un lugar de violencia y narcotráfico / desconcertar

C. ¿Cuánto recuerdas? Hazle preguntas a un(a) compañero(a) a ver si recuerda la información presentada en esta lección acerca de Colombia.

MODELO el virrey de Nueva Granada / el mandato terminó en 1810
¿Cuál es el virrey de Nueva Granada cuyo mandato terminó en 1810?

1. la cantante de rock / la música se escucha por todo el mundo
2. el escritor / la obra más famosa se llama *Cien años de soledad*
3. el narcotraficante / la muerte ocurrió en 1993
4. el líder político / el asesinato resultó en una ola de violencia

Venezuela

Comprehension check: Ask: 1. ¿Por qué crees que hay tantas plazas, museos y parques dedicados a Simón Bolivar en Venezuela? 2. ¿A qué se debe la importancia económica del lago Maracaibo? 3. Imagínate que estás en un tour en Marcay por un día. Tienes la opción de visitar el Museo Aeronáutico o la Casa de la Moneda. ¿Cuál vas a seleccionar? ¿Por qué?

Nombre oficial: República de Venezuela
Población: 26.814.843 (estimación de 2009)
Principales ciudades: Caracas (capital), Maracaibo, Valencia, Maracay, Barquisimeto
Moneda: Bolívar (Bs.)

En Caracas, la capital, con una población de más de tres millones, tienes que conocer...

- la Plaza Bolívar, que en la época de la colonia era el lugar de ejecuciones de los enemigos de la corona española y es ahora lugar donde se encuentra un extraordinario bronce ecuestre *(equestrian)* del Libertador.
- la Casa Natal del Libertador Simón Bolívar.
- el Museo de Arte Contemporáneo, un importante centro cultural que goza de gran prestigio internacional.
- la Ciudad Universitaria, una obra maestra arquitectónica y una maravilla en cuanto a urbanismo, paisajismo *(landscape gardening)* y arte.
- el Parque los Caobos, con una gran extensión de áreas verdes y distintos tipos de árboles de caoba *(mahogany)*. En la entrada se encuentran el Museo de Ciencias Naturales, el Museo de Bellas Artes y el Complejo Cultural Teresa Carreño.

Uno de los barrios residenciales de Caracas, Venezuela

En Maracaibo, no dejes de visitar…

- el lago de Maracaibo, el lago más grande de Venezuela y Latinoamérica, con una inmensa reserva petrolera en su subsuelo *(subsoil).*
- el templo de Santa Ana, una de las edificaciones más antiguas de la ciudad, con elementos del arte mudéjar.
- Sinamaica, al noroeste de Maracaibo, donde cerca de doce mil personas habitan viviendas sobre pilotes de madera en el lago Maracaibo, a las que Venezuela debe su nombre.

Fotopanorama / Photolibrary

Calle Santa Lucía en Maracaibo, Venezuela

Jean Du Boisberranger / Photolibrary

Exterior de la plaza de toros de Maracay

En Maracay, puedes visitar…

- la Plaza Bolívar, que mide unos quinientos metros de largo, ubicada *(located)* frente a la antigua Gobernación del Estado Aragua, Teatro de la Ópera de Maracay y a un lado del Hospital Civil de Maracay.
- el Museo Aeronáutico de las Fuerzas Aéreas Venezolanas, antiguamente la Base Aérea Aragua y la primera Escuela de Aviación Militar del país.
- la Casa de la Moneda, la única en toda Sudamérica. En ella se fabrican monedas, billetes, sellos y otras especies valoradas.

Parques nacionales de Venezuela

- el Parque Nacional Henri Pittier, el más antiguo de Venezuela, mundialmente famoso por la diversidad de aves que se encuentran en esta zona (más de quinientas especies)
- el Parque Nacional Sierra Nevada, el segundo parque decretado parque nacional, dedicado a la preservación del ecosistema de mayor altura en el país
- el Parque Nacional Guatopo, con numerosos ríos que nacen en su seno, entre ellos: Lagartijo, Taguaza, Taguacita y Cuira. Es garante *(guarantor)* del agua de la ciudad capital.

Juan Carlos Munoz / Photolibrary

El impresionante salto El Hacha y el lago Canaima, en el Parque Nacional de Canaima

¡Diviértete en la red!

Busca "Caracas", "Maracaibo", "Maracay" o uno de los parques nacionales mencionados aquí, en Google Web y/o YouTube. Selecciona un sitio y ve a clase preparado(a) para presentar un breve resumen sobre lo que más te impresionó.

La tierra es tu casa

Venezuela es uno de los diecinueve países con mayor diversidad ecológica del mundo, con una geografía irregular que combina áreas tropicales, climas desérticos, territorios selváticos, extensas llanuras y ambientes andinos. Cuenta con el conjunto de áreas protegidas más extenso de Latinoamérica.

White / Photolibrary

Para hablar de ecología

agua potable	*drinkable water*
ambiente *(m.)*	*environment*
basura	*garbage*
biodiversidad *(f.)*	*biodiversity*
bosque tropical *(m.)*	*tropical forest*
calentamiento global	*global warming*
cambio climático	*climate change*
capa de ozono	*ozone layer*
contaminación *(f.)*	*pollution*
deforestación *(f.)*	*deforestation*
desertización *(f.)*	*desertification, turning land into a desert*
efecto invernadero	*greenhouse effect*
especies en peligro de extinción *(f.)*	*endangered species*
erosión *(f.)*	*erosion*
gases de invernadero *(m.)*	*greenhouse gases*
lluvia ácida	*acid rain*
medio ambiente	*environment*
naturaleza	*nature*
reciclaje *(m.)*	*recycling*
selva	*tropical forest, jungle*

Al hablar de los desafíos del calentamiento global

—¿Por qué crees que preocupa tanto el calentamiento global?
Why do you think there is so much concern about global warming?

—Porque los más destacados científicos coinciden en que el aumento de la concentración de gases de invernadero en la atmósfera está provocando alteraciones en el clima.
Because the best-known scientists agree that the increase in the concentration of greenhouse gases in the atmosphere is causing climate changes.

—¿Pero no se han emitido estos gases durante toda la historia? ¿Por qué ahora?
But haven't these gases been emitting throughout history? Why now?

—Porque las emisiones de gases invernadero han aumentado exponencialmente a partir de la Revolución Industrial.
Because the emissions of greenhouse gases have increased exponentially since the Industrial Revolution.

¡A practicar, luego a conversar!

A. Ecología. Combina las palabras de la izquierda con las que están relacionadas en la derecha. Luego escribe una oración con cada par de palabras.

__b__ 1. erosión	a. reciclaje
__a__ 2. basura	b. tierra
__d__ 3. biodiversidad	c. cambio climático
__e__ 4. deforestación	d. naturaleza
__c__ 5. gases invernadero	e. bosque tropical

B. Palabras clave: agua. Determina qué palabra o expresión de la izquierda se corresponde con las frases de la derecha. Luego escribe dos oraciones originales con cada una de ellas. Comparte tus oraciones con las de dos compañeros(as) de clase.

__c__ 1. ¡Aguas!	a. un tema que ya no tiene importancia
__d__ 2. aguado	b. ser evidente
__b__ 3. estar claro como el agua	c. ¡Cuidado!
__e__ 4. estar entre dos aguas	d. que tiene demasiada agua
__a__ 5. ser agua pasada	e. tener dos opiniones distintas

C. ¿Verdes? Contesta las siguientes preguntas. Luego, comparte tus respuestas con tres o cuatro compañeros(as). Finalmente, díganle a la clase si se consideran "verdes".

1. ¿Te preocupa la situación con el medio ambiente? ¿Qué te preocupa, la contaminación, el calentamiento global, la deforestación,...? Explica.
2. ¿Reciclas? ¿Qué otras cosas haces para ayudar al medio ambiente?
3. Si fueras presidente(a) de los Estados Unidos, ¿qué harías para ayudar en materia de medio ambiente? Cita tres o cuatro medidas importantes que adoptarías.

D. Debate. En dos grupos de cuatro, preparen argumentos para debatir lo siguiente: un grupo considera que la naturaleza está para explotarla, y que el calentamiento global es cíclico y no está provocado por el comportamiento humano; el otro grupo defiende lo contrario. Tengan un debate. Al terminar, los miembros de la clase van a decir si están a favor de un argumento o el otro y por qué. Su instructor(a) puede dirigir la discusión.

Suggestions: Have students comment on the subtitle of the reading. To what **límites** does this refer? To what **prosperidad**?

Venezuela: los límites de la prosperidad

La independencia

© Bettmann / Corbis

Venezuela fue el primer país en Latinoamérica que inició la larga lucha por la independencia. En 1819 se estableció lo que se conoce como la tercera república y Simón Bolívar fue elegido presidente. En 1821 el congreso de Cúcuta promulgó la constitución de la República de la Gran Colombia (Colombia, Venezuela, Ecuador y Panamá) y reafirmó a Bolívar como presidente. El nacionalismo venezolano resentía este gobierno centrado en la lejana Bogotá y en 1829 el general José Antonio Páez consiguió la independencia para Venezuela.

Un siglo de caudillismo

Después de su independencia, Venezuela fue gobernada durante más de un siglo por una sucesión de dictadores y por una aristocracia de terratenientes. De 1908 a 1935, Venezuela fue gobernada por el dictador más sanguinario de todos ellos, Juan Vicente Gómez. Durante su dictadura, con grandes inversiones europeas y estadounidenses en la región del lago Maracaibo, Venezuela llegó a ser el segundo productor de petróleo del mundo y el primer exportador. Una nueva clase media urbana comenzó a surgir alrededor de los servicios prestados a la industria petrolera.

La consolidación de la democracia moderna

En 1947 se aprobó una nueva constitución de carácter marcadamente progresista. Ese mismo año el candidato del partido Acción Democrática (AD), el famoso novelista Rómulo Gallegos, fue elegido presidente y tomó el poder en febrero de 1948. Las reformas radicales que promovió causaron mucha oposición y nueve meses después fue derrocado por el ejército, imponiéndose una dictadura militar que duró hasta 1958, cuando, a su vez, fue derrocada.

Rómulo Betancourt fue elegido presidente en 1958. Su gobierno consolidó las instituciones democráticas. En 1961 fue aprobada una nueva constitución. Esta dio comienzo a un período tranquilo que duró casi hasta fines del siglo XX.

El desarrollo industrial

© Mark Antman / The Image Works

En la década de los 60, Venezuela alcanzó un gran desarrollo económico que atrajo a muchos inmigrantes de Europa y de otros países sudamericanos. En 1976 Carlos Andrés Pérez nacionalizó la industria petrolera, lo que dio al país mayores ingresos e impulsó el desarrollo industrial. En 1993 el país enfrentó una fuerte crisis económica debido a la baja de los precios del petróleo y a la recesión económica mundial. Esto, junto con el impacto negativo que dejó un fracasado golpe de estado dirigido por el coronel Hugo Chávez, forzó a Andrés Pérez a renunciar a la presidencia en 1993. En diciembre de 1998 Hugo Chávez fue elegido presidente.

Michael Zegers / Photolibrary

La Venezuela de hoy

- La gestión de Chávez ha mantenido una línea izquierdista que pretende llevar al país hacia lo que denomina el Socialismo del siglo XXI. Creó programas de ayuda y desarrollo social, conocidos como las Misiones Bolivarianas.
- En febrero de 2009, el pueblo de Venezuela, mediante un nuevo referéndum aprobó la reelección indefinida de todos los cargos de elección popular, incluido el presidente de la República.

› Venezuela se considera actualmente un país en desarrollo, con una economía basada primordialmente en la extracción y refinamiento del petróleo y otros minerales, así como actividades agropecuarias e industriales.

¿COMPRENDISTE?

A. Hechos y acontecimientos. ¿Recuerdas los datos más importantes de la lectura? Para asegurarte, completa las siguientes oraciones.

1. Venezuela se destaca por ser el primer país en Latinoamérica que...
2. Por más de cien años, Venezuela fue gobernada por una sucesión de... y por una...
3. Durante la dictadura de Juan Vicente Gómez, con respecto al petróleo, Venezuela llegó a ser el segundo... del mundo y el primer...
4. Debido a un gran desarrollo económico en la década de los 60, Venezuela atrajo a...
5. El gobierno de Hugo Chávez pretende llevar al país hacia el...
6. En 2009, en Venezuela se aprobó...

VOCABULARIO ÚTIL

agropecuario(a)	*farming and livestock*
atraer	*to attract*
contrincante *(m. f.)*	*rival, opponent*
derrocado(a)	*toppled, overthrown*
enmienda	*amendment*
gestión *(f.)*	*administration, management*
ingreso	*income*
marcadamente	*markedly*
promover (ue)	*to promote*
rechazado(a)	*rejected; turned down*
resentir (ie, i)	*to resent; to be offended*
sanguinario(a)	*bloody*
surgir	*to arise; to appear*
terrateniente *(m. f.)*	*landowner*

B. A pensar y a analizar. Contesta las siguientes preguntas con dos o tres compañeros(as) de clase.

1. ¿Qué evento que ocurrió en la segunda mitad del siglo XX tuvo un impacto muy grande en el desarrollo industrial de Venezuela? ¿Cómo creen Uds. que esto afectó la vida diaria de un gran número de venezolanos? ¿Qué otros países o qué estados de los EE.UU. han tenido una experiencia muy similar? Expliquen.
2. ¿Creen que tal gobierno beneficia a la mayoría? Expliquen sus respuestas.

C. Apoyo gramatical. El presente de subjuntivo: cláusulas adjetivales. Completa las siguientes oraciones en las que algunos estudiantes hablan de la historia de Venezuela usando el presente de indicativo o de subjuntivo, según convenga.

1. Una de las figuras históricas que los venezolanos __admiran__ (admirar) más es Simón Bolívar.
2. Necesitamos ahora personas que todos los venezolanos __admiren__ (admirar) y __respeten__ (respetar).
3. Un gobernante que me __interesa__ (interesar) es el presidente Rómulo Betancourt.
4. No hay ningún período histórico que __atraiga__ (atraer) a todos los venezolanos.
5. Leí un libro interesantísimo que __trata__ (tratar) sobre los caudillos de Venezuela.
6. Ahora yo busco un libro que __incluya__ (incluir) una sección extensa sobre la época de la independencia de Venezuela.
7. A mí me gustaría saber más del papel que Venezuela __juega__ (jugar) ahora en la OPEP.
8. Parece que el socialismo del siglo XXI que __propone__ (proponer) Hugo Chávez tiene defensores entre sus compatriotas.

Gramática 6.2: Antes de hacer esta actividad conviene repasar esta estructura en las págs. 282–283.

Extensions: Ask if any students have some of Carolina Herrera's designs they would care to model for the class. Discuss what makes a particular designer's work so desirable. Also ask if any students are familiar with Valderrama's character Fez or DJ Keoki. If so, have them describe the character's personality and give their opinion of Valderrama's acting.

Carolina Herrera

© Stephane Cardinale / People Avenue / Corbis

Esta modista venezolana se ha dedicado al diseño de ropa que pronto le atrajo una clientela fabulosa entre las que figuran reinas, princesas, duquesas, artistas de cine y millonarias. En 1980 presentó su primera colección de moda; en 1986, sus primeras creaciones para novia y en 1988, su primer perfume, tanto para mujer como para varón. Atribuye su éxito al hecho de que la cultura latina enfatiza la importancia de estar bien presentado: "Nos enseñan a vestirnos bien porque es una manera de mostrar respeto por otros y por uno mismo". Entre sus principales triunfos se cuenta su entrada al *Fashion Hall of Fame* (1981), el haber sido incluida por la revista *People* entre los 100 latinos más influyentes de 2007 y el premio Geoffrey Beene a la Trayectoria Profesional del *Council of Fashion Designers of America* (2008).

Duffy-Marie Arnoult / Getty Images

Wilmer Eduardo Valderrama

Este actor y productor se conoce sobre todo por su papel de Fez en la comedia de situaciones *That '70s Show* desde 1998 a 2006. Hizo el papel de DJ Keoki en la película *Party Monster* (2003) junto con Macaulay Culkin, Chloë Sevigny, Seth Green y Wilson Cruz. Desde 1996, produjo y condujo la serie de MTV *Yo Momma*, y apareció tres veces en otra serie de MTV, *Punk'd*, conducida por Ashton Kutcher. Participó en el video de la cantante colombiana Fanny Lu, *Tú no eres para mí* (2008). En la actualidad, Valderrama está preparando, junto con Phil Stark, una serie de comedia dirigida a toda la familia que se transmitirá por Nickelodeon. El programa tiene por nombre *Earth to Pablo* y tratará sobre una familia normal que espera albergar *(to house)* en su casa a un estudiante sudamericano de intercambio y en su lugar recibe a un marciano.

Gustavo Dudamel

AP Images / Alessandra Tarantino

Este talentoso músico y director de orquesta venezolano comenzó sus estudios de música a la edad de cuatro años. En 1999 fue designado director de la Orquesta Sinfónica Simón Bolívar de Venezuela. En 2005 debutó con la Philharmonia, la Orquesta Filarmónica de Israel y la Orquesta Filarmónica de Los Ángeles. En noviembre de 2006 hizo su debut en el famoso teatro La Scala de Milán. En 2010 realizó una gira por los Estados Unidos con la orquesta filarmónica de Los Ángeles, ciudad en la que instauró su conocido "sistema" para hacer la música accesible a niños de los barrios más desfavorecidos. Entre los reconocimientos que ha recibido este genial músico y educador de apenas 30 años, destacan el premio Gustav Mahler (2004) en Alemania y el "Anillo de Beethoven" (2005).

Otros venezolanos sobresalientes

Suggestions: (a) Ask students what a **coreógrafo(a)** does. Ask how a **diseñador(a) gráfico(a)** might spend the day at work. Where might a **mimo(a)** work? (b) Ask students to look up two or more of the **Otros venezolanos sobresalientes** on the Internet and have them turn in a brief written report on what they find. You may want to offer extra credit for this work.

María Conchita Alonso: actriz y cantante

María Eugenia Barrios: bailarina, coreógrafa

Salvador Garmendia (1928–2001): cuentista, novelista y guionista para radio, televisión y cine

Adriano González León: cuentista y novelista

Betty Kaplan: directora de cine

Gerd Leufert: diseñador gráfico y dibujante

Antonio López Ortega: novelista y cuentista

Marisol: escultora

José Luis Rodríguez ("El Puma"): cantante

Jesús Rafael Soto (1923–2005): escultor

Franklin Tovar: dramaturgo, actor, humorista, mimo y director

Slavko Zupcic: médico y escritor

¿COMPRENDISTE?

A. Los nuestros. Contesta estas preguntas con un(a) compañero(a).

1. ¿Qué dice Herrera sobre el énfasis que la cultura latina pone en vestir bien? ¿Es verdad esto también en la cultura estadounidense? Explica tu respuesta.
2. ¿A qué crees que se debe el éxito y la popularidad de Wilmer Valderrama en el mundo de la televisión?
3. ¿Cómo crees que fue la niñez de Gustavo Dudamel? ¿Cuánto tiempo crees que dedicaba a las lecciones de música? ¿Crees que es bueno ser tan dedicado a tan temprana edad? Explica tu respuesta.

VOCABULARIO ÚTIL

actualidad *(f.)*	*current situation*
albergar	*to house*
certamen *(m.)*	*contest*
estar bien presentado(a)	*to be well dressed*
hacer el papel	*to play the role*
influyente *(m. f.)*	*influential*
marciano(a)	*Martian*
modista	*fashion designer*
resaltar	*to highlight*
respeto	*respect*
uno mismo	*oneself*
varón *(m.)*	*male, man, boy*

B. Miniprueba. Demuestra lo que aprendiste de estos talentosos venezolanos al completar estas oraciones.

1. Carolina Herrera es una de las mujeres __b__ del mundo.
   a. más bellas b. mejor vestidas c. más ricas
2. Wilmer Valderrama es un talentoso __c__.
   a. productor y pintor b. actor y cantor c. actor y productor
3. En Los Ángeles, Gustavo Dudamel no sólo ha dirigido la Orquesta Filarmónica sino que se ha dedicado a hacer la música accesible a __b__.
   a. todo el mundo b. niños pobres c. las clases acomodadas

¡Diviértete en la red!
Busca "Carolina Herrera", "Wilmer Valderrama" y/o "Gustavo Dudamel" en Google Images y YouTube para ver fotos y videos de estos talentosos venezolanos. Ven a clase preparado(a) para contar algo anecdótico de estos personajes.

Narrar con diálogos

Suggestion: Keep in mind that this writing activity should only take 3-5 minutes of class time. All other writing can be done at home.

1 **Para empezar.** Muchas narraciones se sirven del diálogo para relatar o contar algún suceso o incidente. En el cuento de Gabriel García Márquez "Un día de estos", el diálogo entre el dentista y su hijo, y luego entre el dentista y el alcalde, desarrolla en sí mismo la mayor parte de la narración. Observa, en este caso, lo mucho que se comunica en muy pocas palabras en este diálogo entre el dentista y su hijo:

—Papá.
—Qué.
—Dice el alcalde que si le sacas una muela.
—Dile que no estoy aquí.

Observa en el siguiente diálogo cómo, al escribir diálogo en español, hay cierta puntuación que se usa que varía bastante del inglés.

—Tiene que ser sin anestesia —dijo.
—¿Por qué?
—Porque tiene un absceso.
El alcalde lo miró en los ojos.
—Está bien —dijo, y trató de sonreír.

- Se usa un guión largo (—), no las comillas (""), cada vez que una persona empieza a hablar.
- También se usa un guión largo (—) cuando una persona termina de hablar y es seguido por la voz narrativa (la voz del narrador) y no de uno de los personajes.

2 **A generar ideas.** Piensa ahora en un suceso en tu vida donde el diálogo tuvo un efecto impactante. Escribe tu nombre y debajo, haz una tabla de dos columnas. Anota en la primera columna, en orden cronológico, tres o cuatro momentos clave relacionados al suceso que vas a describir. En la segunda columna anota las palabras específicas que recuerdas que usaste en ese incidente.

3 **Tu borrador.** Ahora desarrolla la información que anotaste en tres o cuatro cortos diálogos. Recuerda usar un guión largo cuando sea necesario. Escribe tu borrador ahora. ¡Buena suerte!

4 **Revisión.** Intercambia tu borrador con un(a) compañero(a). Revisa su narración, prestando atención a las siguientes preguntas. ¿Ha comunicado bien el suceso? ¿Son claros y específicos sus diálogos? ¿Tienes algunas sugerencias sobre cómo podría mejorar su descripción?

5 **Versión final.** Considera las correcciones que tu compañero(a) te ha indicado, revisa la narración y dale un título. Como tarea, escribe la copia final en la computadora prestando atención especial a la puntuación. Antes de entregarla, dale un último vistazo a la acentuación, a la concordancia y a las formas de los verbos.

6 **Publicación (opcional).** Cuando su profesor(a) les devuelva la narración corregida, revísenla con cuidado y luego, en grupos de tres o cuatro, lean sus narraciones al grupo por turnos. Decidan cuál es la mejor en cada grupo y devuélvanle esa a su profesor(a) para que las ponga todas en un libro que va a titular: **Diálogos de los estudiantes del señor (de la señora/señorita)...**

¡Antes de leer!

Anticipando…: Have students predict what this story will be about based on the questions they answer in **Anticipando la lectura.** After completing the reading, have them check their predictions to see if they are correct.

A. Anticipando la lectura. Con un(a) compañero(a), responde a las siguientes preguntas relacionadas con el trabajo y la vida.

1. ¿Se consideran ustedes personas ambiciosas? ¿Cómo saben que sí lo son o no? Den ejemplos.
2. ¿Creen que es posible perder el control cuando se es ambicioso(a) y terminar viviendo para trabajar en lugar de trabajando para vivir? Presenten ejemplos.
3. ¿Creen que hay valores culturales que ayudan a no caer en la tentación de convertir el progreso económico en una obsesión? ¿Cuáles son? ¿Creen que es positivo o negativo que se dé prioridad a la vida por encima del trabajo? ¿Cómo se traduce eso en la vida ordinaria? ¿Qué tipo de opciones hay que escoger para mantener esa prioridad?

B. Vocabulario en contexto. Busca estas palabras en la lectura que sigue y, en base al contexto, decide cuál es su significado. Para facilitar encontrarlas, las palabras aparecen en negrilla en la lectura. *Vocabulario…:* Ask volunteers to create original sentences with these vocabulary words.

1. **inversionista**	(a.) especulador	b. turista	c. deportista
2. **palmeras**	a. edificios	b. botes	(c.) tipo de árboles
3. **varado**	a. tomando el sol	(b.) abandonado	c. perdido
4. **reposaba**	a. nadaba	b. corría	(c.) descansaba
5. **bostezo**	(a.) señal de sueño	b. grito	c. canto
6. **se acomodaba**	(a.) se adaptaba	b. se sentaba	c. se levantaba

Sobre el autor

Armando José Sequera nació en Caracas, Venezuela, el 8 de marzo de 1953. Es escritor, periodista y productor audiovisual. Es autor de casi 60 libros, en su mayoría para niños y jóvenes, y ha recibido numerosos premios nacionales e internacionales, entre ellos el premio Casa de las Américas (1979). Es autor, entre otros, de *Evitarle malos pasos a la gente* (1982), *Teresa* (2001), *Funeral para una mosca* (2004) y *Mi mamá es más bonita que la tuya* (2005). En la actualidad reside en Carabobo, Venezuela. El siguiente cuento folclórico pertenece a la tradición oral venezolana. Se publicó en el libro *Cuentos de humor, ingenio y sabiduría*.

¿Para qué?

Suggestion: After reading, ask students if they have ever read or heard a version of this story, which is available on the Internet. Point out that, where some people may want to interpret this reading from the point of view of stereotypes—the lazy person vs. the industrious one—the author's intent is to illustrate how in many cultures, individuals, without realizing it, turn work and economic success into a goal in itself.

Un inversionista estadounidense visitó la isla de Margarita en Venezuela, con la idea de adquirir un terreno próximo a una playa y desarrollar en él un proyecto de urbanización turística: la hermosa luz solar, 5 el maravilloso paisaje marino y la presencia en el lugar de bellísimas bañistas* le parecieron muy apropiados para la promoción internacional del sitio.

sunbathers

Lo único que le disgustó fue ver a un hombre que, mientras duró su visita, estuvo durmiendo en una hamaca colocada entre dos **palmeras**. A pocos 10 metros del durmiente, **varado** en la playa, **reposaba** también un bote. Por eso, cuando ya se iba, el inversionista se aproximó al hombre y le preguntó:

—¡Oiga, amigo, ¿qué está haciendo usted allí?! ¿Por qué no intenta ganar algo de dinero, pescando en el mar que tiene enfrente?

—¿Para qué? —preguntó a su vez el hombre, después de lanzar un 15 sonoro **bostezo**.

—¡¿Para qué?! —se escandalizó el inversionista. ¡Para que con el dinero que reciba por su pesca, se compre un segundo bote y contrate a otro pescador!

—¿Para qué? —volvió a preguntar el hombre, sin moverse de la hamaca.

20 —¿Cómo que para qué? ¡Para que con el dinero que le produzcan sus dos botes compre dos más, contrate a otros dos pescadores y funde así su propia empresa pesquera!

—¿Para qué? —quiso saber una vez más el hombre. El inversionista estaba rojo de la indignación. A gritos respondió:

25 —¡Para que en el futuro tenga una cuenta bancaria, ya no necesite trabajar más y pueda descansar! El pescador movió la cabeza de un lado a otro, cerró los ojos y mientras **se acomodaba** de nuevo en la hamaca, dijo:

—¡Si es para eso, yo ya estoy descansando!

¡Después de leer!

A. Hechos y acontecimientos. ¿Recuerdas los datos más importantes de la lectura? Para asegurarte, contesta las siguientes preguntas.

1. ¿Adónde fue y qué fue a hacer el inversionista en Venezuela?
2. ¿Qué fue lo que indignó al inversionista? ¿Por qué crees que le indignó?
3. ¿Qué propuso el inversionista al pescador?
4. ¿Qué le respondió el pescador?
5. ¿Cuál es la moraleja de esta historia?

B. A pensar y a analizar. Haz estas actividades con un(a) compañero(a).

1. ¿Qué características tiene este cuento para que lo definamos como un cuento folclórico? Al responder a esta pregunta, consideren el posible origen del cuento, el estilo, la enseñanza o moraleja, entre otras cosas.
2. ¿Creen que Armando José Sequera simplemente transcribió el cuento que recibió de la tradición oral? Expliquen su respuesta.
3. En la literatura, a veces prevalece la belleza del lenguaje sobre el mensaje que se quiere comunicar. ¿Creen que es el caso de este cuento? ¿Creen que es más importante lo que cuenta que cómo lo cuenta? Expliquen su respuesta.

C. Debate. En grupos de tres preparen un debate. Un grupo defiende que la vida es mejor vivirla día a día, minuto a minuto, y disfrutarla. El otro grupo defiende que en la vida hay que trabajar, ganar dinero y hacerse rico. Apoyen sus argumentos con ejemplos. La clase decide qué postura ganó el debate y qué argumentos los convencieron.

D. Apoyo gramatical. El presente de subjuntivo: cláusulas adverbiales. Completa las siguientes oraciones relacionadas con la lectura que leíste. Emplea el presente de indicativo o de subjuntivo, según convenga.

1. El inversionista estadounidense visita la isla de Margarita porque __quiere__ (querer) comprar un terreno que urbanizará.
2. Va a comprar el terreno para que allí se __construya__ (construir) un complejo turístico.
3. Cuando el complejo turístico __esté__ (estar) terminado, el inversionista lo promocionará a nivel internacional.
4. Ve en la playa un hombre que no trabaja aunque __hay__ (haber) un bote cerca de él.
5. El inversionista despierta al hombre a fin de que este le __explique__ (explicar) la razón de su falta de actividad.
6. El inversionista piensa que el hombre puede progresar con tal de que se __esfuerce__ (esforzar).
7. El inversionista le sugiere al hombre que trabaje para que __adquiera__ (adquirir) otro bote y, poco a poco, __forme__ (formar) una pequeña empresa.
8. Tan pronto como el inversionista __termina__ (terminar) de hacer una sugerencia, el hombre siempre responde "para qué".
9. El inversionista le dice finalmente que cuando el hombre __termine__ (terminar) de seguir sus sugerencias no deberá trabajar más y podrá descansar.
10. Como el hombre ya __está__ (estar) descansando no ve ninguna razón para hacer tanto esfuerzo y llegar al mismo punto en que está ahora.
11. Parece que el hombre está satisfecho con tal de que __gane__ (ganar) lo suficiente para vivir; luego él puede descansar.

Gramática 6.3: Antes de hacer esta actividad conviene repasar esta estructura en las págs. 284–287.

Martin Heitner / Photolibrary

Suggestion: Read these words with your students. Model pronunciation. To facilitate comprehension, ask students to create sentences using one or more words.

Antes de ver el corto

En busca de venganza...

apurado(a)	*in a rush*	**ni siquiera**	*not even*
¡Buenas!	*Hello!*	**panza llena**	*full stomach*
cargado(a)	*loaded*	**pásate por**	*stop by*
cartera	*wallet*	**pendejo(a)**	*idiot*
cosa tuya	*your thing*	**¡Santísima...!**	*My goodness...!*
cuidado y no...	*watch out and don't...*	**tú sí**	*you do*

A. ¿Palabras relacionadas? Con tu compañero(a), indiquen si estas palabras están relacionadas o no.

1. cargada / pistola Sí
2. cosa tuya / cosa mía Sí
3. cartera / santísima No
4. pendejo / estúpido Sí
5. te juro / te prometo Sí
6. apurado / joven No
7. ¡Buenas! / ¡Hola! Sí
8. panza llena / idea No

B. Palabras. Con tu compañero(a), completen las siguientes oraciones usando palabras del vocabulario.

1. Los trabajadores del rancho tuvieron un accidente, cuando uno de ellos se puso a jugar con un rifle sin saber que estaba __cargado__.
2. No entiendo por qué andas tan __apurado__. ¡El avión no llega hasta las 6:30!
3. Yo no puedo hacer deporte con la __panza llena__.
4. Sé que no me crees, pero __te juro__, estoy diciendo la verdad.

C. Expresiones. Con tu compañero(a), indiquen qué palabras o expresiones de la columna de la izquierda pueden substituir las palabras y expresiones subrayadas.

__d__ 1. ni siquiera
__f__ 2. pásate por
__c__ 3. cosa tuya
__e__ 4. tú sí
__a__ 5. cuidado y no
__b__ 6. apurado

a. Baja el volumen de la música, no despiertes al bebé.
b. Siempre andas con tanta prisa.
c. Si quieres, vende el coche. Es tu decisión.
d. Lo que hizo no está bien. No te felicitó por tu cumpleaños.
e. Yo no tengo idea de eso, pero tú sabes mucho.
f. Te lo digo una vez más: ven a mi casa esta noche.

Fotogramas de *Los elefantes nunca olvidan*

Este cortometraje cuenta la historia de dos hermanos en busca de venganza. Con un(a) compañero(a), observen estos fotogramas y relacionen cada uno con las siguientes frases que describen la acción. Después, escriban una sinopsis de lo que creen que es la trama. Compartan su sinopsis con las de otras dos parejas de la clase.

__4__ a. Te llevo con él, pero no hagas nada si yo estoy cerca.

__3__ b. Lo que nos hizo se me quedó aquí.

__1__ c. Espérame.

__2__ d. Está cargada.

__6__ e. Crees que quiero tu dinero de mierda (**de...** *crappy*), ¿eh?

__5__ f. Porque a mí nunca se me olvida una cara.

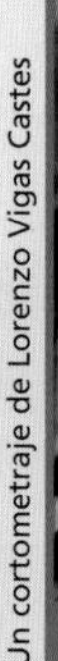

Después de ver el corto

A. Lo que vimos. Con tu compañero(a), decidan si acertaron al anticipar la trama en la sinopsis que escribieron. ¿Hasta qué punto acertaron? ¿Dónde variaron de la trama?

B. ¿Entendiste? Prepara 5 ó 6 preguntas sobre *Los elefantes nunca olvidan* y házselas a tu compañero(a). Luego responde a sus preguntas.

C. ¿Qué piensan? Con tu compañero(a), respondan ahora a las siguientes preguntas.

1. ¿Qué opinan de este corto? ¿Les gustó? ¿Por qué sí o no?
2. ¿Qué es lo que muestra el corto? ¿Creen que es verosímil *(true to life),* sí o no? ¿Por qué?
3. ¿Creen que *Los elefantes nunca olvidan* se parece a alguna película que hayan visto o historia que hayan leído? Si sí, ¿a cuál? Si no, ¿les parece totalmente original? Expliquen.

D. Sobre rencor y venganza. Con tu compañero(a), respondan a las siguientes preguntas. Luego compartan sus respuestas con la clase.

1. ¿Cuál creen que es la enseñanza de este cortometraje? ¿Qué nos enseña en cuanto a los personajes (el hermano, la hermana, el padre), sus personalidades y actitudes? Expliquen.
2. ¿Se consideran personas rencorosas? ¿Olvidan con facilidad las ofensas? ¿Qué hacen para superar *(to overcome)* el rencor, cuando lo sienten? Expliquen.

E. Debate. En grupos de tres preparen un debate sobre la justicia retributiva *("Let the punishment fit the crime").* Según este concepto de justicia, el castigo impuesto es una respuesta moralmente aceptable a la falta o crimen, independientemente de que el castigo produzca o no beneficios tangibles. Defiendan esta teoría mientras otro grupo se opone. Informen a la clase quién ganó y qué argumentos usaron para ganar.

F. Apoyo gramatical. El presente de subjuntivo: cláusulas adverbiales. Usando el presente de indicativo o de subjuntivo, según convenga, completa las siguientes oraciones relacionadas con el cortometraje que viste.

1. Dos hermanos, un muchacho y una joven, viajan en un camión con Pedro, su padre, sin que este __sepa__ (saber) quiénes son ellos.
2. A Pedro lo llaman "Elefante" porque su memoria __es__ (ser) excelente.
3. Sin embargo, aunque supuestamente Pedro __tiene__ (tener) buena memoria, no reconoce a sus propios hijos.
4. Los dos hermanos planean la muerte de Pedro porque __quieren__ (querer) venganza a causa de maltratos *(beatings)* en el pasado.
5. El hijo, quien lleva un revólver, matará a su padre tan pronto como se __presente__ (presentar) una oportunidad.
6. Durante el viaje, aunque el muchacho __puede__ (poder) aprovechar más de una oportunidad, no mata al padre.
7. Cuando el viaje __llega__ (llegar) a su fin, el hijo corre hacia el padre con la intención, finalmente, de matarlo.
8. Apunta a Pedro con el revólver y se identifica para que Pedro __comprenda__ (comprender) quién lo va a matar.
9. Cuando __termina__ (terminar) la historia, sin embargo, vemos que el hijo no puede matar al padre.
10. La aparente historia de venganza termina sin que la venganza se __cumpla__ (cumplir).

Gramática 6.3: Antes de hacer esta actividad conviene repasar esta estructura en las págs. 284–287.

6.2 Present Subjunctive: Adjective Clauses

› Adjective clauses are used to describe a preceding noun or pronoun (referred to as the antecedent) in the main clause of the sentence. In Spanish, the subjunctive is used in the adjective clause when it describes something whose existence is unknown or uncertain.

Quiero visitar **una playa venezolana** que **esté** situada junto al mar Caribe.

unknown antecedent → adjective clause in the subjunctive

Los venezolanos piden industrias que **diversifiquen** la economía.	Venezuelans are asking for industries that will diversify the economy. *(These industries may not exist.)*
Venezuela necesita una economía que **se base** menos en la industria petrolera.	Venezuela needs an economy that is based less on the oil industry. *(That type of economy may not exist.)*

› When the adjective clause describes a factual situation (someone or something that is known to exist), the indicative is used.

Hace poco visité **una playa venezolana** que **está** situada junto al mar Caribe.

known antecedent → adjective clause in the indicative

Caracas es una ciudad que **está** situada a 800 metros sobre el nivel del mar.	*Caracas is a city that is located 800 meters above sea level.* (The city of Caracas exists.)
Venezuela tiene playas caribeñas que **atraen** a los turistas.	*Venezuela has Caribbean beaches that attract tourists.* (These beaches exist.)

› When negative words such as **nadie, nada,** and **ninguno** indicate nonexistence in an independent clause, the adjective clause that follows is always in the subjunctive.

Aquí no hay **nadie** que no **sepa** quién es Hugo Chávez.	*There is no one here who does not know who Hugo Chávez is.*
No hay **ningún** teleférico en el mundo que **sea** más alto que el teleférico de Mérida.	*There is no cable car in the world that is higher than the Mérida cable car.*

› The personal **a** is omitted before the direct object in the main clause when the person's existence is unknown or uncertain. It is used, however, before **nadie, alguien,** and forms of **alguno** and **ninguno** when they refer to people.

Busco **una persona** que conozca bien la música venezolana.	*I'm looking for a person who knows Venezuelan music well.*
No conozco **a nadie** que viva en Maracaibo.	*I don't know anyone who lives in Maracaibo.*

Ahora, ¡a practicar!

A. Información, por favor. Para prepararte para un viaje a Venezuela, escribe algunas de las preguntas que le vas a hacer a tu guía turístico.

MODELO museos / exhibir la historia colonial del país
¿Hay museos que exhiban la historia colonial del país?

1. agencias turísticas / ofrecer excursiones a la región del Orinoco
2. tiendas de artesanía / vender artículos típicos de la isla de Margarita

3. escuela de idiomas / enseñar español
4. Oficina de Turismo / dar mapas del país
5. libro / describir los atractivos turísticos principales
6. lugares / cambiar dólares a cualquier hora
7. empresas / ofrecer viajes a la región de los llanos
8. compañía / hacer excursiones al Parque Nacional de Canaima

B. Pueblo ideal. Te encuentras en Venezuela y deseas visitar un pueblo interesante. Descríbele a tu compañero(a) el pueblo que te gustaría visitar, usando la información dada.

MODELO tener edificios coloniales
Deseo visitar un pueblo que tenga edificios coloniales.

1. quedar cerca de un puerto
2. tener playas tranquilas
3. ser pintoresco
4. no estar en las montañas
5. no encontrarse muy lejos de la capital

C. Comentarios. Combina las frases de la primera columna con las de la segunda para saber los comentarios u opiniones que expresaron algunos estudiantes de la clase acerca de Venezuela.

_____ 1. Es un país que (tener)
_____ 2. Es una diseñadora de moda que (exportar)
_____ 3. Los venezolanos quieren un gobierno que (diversificar)
_____ 4. La Guaira es un puerto que (encontrarse)
_____ 5. Caracas es una ciudad que (contar)
_____ 6. Necesitan tener medidas que (combatir)
_____ 7. El gobierno venezolano debe seguir desarrollando una política que (proteger)
_____ 8. Deben promover medidas que (garantizar)
_____ 9. El lugar que (contener)
_____ 10. Una plaza que (medir)

a. los derechos de los grupos indígenas.
b. con más de cuatro millones de habitantes.
c. la estabilidad política.
d. la economía.
e. unos 500 metros de largo es la plaza Bolívar en Caracas.
f. inmensas reservas petroleras es el lago Maracaibo.
g. el precio de la gasolina más bajo del mundo.
h. la inflación.
i. a unos cincuenta kilómetros de Caracas.
j. el buen gusto venezolano a todo el mundo.

6.3 Present Subjunctive: Adverbial Clauses

Conjunctions Requiring the Subjunctive

Similar to adverbs, adverbial clauses answer the questions "How?", "Why", "Where?", "When?" and are always introduced by a conjunction. The following conjunctions always introduce adverbial clauses that use the subjunctive because they indicate that the main action is dependent upon the outcome of another uncertain condition or action.

a fin (de) que *in order that*
a menos (de) que *unless*
antes (de) que *before*
con tal (de) que *provided that*
en caso (de) que *in case that*
para que *so that*
sin que *without*

Salimos para Caracas el próximo jueves, **a menos que tengamos** inconvenientes de última hora.
We are leaving for Caracas next Thursday, unless we have last-minute problems.

Quiero pasar un semestre en Mérida **antes de que termine** mis estudios universitarios.
I want to spend a semester in Mérida before I finish my university studies.

Algunos industriales han escrito una petición **para que** el gobierno **incentive** las inversiones extranjeras.
Some industrialists have written a petition for the government to encourage foreign investments.

Conjunctions Requiring the Indicative

The following conjunctions introduce adverbial clauses using the indicative because they state the reason for a situation or an action or they state a fact.

como, **puesto que**, **ya que** } *since*
porque *because*

Muchos jóvenes venezolanos están contentos **porque** el país **tiene** un partido ecologista que desea proteger el medio ambiente.
Many young Venezuelans are happy because the country has an environmental party that wishes to protect the environment.

Ya que mi padre **tiene** problemas con la tensión arterial ve regularmente a un cardiólogo muy bueno.
Since my father has blood pressure problems, he regularly sees a very good cardiologist.

Ahora, ¡a practicar!

A. Opiniones. Los miembros de la clase expresan diversas opiniones acerca de Venezuela. Usa las conjunciones de la lista siguiente para completar las oraciones.

a fin (de) que   con tal (de) que   a menos (de) que   porque   como

1. Los venezolanos no van a estar contentos ______ mejore la situación económica.
2. A muchos venezolanos no les importa quién gobierne ______ pueda resolver los problemas del país.
3. Se han dictado nuevas leyes ______ los comerciantes creen nuevas industrias.
4. Los consumidores se quejan ______ ha aumentado la inflación.
5. El gobierno no aumentará los impuestos ______ los economistas hagan esa recomendación.

B. Propósitos. Tú eres un(a) negociante que acaba de formar una empresa. Utilizando las sugerencias dadas o tus propias ideas, explica por qué has decidido crear tu propia compañía.

MODELO el talento de nuestro país / poder aprovecharse
He formado una empresa para que el talento de nuestro país pueda aprovecharse. o
He formado una empresa a fin (de) que el talento de nuestro país pueda aprovecharse.

1. los accionistas *(stockholders)* / ganar dinero
2. los consumidores / gozar de buenos productos
3. nuestra gente / conseguir mejores empleos
4. nuestro país / competir con las empresas extranjeras
5. el desempleo / disminuir
6. mis empleados / poder tener una vida mejor
7. ... (añade otras razones)

C. Excursión dudosa. Faltan pocos días para que termine tu corta visita a Venezuela y el recepcionista del hotel te pregunta si tienes intenciones todavía de visitar la isla de Margarita. Tú le aseguras que quieres ir, pero que hay obstáculos. ¿Bajo qué condiciones irás o no irás?

MODELO tener dinero para el viaje
Iré con tal de que tenga dinero para el viaje

1. terminar el mal tiempo
2. no tener demasiado que hacer
3. conseguir una excursión organizada que me interese
4. encontrar una excursión de pocos días
5. poder posponer mi salida del país
6. la empresa de viajes confirmar mis reservaciones
7. ... (añade otros obstáculos)

D. Razones. Indica algunas de las razones que se dan para defender o atacar la presencia de las compañías multinacionales en Venezuela, especialmente en la industria petrolera. Puedes utilizar las sugerencias que aparecen a continuación o dar tus propias razones.

MODELO contribuir al mejoramiento de la economía local
Muchos defienden (están a favor de) las compañías multinacionales porque contribuyen al mejoramiento de la economía local.

impedir el desarrollo económico local
Muchos atacan (están en contra de) las compañías multinacionales ya que impiden el desarrollo económico local.

1. deteriorar el medio ambiente
2. mejorar los servicios públicos
3. monopolizar la producción
4. desarrollar la red de transporte
5. influir en el gobierno local
6. reducir el desempleo
7. interesarse solamente en sus ganancias
8. afectar la cultura local
9. ... (añade otras razones)

Conjunctions of Time

› Either the subjunctive or the indicative can be used with the following conjunctions of time.

cuando *when*
después (de) que *after*
en cuanto / **tan pronto como** } *as soon as*
hasta que *until*
mientras que *while; as long as*

› The subjunctive is used in an adverbial clause if what is said in the adverbial clause implies doubt or uncertainty about an action or if it refers to a future action.

Cuando **vaya** a Barquisimeto, visitaré a unos amigos de la familia. — *When I go to Barquisimeto, I will visit some family friends.*

Tan pronto como **llegue** a Caracas, voy a subir al Ávila en teleférico. — *As soon as I get to Caracas, I'll go up Mount Ávila by cable car.*

› The indicative is used in an adverbial clause if what is said in the adverbial clause describes a completed action, a habitual action, or a statement of fact.

Cuando **fuimos** a Mérida, nos divertimos mucho en el pueblito histórico de Los Aleros. — *When we went to Mérida, we had a great time in the historical village of Los Aleros.*

Después de que **visitaba** un museo, siempre compraba algún regalo en la tienda del museo. — *After I visited a museum, I would always buy a gift in the museum store.*

Cuando **voy** a Caracas, visito a unos parientes de mi padre. — *When I go to Caracas, I visit some of my father's relatives.*

Aunque

› When **aunque** *(although, even though, even if)* introduces a clause that expresses a possibility or a conjecture, it is followed by the subjunctive.

Aunque llueva mañana, iremos a un parque nacional. — *Even if it rains tomorrow, we'll go to a national park.*

Aunque no me **creas,** te contaré que sobrevolé el salto Ángel. — *Even though you may not believe me, I'll tell you I flew over Angel Falls.*

› When **aunque** introduces a factual statement or situation, it is followed by the indicative.

Aunque Venezuela no **es** un país muy grande, tiene una gran variedad de paisajes. — *Although Venezuela is not a very big country, it has a great variety of scenery.*

Como, donde, and *según*

When the conjunctions **como** *(as, since, in any way)*, **donde** *(where, wherever)*, and **según** *(according to)* refer to an unknown or nonspecific place, thing, or idea, they are followed by the subjunctive. When they refer to a known, specific place, thing, or idea, they are followed by the indicative.

En esta ciudad la gente es más bien conservadora y no puedes vestirte **como quieras.** — *In this city people are rather conservative, and you cannot dress any way you wish.*

Para comprar objetos de cuero, puedes ir **donde** te **indiqué** ayer. — *To buy leather goods, you can go where I showed you yesterday.*

Ahora, ¡a practicar!

A. Flexibilidad. Tú y un(a) amigo(a) tratan de decidir lo que van a hacer. Tú quieres ser muy flexible y se lo muestras cuando te hace las siguientes preguntas.

MODELO ¿Vamos al cine hoy por la tarde o el próximo viernes? (cuando / [tú] querer)
Pues, cuando tú quieras.

1. ¿Nos encontramos frente al café o frente al cine? (donde / convenirte)
2. ¿Te llamo por teléfono a las tres o a las cinco? (como / (tú) desear)
3. ¿Te espero en casa o en el parque cercano? (donde / (tú) decir)
4. ¿Te devuelvo el dinero hoy o mañana? (según / parecerte)
5. ¿Te dejo aquí o en la próxima esquina? (como / serte más cómodo[a])
6. ¿Te paso a buscar a las dos o a las tres? (cuando / (tú) poder)

B. Intenciones. Di lo que piensas hacer en Caracas, a pesar de que puedes tener problemas.

MODELO tardar algunas horas / buscar artículos de artesanía en El Hatillo
Aunque tarde algunas horas, voy a buscar artículos de artesanía en El Hatillo.

1. quedar lejos de mi hotel / visitar el Museo de Arte Colonial en la Quinta de Arauco
2. tener poco tiempo / recorrer el Parque del Este
3. estar cansado(a) / dar un paseo por el centro de Caracas
4. no interesarme mucho la historia del período independentista / pasar unos momentos en la Casa Natal del Liberador
5. estar en las afueras de Caracas / llegar hasta Colonia Tovar
6. no entender mucho de arquitectura religiosa / entrar en la iglesia de San Francisco

C. Paseo por una ciudad colonial. Completa la siguiente información acerca de la ciudad de Coro usando el presente de indicativo o de subjuntivo.

Cuando (1) _______ (ir/tú) a Venezuela, debes tratar de visitar la ciudad de Coro. Como esta ciudad (2) _______ (ser) una de las más antiguas del país, ofrece un gran atractivo histórico. Antes de que (3) _______ (viajar/tú), es buena idea pasar por la Oficina de Turismo en Caracas para obtener mapas e información. Tan pronto como (4) _______ (llegar) a Coro, ve a la parte colonial para que (5) _______ (tener) la impresión de estar viviendo en un pasado lejano. Mientras te (6) _______ (pasear) por la ciudad, vas a ver casas pintadas con brillantes colores que te alegrarán el espíritu. Aunque la zona colonial de la ciudad (7) _______ (constituir) la gran atracción turística de la ciudad, no es el único lugar que debes visitar. Cuando (8) _______ (terminar/tú) de recorrer la ciudad, tienes que ir al Parque Nacional de los Médanos de Coro a fin de que (9) _______ (poder/tú) tener la experiencia de un paisaje de dunas que te fascinará.

D. Mundo ideal. Explica lo que la gente tendrá que hacer para que los ecologistas estén satisfechos. Puedes utilizar las sugerencias dadas a continuación o dar tus propias opiniones.

MODELO haber un medio ambiente limpio en todas partes
Van a estar más contentos cuando haya un medio ambiente limpio en todas partes.
Van a sentirse más satisfechos en cuanto (tan pronto como) haya un medio ambiente limpio en todas partes.
No van a quedar contentos hasta que haya un medio ambiente limpio en todas partes.

1. haber menos contaminación del aire
2. eliminarse la destrucción de bosques tropicales
3. establecerse más reservas biológicas protegidas
4. no seguir disminuyendo la capa de ozono
5. los vehículos utilizar menos gasolina
6. haber menos lluvia ácida
7. todo el mundo reciclar más
8. controlarse el tráfico de contaminantes

Lección 6: Colombia

Energía

abastecimiento *supply*
carbón *(m.)* *coal*
central nuclear *(f.)* *nuclear plant*
combustible *(m.)* *fuel*
consumo de energía *energy consumption*
energía eólica *wind power*
energía hidráulica *water power, hydropower*
energía (no) renovable *(non)renewable energy*
fuente de energía *(f.)* *energy source*
gas natural *(m.)* *natural gas*
gasolina *gas*
impacto ambiental *environmental impact*
petróleo *oil*
placa solar *solar panel*
reciclar *to recycle*
recurso *resource*
residuo nuclear *nuclear waste*
sostenible *(m. f.)* *sustainable*
surgir *to spurt up*
vertido (o **derrame) tóxico** *toxic spill*

Cinematógrafo

afamado(a) *famous*
consciente *conscious*
corriente *(f.)* *trend, current*
guión *(m.)* *script*
realizador(a) *producer*

Palabras útiles

declaración *(f.)* *statement, deposition*
entidad *(f.)* *entity*
guerrera *military jacket*
hecho *event; fact*
huellas *footsteps*
medio *environment*
partidario(a) *supporter, partisan*
suceso *incident, event*
voluntad *(f.)* *will, intention*

Virreinato

denominar *to name, to call*
destituido(a) *removed, dismissed*
instaurarse *to establish*
mandato *term of office*
reemplazar *to replace*
virrey *(m.)* *viceroy*

Istmo

cercanías *vicinity; surrounding area*
istmo *isthmus*
orilla *shore*
pilote *(m.)* *(wooden) pile*

Esmeraldas

búsqueda *search*
esclavo(a) *slave*
esmeralda *emerald*
lujo *luxury*
miedo *fear*

Dentista

apresurarse *to hurry up*
cráneo *cranium, skull*
cauteloso(a) *cautious, careful*
dentadura postiza *false teeth*
rodar *to roll*
sangriento(a) *bloody*

Verbos y expresiones verbales

a favor *in favor*
a fin de *in order to*
a través de *across*
corrió la voz *there was a rumor; the news spread*
disminuir *to decrease, to diminish*
en contra *against*
impulsar *to give a boost to*
ocasionar *to cause*
recurrir *to turn to*
tratar de *to be about*

Lección 6: Venezuela

Ecología

agua potable *potable water*
ambiente *(m.)* *environment*
basura *garbage*
biodiversidad *(f.)* *biodiversity*
bosque tropical *(m.)* *tropical forest*
calentamiento global *global warming*
cambio climático *climate change*
capa de ozono *ozone layer*
contaminación *(f.)* *pollution*
deforestación *(f.)* *deforestation*
desertización *(f.)* *desertification, turning land into a desert*
efecto invernadero *greenhouse effect*
emitir *to emit*
erosión *(f.)* *erosion*
especies en peligro de extinción *(f.)* *endangered species*
gases de invernadero *(m.)* *greenhouse gases*
lluvia ácida *acid rain*
medio ambiente *environment*
naturaleza *nature*
reciclaje *(m.)* *recycling*
selva *tropical forest; jungle*

Terrateniente

acomodarse *to settle down; to conform*
agropecuario(a) *farming and livestock*
albergar *to house*
terrateniente *(m. f.)* *landowner*

Certamen de belleza

certamen *(m.)* *contest*
estar bien presentado(a) *to be well dressed*
hacer el papel *to play the role*
marcadamente *markedly*
modista *(m. f.)* *fashion designer*
promover (ue) *to promote*
resaltar *to highlight*
respeto *respect*

Inversionista

atraer *to attract*
contrincante *(m. f.)* *rival, opponent*
derrocado(a) *toppled, overthrown*

White / Photolibrary

enmienda *amendment*
gestión *(f.)* *administration, management*
influyente *(m. f.)* *influential*
ingreso *income*
inversionista *(m. f.)* *investor*
rechazado(a) *rejected, turned down*

Verbos

reposar *to rest*
resentir (ie, i) *to resent; to be offended*
surgir *to arise; to appear*

Palabras útiles

actualidad *(f.)* *current situation*
bostezo *yawn*
marciano(a) *Martian*
palmera *palm*
sanguinario(a) *bloody*
uno mismo *oneself*
varado(a) *stranded*
varón *(m.)* *male, man, boy*

LECCIÓN 7

Al ritmo del Caribe

CUBA Y LA REPÚBLICA DOMINICANA

Vidler Vidler / Photolibrary

Suggestions: Have students comment on the lesson title: What might this **ritmo** be? Why **del Caribe**?

LOS ORÍGENES

Conoce de cerca el fascinante Caribe, con su gran mezcla de razas, su increíble aportación cultural y sus desafíos (págs. 292–293).

SI VIAJAS A NUESTRO PAÍS...

- En **Cuba** visitarás la capital, La Habana (una joya del período colonial con una población de casi ochocientos mil), Santiago de Cuba y la provincia de Camagüey, y apreciarás la musicalidad cubana (págs. 294–295).
- En la **República Dominicana** conocerás Santo Domingo, la capital (con una población de más de dos millones) y Santiago de los Caballeros, y apreciarás las mejores playas de la isla (págs. 312–313).

MEJOREMOS LA COMUNICACIÓN

Aprende a hablar con facilidad de los bailes caribeños (págs. 296–297) y de los deportes más populares de la República Dominicana (págs. 314–315).

AYER YA ES HOY

Haz un recorrido por la historia de Cuba desde su independencia hasta la época contemporánea (págs. 298–299) y por la de la República Dominicana desde la llegada de Cristóbal Colón hasta nuestros días (págs. 316–317).

LOS NUESTROS

- En **Cuba** conoce a un agradecido pintor, dibujante y grabador cubano; a una poeta, dramaturga, ensayista y traductora cubana, cuya obra apoya el nacionalismo, la revolución y el actual régimen cubano; y a un artista multifacético que además de ser actor por excelencia también se dedica a la pintura y a la música (págs. 300–301).
- En la **República Dominicana** conoce a uno de los grandes nombres de la moda mundial, a una joven cantante dominicana y a un reconocido jugador dominicano de Béisbol de los Estados Unidos (págs. 318–319).

¡LUCES! ¡CÁMARA! ¡ACCIÓN!

- El fuego de la literatura consume una conversación (pág. 302)

ESCRIBAMOS AHORA

Señala diferencias y similitudes en una composición que emplea la comparación y el contraste (pág. 320).

LECTURA

- Viaja al complicado y cruel mundo de la tortura en "Microcuento", del cubano Guillermo Cabrera Infante (págs. 303–305).
- Ve cómo lo que parece ser una preocupación obsesiva por recordar los sueños se transforma en una realidad inesperada en el cuento "El diario inconcluso", de Virgilio Díaz Grullón (págs. 321–323).

GRAMÁTICA

Repasa los siguientes puntos gramaticales:

- 7.1 Possessive Adjectives and Pronouns (págs. 306–307)
- 7.2 Past Participle and Present Perfect Indicative (págs. 308–311)
- 7.3 The Prepositions **para** and **por** (págs. 324–326)
- 7.4 Passive Constructions (págs. 327–329)

Cuando el 12 de octubre de 1492 Cristóbal Colón llegó a la costa americana, lo hizo a una pequeña isla de las Bahamas. La madrugada antes del avistamiento de tierra, según contó retrospectivamente, desde el barco ya se vieron luces y humo, señales de vida en las islas.

Llegada de los españoles al Caribe

¿Cuándo llegaron los primeros españoles al resto de las islas caribeñas?

Cristóbal Colón llegó a Cuba el 27 de octubre de 1492. Semanas después, el día 6 de diciembre, Colón llegó a la isla que los taínos llamaban "Quisqueya" y que él llamó "La Española". Allí estableció la primera colonia española en América (hoy Haití y la República Dominicana). El 19 de noviembre de 1493, Colón llegó a la isla que los taínos llamaban Borinquen (hoy Puerto Rico).

North Wind Picture Archives / Photolibrary

¿Cómo recibieron los indígenas a los exploradores?

Aunque el primer encuentro entre españoles y los habitantes de lo que hoy conocemos como el Caribe fue cordial y caracterizado por la curiosidad mutua, los enfrentamientos no tardaron en producirse. De hecho, Cristóbal Colón regresó a España dejando un retén de españoles en el llamado Fuerte de la Navidad (construido con los restos de la encallada nave Santa María, en la Navidad de 1492). Cuando regresó en su segundo viaje (1493), encontró que el fuerte había sido destruido y sus ocupantes aniquilados. Nunca se supo qué provocó ese cambio tan radical en la hospitalidad de los habitantes nativos de las islas, aunque no es difícil imaginárselo.

La conquista de las islas

¿Cómo se desarrolló la conquista?

Dada la superioridad de armas de los españoles, los taínos, junto con los ciboneyes, los caribes y otras tribus indígenas que habitaban las islas del Caribe, fueron fácilmente conquistados. Para 1517, la mayoría de la población nativa de las islas del Caribe había sido exterminada. Muchos indígenas murieron debido a las enfermedades europeas y al maltrato a manos de españoles interesados en enriquecerse rápidamente.

Colonización con esclavos africanos

¿Cómo se explica la gran presencia africana en las islas?

Como ya se mencionó al hablar de Venezuela y Colombia, debido a la gran necesidad de trabajadores y a las dificultades legales para someter a un régimen de esclavitud o semiesclavitud a los aborígenes, considerados súbditos de la corona española, los españoles decidieron importar esclavos capturados en África para trabajar en las plantaciones de caña de azúcar y de tabaco. La unión de las dos razas creó un mestizaje que cambió para siempre la faz de la sociedad de la zona caribeña, lo cual creó conflictos pero también introdujo una riqueza cultural enorme.

Louise Murray / Photolibrary

¿COMPRENDISTE?

VOCABULARIO ÚTIL

avistamiento	*sighting*
aniquilado(a)	*annihilated, wiped out*
encallado(a)	*run aground*
encuentro	*encounter*
esclavitud *(f.)*	*slavery*
faz *(f.)*	*face*
maltrato	*abuse; mistreatment*
régimen *(m.)*	*system; regime*
retén *(m.)*	*armed men; squad*
someter	*to subject*
súbdito(a)	*subject*

A. Hechos y acontecimientos. Con tu compañero(a), contesten las siguientes preguntas.

1. ¿Cuánto tiempo tardaron los españoles en "descubrir" desde su llegada, Cuba, la República Dominicana y Puerto Rico? ¿Por qué tardaron tanto?
2. ¿Qué hicieron los españoles con los restos de la nave Santa María, encallada por un descuido *(error)* de Colón?
3. ¿Cómo encontró Colón el Fuerte de la Navidad al regresar? ¿Qué imaginan que ocurrió?
4. ¿Qué provocó la casi total desaparición de la población nativa en las islas caribeñas?
5. ¿Cómo se explica la gran población afro-caribeña en la actualidad?

B. A pensar y a analizar. Contesta las siguientes preguntas con dos o tres compañeros(as) de clase.

1. Sabiendo que la nave Santa María había sido destruida, ¿qué creen que pudo hacer que Colón regresara a España dejando atrás a algunos de sus hombres? ¿Qué hizo que Colón regresara al año siguiente?
2. ¿Qué imaginan que Colón llevó consigo a Europa para demostrar lo que había descubierto? ¿Qué recibimiento *(reception)* creen que tuvo?
3. ¿Qué significó para los habitantes nativos de este continente la llegada de esos tres pequeños barcos?

¡Diviértete en la red!
Busca "descubrimiento de América" en YouTube para ver fascinantes videos sobre este decisivo acontecimiento y los distintos puntos de vista sobre él. Ve a clase preparado(a) para compartir la información que encontraste.

Cuba

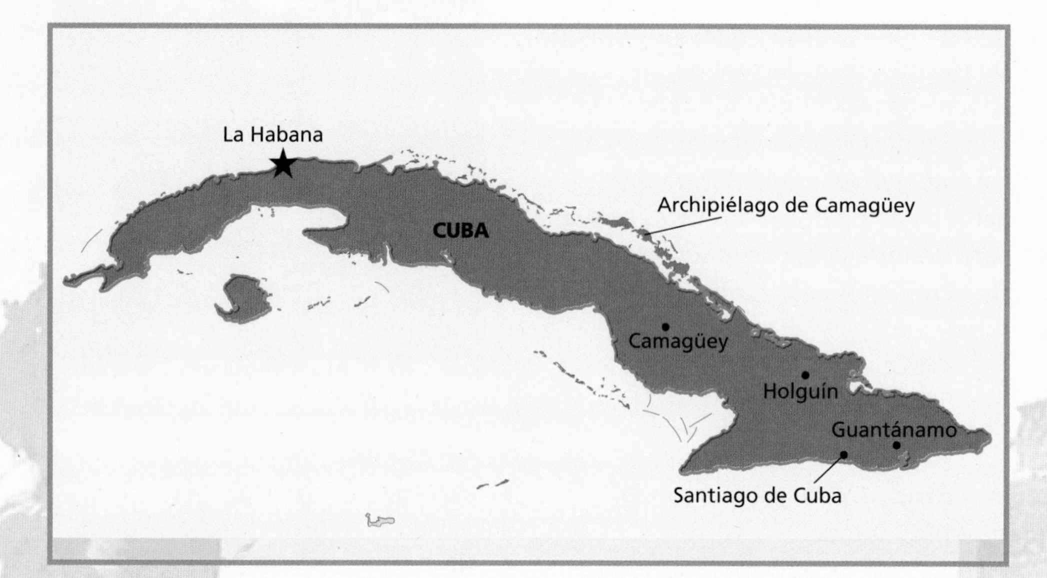

Comprehension check: Ask: **1. ¿Por qué es irónico que se hospede el Museo de la Revolución en el Palacio Presidencial de Batista? 2. ¿Cuáles serán algunos de los valores históricos y arquitectónicos del Castillo de San Pedro de la Roca? 3. ¿Por qué creen que tantos de los mejores ritmos latinos tienen su origen en Cuba?**

Nombre oficial: República de Cuba
Población: 11.451.652 (estimación de 2009)
Principales ciudades: La Habana (capital), Santiago de Cuba, Camagüey, Holguín
Moneda: Peso ($C)

En la capital, La Habana,

con una población de unos dos millones y medio, tienes que conocer...

- La Habana Vieja, donde se fundó originalmente la ciudad, con su capilla El Templete, su Plaza de Armas y el Museo de la Ciudad en el magnífico Palacio de los Capitanes Generales.
- la Plaza de la Catedral con la Catedral de San Cristóbal de La Habana y el Museo de Arte Colonial.
- el Hotel Ambos Mundos, donde Ernest Hemingway comenzó a escribir su famosa novela *Por quién doblan las campanas.*
- el Museo de la Revolución, ubicado, irónicamente, en el grandioso Palacio Presidencial del dictador Fulgencio Batista.

PhotoEquipe153 / Photolibrary

La hermosa catedral de San Cristóbal, en La Habana

En Santiago de Cuba, tienes que visitar...

- la Plaza de la Revolución, uno de los sitios más importantes y simbólicos de la ciudad, con su majestuosa escultura del general Antonio Maceo Grajales, de dieciséis metros de altura, y los veintitrés machetes que simbolizan la fecha de la reanudación *(resumption)* de la Guerra de Liberación.
- el Castillo de San Pedro de la Roca, que a lo largo de más de trecientos sesenta años ha sido reconocido por su extraordinario valor histórico y arquitectónico.
- el Cuartel Moncada, que en 1953 era la fortaleza militar segunda en importancia en el país. Ese año, un grupo de jóvenes revolucionarios liderados por el joven abogado Fidel Castro decidieron atacar este cuartel *(barracks).*

Angelo Cavali / Photolibrary

Unos jóvenes disfrutando de la tarde en Santiago de Cuba

Ron Elmy / Photolibrary

Un precioso atardecer en Camagüey

En la provincia de Camagüey, puedes gozar de...

- arrecifes coralinos *(coral reefs),* donde haciendo *snorkeling* o buceando se pueden contemplar mundos en miniatura.
- Cayo Sabinal, en el archipiélago de Camagüey, donde predomina la belleza e intimidad de las playas.
- el Refugio de Fauna Río Máximo, el mayor sitio de nidificación *(nesting)* del flamenco rosado en la región de las Antillas. Allí se puede observar cerca de sesenta mil ejemplares de esta especie.

Aprecia la musicalidad cubana

- los **ritmos autóctonos:** danzón, cha-cha-chá, guajira, guaracha, mambo, pachanga, rumba, son, trova, salsa, Nueva Trova Cubana, entre otros
- los **grandes músicos cubanos:** Ernesto Lecuona, Xavier Cugat, Dámaso Pérez Prado, Celia Cruz, Tito Puente, Manolín, Paulito Fernández Gallo, Chucho Valdés, entre otros

¡Diviértete en la red!
Busca "La Habana", "Santiago de Cuba", "Camagüey" o uno de los ritmos o músicos mencionados aquí en Google Web y/o YouTube. Selecciona uno y ve a clase preparado(a) para presentar un breve resumen sobre lo que aprendiste.

Juice Images / Photolibrary

Unos jóvenes bailando en La Habana

¡Que bailar es soñar con los pies!

Suggestion: You may want to tell students to review the music vocabulary you learned in the ***Mejoremos la comunicación*** section in Lección 1, Puerto Rico, before doing the activities in this section.

El baile caribeño es, ante todo, una oportunidad para disfrutar de todos los sentidos al ritmo de una música que hace que los pies se muevan casi solos. Alimentados *(Fueled)* por el optimismo caribeño y por su gusto por la vida, los ritmos se van transformando de manera que algunos tan tradicionales como el cha-cha-chá (cuyo nombre proviene al parecer del sonido que se produce por el roce *[contact]* de los pies de los bailarines sobre el suelo) se han mezclado con sonidos y ritmos modernos. El resultado es una serie de canciones totalmente actuales que sirven perfectamente para continuar bailando cha-cha-chá. En el Caribe, más que en otras partes del mundo, como dice la canción de Joaquín Sabina: "Bailar es soñar con los pies".

John Lavin / Photolibrary

Para hablar de ritmos e instrumentos caribeños

acelerado(a)	*fast, rapid*
apasionado(a)	*intense, impassioned*
cencerro	*small bell*
chequere *(m.)*	*gourd covered with beads that rattle*
compás *(m.)*	*rhythm*
movimiento	*movement*
palpitante *(m. f.)*	*palpitating, throbbing*
paso	*step*
sabroso(a)	*delightful, pleasant*

...y los bailes

conga	**pasodoble** *(m.)*
cueca	**pregón** *(m.)*
cumbia	**rumba**
danzón *(m.)*	**salsa**
guaracha	**samba**
habanera	**tango**
mambo	**vals** *(m.)*
merengue *(m.)*	

Al invitar a una persona a bailar

— ¿Quieres bailar?	*Do you want to dance?*
— ¿Te gustaría bailar conmigo?	*Would you like to dance with me?*
— ¿Me permites este baile?	*Would you allow me this dance?*
— ¿Vamos a bailar?	*Shall we go dance?*
— ¿Bailamos?	*Shall we dance?*

Al aceptar o rechazar una invitación a bailar

— Sí, gracias.	*Yes, thank you.*
— Me encantaría, gracias.	*I'd love to, thank you.*
— Con mucho gusto, gracias.	*Gladly, thank you.*
— Gracias, pero estoy muy cansado(a).	*Thank you, but I'm very tired.*
— Gracias, no. Necesito descansar.	*No, thank you. I need to rest.*
— Lo siento, pero no bailo cha-cha-chá.	*I'm sorry, but I don't dance the cha-cha-cha.*

¡A practicar, luego a conversar!

A. ¿Ritmo, instrumento o baile? Indica si las siguientes palabras indican un ritmo (**R**), un instrumento (**I**) o un baile (**B**).

1. __B__ guaracha
2. __B__ cumbia
3. __R__ palpitante
4. __B__ danzón
5. __I__ cencerro
6. __I__ chequere
7. __R__ apasionado
8. __B__ pasodoble

Suggestion: Have students do the matching activity in pairs. Then have volunteers go to the board and write one of their original sentences on the board. Have the class correct any errors.

B. Palabras clave: cabo. Para ampliar tu vocabulario, relaciona las expresiones de la primera columna con las definiciones de la segunda columna. Luego, escribe una oración original con cada expresión. Compara tus oraciones con las de dos compañeros(as).

__b__ 1. llevar a cabo	a. de principio a fin
__e__ 2. atar cabos	b. concluir, terminar
__a__ 3. de cabo a rabo	c. tener cosas pendientes o imprevistas
__d__ 4. al fin y al cabo	d. en conclusión
__c__ 5. tener cabos sueltos	e. conectar y resolver

C. Entrevista. Pregúntale a un(a) compañero(a) de clase cómo han cambiado sus gustos en cuanto a bailes. ¿Adónde le gustaba ir a bailar hace unos años y adónde le gusta ir ahora? ¿Qué tipos de bailes bailaba cuando era estudiante de la secundaria y qué tipos baila ahora? ¿Le gustaban los bailes latinos? ¿Sabía bailarlos? ¿Cuáles en particular? ¿Cuáles eran sus instrumentos favoritos? ¿Todavía lo son?

D. Dramatización. Dramatiza la siguiente situación con un(a) compañero(a) de clase. Anoche tú fuiste a una fiesta latina donde decían que iban a tocar una música de salsa cautivante *(captivating)*. Tu compañero(a) no pudo ir y se muere por saber todos los detalles: quiénes estaban, si todo el mundo bailaba salsa, quiénes eran los mejores bailadores, si te gustó la música, etcétera.

Suggestions: Have students comment on the subtitle. From what common expression is the title derived? (Hint: have them substitute the word **calma** for **palma**.) What do they think **palma** might represent? What might **tormenta** represent? Also ask what they think it will take for Cuba and the U.S. to reestablish diplomatic ties? Have them explain their responses.

Cuba: la palma ante la tormenta

El proceso de independencia

Mientras que la mayoría de los territorios españoles de América lograron su independencia en la segunda década del siglo XIX, Cuba, junto con Puerto Rico, siguió siendo colonia española. El 10 de octubre de 1868, comenzó la primera guerra de la independencia cubana, que duró diez años. En 1878 España volvió a tomar control de la isla.

© Bettmann / Corbis

La Guerra Hispano-Estadounidense

Con el pretexto de una inexplicable explosión del buque de guerra estadounidense *Maine* en el puerto de La Habana en 1898, los EE.UU. le declararon la guerra a España. La armada estadounidense obtuvo una rápida victoria y España se vio obligada a cederle a los EE.UU. —por el Tratado de París firmado el 10 de diciembre de 1898— los territorios de Puerto Rico, Guam y las Filipinas y a renunciar a su control sobre Cuba. La ocupación estadounidense de Cuba terminó el 20 de mayo de 1902 cuando se estableció la República de Cuba. La primera mitad del siglo XX fue un período de gran inestabilidad política y social para Cuba. Muchos militares tomaron el poder a través de golpes de estado, incluyendo a Fulgencio Batista, que tomó el poder en 1952.

Andrew Alvarez / Getty Images

La Revolución Cubana

En 1956, el joven abogado Fidel Castro logró establecer un movimiento guerrillero que finalmente provocó la caída de Batista el 31 de diciembre de 1958. Tras un corto período, el gobierno revolucionario se organizó según el modelo soviético bajo la dirección del Partido Comunista de Cuba. Los cubanos vieron restringidas sus libertades individuales. Además, el gobierno nacionalizó propiedades e inversiones privadas, lo cual causó el rompimiento de relaciones diplomáticas y el bloqueo comercial por parte de los EE.UU. Miles de cubanos salieron al exilio, principalmente profesionales y miembros de las clases más acomodadas, quienes se establecieron en su mayoría en Miami y en el sur de Florida.

Sociedad en crisis

En 1980, Castro permitió un éxodo masivo de más de 125.000 cubanos a los EE.UU. Estos emigrantes cubanos son conocidos como "marielitos" y se distinguen de los primeros refugiados cubanos por ser en su mayoría de clase trabajadora.

Durante la Guerra Fría, Cuba fue expulsada de la Organización de Estados Americanos (OEA) en 1962 y quedó sumamente dependiente de la Unión Soviética y el bloque comunista. Después de la caída de la Unión Soviética (1991), la economía de Cuba sufrió una crisis, dejándola esencialmente paralizada. A partir de la segunda mitad de la década de los 90, la situación del país se estabilizó, en gran parte debido a las divisas recibidas por el turismo y por las remesas de los inmigrantes. Para aquella época, Cuba tenía una relación económica casi normal con la mayoría de los países latinoamericanos, y sus relaciones con la Unión Europea (que empezó a proveerle con ayuda y préstamos) habían mejorado. China emergió también como una nueva fuente de ayuda y apoyo.

La Cuba de hoy

Riccarrdo Lombardo / Photolibrary

› En 2006 Fidel Castro cedió la presidencia, de forma provisional, a su hermano y por entonces vicepresidente, Raúl Castro. A comienzos de 2008 Raúl fue finalmente elegido por la Asamblea Nacional del Poder Popular como nuevo presidente, tras la renuncia definitiva de Fidel.

› La política exterior del nuevo gobierno cubano ha sido definida como "exitosa", por los más diversos analistas. En 2009, la OEA aprobó una resolución permitiendo la participación de Cuba en la OEA. Esto ha incluido la reanudación del diálogo político con la Unión Europea y los Estados Unidos y las esperanzas de otro con el nuevo presidente estadounidense.

¿COMPRENDISTE?

VOCABULARIO ÚTIL

bloqueo	*blockade*
buque *(m.)*	*ship*
caída	*fall*
divisa	*foreign currency*
emerger	*to emerge*
exitoso(a)	*successful*
préstamo	*loan*
proveer	*to provide*
quitar	*to take away*
reanudación *(f.)*	*resumption*
remesa	*sending of goods or money*
restringido(a)	*limited, restricted*
rompimiento	*breaking off*
tras	*after*

A. Hechos y acontecimientos. ¿Recuerdas los datos más importantes de la lectura? Para asegurarte, trabaja con un(a) compañero(a) de clase para escribir una breve definición que explique el significado de las siguientes personas y acontecimientos. Luego, comparen sus definiciones con las de la clase.

1. el buque de guerra *Maine*
2. Fulgencio Batista
3. Fidel Castro
4. el bloqueo comercial de Cuba
5. John F. Kennedy y Nikita Krushchev
6. los marielitos

B. A pensar y a analizar. Contesten estas preguntas en grupos de tres o cuatro. Luego presenten sus conclusiones a la clase.

Al principio de la Revolución Cubana, Fidel Castro contaba con gran apoyo en el país. ¿Por qué? ¿Qué hizo Castro para perder ese apoyo *(support)*, causando que miles y miles de cubanos salieran al exilio?

C. Apoyo gramatical: adjetivos y pronombres posesivos. Completa las siguientes oraciones con el pronombre posesivo apropiado para saber lo que piensan algunos amigos cubanos tuyos acerca de la historia de su país.

1. Carlos dice: Para mí, __mi__ héroe favorito es José Martí, quien luchó por la independencia de Cuba.
2. Ricardo y su novia, Elvira, dicen: Para nosotros, __nuestro__ héroe es Fidel Castro porque él ha creado la Cuba de hoy.
3. Lorenzo dice: Para mis padres, __su__ figura histórica favorita es Antonio Maceo, importante en las guerras de independencia.
4. Julia dice: Para mi profesora, __su__ episodio menos preferido es el exterminio de los indígenas caribeños.
5. Ana María dice: Para mis parientes, __su__ acontecimiento preferido es la elección de Raúl Castro como presidente del país.
6. Manuel dice: Para mi hermano y para mí, __nuestra__ gran preocupación es la falta de diversificación de la economía.
7. Carmen dice: Para mis compañeras y para mí, __nuestro__ período histórico favorito es la época actual porque ha mejorado mucho la condición de la mujer en el país.

Gramática 7.1: Antes de hacer esta actividad conviene repasar esta estructura en las págs. 306–307.

Extensions: Read a poem by Nancy Morejón to the class or bring in an art book with Humberto Castro's paintings and have the class discuss one of them. Also ask if anyone saw the movie *Fresa y chocolate,* in Spanish or English, or the movie *Che.* If so, ask what they think of Jorge Perugorría's acting.

Humberto Castro

Es un reconocido pintor, dibujante y grabador cubano. Es uno de los miembros más activos de la llamada "Generación de los '80", que generó cambios estéticos y conceptuales en el arte de Cuba. En 1989 emigró a París, donde muy pronto participó en el mundo intelectual parisino. Tuvo una serie de exhibiciones y dio conferencias a lo largo de toda Europa. En 1999 se trasladó a los Estados Unidos, donde reside y trabaja actualmente. Desde los inicios de su carrera ha recibido numerosos premios a nivel internacional y su trabajo está presente en reconocidos museos y en colecciones privadas. Su trabajo y su actitud artística han influenciado notablemente las subsiguientes generaciones de artistas cubanos.

Gipsy Castro

Juanamaria Cordones-Cook, Ph.D.

Nancy Morejón

Esta poeta, dramaturga, ensayista y traductora cubana forma parte de la primera generación de escritores que surgió después del triunfo de la Revolución Cubana de 1959. Su obra abarca una gran amplitud de temas: la mitología de la nación cubana, la relación integracionista de los negros, el mestizaje de culturas españolas y africanas y la nueva identidad cubana. La mayor parte de su obra apoya el nacionalismo, la revolución y el actual régimen cubano. Además, declara su feminismo respecto a la situación de las mujeres dentro de esta nueva sociedad y la integración racial haciendo a mujeres negras protagonistas centrales en sus poemas. Finalmente, su trabajo también trata la historia de la esclavitud y el maltrato en la relación de Cuba y los Estados Unidos, aunque su obra no está dominada por los temas políticos.

Jorge Perugorría

Nace en La Habana, donde estudia ingeniería civil, aunque después cambia su profesión por el teatro. Su carrera en el cine comienza cuando en 1993 el director cubano Tomás Gutiérrez Alea lo elige para que interprete a Diego en la película *Fresa y chocolate,* primera película cubana nominada a los Premios Óscar (1994), dando inicio a su trayectoria en la cinematografía internacional. Desde entonces ha participado en más de 50 producciones, siendo una de sus más recientes la película *Che* de Steven Soderbergh, junto a Benicio del Toro. Es un artista multifacético, ya que también se dedica a la pintura y a la música. Hasta el momento ha realizado varias exposiciones en Cuba, España, Italia y los Estados Unidos.

Susana Vera / Reuters / Landov

Suggestions: Ask what a **coreógrafo(a)** does. Ask students to look up two or more of the **Otros cubanos sobresalientes** on the Internet and have them turn in a brief written report on what they find. You may want to offer extra credit for this work.

Otros cubanos sobresalientes

Carlos Acosta: bailarín
Alicia Alonso: bailarina
Humberto Arenal: novelista y cuentista
Agustín Cárdenas: escultor y dibujante
Ramón Ferreira: fotógrafo, cuentista y dramaturgo
Francisco Gattorno: actor
Nicolás Guillén (1902–1989): poeta
Wifredo Lam (1902–1982): pintor
Lourdes López: bailarina
Amelia Paláez: pintora
Gloria Parrado: dramaturga
Esteban Salas: compositor
Neri Torres: bailarina y coreógrafa
Los Van Van: conjunto musical

¿COMPRENDISTE?

A. Los nuestros. Con un(a) compañero(a), indiquen si se describe a Humberto Castro (**HC**), a Nancy Morejón (**NM**) o a Jorge Perugorría (**JP**) en estas oraciones.

__JP__ 1. Es considerado uno de los mejores actores cubanos de la actualidad.
__HC__ 2. El mundo intelectual francés y parisino fue parte de su entorno *(environment)* durante diez años.
__NM__ 3. Después de graduarse de la Universidad de La Habana, ha enseñado francés y es traductora.
__HC__ 4. Su obra es parte de varias colecciones, tanto privadas como de museos famosos.
__NM__ 5. Su obra se inspira en temas muy variados del mundo y de la cultura cubana.
__JP__ 6. "Che" es el título de una de sus últimas actuaciones *(performances).*

VOCABULARIO ÚTIL

a lo largo de	*throughout*
abarcar	*to cover*
estético(a)	*aesthetic*
grabador(a)	*engraver*
trasladarse	*to move*

B. Miniprueba. Demuestra lo que aprendiste de estos talentosos cubanos al completar estas oraciones.

1. Humberto Castro usó el arte dramático como instrumento de __c__.
   a. verdadero análisis b. rebelión c. crítica social
2. Nancy Morejón, en su obra, apoya __b__.
   a. la música cubana b. el mestizaje cubano c. a los emigrantes cubanos
3. Jorge Perugorría protagonizó a __a__ en la película *Fresa y chocolate.*
   a. Diego b. Jorge c. Alberto

¡Diviértete en la red!
Busca "Humberto Castro", "Nancy Morejón" y/o "Jorge Perugorría" en Google Images y YouTube para escuchar entrevistas y ver videos de estos talentosos cubanos. Ven a clase preparado(a) para presentar lo que seleccionaste.

La literatura es fuego

Antes de empezar el video

En parejas. Contesten las siguientes preguntas en parejas.

1. ¿Se consideran muy aficionados a la lectura? ¿Cuántos minutos/horas leen al día? ¿Qué leen sobre todo?, ¿ficción?, ¿ensayos?, ¿poesía?
2. ¿Creen que les ha ayudado leer algo alguna vez? ¿Qué aprendieron? ¿De qué les sirvió? ¿Creen que habrían aprendido lo mismo si no hubiera sido a través de la lectura/literatura? Expliquen por qué sí o no.
3. ¿Qué creen que aporta la literatura a la sociedad y los pueblos? Den ejemplos específicos para documentar esos aportes.

Después de ver el video

A. Literatura y vida. Contesta las siguientes preguntas con un(a) compañero(a).

1. ¿Cuál es la misión de la literatura según Vargas Llosa?
2. ¿Cómo resumes la opinión del escritor cubano Antonio Benítez Rojo?
3. ¿Cuál es la opinión de Poniatowska? ¿Están de acuerdo?
4. ¿Qué escribe Marjorie Agosín y de qué habla su poema?
5. ¿Qué aconseja esta escritora chilena al estudiante de literatura?

B. A pensar y a interpretar. Contesten las siguientes preguntas en parejas.

1. ¿Han pensado alguna vez dedicarse a escribir de una manera profesional? ¿Por qué sí o no?
2. De las distintas opiniones sobre la función de la literatura, ¿con cuáles se sienten más identificados(as)? ¿Por qué?
3. ¿Creen que los libros siguen teniendo en el mundo actual la misma importancia que hace unos años? ¿Cómo va a cambiar esa importancia? ¿Cómo cambiará la labor del escritor?

C. Apoyo gramatical: el participio pasado y el presente perfecto de indicativo. Completa las siguientes oraciones sobre el video que viste en esta lección usando el presente perfecto de indicativo.

MODELO Mario Vargas Llosa _____ (decir) que la literatura es fuego y yo concuerdo con él.
Mario Vargas Llosa ha dicho que la literatura es fuego y yo estoy de acuerdo con él.

1. Yo nunca he leído (leer) libros del escritor cubano Antonio Benítez Rojo.
2. Para este escritor, los lectores extranjeros de sus libros han visto (ver) a Cuba de modo virtual.
3. A mí, la lectura de novelas me ha descubierto (descubrir) otras culturas.
4. Yo he conocido (conocer) otros mundos a través de la literatura.
5. Mi hermana ha escrito (escribir) varios cuentos muy interesantes.
6. Mi profesora piensa que la buena literatura no ha muerto (morir); será siempre importante.

Gramática 7.2: Antes de hacer esta actividad conviene repasar esta estructura en las págs. 308–309.

¡Diviértete en la red!
Busca "realidad y ficción" y/o "literatura y vida" en Google para leer sobre las distintas implicaciones que tiene una sobre la otra, según los autores. Ve a clase preparado(a) para presentar un breve reporte sobre sus conclusiones.

¡Antes de leer!

Anticipando…: Have students anticipate what the reading will be about based on these questions and the photo. After reading the story, have them check their predictions to see if they are correct. Then ask students if they think this is a realistic presentation of what happens in prisons and if so, why they think people behave like that.

A. Antes de leer. Contesta las siguientes preguntas con dos o tres compañeros(as).

1. ¿Qué opinan de la tortura? ¿Creen que es necesario torturar para obtener información vital de los prisioneros? En su opinión, ¿bajo qué presupuestos *(assumptions)* es aceptable torturar a una persona?
2. Imagínense que han sido capturados por el enemigo y saben que los van a torturar.

   ¿Qué estrategia van a usar? ¿Van a tratar de resistir? ¿"Cantarán"? ¿De qué factores depende su decisión? Expliquen con ejemplos.
3. ¿Qué opinan de los países donde se tortura? ¿Saber que un país tortura a sus prisioneros les hace considerar a esos países de una forma negativa? Expliquen.

B. Vocabulario en contexto. Busca estas palabras en la lectura que sigue y, en base al contexto, decide cuál es su significado. Para facilitar encontrarlas, las palabras aparecen en negrilla en la lectura. *Vocabulario…:* Ask volunteers to create original sentences with these vocabulary words.

1. **retírate**	a. acuéstate	(b.) vete	c. levántate
2. **sacudiones**	(a.) golpes	b. cenas	c. duchas
3. **madrugá**	(a.) mañana	b. tarde	c. noche
4. **lancha**	a. rifle	b. coche militar	(c.) bote
5. **aguantas**	a. subes	b. llegas	(c.) sobrevives
6. **calabozo**	a. coche	(b.) cárcel	c. hotel

Sobre el autor

Guillermo Cabrera Infante (1929–2005) fue un novelista, ensayista, traductor y crítico nacido en Gibara, parte de la actual provincia de Holguín. Bajo el régimen de Batista fue arrestado en varias ocasiones y por distintas razones. De 1954 a 1960 escribió críticas cinematográficas bajo el seudónimo G. Caín. Con el triunfo de la Revolución Cubana, pasó a ser director del Instituto de Cine. También dirigió la revista *Lunes de Revolución*, suplemento del diario comunista *Revolución*. En 1961 Fidel Castro prohibió la publicación de este suplemento. Después de algunos episodios en los que se opuso a las decisiones del gobierno cubano, se exilió en 1965 en Madrid y después en Londres.

Ulf Andersen / Getty Images

Microcuento

El habla caribeña

—Usté, vamo.[1]

—¿Qué pasa?

—El salgento que lo quiere ver.

—¿Para qué?

5 —¡Cómo que pa qué! Vamo, vamo. Andando.

—Salgento, aquí está éte.

belly —Está bien, **retírate**. ¿Qué, cómo anda esa barriga*? Duele, ¿no verdá? Ah, pero te acostumbras, viejo. Dos o tres **sacudiones** más y nos dices todo lo que queremos.

10 —Yo no sé nada sargento. Se lo juro y usted lo sabe.

—No tiene que jurar, mi viejito. Nosotros te creemos. Nosotros sabemos qué tú no tienes nada que ver con esa gente. Pero te he traído aquí para preguntarte otra cosa. Vamo ver: ¿tú sabes nadar?

—¿Qué?

15 —Que si sabes nadar, hombre. Nadar. Así.

—Bueno, sargento... yo...

—¿Sabes o no sabes?

—Sí.

—¿Mucho o poco?

20 —Regular.

—Bueno, así me gusta, que sea modesto. Bueno, pues prepárate para una competencia. Ahora por la **madrugá** [madrugada] vamo coger una **lancha** y te vamo llevar mar afuera* y te vamo echar* al agua, a ver hasta dónde **aguantas**. Yo ya he hecho una **apuestica** [apuesta *(bet)*] con el cabo.* No,
25 hombre, no pongas esa cara. No te va a pasar nada. Nada más que una **mojá** [mojada]. Después nosotros aquí te esprimimos* y te tendemos.* ¿Qué te parece? Di algo, hombre, que no digan que tú eres un pendejo* que le tiene miedo al agua. Bueno, ahora te vamos devolver a la celda.* Pero recuerda: por la madrugá eh. ¡Cabo, llévate al campión pal **calabozo**
30 y ténmelo allá hasta que te avise*! Oye: y va la apuesta.*

mar... *open sea / to throw*
corporal
we will wring you out / we will hang you up to dry
coward
cell
diga / **va...** *the bet is on*

[1]El habla caribeña, y muy en particular en Cuba, tiene una abundancia de variantes que incluyen (1) el reducir algunas palabras a una sílaba: **para = pa,** (2) letras suprimidas: **éste = éte,** (3) unas consonantes y sílabas suprimidas al final de una palabra: **usted = usté,** (4) el uso de la **l** en vez de la **r** en algunas palabras: **sargento = salgento.** Este cuento del autor cubano Guillermo Cabrera Infante muestra cómo los autores caribeños están usando la lengua de su gente con todas las riquezas coloquiales que la caracterizan, y así, preservando el habla caribeña del pueblo.

¡Después de leer!

A. Hechos y acontecimientos. ¿Recuerdas los datos más importantes de la lectura? Para asegurarte, contesta las siguientes preguntas. Luego, compara tus respuestas con las de un(a) compañero(a).

1. ¿Cuántos personajes participan en este minicuento? ¿Quiénes son? ¿Cómo son sus personalidades?
2. ¿Cuál es la situación que se presenta? ¿Qué va a hacerle el sargento al prisionero? ¿Por qué creen que se lo va a hacer? Expliquen.
3. ¿Qué técnicas usa el autor para presentarnos la historia? ¿La descripción? ¿La narración? ¿El diálogo? ¿De dónde obtenemos las pistas *(clues)* para comprender lo que ha ocurrido, está ocurriendo y va a ocurrir?
4. ¿Consideran que el humor es parte importante de este minicuento? ¿Por qué sí o no? Si lo es, ¿qué aporta el humor a la historia? ¿Creen que la hace más verosímil *(believable)* o menos?

B. A pensar y a analizar. Contesta estas preguntas con un(a) compañero(a). Luego comparen sus respuestas con las de otros grupos.

1. Al decir que van a exprimir y tender al detenido, el sargento "cosifica" (*treats as a thing*) al prisionero. ¿Qué otras formas de violencia detectan en el texto?
2. ¿Qué aporta el diálogo a la historia? ¿Creen que es necesario un(a) narrador(a) que nos informe de más detalles? Si sí, ¿qué detalles? Expliquen.
3. ¿Qué creen que trata de presentar el minicuento? ¿Creen que está a favor o en contra de la tortura? ¿Creen que simplemente cuenta un chiste? Expliquen.

C. Debate. En grupos de cuatro preparen un debate. Un grupo está a favor y otro en contra de que torturar a los prisioneros es aceptable y beneficioso. Pidan al resto de la clase que decida qué grupo ganó el debate.

D. Apoyo gramatical: el participio pasado y el presente perfecto de indicativo. Completa las siguientes oraciones sobre la lectura usando el presente perfecto de indicativo.

MODELO Tal vez un hombre __________ (cometer) un crimen político.
Tal vez un hombre ha cometido un crimen político.

1. Unos policías _han detenido_ (detener) a un hombre.
2. Tal vez el hombre _ha participado_ (participar) en actividades políticas.
3. Los policías _han tratado_ (tratar) de obtener información de él.
4. Para obtener información, los policías lo _han torturado_ (torturar).
5. El preso no _ha revelado_ (revelar) nada.
6. El preso _ha dicho_ (decir) que no sabe nada de lo que le preguntan.
7. El sargento le _ha preguntado_ (preguntar) al preso si sabe nadar.
8. El preso _ha respondido_ (responder) que, aunque no es un buen nadador, sí sabe nadar.
9. El sargento le _ha informado_ (informar) que al día siguiente lo van a echar al mar.
10. El sargento _ha hecho_ (hacer) una apuesta sobre cuánto tiempo el preso va a durar nadando.

Gramática 7.2: Antes de hacer esta actividad conviene repasar esta estructura en las págs. 308–311.

7.1 Possessive Adjectives and Pronouns

Short form: Adjectives		Long form: Adjectives/Pronouns	
Singular	*Plural*	*Singular*	*Plural*
mi	mis	mío(a)	míos(as)
tu	tus	tuyo(a)	tuyos(as)
su	sus	suyo(a)	suyos(as)
nuestro(a)	nuestros(as)	nuestro(a)	nuestros(as)
vuestro(a)	vuestros(as)	vuestro(a)	vuestros(as)
su	sus	suyo(a)	suyos(as)

› All possessive forms agree in gender and number with the noun they modify—that is, they agree with the object or person that is possessed, not with the possessor.

Tus abuelos son de Camagüey. **Los míos** son de La Habana. — *Your grandparents are from Camagüey. Mine are from Havana.*

El bailarín Carlos Acosta está orgulloso de **los triunfos suyos.** — *The ballet dancer Carlos Acosta is proud of his successes.*

La bailarina Alicia Alonso está orgullosa de **los triunfos suyos.** — *The ballerina Alicia Alonso is proud of her successes.*

Possessive Adjectives

› The short forms of the possessive adjectives are used more frequently than the long forms. They precede the noun they modify.

Mi novela favorita es *Tres tristes tigres* de Guillermo Cabrera Infante. — *My favorite novel is* Three Trapped Tigers *by Guillermo Cabrera Infante.*

› The long forms are often used for emphasis or contrast, or in constructions with the indefinite article: un (amigo) mío. They follow the noun they modify and are preceded by an article.

La región **nuestra** produce azúcar y arroz. — *Our region produces sugar and rice.*

Un sueño **mío** es pasear por la Habana Vieja. — *A dream of mine is to stroll through Old Havana.*

› The forms **su, sus, suyo(a), suyos(as)** may be ambiguous since they have multiple meanings.

¿Dónde vive **su** hermano? (de él, de ella, de Ud., de Uds., de ellos, de ellas) — *Where does his (her, your, their) brother live?*

In most cases, the context determines which meaning is intended. To clarify the intended meaning, phrases such as **de él, de ella, de usted,** etc., may be used after the noun. The corresponding definite article precedes the noun.

¿Dónde trabaja **el** hermano **de él**? — *Where does his brother work?*

La familia **de ella** vive cerca de la capital. — *Her family lives near the capital.*

› In Spanish, the definite article is generally used instead of a possessive form when referring to parts of the body and articles of clothing.

Me duele **el** brazo. — *My arm aches.*

La gente se quita **el** sombrero cuando entra en la iglesia. — *People take off their hats when they enter a church.*

Possessive Pronouns

› The possessive pronouns, which use the long possessive forms, replace a possessive adjective + a noun: **mi casa** → **la mía**. They are generally used with a definite article.

—Mi familia vive en un pueblo cerca de Santiago de Cuba. ¿Y **la tuya**?	*My family lives in a village near Santiago de Cuba. And yours?*
—**La mía** vive en la capital, en La Habana.	*Mine lives in the capital, in Havana.*

› The article is usually omitted when the possessive pronoun immediately follows the verb **ser**.

Esa lancha **es nuestra**.	*That boat is ours.*

Ahora, ¡a practicar!

A. ¿El peor? Compartes tu cuarto con un(a) amigo(a). Los dos son bastante desordenados. ¿Quién es el (la) peor?

MODELO libros (de él/ella) / estar por el suelo
Sus libros están por el suelo.

1. sillón (de él/ella) / estar cubierto de manchas *(stains)*
2. calcetines (míos) / estar por todas partes
3. pantalones (de él/ella) / aparecer en la cocina
4. chaqueta (mía) / estar sobre su cama
5. zapatos (de él/ella) / aparecen al lado de los míos

B. Gustos diferentes. Tú y tu compañero(a) no tienen las mismas preferencias. ¿Cómo varían?

MODELO Su cantante favorito es Silvio Rodríguez. (Pablo Milanés)
El mío es Pablo Milanés.

1. Su ciudad favorita es Camagüey. (La Habana)
2. Mi período histórico favorito es el período precolombino. (la Colonia)
3. Su novelista favorito es Guillermo Cabrera Infante. (Alejo Carpentier)
4. Mi poeta favorita es Nancy Morejón. (Dulce María Loynaz)
5. Su ritmo favorito es el cha-cha-chá. (el mambo)

C. Comparaciones. Tú hablas con Emilio Bustamante, un estudiante extranjero. ¿Qué diferencias le dices que notas entre su cultura y la tuya?

MODELO costumbres
Nuestras costumbres son diferentes a las tuyas.

1. lengua
2. gestos
3. modo de caminar
4. manera de escribir el número "7"
5. uso del cuchillo y del tenedor
6. ...(añade otras diferencias)

7.2 Past Participle and Present Perfect Indicative

In English, the past participle is the form of the verb that follows the verb *to have* in phrases such as *I have studied* and *you have learned*. The past participle of most verbs ends in *-ed: to study → studied, to fear → feared, to protect → protected*. In Spanish, most past participles end in **-ado** or **-ido: contaminado, temido, protegido.**

Forms of the Past Participle

-*ar* Verbs	-*er* Verbs	-*ir* Verbs
terminar	***aprender***	***recibir***
termin**ado**	aprend**ido**	recib**ido**

› To form the past participle of regular verbs, add **-ado** to the stem of **-ar** verbs, and **-ido** to the stem of **-er** and **-ir** verbs.

› The past participles of verbs ending in **-aer, -eer,** and **-ír** have accent marks.

caer: **caído**
traer: **traído**
creer: **creído**
leer: **leído**
oír: **oído**
reír: **reído**

› Some verbs have irregular past participles.

abrir: **abierto**
cubrir: **cubierto**
decir: **dicho**
escribir: **escrito**
hacer: **hecho**
morir: **muerto**
poner: **puesto**
resolver: **resuelto**
romper: **roto**
ver: **visto**
volver: **vuelto**

› Verbs derived from the words above also have irregular past participles.

cubrir: descubrir → **descubierto**
escribir: describir → **descrito;** inscribir → **inscrito**
hacer: deshacer → **deshecho;** satisfacer → **satisfecho**
poner: componer → **compuesto;** imponer → **impuesto;** suponer → **supuesto**
volver: devolver → **devuelto;** revolver → **revuelto**

Uses of the Past Participle

The past participle is used:

› with the auxiliary verb **haber** to form the perfect tenses. In this case, the past participle is invariable. (See p. 310 for the present perfect tense.)

Yo no **he visitado** la playa de Varadero todavía.	*I have not visited Varadero beach yet.*
Mis hermanas no **han visitado** Cuba nunca.	*My sisters have never visited Cuba.*

› with the verb **ser** to form the passive voice. Here the past participle agrees in gender and number with the subject of the sentence. (See pp. 327–328 for passive sentences.)

Raúl Castro **fue elegido** presidente de Cuba por la Asamblea Nacional del Poder Popular en 2008.	*Raúl Castro was elected the president of Cuba by the Asamblea Nacional del Poder Popular in 2008.*
Cuba **fue ocupada** por los EE.UU. entre 1898 y 1902.	*Cuba was occupied by the United States between 1898 and 1902.*

› with the verb **estar** to express a condition or state that results from a previous action. The past participle agrees in gender and number with the subject. (See pp. 93–94 for **ser** and **estar** + a past participle.)

Abrieron esa tienda a las nueve. La tienda **está abierta** ahora.	*They opened that store at nine o'clock. The store is now open.*

› as an adjective to modify nouns. In this case, the past participle agrees in gender and number with the noun it modifies.

Tocan una canción **interpretada** por Silvio Rodríguez.	*They are playing a song performed by Silvio Rodríguez.*

Ahora, ¡a practicar!

A. Breve historia de Cuba. Completa la siguiente información acerca de Cuba con el participio pasado del verbo indicado entre paréntesis.

Cuba es un país (1) ___________ (conocer) hoy en día por su vibrante música. El país es una isla que está (2) ___________ (situar) en la región caribeña; es la isla más (3) ___________ (poblar) de la región. La isla fue (4) ___________ (descubrir) por Colón durante su primer viaje a fines del siglo XV. El país fue (5) ___________ (colonizar) por los españoles y fue (6) ___________ (gobernar) por ellos por casi cuatrocientos años. Después de la guerra entre España y los EE.UU., Cuba fue finalmente (7) ___________ (reconocer) como república independiente en 1902. A mediados del siglo XX, el dictador Fulgencio Batista fue derrocado por las fuerzas guerrilleras de Fidel Castro. El país fue (8) ___________ (gobernar) por Fidel Castro hasta comienzos del siglo XXI. En 2008 su hermano Raúl Castro fue (9) ___________(nombrar) presidente del país. La imagen de Cuba como un país (10) ___________ (aislar) es cada vez más una cosa del pasado.

B. Trabajo de investigación. Un(a) compañero(a) te pregunta acerca de un trabajo de investigación sobre Cuba que tienes que presentar en tu clase de español. En tus respuestas puedes utilizar las sugerencias que aparecen entre paréntesis o cualquier otra que sea apropiada.

MODELO ¿Empezaste el trabajo sobre la historia de Cuba? (Sí)
Sí, está empezado.

¿Terminaste la investigación? (Todavía no)
No, todavía no está terminada.

1. ¿Hiciste las lecturas preliminares? (Sí)
2. ¿Consultaste la bibliografía? (Sí)
3. ¿Empezaste el bosquejo *(outline)* de tu trabajo? (No)
4. ¿Transcribiste tus notas? (Todavía no)
5. ¿Decidiste cuál va a ser el título? (Sí)
6. ¿Escribiste la introducción? (No)
7. ¿Devolviste los libros a la biblioteca? (No)
8. ¿Resolviste las dudas que tenías? (Todavía no)

Forms of the Present Perfect Indicative

-ar Verbs	*-er* Verbs	*-ir* Verbs
progresar	***aprender***	***vivir***
he progres**ado**	**he** aprend**ido**	**he** viv**ido**
has progres**ado**	**has** aprend**ido**	**has** viv**ido**
ha progres**ado**	**ha** aprend**ido**	**ha** viv**ido**
hemos progres**ado**	**hemos** aprend**ido**	**hemos** viv**ido**
habéis progres**ado**	**habéis** aprend**ido**	**habéis** viv**ido**
han progres**ado**	**han** aprend**ido**	**han** viv**ido**

› To form the present perfect indicative combine the auxiliary verb **haber** in the present indicative and the past participle of a verb. The past participle is invariable; it always ends in **-o**.

› Reflexive and object pronouns must precede the conjugated form of the verb **haber**.

La economía cubana se ha fortalecido con la creación de ALBA (Alianza Bolivariana para los Pueblos de Nuestra América).

The Cuban economy has become stronger with the creation of ALBA (Bolivarian Alliance for the Americas).

Use of the Present Perfect Indicative

› The present perfect indicative is used to refer to actions or events that began in the past and continue or are expected to continue into the present, or that have results bearing upon the present.

En los últimos años, Cuba **ha entrado** en convenios con países de varios continentes. Esto **ha ayudado** al desarrollo económico del país.

In recent years, Cuba has entered into agreements with countries from various continents. This has helped the country's economic development.

Te **he enviado** unos artículos sobre la Cuba de hoy. ¿Te **han llegado** ya?

I've sent you some articles on today's Cuba. Have they reached you yet?

Ahora, ¡a practicar!

A. Cambios recientes. Menciona algunos cambios que han ocurrido en Cuba en los últimos tiempos.

MODELO diversificar / el uso comercial de la caña de azúcar
Se ha diversificado el uso comercial de la caña de azúcar.

1. diversificar/ la economía
2. comenzar a usar / la caña como biocombustible
3. desarrollar / las relaciones con otros países
4. ampliar / el sector industrial
5. intensificar / el turismo internacional
6. reducir / el aislamiento económico
7. mantenerse / el interés por una educación para todos
8. empezar a modernizar / el transporte interurbano

B. Ritmos del Caribe. Un(a) compañero(a) y tú se turnan para hacerse preguntas acerca de la música y los bailes del Caribe y de Cuba.

MODELO leer acerca de la Nueva Trova Cubana
¿Has leído acerca de la Nueva Trova Cubana?
No, nunca he leído acerca de la Nueva Trova Cubana. (o **Sí, he leído algunos artículos acerca de la Nueva Trova Cubana.)**

1. escuchar ritmos cubanos
2. bailar alguna vez el cha-cha-chá u otro ritmo cubano
3. comprar cedés de música cubana
4. interesarte en tocar algún instrumento musical
5. estar en fiestas en que se toca salsa
6. ver videos de personas bailando ritmos cubanos
7. tener amigos interesados en los ritmos caribeños
8. asistir a un concierto de música caribeña
9. ir a discotecas a bailar
10. escribir algún trabajo de investigación acerca de la música cubana

C. Experiencias similares. Describe cosas que tú y tus padres han hecho juntos últimamente.

MODELO **Hemos visitado a mis abuelos.**
Hemos salido a comer en nuestro restaurante favorito.

D. Experiencias diferentes. Describe cinco cosas que tú has hecho, pero que tus padres nunca han hecho.

SI VIAJAS A NUESTRO PAÍS...

República Dominicana

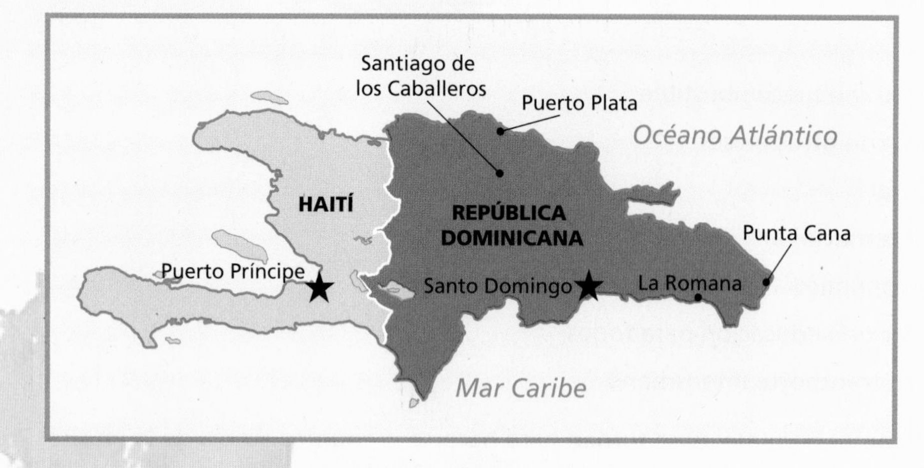

Comprehension check: Ask: **1. ¿Estás de acuerdo en que la Zona Colonial es donde comenzó la historia del Nuevo Mundo? Explica por qué crees eso. 2. ¿Por qué crees que Rafael Trujillo decidió mostrarle a la ciudad de Santiago de los Caballeros que él era el encargado? 3. En tu opinión, ¿qué hace que la República Dominicana tenga tantas playas hermosas?**

Nombre oficial: República Dominicana
Población: 9.650.054 (estimación de 2009)
Principales ciudades: Santo Domingo (capital), Santiago de los Caballeros, La Romana
Moneda: Peso (RD$)

En Santo Domingo, la capital, con una población de más de dos millones, tienes que conocer...

- la Zona Colonial, donde comenzó la historia del Nuevo Mundo y donde se encuentran las primeras edificaciones de América: la Catedral de Santa María de la Encarnación, la Universidad de Santo Domingo, el Edificio de las Casas Reales y la Real Audiencia —el primer tribunal del Nuevo Mundo—, el primer hospital y la primera oficina de aduanas.
- el Alcázar de Colón, el palacio donde vivió Diego Colón, el hijo de Cristóbal Colón, cuando fue gobernador de La Española.
- el Museo del Hombre Dominicano, dedicado a la historia de los antiguos pobladores, los taínos, y a la historia de la conquista y la esclavitud.
- el Mercado Modelo, el mercado de artesanías más grande en la capital.

Hola Images / Photolibrary

En un mercado al aire libre en Santo Domingo

Juan Barreto / Getty Images

Un apasionante partido de pelota en el Estadio Cibao

En Santiago de los Caballeros, no dejes de ver...

- el Monumento a los Héroes de la Restauración, situado en el cerro más alto de la ciudad, construido por orden del dictador Rafael Trujillo para mostrarle a la ciudad que él era el encargado.
- el Gran Teatro del Cibao, donde presentan espectáculos de artistas nacionales e internacionales.
- el Estadio Cibao, hogar de uno de los equipos de béisbol más importantes del país, Las Águilas Cibaeñas.
- las plantaciones de tabaco y las fábricas de ron.

Diviértete en las mejores playas de la República Dominicana...

- Punta Cana, una zona en el este de la isla que incluye la Playa de Arena Gorda, la famosa Playa Bávaro, la Playa Uvero Alto, la Playa Macao y la Playa de El Cortecito, todas de arena blanca y fina y cuyo mar es de un suave color azul verdoso *(greenish).*
- la Playa de El Macao, cercana a Punta Cana y de fina arena blanca, declarada por la UNESCO como una de las mejores playas del mar Caribe.
- la Playa Caletón, conocida como "La Playita", donde los barcos que navegan las cercanas misteriosas cavernas se detienen para que los pasajeros puedan disfrutar de la arena y del sol.
- la Playa de San Rafael, situada a unos veinte kilómetros de Barahona, una playa rodeada de altas montañas, con un paisaje espectacular.
- Bayahibe, una bella playa a unos veinte kilómetros de La Romana, con una fina arena blanca y auténtica agua azul turquesa.

pashapixel / Shutterstock

Las playas dominicanas, con su inconfundible belleza

¡Diviértete en la red!

Busca en Google Images o en YouTube para ver fotos y videos de cualquiera de los lugares mencionados aquí. En particular te van a encantar las playas de la República Dominicana. Ven a clase preparado(a) para describir en detalle el lugar que escogiste.

¡¡Pelota!!

Suggestion: Ask students what their favorite summer sport is. Have them describe the most exciting moment in that sport that they have experienced or seen.

Suggestion: Ask students if they have a favorite baseball team, and what league or conference it is in. Ask if they have a favorite player and what position he plays.

El béisbol o pelota —como lo llaman los dominicanos—, es el deporte más popular en la República Dominicana, aunque también se practican otros deportes como el vólibol, el baloncesto, el fútbol, la natación o el béisbol de pelota blanda. Además de cientos de miles de aficionados, el béisbol dominicano ha dado y continúa dando grandes jugadores a las grandes ligas, entre otras a la dominicana y a la estadounidense. En 2009 había ciento veintidós beisbolistas dominicanos que jugaban en la Liga Mayor de Béisbol.

Para hablar del béisbol

deslizarse	*to slide*
hacer golpes ilegales	*to hit foul balls*
hacer un cuadrangular / jonrón	*to hit a home run*
hacer un jit / batazo	*to make a hit*
lanzar la pelota	*to pitch the ball*
tirar la pelota	*to throw the ball*
volarse (ue) la cerca	*to go out of the park (over the fence)*

Al hablar de un partido de béisbol

— ¿Por qué no fuiste al partido de béisbol ayer? Te diré que te perdiste un juego fantástico. Nuestro equipo mantuvo el suspenso. Va a ser fenomenal esta temporada. Derrotaron a los Cardenales seis a dos.	*Why didn't you go to the baseball game yesterday? I have to tell you that you missed a fantastic game. Our team kept up the suspense. It's going to be a phenomenal season. They beat the Cardinals six to two.*
— Ese Sosa de veras que sabe batear la pelota.	*That Sosa really knows how to hit the ball.*
— Sí. Cada vez que levanta el bate es otro jonrón.	*Yes. Every time he raises the bat, it's another home run.*

Vocabulary practice: Pretend that you are not familiar with sports and ask students to explain each sport in detail.

Deportes

atletismo	*track and field*
baloncesto, básquetbol *(m.)*	*basketball*
béisbol de pelota blanda *(m.)*	*softball*
ciclismo	*cycling*
gimnasia	*gymnastics*
golf *(m.)*	*golf*
lucha libre	*wrestling*
tenis *(m.)*	*tennis*
tiro al arco	*archery*
vólibol *(m.)*	*volleyball*
bucear con tubo de respiración	*to snorkel*
hacer windsurf	*to windsurf*
practicar el deporte de tablavela	*to windsurf*
montar a caballo	*to ride a horse*
navegar	*to sail*
pescar	*to fish*

Al hablar de otros deportes

— ¿Te gustan los deportes?	*Do you like sports?*
— No tanto. El verano pasado practiqué natación y jugué un poco de vólibol.	*Not much. Last summer I did swimming and played a little volleyball.*
— Pues a mí me encantan.	*Well, I love them.*

¡A practicar, luego a conversar!

Suggestion: Ask students what their favorite summer sport is. Have them describe the most exciting moment in that sport that they have experienced or seen.

A. Aficionados al béisbol. Identifiquen a los aficionados al béisbol de la clase y pídanles que pasen al frente de la clase. Luego todos deben turnarse para hacerles preguntas acerca del béisbol. Pregúntenles, por ejemplo:

¿Cuál fue tu equipo (bateador/lanzador/receptor/guardabosque/jardinero corto) favorito este año? ¿Por qué? ¿Quién tuvo el mejor récord de jonrones? ¿Qué países produjeron los mejores beisbolistas? ¿Cuántos beisbolistas hispanos y sus respectivos equipos puedes nombrar? ¿Cuántos beisbolistas hispanos de la República Dominicana puedes nombrar?

B. Palabras clave: jugar. Para ampliar tu vocabulario, relaciona las expresiones de la primera columna con las definiciones de la segunda columna. Luego, escribe una oración original con cada expresión. Compara tus oraciones con las de dos compañeros(as) de clase. ¿Qué expresiones tienen un equivalente con *play* en inglés?

__b__ 1. jugar dinero	a. hacer algo peligroso
__d__ 2. jugar un papel	b. apostar *(to gamble)*
__e__ 3. jugar limpio	c. arriesgarse *(to take a chance)*
__a__ 4. jugar con fuego	d. actuar, representar
__c__ 5. jugárselas	e. seguir las normas

Suggestion: Have students do the matching activity in pairs. Then ask volunteers to go to the board and write one of their original sentences. Have the class correct any errors.

C. Dramatización. Dramatiza la siguiente situación con tres compañeros(as) de clase. Tú y tres amigos(as) están de vacaciones de primavera en el famoso Balneario Bávaro en la playa Punta Cana de la República Dominicana. Están tratando de decidir qué van a hacer hoy. Antes de seleccionar la actividad del día, mencionen las varias actividades que ofrece el balneario y las que Uds. ya han hecho.

Suggestions: Ask students to explain the subtitle. Why **la cuna**? Why **de América** and not **del Caribe**?

La República Dominicana: la cuna de América

Stapleton Historical Collection / Photolibrary

Invasores ingleses y franceses

Desde la llegada de Cristóbal Colón en 1492, la isla de La Española fue un lugar deseado por diferentes potencias europeas. Por esta razón sufrió frecuentes asaltos: entregó la tercera parte occidental de la isla a Francia (1697). Los nuevos dueños se enriquecieron con la explotación brutal y los trabajos forzados de esclavos africanos. Entre 1795 y 1809 La Española entera fue cedida a Francia por España y toda la isla recibió el nombre de Haití.

La independencia

Bajo la dirección del militar haitiano Toussaint Louverture, la isla entera de Haití consiguió su independencia de Francia en 1804 después de una sangrienta guerra. Toda la isla quedó bajo el control haitiano hasta 1844. Para resistir a la dominación haitiana, el patriota dominicano Juan Pedro Duarte, llamado el "padre de la patria", organizó una revolución contra los haitianos. El 27 de febrero de 1844 se logró la independencia de la parte oriental de la isla y así se estableció la República Dominicana.

La dictadura de Trujillo

A finales del siglo XIX y a principios del XX, la República Dominicana se encontraba en una situación económica y política catastrófica. Entre 1916 y 1924 se produjo una ocupación militar por parte de los EE.UU. que controlaron la importación y exportación de productos hasta 1941. En 1930, el dictador Rafael Leónidas Trujillo tomó el poder tras un golpe de estado y dominó la república durante más de tres décadas, hasta su asesinato en 1961.

Las hermanas Mirabal, opositoras al régimen del dictador Trujillo, fueron asesinadas en 1960 por orden de este.

La segunda mitad del siglo XX

El estado caótico que siguió al asesinato de Trujillo resultó en otra ocupación militar por parte de los EE.UU., en 1965, para proteger a los ciudadanos estadounidenses y sus propiedades. Esta vez, sin embargo, fuerzas internacionales bajo los auspicios de la OEA, sustituyeron enseguida a las fuerzas estadounidenses.

En 1966, se efectuaron elecciones libres que fueron ganadas por Joaquín Balaguer. Este político dominó la vida política dominicana hasta 1996. La recesión económica mundial de 1982 afectó gravemente la economía de la República Dominicana y forzó a miles de dominicanos a abandonar la isla en busca de una vida mejor en los EE.UU.

En 1996, resultó electo el Dr. Leonel Fernández. Su gobierno se caracterizó por el crecimiento macroeconómico y la privatización de las empresas del Estado, así como la rápida devaluación de la moneda, debido a los altos precios de los combustibles. Esto provocó que muchas empresas quebraran.

La República Dominicana de hoy

- En 2004, el Dr. Leonel Antonio Fernández Reyna al iniciar su segundo mandato presidencial, se esforzó en combatir la crisis económica.
- Su gestión se caracterizó por mejorar el sistema de transporte colectivo de Santo Domingo. También se construyeron nuevas escuelas o más aulas y se dotó de centros de informática.

› En el año 2008, Leonel Fernández fue elegido como presidente, logrando así su tercer período de gobierno (segundo consecutivo) que se extiende hasta 2012.

› La economía dominicana es particularmente dependiente de los flujos de capital desde los Estados Unidos, representando este el primer rubro de intercambio comercial.

› Así mismo, depende grandemente de la minería y de la agricultura. Las remesas enviadas por dominicanos que viven en el exterior, principalmente en los Estados Unidos, alcanzaron en 2007 la cifra de 3.2 billones de dólares estadounidenses.

Peter Bennett / Photolibrary

¿COMPRENDISTE?

VOCABULARIO ÚTIL

dotar	*to find*
flujo	*flow*
gestión *(f.)*	*administration*
minería	*mining industry*
polo	*center*
quebrar	*to go bankrupt*
rubro	*area*
sin embargo	*nevertheless*
transporte colectivo *(m.)*	*public transportation*

A. Hechos y acontecimientos. ¿Recuerdas los datos más importantes de la lectura? Para asegurarte, completa las siguientes frases.

1. Desde la llegada de Cristóbal Colón en 1492, la isla de La Española fue un lugar deseado por...
2. El 27 de febrero de 1844 se logró la independencia de la... de la isla y así se estableció la...
3. Durante los primeros años de la independencia,... dominaron el escenario político.
4. En 1930, el... tomó el poder tras un golpe de estado y dominó la república durante...
5. La... de 1982 afectó gravemente la... de la República Dominicana.
6. La economía dominicana depende principalmente de la... y la...

B. A pensar y a analizar. Contesta las siguientes preguntas con dos o tres compañeros(as) de clase. Luego comparen sus respuestas con las de otro grupo.

1. Desde su independencia, la República Dominicana ha sido gobernada principalmente por hombres fuertes que se mantienen en el poder por largos períodos de tiempo. ¿Por qué creen Uds. que estos hombres pudieron mantenerse en el poder por mucho tiempo?
2. Qué opinan de las varias ocupaciones de los EE.UU. en la República Dominicana? ¿Qué derecho tiene un país de intervenir en los asuntos de otro país? ¿Pueden Uds. pensar en un caso donde otro país debería intervenir en los asuntos de los EE.UU.? Expliquen.

C. Apoyo gramatical: las preposiciones *para* y *por*. Completa las siguientes oraciones sobre la historia dominicana usando la preposición **para** o **por**, según convenga.

1. La isla de La Española fue visitada ___por___ Colón durante su primer viaje al Nuevo Mundo.
2. Haití ocupó La Española ___por___ más de veinte años.
3. Juan Pablo Duarte es el padre de la patria ___para___ muchos dominicanos.
4. La tasa de inflación en la República Dominicana es baja ___por___ ahora.
5. ___Para___ el año 2012 los dominicanos tendrán otra elección presidencial.
6. Muchos dominicanos van a los EE.UU. ___para___ trabajar.
7. El turismo es muy importante ___para___ la economía dominicana.

Gramática 7.3: Antes de hacer esta actividad conviene repasar esta estructura en las págs. 324–326.

Suggestions: Before reading the biographies, ask students if any of them are familiar with Óscar de la Renta's designs. If so, ask what makes them so special and so expensive. Also ask if they are familiar with any of La Baby's music and/or if they have had an opportunity to watch Alfonso Soriano play. If so, ask what their impressions were.

Óscar de la Renta

AP Images / Jennifer Graylock

Este diseñador es uno de los más consagrados, creativos y, por eso mismo, uno de los grandes nombres de la moda mundial. Óscar de la Renta ha sabido usar el *glamour* de sus creaciones para hacerse un nombre internacional entre las grandes marcas de la moda. Sus modelos elegantes realzan como pocos la belleza femenina con clase. Gracias a esto ha triunfado y conseguido que sus boutiques estén presentes en la mayoría de los países del mundo. Su exitosa carrera se ha visto respaldada por numerosos premios y cargos importantes. De la Renta fue elegido dos veces presidente del Consejo de Diseñadores de Moda de América (CFDA, *Council of Fashion Designers of America*) en las décadas de los 70 y 80, fue designado por esta organización como Diseñador del Año 2000, recibió el Premio Leyenda Viviente, dos premios Críticos Americanos de Moda Coty e incluso un Salón de la Fama Coty. En España recibió el popular premio Aguja de Oro (2002).

Extension: Bring in magazine clippings showing Óscar de la Renta's creations. Ask what makes his designs unique.

© Orlando Barria / epa / Corbis

Martha Heredia

Artísticamente conocida como "La Baby", Martha Heredia es una joven cantante dominicana. A la edad de trece años descubrió que tenía talento para cantar y para escribir canciones. A los quince años, junto a su hermano Felipe, formó un grupo llamado "Una Vía" con el que cantó *hip hop* y *reggaetón*. Más tarde tuvo la oportunidad de trabajar en los Estados Unidos como cantautora. A los dieciocho años se presentó en San José, Costa Rica, para la audición de la cuarta temporada de *Latin American Idol*. El 10 de diciembre de 2009, después de haber conseguido más del 50% del número total de votos, se convirtió en la nueva ídolo de Latinoamérica. En su última presentación cantó junto al reconocido cantante Franco De Vita. Desde entonces es una exitosa artista en los Estados Unidos y en la República Dominicana. En abril de 2010 sacó su más reciente producción con Sony BMG.

Alfonso Soriano

Reconocido jugador dominicano que en 2002 fue el líder de la Liga Americana en los porcentajes de bateo, en bases logradas, en bases robadas y en carreras, y estableció un récord para los *New York Yankees* con los porcentajes más altos de bateo en una misma temporada. En 2003, Soriano estableció el récord de mayor cantidad de jonrones en un mismo juego (13) y, por segundo año consecutivo, fue líder de la liga en porcentajes de bateo y terminó entre los cinco primeros por bateos, dobles, jonrones, bases robadas y *strikeouts*. En 2009 fue uno de solo seis jugadores que en la historia del béisbol concluyeron la temporada con más jonrones que anotaciones yendo de base en base (39 y 23 respectivamente).

© Larry Goren / Icon SMI / Corbis

Otros dominicanos sobresalientes

Suggestion: Ask students to look up two or more of the **Otros dominicanos sobresalientes** on the Internet and have them turn in a brief written report on what they find. You may want to offer extra credit for this work.

Extension: Find (or have students find) the words to one of Juan Luis Guerra's songs on the Internet (e.g., they can go to www-unix.oit.umass.edu/~urena/jlg/). Display the words on an overhead and discuss the meaning, then listen to a CD of the song.

Ada Balcácer: escultora y pintora

Juan Bosch: político, novelista, historiador y cuentista

José Cestero: pintor

Charytín: cantante y animadora

Juan Luis Guerra: cantante y compositor

Héctor Incháustegui Cabral (1912–1979): dramaturgo, poeta, diplomático y catedrático

Clara Ledesma: pintora

Orlando Menicucci: pintor

Samuel Peralta ("Sammy") Sosa: beisbolista

Isabella Wall: actriz

¿COMPRENDISTE?

A. Contesta las siguientes preguntas con un(a) compañero(a). Luego, comparte tus respuestas con el resto de la clase.

1. ¿Por qué creen Uds. que Óscar de la Renta tiene un gusto tan exquisito para la moda? ¿Se puede comparar el talento de Martha Heredia con el de Óscar de la Renta? ¿Por qué sí o no?
2. ¿Creen que *Latin American Idol* realmente lanza talentos al mundo de la música? Teniendo presente su talento innato para la música, ¿qué creen que hizo de Martha Heredia un ídolo musical?
3. ¿Por qué es reconocido Alfonso Soriano? En la opinión de Uds., ¿qué motiva a Soriano a trabajar tanto para ser exitoso como jugador de béisbol?

VOCABULARIO ÚTIL

anotación *(f.)*	*walk*
base lograda *(f.)*	*base hit*
cachorro	*cub*
consagrado(a)	*time-honored, hallowed*
encabezar	*to be at the top (of the list)*
presumir	*to boast, to presume*
realzar	*to raise, to elevate*
respaldado(a)	*backed up, supported*
robado(a)	*stolen*

B. Miniprueba. Demuestra lo que aprendiste de estos talentosos dominicanos al completar estas oraciones.

1. Óscar de la Renta logra combinar __b__.
   a. boutiques y empresas   b. glamour y clase   c. grandes marcas y cargos
2. En 2009, Martha Heredia ganó el *Latin American Idol* y cantó junto a __c__.
   a. Juan Luis Guerra   b. Ricky Martin   c. Franco De Vita
3. En 2009, Alfonso Soriano logró más jonrones que anotaciones de base en base, al igual que otros __a__ jugadores en la historia del béisbol.
   a. seis   b. siete   c. ocho

¡Diviértete en la red!
Busca "Óscar de la Renta", "Martha Heredia" y/o "Alfonso Soriano" en YouTube para escuchar entrevistas y ver videos de estos talentosos dominicanos. Ven a clase preparado(a) para presentar lo que elegiste ver o escuchar.

ESCRIBAMOS AHORA

Ensayo: comparación y contraste

Suggestion: Keep in mind that this writing activity should only take 3-5 minutes of class time. All other writing can be done at home.

1 **Para empezar.** La comparación señala lo similar o lo común entre cosas, lugares, incidentes o situaciones. El contraste señala las diferencias. Cuba y la República Dominicana, por ejemplo, tienen mucho en común pero también tienen diferencias. Una manera de ilustrar eso visualmente es con un diagrama de Venn. Véase cómo en el siguiente, los dos extremos de derecha e izquierda muestran diferencias entre los dos países y el centro muestra lo que tienen en común.

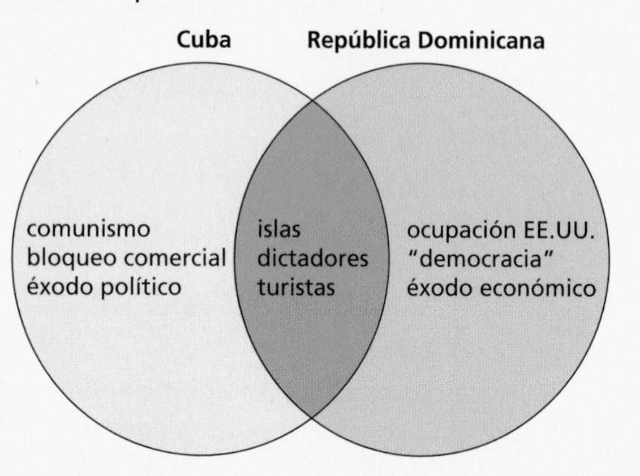

2 **A generar ideas.** Piensa ahora en algunas cosas/lugares/incidentes/situaciones que quieras comparar y contrastar. Puede ser algo en tu vida personal, en tu comunidad, en el mundo político, etcétera. Lo importante es que sean dos sujetos que tengan bastante en común para poder ser comparados y bastantes diferencias para poder ser contrastados. Haz un diagrama de Venn ahora, siguiendo el ejemplo anterior.

3 **Tu borrador.** Ahora desarrolla la información que anotaste en tu diagrama en párrafos cortos que vayan señalando tanto las diferencias entre los dos sujetos como lo que tienen en común. Es importante que tu ensayo tenga algún propósito específico, por ejemplo, ayudar al lector a llegar a una decisión o a entender mejor los sujetos que se están comparando y contrastando. Asegúrate también de organizar la información de una manera clara y lógica. Escribe tu borrador ahora. ¡Buena suerte!

4 **Revisión.** Intercambia tu borrador con un(a) compañero(a). Revisa su ensayo prestando atención a las siguientes preguntas. ¿Ha identificado bien a los dos sujetos? ¿Han quedado claras las comparaciones y los contrastes? ¿Los ha desarrollado lógicamente? ¿Tienes algunas sugerencias sobre cómo podría mejorar sus ideas?

5 **Versión final.** Considera las correcciones que tu compañero(a) te ha indicado y revisa tu trabajo por última vez. Como tarea, escribe la copia final en la computadora y no olvides darle un título. Antes de entregarlo, dale un último vistazo a la acentuación, a la puntuación, a la concordancia y a las formas de los verbos.

6 **Publicación (opcional).** Cuando su profesor(a) les devuelva el ensayo corregido, revísenlo con cuidado y luego, en grupos de tres o cuatro, lean sus ensayos al grupo por turnos. Decidan cuál es el mejor en cada grupo y devuélvanle ese a su profesor(a) para que los ponga todos en un libro que va a titular: **Los mejores ensayos de los estudiantes del señor (de la señora/señorita)...**

¡Antes de leer!

Anticipando...: Have students predict what they think this reading will be about based on the questions. After reading the story, have them check their predictions to see if they are correct.

A. Anticipando la lectura. Contesta las siguientes preguntas para saber algo de tus sueños.

1. ¿Con qué frecuencia sueñas? ¿todas las noches? ¿una vez a la semana? ¿una vez al mes?
2. ¿Recuerdas tus sueños al día siguiente? ¿Los recuerdas en detalle o solo recuerdas partes?
3. ¿Con qué sueñas normalmente? ¿Tienes sueños recurrentes? Cuéntale uno a un(a) compañero(a) de clase.
4. ¿Tratas de interpretar tus sueños? Cuéntale un sueño a tu compañero(a) y pídele que trate de interpretarlo.

B. Vocabulario en contexto. Busca estas palabras en la lectura que sigue y, en base al contexto, decide cuál es su significado. Para facilitar encontrarlas, las palabras aparecen en negrilla en la lectura. *Vocabulario...:* Ask volunteers to create original sentences with these vocabulary words.

1. **los pormenores**	a. las inquietudes	(b.) los detalles	c. los temores
2. **aguardaba**	(a.) esperaba	b. decía	c. entrenaba
3. **el amanecer**	a. la noche	b. el anochecer	(c.) la mañana
4. **nítido**	a. difícil	b. complicado	(c.) claro
5. **recio**	(a.) fuerte	b. inesperado	c. doloroso
6. **iniciaba**	a. terminaba	(b.) empezaba	c. completaba

Sobre el autor

Virgilio Díaz Grullón (1924–2001), popular escritor de Santo Domingo, se destacó como cuentista. Entre las varias colecciones de cuentos que publicó sobresalen *Crónicas de altocerro* (1966), *Más allá del espejo: cuentos* (1975), *De niños, hombres y fantasmas* (1981) y *Antinostalgia de una era* (1993). Fue también un activo ensayista que colaboró frecuentemente con artículos y cuentos para revistas y antologías literarias.

En el cuento "El diario inconcluso", el autor muestra cómo lo que parece ser una preocupación obsesiva por recordar los sueños se transforma en una realidad inesperada.

Franklin Gutierrez

El diario inconcluso

Suggestions: Ask students to look at the title and the photo and anticipate what the reading will be about. Have them speculate about the photo. What are the objects on the bed? How do they relate to the title of the story? After reading the story, have students check their predictions to see if they are correct.

Siempre había hecho alarde* de tener una mente científica, inmune a cualquier presión exterior que intentase alterar su rigurosa visión empírica del universo.

Durante su adolescencia se había permitido algunos coqueteos* con las teorías freudianas sobre la interpretación de los sueños, pero la imposibilidad de confirmar con la experiencia las conclusiones del maestro le hicieron perder muy pronto el interés en sus teorías. Por eso, cuando soñó por primera vez con el vehículo espacial no le dio importancia a esa aventura y a la mañana siguiente había olvidado **los pormenores** de su sueño. Pero cuando éste se repitió al segundo día comenzó a prestarle atención y trató —con relativo éxito— de reconstruir por escrito sus detalles. De acuerdo con sus notas, en ese primer sueño se veía a sí mismo en el medio de una llanura* desértica con la sensación de estar a la espera de que algo muy importante sucediera,* pero sin poder precisar* qué era lo que tan ansiosamente **aguardaba.** A partir del tercer día el sueño se hizo recurrente adoptando la singular característica de completarse cada noche con episodios adicionales, como los filmes en serie que solía ver en su niñez. Se hizo el hábito entonces de llevar una especie de diario en que anotaba cada **amanecer** las escenas soñadas la noche anterior. Releyendo sus notas —que cada día escribía con mayor facilidad porque el sueño era cada vez más **nítido** y sus pormenores más fáciles de reconstruir— le fue posible seguir paso a paso sus experiencias oníricas.* De acuerdo con sus anotaciones, la segunda noche alcanzó a ver el vehículo espacial descendiendo velozmente* del firmamento.* La tercera lo vio posarse* con suavidad a su lado. La cuarta contempló la escotilla* de la nave abrirse silenciosamente. La quinta vio surgir de su interior una reluciente* escalera metálica. La sexta presenciaba el solemne descenso de un ser* extraño que le doblaba la estatura* y vestía con un traje verde luminoso. La séptima recibía un **recio** apretón de manos* de parte del desconocido. La octava ascendía por la escalerilla del vehículo en compañía del cosmonauta y, durante la novena, curioseaba asombrado* el complicado instrumental del interior de la nave. En la décima noche soñó que **iniciaba** el ascenso silencioso hacia el misterio del cosmos, pero esta experiencia no pudo ser asentada* en su diario porque no despertó nunca más de su último sueño.

alarde: show
coqueteos: flirtations
llanura: terreno llano
sucediera: pasara
precisar: especificar
oníricas: relacionadas con los sueños
velozmente / firmamento / posarse: rápidamente / cielo / rest
escotilla: puerta de acceso
reluciente: brillante
ser: persona
que... estatura: que era dos veces más alto que él
apretón... manos: *handshake*
curioseaba... asombrado: veía con gran admiración
asentada: escrita, afirmada

¡Después de leer!

A. Hechos y acontecimientos. ¿Recuerdas los datos más importantes de la lectura? Para asegurarte, contesta las siguientes preguntas.

1. ¿Qué edad crees que tiene la persona que sueña con la nave espacial? ¿Por qué crees eso?
2. ¿Sabía interpretar sueños el protagonista? ¿Cuándo lo había intentado?
3. ¿Trató de interpretar su sueño con el vehículo espacial la primera vez que lo tuvo? ¿Por qué?
4. ¿Cuándo decidió tratar de recordar todos los detalles de ese sueño? ¿Por qué le interesaba recordarlos? ¿Qué hizo para poder recordarlos?
5. ¿Cuántas veces se repitió el mismo sueño? ¿Era exactamente igual cada vez? Si no lo era, ¿cómo variaba?
6. ¿Qué soñó la última vez? ¿Anotó los detalles de este sueño en su diario? Explica.

B. A pensar y a analizar. En grupos de tres o cuatro, contesten las siguientes preguntas. Luego, compartan sus respuestas con la clase.

1. ¿Qué le pasó al final del cuento a la persona que soñaba con naves espaciales? ¿Cómo lo saben? Describan al narrador. ¿Qué tipo de personalidad tiene? Citen ejemplos del cuento.
2. ¿Conoce uno de los (las) compañeros(as) del grupo a alguien que haya tenido un sueño que luego se convirtiera en realidad? Si es así, que le cuente el incidente al grupo.

C. Dramatización. La décima noche "no pudo ser asentada en su diario porque no despertó nunca más de su último sueño". Al contrario, dentro de la nave él... Con un(a) compañero(a) escriban un nuevo final para este cuento. Luego, dramatícenlo frente a la clase.

D. Apoyo gramatical: las construcciones pasivas. Cambia las siguientes oraciones que usan la voz activa a la voz pasiva para contar la historia que leíste en "El sueño inconcluso".

MODELO Una experiencia extraña alteró la visión del universo del protagonista.
La visión del universo del protagonista fue alterada por una experiencia extraña.

1. Freud interpretó los sueños de muchos pacientes. 1. Los sueños de muchos pacientes fueron interpretados por Freud.
2. El protagonista anotó cada sueño en un cuaderno. 2. Cada sueño fue anotado por el protagonista en un cuaderno.
3. En un sueño, un vehículo espacial iluminó el paisaje. 3. En un sueño, el paisaje fue iluminado por un vehículo espacial.
4. Un ser con un traje luminoso recibió al protagonista. 4. El protagonista fue recibido por un ser con un traje luminoso.
5. El protagonista inspeccionó el interior de la nave. 5. El interior de la nave fue inspeccionado por el protagonista.
6. El protagonista no apuntó los detalles de la última noche. 6. Los detalles de la última noche no fueron apuntados por el protagonista.

Gramática 7.4: Antes de hacer esta actividad conviene repasar esta estructura en las págs. 327–329.

7.3 The Prepositions *para* and *por*

Para is used

› to express movement or direction toward a destination or goal.

Salgo **para** Santo Domingo el viernes próximo. — *I am leaving for Santo Domingo next Friday.*

› to indicate a specific time limit or a fixed point in time.

Ese complejo turístico ya estará terminado **para** Navidad. — *That tourist resort will already be finished by Christmas.*

› to express a purpose, goal, use, or destination.

Queremos ir a la República Dominicana **para** gozar de sus maravillosas playas. — *We want to go the Dominican Republic to enjoy its wonderful beaches.*

En este pueblo no hay espacio **para** construir un estadio de béisbol. — *In this village there is no room to build a baseball stadium.*

Esta tarjeta postal es **para** ti. — *This postcard is for you.*

› to express an implied comparison of inequality.

Para un país tan pequeño, la República Dominicana envía muchos beisbolista a las Grandes Ligas. — *For such a small country, the Dominican Republic sends many baseball players to the Major Leagues.*

Tú entiendes bastante de política internacional **para** ser tan joven. — *You understand quite a lot about international politics for someone so young.*

› to indicate the person(s) holding an opinion or making a judgment.

Para los dominicanos, Óscar de la Renta es un compatriota de quien están muy orgullosos. **Para** mí, es un diseñador de moda genial. — *For Dominicans, Óscar de la Renta is a fellow countryman of whom they are very proud. For me, he is a brilliant fashion designer.*

Por is used

› to express movement along or through a place.

A los dominicanos y a los turistas les encanta caminar **por** la calle peatonal El Conde. — *Dominicans and tourists love to stroll through the pedestrian street El Conde.*

› to indicate duration of time. **Durante** may also be used, or no preposition at all.

Joaquín Balaguer dominó la vida política dominicana **por** más de treinta años (**durante** más de treinta años/más de treinta años). — *Joaquín Balaguer dominated Dominican politics for over thirty years (during more than thirty years/more than thirty years).*

› to indicate the cause, reason, or motive of an action.

Óscar de la Renta ha recibido muchos premios **por** sus diseños. — *Óscar de la Renta has received many awards for his fashion designs.*

Muchos turistas visitan la Cueva de los Tres Ojos **por** curiosidad. — *Many tourists visit the Cave of the Three Eyes out of curiosity.*

› to express on behalf of, for the sake of, or in favor of.

A comienzos del siglo XIX los dominicanos lucharon muchos años **por** la independencia del país. — *In the early 19th century Dominicans fought many years for the country's independence.*

Debemos hacer muchos sacrificios **por** el bienestar del país. — *We must make many sacrifices for the well-being of the country.*

Según las encuestas, la mayoría va a votar **por** el candidato liberal. — *According to the polls, the majority is going to vote for the liberal candidate.*

› to express the exchange or substitution of one thing for another.

¿Cuántos pesos dominicanos dan **por** un dólar? — *How many Dominican pesos do they give for a dollar?*

› to express the agent of an action in a passive sentence. (See p. 327 for a discussion of passive constructions.)

En el pasado la República Dominicana fue gobernada a veces **por** dictadores. — *In the past, the Dominican Republic was sometimes ruled by dictators.*

Estas canciones fueron escritas **por** Martha Heredia. — *These songs were written by Martha Heredia.*

› to indicate a means of transportation or communication.

Llamaré a Carlos **por** teléfono para decirle que viajaremos **por** tren, no **por** autobús. — *I'll call Carlos on the phone to tell him that we'll travel by train, not by bus.*

› to indicate rate, frequency, or unit of measure.

En la República Dominicana hay dos médicos **por** cada mil habitantes. — *In the Dominican Republic there are two doctors per one thousand people.*

¿Sabes cuánto gana un trabajador dominicano **por** mes? — *Do you know how much a Dominican worker earns a month?*

in the following common expressions.

por ahora *for the time being*
por cierto *of course*
por consiguiente *consequently*
por eso *that's why*
por fin *finally*
por la mañana (tarde, noche) *in the morning (afternoon, night)*
por lo menos *at least*
por lo tanto *therefore*
por más (mucho) que *however much*
por otra parte *on the other hand*
por poco *almost*
por supuesto *of course*
por último *finally*

Ahora, ¡a practicar!

A. Motivo de orgullo. ¿Por qué los dominicanos admiran y se sienten orgullosos de Martha Heredia?

MODELO talento musical
La admiran por su talento musical.

1. excelencia como cantautora
2. deseo de superarse profesionalmente
3. amor por su familia
4. labor en favor de los niños discapacitados *(disabled)*
5. interpretación llena de pasión al cantar
6. triunfo en el programa *Latin American Idol*

B. Planes. Menciona algunos planes generales del gobierno dominicano para resolver algunos de los problemas del país.

MODELO planes: controlar la inflación
El gobierno ha propuesto nuevos planes para controlar la inflación.

1. programas: mejorar la economía
2. leyes: reglamentar las relaciones laborales
3. resoluciones: mantener el crecimiento de la economía
4. regulaciones: continuar incentivando el turismo
5. medidas: disminuir el desempleo

C. Puerto Plata. Completa la siguiente información acerca de la ciudad de Puerto Plata, en la costa norte de la República Dominicana, usando la preposición **para** o **por**, según convenga.

1. Puerto Plata fue fundada ______ los españoles en el año 1502.
2. ______ llegar hasta Puerto Plata, uno puede ir ______ avión o ______ carretera.
3. La fortaleza de San Felipe fue construida ______ defender la ciudad de invasiones.
4. Si te gusta caminar, puedes pasear ______ el Malecón, que tiene seis kilómetros de largo.
5. Puedes entrar en el Museo del Ámbar ______ admirar esas joyas fosilizadas.
6. ______ los amantes del *windsurf*, las aguas de Cabarete no están muy lejos de Puerto Plata.

D. ¿Cuánto sabes de la República Dominicana? Hazle las siguientes preguntas a tu compañero(a) para ver cuánto sabe de la República Dominicana. Selecciona entre **para** y **por** antes de hacer cada pregunta.

1. ______ un país relativamente pequeño, ¿vive poca o mucha gente en la República Dominicana?
2. ¿Fue habitado el país ______ muchos grupos indígenas? ¿______ qué grupos indígenas ha sido habitado?
3. ¿En qué año fue fundada la ciudad de Santo Domingo? ¿______ quién?
4. ¿Sabes ______ qué pirata inglés fue invadida la isla de La Española en 1586?
5. ______ los dominicanos, ¿cuál es su deporte preferido?
6. ¿Sabes cuántos pesos dominicanos te dan ______ un dólar actualmente?
7. ¿ ______ cuándo van a terminar la línea 2 del metro de Santo Domingo?
8. ______ ti, ¿cuál es el mayor atractivo de la República Dominicana?

7.4 Passive Constructions

Passive Voice with *ser*

› In both English and Spanish, actions can be expressed in the active or in the passive voice. In active sentences, the subject performs the action. In passive sentences the subject receives the action. Note how the direct object of active sentences becomes the subject of passive sentences.

Active voice

Bartolomé Colón fundó Santo Domingo. — *Bartolomé Colón founded Santo Domingo.*

↓ ↓ ↓

Subject + Verb + Direct Object

Passive voice

Santo Domingo fue fundado por Bartolomé Colón. — *Santo Domingo* was *founded by Bartolomé Colón.*

↓ ↓ ↓

Subject + **ser** + Past Participle + **por** + Agent

› In the passive voice, **ser** may be used in any tense, and the past participle agrees in gender and number with the subject of the sentence. The agent may be omitted in a passive sentence.

La ciudad de Santo Domingo **fue destruida** por un huracán en 1502. — *The city of Santo Domingo was destroyed by a hurricane in 1502.*

Como escritor, el político Juan Bosch **es conocido** principalmente por sus cuentos. — *As a writer, the politician Juan Bosch is known mainly for his short stories.*

Substitutes for the Passive

Unlike English, the passive voice is not frequently used in spoken or written Spanish. Instead, the passive **se** construction or a verb in the third-person plural with no specific subject is preferred.

› When the human performer of an action is unknown or irrelevant, the passive **se** construction can be used. In this case the verb is always in the third-person singular or plural.

El béisbol **se introdujo** en la República Dominicana a fines del siglo XIX. — *Baseball was introduced in the Dominican Republic in the late nineteenth century.*

Se han edificado muchos hoteles en la República Dominicana para atender a las necesidades del turismo. — *Many hotels have been built in the Dominican Republic to meet the needs of tourism.*

Se ven manatíes antillanos en la costa de la República Dominicana. — *Antillean manatees can be seen on the coast of the Dominican Republic. (One can see Antillean manatees on the coast of the Dominican Republic.)*

› The **se** construction has several equivalents in English. It may mean the passive or it may indicate that the subject of the sentence is unspecified or impersonal (*one, they, you,* or *people in general*).

Se esperan grandes cambios.	*Great changes are expected.* *One expects great changes.* *They expect great changes.* *You expect great changes.* *People expect great changes.*

› A verb conjugated in the third-person plural without a subject pronoun can also be used as a substitute for the passive voice when no agent is expressed.

Aprobaron la nueva constitución.	*They approved the new constitution. (The new constitution was approved.)*
Aquí no **respetan** los derechos individuales.	*The rights of the individual are not respected here. (Here they don't respect the rights of the individual.)*

Ahora, ¡a practicar!

A. ¿Qué sabes de la República Dominicana? Usa la siguiente información para mencionar algunos datos importantes de la República Dominicana.

MODELO visitar / por Colón en 1492
Fue visitada por Colón en 1492.

1. poblar / por taínos
2. saquear / por el pirata inglés Francis Drake
3. ceder / a Francia en 1795
4. declarar / república independiente en 1844
5. ocupar / militarmente por los EE.UU. en 1916
6. controlar / políticamente por el dictador Rafael Leónidas Trujillo por más de tres décadas
7. gobernar / por Joaquín Balaguer por más de treinta años

B. Diseñador de genio. Completa la siguiente información acerca del famoso diseñador dominicano Óscar de la Renta usando **ser** + participio pasado del verbo indicado.

Óscar de la Renta nació en Santo Domingo, ciudad de antiguas tradiciones que (1) _______ (fundar) en 1502. Cuando tenía dieciocho años, (2) _______ (atraer) por la cultura española y se mudó a Madrid. Comenzó a estudiar pintura, pero esos estudios no (3) _______ (completar). Otro interés surgió: (4) _______ (cautivar) por el mundo de la alta costura y (5) _______ (iniciar) en ese mundo por el legendario diseñador Cristóbal Balenciaga. Más adelante, en 1961, (6) _______ (contratar) por Antonio Castillo, otro famoso diseñador, y se fue a trabajar a París. Después de unos años (7) _______ (invitar) por Elizabeth Arden a trabajar en la empresa de ella. En 1965 (8) _______ (seducir) por la idea de tener su propia compañía y fundó su propia casa de modas. Ese mismo año su primera línea de ropa (9) _______ (presentar) al público, con gran éxito. Ha tenido muchos triunfos después, como cuando en 1993 (10) _______ (seleccionar) como diseñador principal por la prestigiosa casa francesa Pierre Balmain; fue el primer latinoamericano en obtener tal honor.

C. La economía dominicana. Haz algunas generalizaciones sobre los productos principales y la economía dominicana.

MODELO cultivar la caña de azúcar
En la República Dominicana se cultiva la caña de azúcar.

1. extraer varios minerales
2. exportan productos orgánicos tropicales
3. criar ganado *(cattle)* vacuno
4. recibir billones de dólares en remesas de dominicanos que viven en el exterior
5. procesar alimentos en muchas plantas
6. depender mucho del turismo

D. Noticias. En grupos de tres o cuatro, hablen de las noticias que han leído en el periódico recientemente. Pueden usar verbos de la siguiente lista u otros que conozcan.

MODELO **Anuncian una gran tormenta de nieve en Nueva York.**

aconsejar
anunciar
creer
decir
denunciar
informar
pronosticar
tener

Lección 7: Cuba

Bailes

conga	*popular Caribbean dance*
cueca	*popular dance of Chile, Bolivia, Perú*
cumbia	*popular dance of Colombia*
danzón *(m.)*	*popular dance of Cuba*
guaracha	*popular dance of Cuba and Puerto Rico*
habanera	*popular dance of Cuba*
mambo	*popular dance of Cuba*
merengue *(m.)*	*popular dance of Cuba*
pasodoble *(m.)*	*popular dance*
pregón *(m.)*	*popular dance*
rumba	*popular dance*
salsa	*popular dance*
samba	*popular dance*
tango	*popular dance of Argentina*
vals *(m.)*	*waltz*

Ritmos e instrumentos

acelerado(a)	*fast, rapid*
apasionado(a)	*intense, impassioned*
cencerro	*small bell*
chequere *(m.)*	*gourd covered with beads that rattle*
compás *(m.)*	*rhythm*
movimiento	*movement*
palpitante *(m. f.)*	*palpitating, throbbing*
paso	*step*
sabroso(a)	*delightful, pleasant*

Esclavitud

aguantar	*to bear, stand*
aniquilado(a)	*annihilated, wiped out*
avistamiento	*sighting*
calabozo	*cell, dungeon*
encallado(a)	*run aground*
encuentro	*encounter*
esclavitud *(f.)*	*slavery*
maltrato	*abuse; mistreatment*
régimen *(m.)*	*system; regime*
retén *(m.)*	*armed men; squad*
someter	*to subject*

Bloqueo

bloqueo	*blockade*
buque *(m.)*	*ship*
caída	*fall*
divisa	*foreign currency*
emerger	*to emerge*
lancha	*small boat*
préstamo	*loan*
proveer	*to provide*
quitar	*to take away*
reanudación *(f.)*	*resumption*
remesa	*sending of goods or money*
restringido(a)	*limited, restricted*
rompimiento	*breaking off*

Juice Images / Photolibrary

Palabras útiles

exitoso(a)	*successful*
estético(a)	*aesthetic*
faz *(f.)*	*face*
grabador(a)	*engraver*
madrugada	*dawn, early morning*
súbdito(a)	*subject*
sacudón *(m.)*	*shake*
tras	*after*

Verbos y expresiones verbales

a lo largo de	*throughout*
abarcar	*to cover*
retirarse	*to remove oneself, leave*
trasladarse	*to move*

Lección 7: República Dominicana

Deportes

atletismo	*track and field*
básquetbol *(m.)*	*basketball*
béisbol de pelota blanda *(m.)*	*softball*
bucear con tubo de respiración	*to snorkel*
ciclismo	*cycling*
gimnasia	*gymnastics*
golf *(m.)*	*golf*
hacer windsurf	*to windsurf*
lucha libre	*wrestling*
montar a caballo	*to ride a horse*
navegar	*to sail*
pescar	*to fish*
practicar el deporte de tablavela	*to windsurf*
tenis *(m.)*	*tennis*
tiro al arco	*archery*
vólibol *(m.)*	*volleyball*

Un partido de béisbol

base lograda *(f.)*	*base hit*
deslizarse	*to slide*
hacer golpes ilegales	*to hit foul balls*
hacer un cuadrangular / jonrón	*to hit a home run*
hacer un jit / batazo	*to make a hit*
lanzar la pelota	*to pitch the ball*
tirar la pelota	*to throw the ball*
volarse (ue) la cerca	*to go out of the park (over the fence)*

Minería

aguardar	*to wait for*
amanecer *(m.)*	*dawn*
flujo	*flow*
gestión *(f.)*	*administration*
iniciar	*to start, initiate*
minería	*mining industry*
realzar	*to raise, elevate*

pashapixel / Shutterstock

Descripción

consagrado(a)	*time-honored, hallowed*
nítido(a)	*clear, sharp*
pormenor *(m.)*	*detail*
recio	*strong*
respaldado(a)	*backed up, supported*
robado(a)	*stolen*

Palabras útiles

anotación *(f.)*	*walk*
cachorro	*cub*
polo	*center*
rubro	*area*
sin embargo	*nevertheless*
transporte colectivo *(m.)*	*public transportation*

Verbos

dotar	*to find*
encabezar	*to be at the top (of the list)*
presumir	*to boast; to presume*
quebrar	*to go bankrupt*

Los cimientos de la paz

GUATEMALA Y EL SALVADOR

Tom Salyer / Photolibrary

Suggestions: Have students think about the meaning of the title: To what **cimientos** might this refer? Why **la paz**? Ask students if they think it is an appropriate description of the situation of these countries. Have them explain their responses.

LOS ORÍGENES

Conoce de cerca los orígenes de los actuales Guatemala y El Salvador, las grandes civilizaciones que están a la base de su presente, su administración colonial y su independencia (págs. 334–335).

SI VIAJAS A NUESTRO PAÍS...

- En **Guatemala** empezarás tu visita al "centro del mundo maya" en la Ciudad de Guatemala, la capital, con una población de unos dos millones y medio. También visitarás Antigua y fascinates antiguos centros mayas en Petén (págs. 336–337).
- En **El Salvador** llegarás al aeropuerto de San Salvador, que tiene hermosas vistas del volcán del mismo nombre, y conocerás otros volcanes, algunos en continuas erupciones. Además conocerás tres grandes festivales salvadoreños (págs. 354–355).

MEJOREMOS LA COMUNICACIÓN

Aprende a hablar con facilidad de derechos humanos (págs. 338–339) y de política (págs. 356–357).

AYER YA ES HOY

Haz un recorrido por la historia de Guatemala, desde su independencia hasta la época contemporánea (págs. 340–341) y por la de El Salvador, desde mediados del siglo XIX hasta el presente (págs. 358–359).

LOS NUESTROS

- En **Guatemala** conoce a un cantautor guatemalteco de pop y balada, a una poeta, dramaturga, ensayista e incansable trabajadora social. Conoce también a un fotógrafo guatemalteco considerado por muchos el más importante de Latinoamérica (págs. 342–343).
- En **El Salvador** conoce a un artista cuya vida y obra reflejan la realidad de su país, a una destacada escritora que presenció la masacre de treinta mil campesinos y a un reconocido novelista, crítico y poeta salvadoreño (págs. 360–361).

¡LUCES! ¡CÁMARA! ¡ACCIÓN!

- Conoce "Guatemala: influencia maya en el siglo XXI" (pág. 344).

ESCRIBAMOS AHORA

Describe a una persona importante en tu vida en una semblanza biográfica. (pág. 362)

Y AHORA, ¡A LEER!

- En *Me llamo Rigoberta Menchú y así me nació la conciencia*, lee el muy humano y conmovedor testimonio de esta activista indígena quiché que en 1992 ganó el Premio Nobel de la Paz (págs. 345–347).
- Lee lo que le cuesta a El Salvador "Seguir de pie" después de los muchos terremotos que ha sufrido (págs. 363–366).

¡EL CINE NOS ENCANTA!

- Disfruta de las peripecias de un turista accidental (literalmente) en el cortometraje *Barcelona Venecia*. (págs. 367–370)

GRAMÁTICA

Repasa los siguientes puntos gramaticales:

- 8.1 Future: Regular and Irregular Verbs (págs. 348–350)
- 8.2 Conditional: Regular and Irregular Verbs (págs. 351–353)
- 8.3 Indefinite and Negative Expressions (págs. 371–373)
- 8.4 Imperfect Subjunctive: Forms and **Si**-clauses (págs. 373–375)

LOS ORÍGENES

Evidencias arqueológicas basadas en las famosas huellas de Acahualinca, situadas a orillas del lago Xolotlán o Managua, parecen indicar que hace más de seis mil años ya existían pobladores en la región que ahora llamamos Centroamérica.

Las grandes civilizaciones antiguas

¿Qué civilizaciones poblaban la zona que hoy ocupa Centroamérica?

Vladimir Korostyshevskiy / Shutterstock

A su llegada, los conquistadores españoles encontraron numerosos grupos nativos entre los que se destacaban los mayas, quienes controlaban todo lo que ahora es el sur de México, Guatemala, Belice, Honduras, El Salvador y grandes partes de Nicaragua.

Estos extraordinarios guerreros eran además admirables en muchas áreas del conocimiento. Desarrollaron el sistema de escritura más completo del continente. Construyeron, hace más de dos mil años, majestuosas pirámides y palacios que todavía están en pie. Fueron notables matemáticos que emplearon el concepto del cero en su sistema de numeración. Fueron también excelentes astrónomos que crearon un calendario más exacto que el usado en Europa en aquel tiempo.

La Capitanía General de Guatemala

¿Qué estructura político-militar establecieron los españoles?

Como ya hemos visto, durante la época colonial, para poder controlar sus territorios, España instituyó un sistema de capitanías, que en ciertos territorios nombraba gobernador al capitán general de la región. La Capitanía General de Guatemala incluía las posesiones centroamericanas y el sureste de México. Al igual que en México, los conquistadores se apoderaron de las tierras de muchos pueblos indígenas y los obligaron a asimilarse a la cultura dominante. Los orgullosos mayas mantuvieron sus tradiciones y hasta hoy en día muchos continúan hablando la lengua original maya, que tiene más de veinte dialectos.

La independencia

¿Cómo y cuándo se produjo la independencia de estos países?

La Capitanía General de Guatemala declaró su independencia de España el 15 de septiembre de 1821. A continuación, de 1822 a 1823, las capitanías se unieron a México y poco después formaron parte de las Provincias Unidas de Centroamérica. Esta federación se dividió en 1838 y de ella surgieron cinco países —Guatemala, El Salvador, Honduras, Nicaragua y Costa Rica—, cada uno independiente del otro.

Murphy-Larronde / Photolibrary

¿COMPRENDISTE?

VOCABULARIO ÚTIL

astrónomo(a)	*astronomer*
capitanía	*a territory governed by the military independent of the viceroyalty to which it belonged*
conocimiento	*knowledge*
estar de pie	*to be standing*
guerrero(a)	*warrior*
huellas	*footprints*
orgulloso(a)	*proud*

A. **Hechos y acontecimientos.** ¿Recuerdas los datos más importantes de la lectura? Para asegurarte, contesta las siguientes preguntas.

1. ¿Qué importancia tienen las huellas de Acahualinca?
2. ¿Cuál es uno de los grupos étnicos que ocupaban la región que ahora llamamos Centroamérica cuando llegaron los primeros españoles?
3. ¿Qué territorio ocuparon los mayas? ¿Qué evidencia hay de que los mayas tuvieron una gran civilización?
4. ¿Qué era la Capitanía General de Guatemala? ¿Qué territorios incluía?
5. ¿Qué evidencia hay de que los mayas resistieron la asimilación a la cultura española?
6. ¿Cuándo declaró la Capitanía de Guatemala su independencia de España?
7. ¿Por cuánto tiempo fue parte de México el territorio que se había conocido como la Capitanía de Guatemala? ¿Cuándo se crearon Guatemala, El Salvador, Honduras, Nicaragua y Costa Rica?

B. **A pensar y a analizar.** Contesta las siguientes preguntas con dos o tres compañeros(as) de clase.

1. ¿Por cuánto tiempo y por qué funcionó el territorio de Centroamérica como una sola nación? ¿Cuándo y cómo llegaron a ser países independientes Guatemala y El Salvador?
2. ¿Crees que hubiera sido mejor si toda Centroamérica todavía fuera una única nación? ¿Por qué?

¡Diviértete en la red!
Busca en YouTube y Google Web evidencias visuales de la grandeza de los mayas representada en su arquitectura, cerámica, joyas, etcétera. Ve a clase preparado(a) para compartir la información que encontraste.

Guatemala

Suggestion: Ask students if they have visited Guatemala. If so, have them share their experiences with the class.

Comprehension check: Ask: **1. ¿Cuál de los varios lugares de interés mencionados en la capital te gustaría visitar? ¿Por qué? 2. ¿Cómo explicas que un edificio como el Palacio del Noble Ayuntamiento haya sobrevivido varios terremotos desde 1743 hasta el presente? ¿Será un acto de Dios? 3. ¿Cuál de los antiguos centros mayas mencionados aquí te ha impresionado más? ¿Por qué?**

Nombre oficial: República de Guatemala
Población: 13.276.517 (estimación de 2009)
Principales ciudades: Ciudad de Guatemala (capital), Quezaltenango, Escuintla, Antigua
Moneda: Quetzal (Q)

En la Ciudad de Guatemala, la capital, con una población de unos dos millones y medio, tienes que conocer...

- la Plaza Mayor de la Constitución, rodeada del Palacio Nacional, la Catedral Metropolitana, la Biblioteca Nacional, el Archivo General de Centroamérica, el Portal del Comercio y el Parque Centenario.
- el Centro Cultural Miguel Ángel Asturias, una impresionante obra arquitectónica con tres teatros, uno de ellos al aire libre.
- el Museo Nacional de Arqueología y Etnología, que tiene la colección más completa de piezas arqueológicas de la cultura maya en Guatemala.
- el Museo Ixchel del Traje Indígena y su colección extraordinaria de trajes indígenas provenientes de las diferentes comunidades indígenas del país.

Tom Pepeira / Photolibrary

La Plaza Mayor de la Constitución, con la impresionante catedral al fondo

En Antigua, no dejes de ver...

- el Palacio de los Capitanes Generales, construido en 1549, que durante el período colonial fue sede de la Real Audiencia, la Casa de la Moneda, la Capilla Real, la residencia del Capitán General, el cuartel de Dragones, la cárcel y las caballerizas *(stable and grooms)*.
- el Parque Central, uno de los más famosos de toda Latinoamérica, con su famosa Fuente de las Sirenas del siglo XVIII.
- el Palacio del Noble Ayuntamiento que, con paredes de más de un metro de grosor *(thickness)*, ha sobrevivido varios fuertes terremotos *(earthquakes)* desde que se construyó en 1743.

Jose Fuste Raga / Photolibrary

La Iglesia de la Merced, nombrada Patrimonio de la Humanidad por la UNESCO

- sus hermosas iglesias y conventos, entre ellas, la Iglesia de la Merced (1548), el Convento de las Capuchinas (1726), la iglesia y convento de Santa Clara (1717) y la iglesia de San Francisco (1579).

La selva vista desde el Templo del Tigre, en el departamento de Petén, el más alto del mundo maya, con más de dieciocho pisos y una base igual a tres campos de fútbol

De los antiguos centros mayas en el departamento de Petén, no dejes de ir a...

- **Tikal,** declarado Patrimonio de la Humanidad por la UNESCO. Fue un rico centro metropolitano (siglo VI al X) con una población de unos 250.000 habitantes. Hoy es una región encantada de ruinas, donde más de tres mil estructuras diferentes emergen de la jungla.
- **El Mirador,** la ciudad más grande y antigua de los mayas, con una plaza central cuatro veces mayor que la de Tikal y con La Danta, por mucho, la pirámide más grande del mundo.
- **Ceibal,** reconocida como un centro ceremonial de primer orden y como "la galería del arte maya" por contar con numerosas estelas *(stelae—carved stone slabs or pillars)* que son las más conservadas de todas las ciudades mayas de Petén.
- **Piedras Negras,** una de las ciudades más grandes del período clásico maya. Un sitio con dos campos de juego de pelota, varios palacios abovedados *(vaulted)* y templos piramidales. Lo más destacado allí son sus finas estelas y paneles grabados, de la mejor calidad.

Festivales guatemaltecos

- Semana Santa en Antigua, el festival más grande de Guatemala,
- La Fiesta de Santo Tomás, en Chichicastenango, celebrada la semana antes de Navidad, una fascinante mezcla de tradiciones mayas y navideñas
- El Festival de Barriletes (*kites*) el 1 de noviembre en Sumpango, cuando la majestuosidad y el colorido de los barriletes gigantes llenan el cielo sobre Guatemala
- La Quema del Diablo, el 7 de diciembre, mediante fogatas *(bonfires)* en las puertas de las casas

¡Diviértete en la red!

Busca en Google Images o en YouTube para ver fotos y videos de cualquiera de los sitios mencionados aquí. Ven a clase preparado(a) para describir en detalle el sitio que escogiste.

Suggestion: Have students work in groups of three or four to come up with a definition and a list of **derechos humanos fundamentales.** Then ask two or three groups to write their definitions and lists on the board. Have the class comment on them.

¡Derechos y justicia para todos!

Vocabulary practice: Pretend you are a government employee, who is taking a survey. Ask several students to tell you their **origen nacional / raza / religión / sexo.** Then ask: **¿Hay en este país personas desaparecidas? ¿discriminación? ¿segregación? ¿represión? ¿asesinatos políticos? ¿corrupción política? ¿dictadura? ¿injusticia militar?**

A lo largo de su historia, varios países latinos han tenido que enfrentar la cuestión de los derechos humanos y la defensa de la justicia social para todos, especialmente para los indígenas. Tal vez no haya país que mejor ilustre esta lucha que Guatemala, donde en las últimas tres décadas han desaparecido más de cuarenta mil personas (el equivalente a casi toda la población de la capital del estado de Nevada en los EE.UU.), bajo circunstancias violentas crueles.

Frédéric Coreau / Photolibrary

Para hablar de derechos humanos y condiciones sociales

amenazar	*to threaten*	**libertad** *(f.)*	*liberty*
analfabetismo	*illiteracy*	**origen nacional** *(m.)*	*national origin*
asesinato político	*political assassination*	**paz** *(f.)*	*peace*
corrupción política *(f.)*	*political corruption*	**personas desaparecidas**	*missing persons*
democracia	*democracy*	**propiedad** *(f.)*	*property*
derechos humanos	*human rights*	**raza**	*race (ancestry)*
igualdad de oportunidades *(f.)*	*equal opportunity*	**tribunal** *(m.)*	*court*
injusticia militar	*military injustice*		

Al discutir los derechos humanos

—Ya estoy cansado de oír hablar tanto de mis derechos humanos. Ni entiendo a qué se refieren. ¿Cuáles son mis derechos humanos?

I'm tired of hearing so much talk about my human rights. I don't even understand what they're referring to. What are my human rights?

—Tus derechos civiles o humanos son los derechos básicos de cualquier ciudadano o ciudadana. Por ejemplo, Por ejemplo, hay leyes que nos protegen de la discriminación basada en el color de la piel.

Your civil or human rights are the basic rights of any citizen. For example, there are laws that protect us from discrimination based on skin color.

Al hablar de violaciones a los derechos humanos

—En muchos países hasta los derechos más básicos han sido violados, como los derechos a la libertad de reunión y asociación. Igualmente se han negado otros derechos como la igualdad de hombres y mujeres.

In many countries even the most basic rights have been violated, like the rights to freedom of assembly and association. Likewise, other rights have been denied like the equality of men and women.

Al discutir las condiciones sociales

—¿Cómo pueden mejorarse las condiciones sociales en Latinoamérica?

How can social conditions in Latin America be improved?

—Bueno, hay muchas maneras. Por ejemplo, debe haber un mejor sistema de educación, ayuda médica para los pobres y los ancianos y más oportunidades de trabajo.

Well, there are many ways. For example, there should be a better system of education, medical assistance for the poor and aged, and more job opportunities.

¡A practicar, luego a conversar!

A. ¿Derecho o violación de un derecho? Determina si las siguientes palabras representan derechos (D) o violaciones de esos derechos (V).

1. __V__ segregación
2. __D__ paz
3. __V__ represión
4. __D__ educación
5. __D__ igualdad de oportunidades
6. __D__ democracia
7. __V__ dictadura
8. __V__ injusticia
9. __D__ libertad
10. __D__ poseer una propiedad

Suggestion: Have students do the matching activity in pairs. Then have volunteers go to the board and write one of their original sentences on the board. Have the class correct any errors.

B. Palabras clave: derecho. Para ampliar tu vocabulario, relaciona las palabras o expresiones de la primera columna con las definiciones de la segunda columna. Luego, escribe una oración con cada expresión. Compara tus oraciones con las de dos compañeros(as) de clase.

__e__ 1. el derecho
__d__ 2. derechos humanos
__b__ 3. poner(se) derecho
__a__ 4. la derecha
__c__ 5. levantarse con el pie derecho

a. en política, los conservadores
b. hacer que una cosa esté recta *(straight)*
c. tener un día en que las cosas van bien
d. conjunto de privilegios de todas las personas
e. estudios para la carrera de abogado

C. Derechos civiles. Pregúntale a un(a) compañero(a) de clase sobre su participación en asuntos relacionados con los derechos humanos. ¿Ha participado en alguna manifestación *(demonstration)*? ¿Dónde? ¿Cuándo? ¿Contra qué protestó? ¿Cree que existen problemas relacionados con los derechos humanos de los grupos minoritarios en este país? Pídele que lo explique. ¿Cómo podemos proteger nuestros derechos? ¿Cómo se puede mejorar la situación actual?

D. Debate. "En los EE.UU. los derechos humanos de cada ciudadano están totalmente protegidos". En grupos de cuatro, tengan un debate, dos defendiendo este punto de vista y dos oponiéndose.

AYER YA ES HOY

Suggestions: After reading this section, ask students (a) how they think a small, wealthy class can so completely run a country like Guatemala without having the masses revolt; (b) to compare how minorities are treated in this country with how they are treated in Guatemala.

Guatemala: raíces vivas

Suggestion: Ask students to explain the subtitle. To what **raíces** might this refer? Why **vivas**?

Guatemala independiente

Guatemala declaró su independencia de España en 1821. Junto con Honduras, El Salvador y Costa Rica, Guatemala formó parte de las Provincias Unidas de Centroamérica. Guatemala dejó la federación el 21 de marzo de 1847. Durante el resto del siglo XIX y la primera mitad del siglo XX, Guatemala fue gobernada por una serie de dictadores que en general favorecían los intereses de los grandes dueños de plantaciones y de los negocios de extranjeros; de hecho, los beneficios económicos no llegaron a los campesinos indígenas, quienes siguieron viviendo en la pobreza.

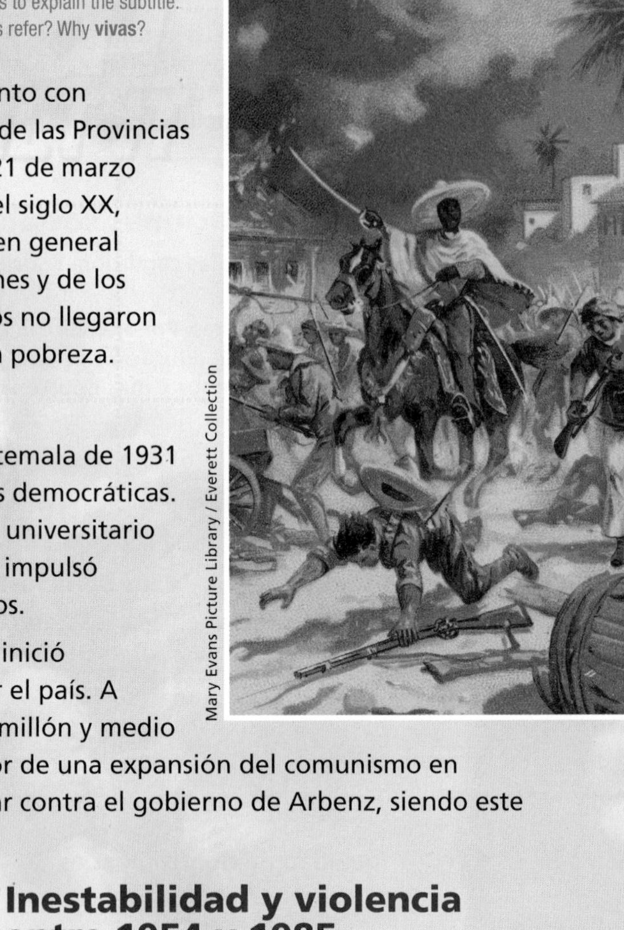

Mary Evans Picture Library / Everett Collection

Intentos de reformas

Con la caída del dictador Jorge Ubicos, quien gobernó Guatemala de 1931 a 1944, se inició una década de profundas transformaciones democráticas. En 1945 fue elegido presidente Juan José Arévalo, profesor universitario idealista, quien promulgó una constitución progresista que impulsó reformas sociales en favor de los obreros y de los campesinos.

En 1950 el coronel Jacobo Arbenz fue elegido presidente e inició ambiciosas reformas económicas y sociales para modernizar el país. A través de la reforma agraria de 1952, distribuyó más de un millón y medio de hectáreas a más de cien mil familias campesinas. El temor de una expansión del comunismo en Centroamérica impulsó al gobierno estadounidense a actuar contra el gobierno de Arbenz, siendo este derrocado en 1954 con ayuda de la CIA.

AP Images / Moises Castillo

Inestabilidad y violencia entre 1954 y 1985

En 1954 el coronel Castillo Armas se proclamó presidente, pero fue asesinado en julio de 1957. A partir de entonces, Guatemala pasó por un largo período de inestabilidad y de violencia política que la llevó a una sangrienta guerra civil que empezó en 1966 y no terminó hasta treinta años más tarde, en 1996. Entre 1966 y 1982 más de treinta mil disidentes políticos y un grupo más grande de indígenas fueron asesinados. En 1985 el gobierno militar dio paso a un gobierno civil y se eligió presidente a Vinicio Cerezo.

Hacia fines del siglo XX

En 1993, Ramiro León Carpio, jefe de la comisión de defensa de los derechos humanos, llegó a la presidencia y fue bien recibido por aquellos sectores democráticos que deseaban implementar reformas en beneficio de la población indígena.

En enero de 1996 fue elegido presidente el candidato derechista Álvaro Arzú Irigoyen. En diciembre del mismo año se firmó un acuerdo de paz para dar fin a la guerra civil que había durado treinta años y que había causado la muerte de cientos de miles de habitantes.

La Guatemala de hoy

Frédéric Soreau / Photolibrary

› En la primera década del siglo XXI, Guatemala ha sido gobernada por gobiernos democráticos, se ha mantenido la paz y las condiciones económicas han mejorado sustancialmente. El sector más importante de su productividad es la agricultura, siendo Guatemala el mayor exportador de cardamomo a nivel mundial, el quinto exportador de azúcar y el séptimo productor de café. El sector del turismo es el segundo generador de divisas para el país.

› A los mayas y a las demás etnias originarias de la región se les ha apoyado y educado en sus propios idiomas, poniendo a su disposición tecnología hecha en su idioma para de esta manera mantener su legado cultural, que data de hace más de treinta mil años.

› El 14 de enero de 2008, el ingeniero Álvaro Colom, del partido político Unidad Nacional de la Esperanza, asumió como presidente de la República.

¿COMPRENDISTE?

VOCABULARIO ÚTIL

cardamomo	*cardamom*
dar fin a	*to end, to put an end to*
dar paso a	*to give way to*
etnia	*ethnic group*
foro	*forum*
obrero(a)	*worker*

A. Hechos y acontecimientos. ¿Recuerdas los datos más importantes de la lectura? Para asegurarte, completa las siguientes oraciones.

1. Aunque las compañías extranjeras contribuyeron al desarrollo económico del país, los campesinos indígenas…
2. La contribución principal del presidente Juan José Arévalo, elegido en 1945, fue…
3. A través de la reforma agraria del 1952, el presidente Jacobo Arbenz distribuyó…
4. El gobierno estadounidense decidió actuar contra el gobierno de Arbenz debido a…
5. El resultado de la rebelión de 1954 fue que Guatemala entró en un largo período de…
6. Durante la sangrienta guerra civil, entre 1966 y 1982, el número de disidentes políticos e indígenas asesinados sobrepasó los…
7. Actualmente, la estabilidad de la economía de Guatemala se debe a…

B. A pensar y a analizar. Haz las siguientes actividades.

1. Anota tres hechos que has aprendido sobre Guatemala con respecto a cada uno de los siguientes temas. Luego compara lo que tú anotaste con lo que escribieron dos compañeros(as) de clase.
   a. los indígenas   b. la guerra civil   c. la situación actual
2. En grupos de tres o cuatro compañeros(as), decidan quiénes son o qué es responsable de los muchos problemas económicos que tiene Guatemala. Expliquen su respuesta.

C. Apoyo gramatical: El futuro: verbos regulares e irregulares. Unos amigos tuyos guatemaltecos son optimistas con respecto al futuro de su país y te dan sus predicciones.

Answers C: 1. No volverán… 2. Prosperará… 3. Se mantendrán… 4. No habrá… 5. Seguirá… 6. Se invertirá…

MODELO no intervenir / los EE.UU. en la política de nuestro país
No intervendrán los EE.UU. en la política de nuestro país.

1. no volver / las épocas de dictadura
2. prosperar / la situación de los indígenas
3. mantenerse / las reformas democráticas
4. no haber / guerras civiles
5. seguir / la estabilidad política
6. invertirse / dinero en telecomunicaciones

Gramática 8.1: Antes de hacer esta actividad conviene repasar esta estructura en las págs. 348–350.

Suggestions: Play some of Ricardo Arjona's music for the class, look at videos of Mirta Renee movies on YouTube, or show photographs taken by González Palma in Google Images.

Ricardo Arjona

Después de graduarse en la Escuela de Ciencias de la Comunicación de la Universidad de San Carlos de Guatemala, decidió dedicarse a la música, siendo así que su álbum musical *Jesús es verbo, no sustantivo* significa su consolidación definitiva como compositor y cantante. El éxito de las ventas que consigue ese álbum lo convierten en el más vendido de la historia de varios países de Centroamérica. A lo largo de su trayectoria artística, ha recibido numerosos premios. En su presentación en la Quinta Vergara, en el Festival de Viña del Mar 2010, arrasa con su presentación cantando veinte de sus más grandes éxitos ante más de treinta mil personas. Al término de su presentación el cantautor guatemalteco recibió una antorcha de plata, otra de oro y dos gaviotas de plata.

Maury Phillips / Getty Images

Kiki San Martin

Mirta Renee

Después de ser maestra de educación inicial pre-escolar, esta actriz, conductora y locutora guatemalteca se convirtió en estrella internacional de la pantalla chica. Ha sido conductora de eventos para las empresas comerciales más importantes de Guatemala. En 2006 se trasladó a Miami. Sin lugar a dudas, estamos frente a una espléndida actriz y conductora que llena escenarios e ilumina pantallas y que se define a sí misma como una mujer luchadora que busca realizar sus sueños y que se dedica a su única y verdadera vocación: comunicar.

Luis González Palma

Este fotógrafo guatemalteco de fama internacional es considerado por muchos el fotógrafo más importante de Latinoamérica. Nunca pensó que su vida cambiaría radicalmente cuando, en 1984, se compró su primera cámara. Su fotografía capta el alma y sufrimiento de sus compatriotas y describe las penosas experiencias de la vida de los indígenas guatemaltecos. Empezó a exhibir sus fotografías en 1987 y desde entonces ha realizado exposiciones individuales en Francia, Escocia, los EE.UU. y otros países. Su obra forma parte de colecciones de museos internacionales en ciudades como Chicago, Berlín y México. Se puede afirmar que sus fotografías no son solo fotos, sino expresiones auténticas de cultura, poemas visuales.

Rick Bern

Otros guatemaltecos sobresalientes

Miguel Ángel Asturias (1899–1974): escritor y ganador del Premio Nobel de Literatura (1967)

Roberto Cabrera: escultor

Ricardo Castillo: músico

Caly Domitila Cane'k: poeta

Víctor Montejo: poeta, novelista, cuentista y catedrático

Jorge Morales: pintor

Gaby Moreno: cantante de jazz y blues

María Isabel Ramos Bianchi: softbolista

Ana María Rodas: poeta y cuentista

Aída Toledo: poeta, narradora y catedrática

Suggestion: Ask students to look up two or more of the **Otros guatemaltecos sobresalientes** on the Internet and have them turn in a brief written report on what they find. You may want to offer extra credit for this work.

¿COMPRENDISTE?

A. Los nuestros. Contesta las siguientes preguntas. Luego, comparte tus respuestas con dos o tres compañeros(as).

1. ¿Qué te sugiere el título *Jesús es verbo, no sustantivo* de Ricardo Arjona? Si tú decidieras dedicarte a componer, ¿qué tema sería fundamental en tu canción? ¿Por qué?
2. Siguiendo el ejemplo de Mirta Renee, ¿crees que comunicar es una vocación? ¿Por qué?
3. ¿Qué causó un cambio en la vida de Luis González Palma? ¿Qué reflejan sus fotos? ¿Por qué crees que sus retratos son poemas visuales? ¿Dónde se pueden ver algunas de sus obras?

VOCABULARIO ÚTIL

agrado	*liking*
antorcha	*torch*
arrasar	*to sweep to victory*
ausente	*distracted; absent*
caja	*box*
compatriota *(m. f.)*	*compatriot, fellow countryman (woman)*
gaviota	*seagull*
grabación *(f.)*	*recording*
mago(a)	*magician*
penoso(a)	*terrible, painful*
soledad *(f.)*	*solitude, loneliness*
sustantivo	*noun*

B. Miniprueba. Demuestra lo que aprendiste de estos talentosos guatemaltecos al completar estas oraciones.

1. Ricardo Arjona es compositor e intérprete de __c__.
   a. jazz y blues b. merengue y rumba c. pop y baladas
2. Mirta Renee se define a sí misma como una __a__.
   a. mujer luchadora b. mujer soñadora c. mujer sacrificada
3. La fotografía de Luis González Palma se caracteriza por captar __b__ de sus compatriotas.
   a. la felicidad y alegría b. el alma y sufrimiento c. los deseos

¡Diviértete en la red!

Mira videos musicales de Ricardo Arjona y Mirta Renee en YouTube y/o mira exhibiciones de la fotografía de Luis González Palma en Google Images y YouTube para saber más de estos talentosos guatemaltecos. Ven a clase preparado(a) para presentar lo que encontraste.

Suggestions: Ask students if they think two very different religions can comingle and become one. Ask if they know of any instance where this has occurred. Point out that the Mayan priestess María Can was recently invited by Native Americans in New Mexico to demonstrate her healing powers.

Guatemala: influencia maya en el siglo XXI

Antes de empezar el video

A. **En parejas.** Contesten las siguientes preguntas en parejas.

1. ¿Creen Uds. que la civilización maya todavía tiene alguna influencia en la vida diaria de los guatemaltecos hoy en día? Expliquen sus respuestas.
2. ¿Creen Uds. que es apropiado que una religión incorpore elementos de otra? ¿Qué gana o qué pierde esa religión cuando esto ocurre?
3. ¿Qué dice de Uds. la ropa que llevan puesta? ¿Es posible que se pueda identificar de qué país, estado, ciudad o pueblo son por la ropa que llevan Uds.? ¿Por qué sí o no?

Después de ver el video

A. **Guatemala: influencia maya.** Contesta las siguientes preguntas con un(a) compañero(a) de clase.

1. ¿Qué porcentaje de los guatemaltecos es de descendencia maya?
2. ¿Por qué echan incienso los sacerdotes *(priests)* mayas frente a la iglesia cristiana en Chichicastenango?
3. Según la guía espiritual María Can, ¿cuántos dioses adoran los mayas hoy en día? ¿Quiénes son esos dioses? ¿Qué hicieron esos dioses?
4. ¿Qué importancia tienen las imágenes de ángeles en el altar de María Can? ¿las veladoras *(candles)*?
5. ¿Qué es un huipil? Según Petrona Cúmez, ¿cuánto tiempo toma hacer un huipil? ¿Quiénes compran sus huipiles?

B. **A pensar y a interpretar.** Contesten las siguientes preguntas en parejas.

1. ¿Cómo se compara la presencia e influencia de las civilizaciones indígenas en los EE.UU. con la presencia e influencia de los indígenas mayas en Guatemala?
2. ¿Cuánto creen que Petrona Cúmez recibe por un huipil? ¿Cuánto gana por hora, si trabaja ocho horas al día, cinco días por semana?

C. **Apoyo gramatical: El condicional: verbos regulares e irregulares.** Completa el siguiente párrafo usando el condicional de los verbos que aparecen entre paréntesis para conocer las impresiones de una joven que pasó un tiempo en Guatemala.

Cuando llegué a Guatemala, nunca pensé que (1) ___vería___ (ver) un país con tanta variedad, que (2) ___podría___ (poder) viajar en el tiempo y que (3) ___imaginaría___ (imaginar) la época en que una cultura indígena —la cultura maya— dominaba, que (4) ___asistiría___ (asistir) en el presente a ceremonias religiosas que preservan parte de la herencia maya, que me (5) ___maravillaría___ (maravillar) admirando prendas de vestir como el huipil que son verdaderas obras de arte. Sí, nunca pensé que (6) ___tendría___ (tener) una experiencia cultural tan rica.

Gramática 8.2: Antes de hacer esta actividad conviene repasar esta estructura en las págs. 351–353.

¡Antes de leer!

Anticipando...: Before students do the activities, have them look at the photograph and quote that accompany the reading, read the title, and scan the questions in this section. Tell them to list three topics they think the selection will cover. After reading the selection, have them check their predictions to see if they are correct.

A. Anticipando la lectura. Haz las siguientes actividades. Luego comparte tus respuestas con dos compañeros(as).

1. ¿Cuál es la diferencia entre una biografía y una autobiografía? Algunos críticos insisten en que el libro de Rigoberta Menchú no es una autobiografía sino un testimonio. ¿Cuál sería la diferencia entre una autobiografía y un testimonio?
2. Si tú decides escribir tu propia autobiografía, ¿qué eventos quieres incluir? Prepara una lista de esos eventos. ¿Qué papel tienen tus padres en tu autobiografía? ¿Qué importancia tiene la niñez de tus padres en tu autobiografía? ¿Por qué?
3. Lee la sección **Sobre la autora** y luego lee la cita del *Popol Vuh* que Rigoberta Menchú seleccionó como introducción a su libro. ¿Por qué crees que seleccionó este trozo? ¿Cómo interpretas tú la cita?

Vocabulario...: Ask volunteers to create original sentences with these vocabulary words.

B. Vocabulario en contexto. Busca estas palabras en la lectura que sigue y, en base al contexto, decide cuál es su significado. Para facilitar encontrarlas, las palabras aparecen en negrilla en la lectura.

1. **me cuesta mucho**	a. es muy caro	(b.) es muy difícil	c. es fácil
2. **aldea**	(a.) pueblo	b. ciudad	c. rancho
3. **pastoreando**	a. vendiendo	b. matando	(c.) cuidando
4. **acarrear**	a. comprar	(b.) transportar	c. quemar
5. **rechazado**	(a.) excluido	b. incluido	c. cuidado
6. **asco**	(a.) repugnancia	b. gusto	c. miedo

Suggestion: Explain that the term **maya-quiché** refers to a person of Mayan descent who comes from the region of Quiché and speaks the Quiché dialect. Mention that 55 percent of Guatemala's population is of Mayan descent and that more than 20 Mayan dialects are spoken in the country.

Sobre la autora

Bloomberg / Getty Images

Rigoberta Menchú Tum, activista indígena quiché, nació en 1959 en un pueblo del norte de Guatemala. Ganó el Premio Nobel de la Paz en 1992 por la defensa de los derechos de los indígenas de su país. A los veinte años, como sólo hablaba quiché, Rigoberta Menchú decidió aprender español para poder informar a otros de la opresión que sufre su pueblo. En 1981 tuvo que dejar Guatemala para huir de la violencia que dio muerte a sus padres y a un hermano. Tres años más tarde, le relató, en español, la historia de su vida a la escritora venezolana Elizabeth Burgos, quien la escribió. El libro *Me llamo Rigoberta Menchú y así me nació la conciencia*, publicado en 1983, hizo famosa a Rigoberta Menchú por todo el mundo. En el siguiente fragmento del libro, se relata la juventud de su padre.

Conozcamos...: Have students read the author biography silently. Ask comprehension questions. Ask them if they are political activists or if they know anyone who is. Ask what the activists stand for.

Me llamo Rigoberta Menchú y así me nació la conciencia

(Fragmento)

Suggestion: Explain to students that the *Popul Vuh* is the most important Mayan work and a sacred book of the Maya-Quiché. Known as "la Biblia maya," the text combines mythology, poetry, and history. It describes the creation of the world and man, according to Mayan mythology.

"Siempre hemos vivido aquí: es justo que continuemos viviendo donde nos place y donde queremos morir. Sólo aquí podemos resucitar; en otras partes jamás volveríamos a encontrarnos completos y nuestro dolor sería eterno".*

Popol Vuh

Me llamo Rigoberta Menchú. Tengo veintitrés años. Quisiera dar este testimonio vivo que no he aprendido en un libro y que tampoco he aprendido sola ya que todo esto lo he aprendido con mi pueblo* y es algo que yo quisiera enfocar. **Me cuesta mucho** recordarme toda una vida que he vivido, pues muchas veces hay tiempos muy negros y hay tiempos que, sí, se goza también pero lo importante es, yo creo, que quiero hacer un enfoque que no soy la única, pues ha vivido mucha gente y es la vida de todos. La vida de todos los guatemaltecos pobres y trataré de dar un poco mi historia. Mi situación personal engloba* toda la realidad de un pueblo. [...]

Mi padre nació en Santa Rosa Chucuyub, es una **aldea** del Quiché. Pero cuando se murió su padre tenían un poco de milpa* y ese poco de milpa se acabó y mi abuela se quedó con tres hijos y esos tres hijos los llevó a Uspantán que es donde yo crecí ahora. Estuvieron con un señor que era el único rico del pueblo, de los Uspantanos y mi abuelita se quedó de sirvienta del señor y sus dos hijos se quedaron **pastoreando** animales del señor, haciendo pequeños trabajos, como ir a **acarrear** leña,* acarrear agua y todo eso. Después, a medida que fueron creciendo, el señor decía que no podía dar comida a los hijos de mi abuelita ya que mi abuelita no trabajaba lo suficiente como para ganarles la comida de sus tres hijos. Mi abuelita buscó otro señor donde regalar a uno de sus hijos. Y el primer hijo era mi padre que tuvo que regalarle a otro señor. Ahí fue donde mi papá creció. Ya hacía grandes trabajos, pues hacía su leña, trabajaba ya en el campo. Pero no ganaba nada pues por ser regalado no le pagaban nada. Vivió con gentes... así... blancos, gentes ladinas.* Pero nunca aprendió el castellano ya que lo tenían aislado en un lugar donde nadie le hablaba y que sólo estaba para hacer mandados* y para trabajar. Entonces, él aprendió muy muy poco el castellano, a pesar de los nueve años que estuvo regalado con un rico. Casi no lo aprendió por ser muy aislado de la familia del rico. Estaba muy **rechazado** de parte de ellos e incluso no tenía ropa y estaba muy sucio, entonces les daba **asco** de verle. Hasta cuando mi padre tenía ya los catorce años, así es cuando él empezó a buscar qué hacer. [...]

place: gusta
pueblo: gente
engloba: reúne, contiene
milpa: *corn harvest*
leña: *firewood*
ladinas: indígenas españolizados
hacer mandados: *to run errands*

Fragmento de *Me llamo Rigoberta Menchú y así me nació la conciencia*

¡Después de leer!

A. Hechos y acontecimientos. ¿Recuerdas los datos más importantes de la lectura? Para asegurarte, contesta las siguientes preguntas.

1. ¿A qué edad escribió Rigoberta Menchú esta biografía? ¿La escribió sola? ¿Qué engloba su vida y experiencia?
2. ¿Qué considera Rigoberta "aprender sola"? ¿Aprendió ella sola? Si no, ¿con quién aprendió?
3. ¿Hablaba español Rigoberta Menchú en el momento de escribir su biografía? ¿Por qué sí o no?
4. ¿Cómo era la vida del padre de Rigoberta? ¿Fue una vida cómoda? Expliquen.

B. A pensar y a analizar. Haz estas actividades con un(a) compañero(a).

1. ¿Cómo interpretan el siguiente comentario de Rigoberta Menchú: "Mi situación personal engloba toda la realidad de un pueblo"? ¿Qué revela este fragmento de la realidad actual del indígena quiché en Guatemala?
2. ¿Qué revela esta historia de la personalidad de Rigoberta Menchú?
3. ¿Consideran este testimonio una visión realista o idealista de la vida de Rigoberta Menchú? ¿Por qué? Den ejemplos del texto que apoyen sus opiniones.

C. Debate. En grupos de cuatro, organicen un debate sobre el tema: "La vida de Rigoberta Menchú y su pueblo es muy similar a la vida que tuvieron los nativos durante los primeros años de la colonia. No ha cambiado nada para ellos". Dos de ustedes deben presentar argumentos a favor y dos en contra. Informen a la clase quiénes presentaron el mejor argumento.

D. Apoyo gramatical: El futuro y el condicional: verbos regulares e irregulares. Usando el condicional en el primer párrafo y el futuro en el segundo, completa el siguiente texto sobre algunos datos de la vida de Rigoberta Menchú.

La pequeña niña indígena Rigoberta Menchú no imaginó nunca que en su vida ella (1) __conocería__ (conocer) triunfos y desgracias. No pensó que varios miembros de su familia (2) __serían__ (ser) torturados, que su padre (3) __moriría__ (morir) quemado vivo cuando ella tenía un poco más de veinte años, que ella (4) __sufriría__ (sufrir) discriminación. Tampoco imaginó que se (5) __convertiría__ (convertir) en una valiente activista política, que (6) __recibiría__ (recibir) el respeto de muchos de sus conciudadanos y que en 1992 (7) __obtendría__ (obtener) el Premio Nobel de la Paz, una distinción a nivel mundial.

Sin embargo, mirando hacia adelante, sabe que ella nunca (8) __olvidará__ (olvidar) su origen humilde, que (9) __seguirá__ (seguir) luchando por los derechos de los desposeídos *(destitute)* y que solo (10) __descansará__ (descansar) cuando mejoren las condiciones sociales de su pueblo.

Gramática 8.1 and 8.2: Antes de hacer esta actividad conviene repasar esta estructura en las págs. 348–353.

8.1 Future: Regular and Irregular Verbs

Forms

-ar Verbs	*-er* Verbs	*-ir* Verbs
regresar	***vender***	***recibir***
regresar**é**	vender**é**	recibir**é**
regresar**ás**	vender**ás**	recibir**ás**
regresar**á**	vender**á**	recibir**á**
regresar**emos**	vender**emos**	recibir**emos**
regresar**éis**	vender**éis**	recibir**éis**
regresar**án**	vender**án**	recibir**án**

› To form the future of most Spanish verbs, use the infinitive and add the appropriate endings, which are the same for all verbs: -**é,** -**ás,** -**á,** -**emos,** -**éis,** and -**án.** Only the following verbs have irregular stems, but they use regular endings.

› The -**e**- of the infinitive ending is dropped:

caber (**cabr**-): **cabr**é, **cabr**ás, **cabr**á, **cabr**emos, **cabr**éis, **cabr**án
haber (**habr**-): **habr**é, **habr**á, **habr**ás, **habr**emos, **habr**éis, **habr**án
poder (**podr**-): **podr**é, **podr**ás, **podr**á, **podr**emos, **podr**éis, **podr**án
querer (**querr**-): **querr**é, **querr**ás, **querr**á, **querr**emos, **querr**éis, **querr**án
saber (**sabr**-): **sabr**é, **sabr**ás, **sabr**á, **sabr**emos, **sabr**éis, **sabr**án

› The vowel of the infinitive ending is replaced by -**d**-:

poner (**pondr**-): **pondr**é, **pondr**ás, **pondr**á, **pondr**emos, **pondr**éis, **pondr**án
salir (**saldr**-): **saldr**é, **saldr**ás, **saldr**á, **saldr**emos, **saldr**éis, **saldr**án
tener (**tendr**-): **tendr**é, **tendr**ás, **tendr**á, **tendr**emos, **tendr**éis, **tendr**án
valer (**valdr**-): **valdr**é, **valdr**ás, **valdr**á, **valdr**emos, **valdr**éis, **valdr**án
venir (**vendr**-): **vendr**é, **vendr**ás, **vendr**á, **vendr**emos, **vendr**éis, **vendr**án

› **Decir** and **hacer** have irregular stems:

decir (**dir**-): **dir**é, **dir**ás, **dir**á, **dir**emos, **dir**éis, **dir**án
hacer (**har**-): **har**é, **har**ás, **har**á, **har**emos, **har**éis, **har**án

› Verbs derived from **hacer, poner, tener,** and **venir** have the same irregularities. **Satisfacer** follows the pattern of **hacer.**

-hacer	*-poner*	*-tener*	*-venir*
deshacer	componer	contener	convenir
rehacer	imponer	detener	intervenir
satisfacer	proponer	mantener	prevenir

Uses

› The future tense is used primarily to refer to future actions.

Llegaremos a Ciudad de Guatemala el sábado por la noche.	*We'll arrive in Guatemala City Saturday night.*
El próximo domingo **habrá** una función teatral en el Centro Cultural Miguel Ángel Asturias.	*Next Sunday there will be a theatrical performance in the Miguel Ángel Asturias Cultural Center.*

› The future tense can express probability in the present.

—¿Sabes? Roberto no está en clase hoy.	*You know? Roberto is not in class today.*
—**Estará** enfermo. No falta a clases casi nunca.	*He must be (He's probably) sick. He almost never misses classes.*

Substitutes for the Future Tense

› The construction **ir + a** plus infinitive may be used to refer to future actions. This construction is more common in spoken language than the future tense.

—¿Dónde **vas a pasar** las vacaciones este verano?	*Where are you going to spend your vacation this summer?*
—**Voy a viajar** a Guatemala para visitar las ruinas mayas.	*I'm going to travel to Guatemala to visit the Mayan ruins.*

› The present indicative may be used to express actions that are scheduled to take place in the near future. In English these structures are normally expressed in the present progressive tense.

Un estudiante de Quetzaltenango **viene** a vernos la próxima semana.	*A student from Quetzaltenango is coming to see us next week.*
Mañana **hago** una presentación acerca de Tikal en mi clase de español.	*Tomorrow I'm doing a presentation on Tikal in my Spanish class.*

Ahora, ¡a practicar!

A. Viaje a Guatemala. Unos amigos tuyos viajarán pronto a Guatemala y te hablan de ese viaje.

MODELO llegar al aeropuerto La Aurora un miércoles por la mañana
Llegaremos al aeropuerto La Aurora un miércoles por la mañana.

1. descansar el primer día
2. salir a visitar el centro histórico de la ciudad el día siguiente
3. ver la colección de objetos mayas en el Museo Nacional de Arqueología y Etnología
4. pasear por el Parque Central de Antigua
5. viajar a la antigua ciudad maya de El Mirador
6. comprar artesanías en el mercado de Chichicastenango
7. hacer una excursión al lago de Atitlán
8. subir al Volcán de Agua
9. estar cansados cuando regresemos
10. saber mucho más sobre Guatemala al regresar

B. ¿Qué harán? Di lo que harán las personas indicadas el próximo fin de semana.

MODELO Iremos a una fiesta.

1. tú
2. yo
3. Catalina y Verónica
4. nosotros
5. ustedes
6. Jaime y sus amigos
7. tú

C. Promesas de una amiga. Completa las oraciones con el futuro de los verbos indicados para saber lo que te promete una amiga antes de salir hacia Guatemala.

Cuando te escriba, te (1) ___________ (decir) qué aprendí y también cómo me divertí durante mi estadía en Guatemala. (2) ___________ (Tener) muchas cosas que contarte. Sé que tú (3) ___________ (querer) informarte de todo lo que vi e hice. No (4) ___________ (poder/yo) salir de la ciudad frecuentemente, pero (5) ___________ (salir) varias veces hacia otros lugares. (6) ___________ (Poder/nosotros) hablar largas horas cuando nos veamos.

D. Planes para el verano. En grupos de tres o cuatro, hablen de sus planes para el verano inmediatamente después de que terminen las clases. Hablen hasta encontrar algo que cada individuo en el grupo hará y que nadie más en el grupo hará; hablen hasta encontrar una actividad que todos harán menos tú. Luego informen a la clase de los planes más interesantes en su grupo.

8.2 Conditional: Regular and Irregular Verbs

Forms

-ar Verbs	*-er* Verbs	*-ir* Verbs
regresar	***vender***	***recibir***
regresar**ía**	vender**ía**	recibir**ía**
regresar**ías**	vender**ías**	recibir**ías**
regresar**ía**	vender**ía**	recibir**ía**
regresar**íamos**	vender**íamos**	recibir**íamos**
regresar**íais**	vender**íais**	recibir**íais**
regresar**ían**	vender**ían**	recibir**ían**

› To form the conditional, use the infinitive and add the appropriate endings, which are the same for all verbs: -**ía,** -**ías,** -**ía,** -**íamos,** -**íais,** and -**ían.** Note that the conditional endings are the same as the imperfect ones for -**er** and -**ir** verbs.

› Verbs with an irregular future stem have the same irregular stem in the conditional.

-e- Dropped	Vowel → *d*	Irregular Stem
caber → **cabr-**	poner → **pondr-**	decir → **dir-**:
haber → **habr-**	salir → **saldr-**	hacer → **har-**
poder → **podr-**	tener → **tendr-**	
querer → **querr-**	valer → **valdr-**	
saber → **sabr-**	venir → **vendr-**	

Uses

› The conditional is used to express what would be done under certain conditions, which could be hypothetical or highly unlikely. It can also indicate contrary-to-fact situations. The conditional may appear in a sentence by itself or in a sentence that has an explicit ***si***-clause.

Con más tiempo, yo **visitaría** Antigua y **admiraría** la arquitectura colonial de la ciudad.
With more time, I would visit Antigua and would admire the city's colonial architecture.

Si Antigua no estuviera en una zona de terremotos, **sería** todavía la capital de Guatemala.
If Antigua were not located in an earthquake area, it would still be the capital of Guatemala.

The conditional refers to future actions or conditions when viewed from a standpoint in the past.

Mis padres me dijeron que **visitarían** Tikal dentro de dos meses.
My parents told me they would visit Tikal in two months.

Cuando grabó su primer disco a los veintiún años de edad, Ricardo Arjona nunca se imaginó que **llegaría** a ser un famoso cantautor.
When he recorded his first record at age twenty-one, Ricardo Arjona never imagined he would become a famous singer-songwriter.

› The conditional of verbs such as **deber, poder, querer, preferir, desear,** and **gustar** is used to express a polite request or to soften suggestions and statements.

—¿**Podría** decirnos qué piensa del presidente actual de Guatemala? — *Could you tell us what you think about Guatemala's current president?*

—**Preferiría** no hacer comentarios. — *I would prefer not to make any comments.*

The conditional can express probability or conjecture about past actions or conditions.

—¿Por qué en 2007 fue elegido presidente de Guatemala Álvaro Colom, un político con un título en ingeniería industrial? — *Why was Alvaro Colom, a politician with a degree in industrial engineering, elected president of Guatemala in 2007?*

—No sé; **sería** por su experiencia política y tecnológica. — *I don't know; it was probably because of his political and technological experience.*

Ahora, ¡a practicar!

A. Entrevista. Eres periodista y la escritora Delia Quiñónez te ha concedido una entrevista. ¿Qué preguntas le vas a hacer?

MODELO qué temas / gustar presentar en su próximo libro
¿Qué temas le gustaría presentar en su próximo libro?

1. qué poemas suyos / querer que la gente leyera y recordara
2. qué libros / recomendar a los lectores jóvenes
3. qué / hacer para una difusión *(coverage)* más amplia de la literatura guatemalteca
4. cuánto apoyo / deber dar el gobierno a las artes
5. cómo / darles más estímulos a los artistas jóvenes

B. Consejos. Un(a) amigo(a) y tú hablan con un(a) amigo(a) guatemalteco(a) a quien conocen. Completa el siguiente diálogo para saber qué consejos les da acerca de posibles lugares que podrían visitar.

Tú: —¿Nos (1) ___________ (poder/tú) decir qué lugares deberíamos visitar?

Guatemalteco(a): —(2) ___________ (Deber/Uds.) visitar el Museo Arqueológico de Ciudad de Guatemala. Y no (3) ___________ (querer) dejar de ver una obra teatral en el Centro Cultural Miguel Ángel Asturias.

Amigo(a): —Nos (4) ___________ (gustar) visitar algunas ruinas mayas.

Guatemalteco(a): —Pues, entonces, (5) ___________ (poder/Uds.) ir a la zona de Petén.

Tú: —¿Está cerca de Ciudad de Guatemala? (6) ___________ (Preferir/nosotros) no viajar demasiado lejos.

Guatemalteco(a): —Guatemala no es un país muy grande. Es del tamaño del estado de Tennessee. Así que nada está demasiado lejos.

C. Un artista de renombre mundial. Completa el siguiente párrafo usando el condicional de los verbos que están entre paréntesis para saber del fotógrafo guatemalteco Luis González Palma.

Cuando Luis González Palma estudiaba arquitectura en la universidad creía que esa (1) ___________ (ser) su futura profesión y que (2) ___________ (practicar) esa profesión en su país. En 1984 se compró una cámara porque (3) ___________ (querer) entretenerse tomando fotografías. Le gustaron las fotos que tomó y decidió que se (4) ___________ (dedicar) al arte de la fotografía. Al principio no sabía si a la gente le (5) ___________ (gustar) o no sus fotos. Los críticos le aseguraron que con el tiempo a él los expertos lo (6) ___________ (considerar) uno de los mejores fotógrafos de América y que sus obras se (7) ___________ (exhibir) en museos y centros culturales de todo el mundo. Y así ha ocurrido.

D. ¿Qué pasaría? Hoy todos los estudiantes hablan de por qué el (la) profesor(a) no vino a clase el día anterior. En grupos de tres, especulen sobre lo que habrá pasado.

MODELO **Tendría una emergencia de último momento.**

El Salvador

Comprehension check: Ask: **1. ¿Cuáles serán algunos de los atractivos de la Plaza Barrios en San Salvador? 2. Con tantos volcanes activos, ¿por qué crees que el pueblo salvadoreño sigue viviendo en el país? ¿Valdrá la pena? ¿Por qué crees eso? 3. ¿Crees que la fiesta del Día de la Cruz debería cambiar su nombre a la fiesta del Dios de la Lluvia? ¿Por qué sí o no?**

Nombre oficial: República de El Salvador
Población: 7.185.218 (estimación de 2009)
Principales ciudades: San Salvador (capital), Soyapango, Santa Ana, San Miguel
Moneda: Colón (C/)

En San Salvador, la capital, con una población de más de un millón y medio, y en los alrededores, tienes que conocer...

- la Plaza Barrios, frente a la Catedral Metropolitana y el Palacio Nacional, uno de los rincones más agradables de San Salvador.
- el Museo Nacional de Antropología David J. Guzmán, que exhibe en su nueva sala permanente rituales religiosos, sacrificios humanos, culto a los muertos y la importancia del jaguar en la época prehispánica.
- la Puerta del Diablo, un portón *(gate)* gigantesco abierto al paisaje del fondo en las cercanas montañas, y que ofrece los paseos de fin de semana más populares de San Salvador.

José Enrique Molina / Photolibrary

El centro histórico de San Salvador, con su monumento a los Héroes de la Independencia

- la Joya de Cerén, pueblo maya que hace más de 1400 años fue cubierto por la lava y las cenizas *(ashes)* del volcán Caldera, hoy declarado Patrimonio de la Humanidad por la UNESCO.

De los dieciocho volcanes de El Salvador, no dejes de visitar...

- el volcán Izalco, llamado también "faro (*lighthouse*) del Pacífico" por sus continuas erupciones, el más joven de los volcanes del continente americano. Su última erupción, en 1966, fue muy violenta y destruyó completamente la cima del volcán.
- el volcán Ilamatepec (también llamado Santa Ana), situado en la cordillera de Apaneca, dentro de un bosque tropical nuboso y montañoso. Sus últimas erupciones ocurrieron en 1904 y en 2005.

Dea G Siden / Photolibrary

El impresionante volcán Izalco, en el departamento de Sonsonante, El Salvador

- el volcán Chaparrastique (conocido también como San Miguel), uno de los seis más activos de El Salvador. La última actividad eruptiva se produjo en 1976; la más reciente actividad sísmica en 2006.
- el volcán Tecapa, en la Sierra de Chinameca, que exhibe un peñascoso *(rocky)* cráter grande, en cuyo fondo existe una pequeña laguna de aguas amarillo-verdosas y con fuentes termales.

Richard Levine / Photolibrary

Los salvadoreños aprovechan para celebrar su identidad

Festivales salvadoreños

- Las Fiestas Agostinas son las más atractivas del país, celebradas en la capital en honor al patrono nacional, El Divino Salvador del Mundo.
- La fiesta de "La Bajada" es llamada así porque ese día bajan a la ciudad los campesinos del volcán y de las poblaciones vecinas a venerar *(to worship)* al patrono y tomar parte en la procesión que recorre las principales calles de la capital.
- La fiesta del Día de la Cruz era una celebración que hacían los indígenas en honor al Dios de la Lluvia. Esta celebración todavía tiene como fin implorar al cielo los beneficios de la lluvia, pero sustituye la adoración de la Cruz por el Dios de la Lluvia.

¡Diviértete en la red!

Busca en Google Images o en YouTube para ver fotos y videos de cualquiera de los lugares o festivales mencionados aquí. Ven a clase preparado(a) para describir en detalle el lugar o festival que escogiste.

Suggestion: In small groups, have students discuss their political affiliations and the candidates they supported in the last election (or those they are planning to support in the next one). Have them tell how they chose their affiliations and what influences them most when they vote.

¡Una persona, un voto!

En 2009, Carlos Mauricio Funes Cartagena ganó las elecciones salvadoreñas como candidato del partido del Frente Farabundo Martí de Liberación Nacional. En enero de 2010, el presidente Funes celebró el 18 aniversario de los acuerdos de paz de Chapultepec entre la guerrilla y el gobierno salvadoreño. Durante la celebración, el presidente Funes pidió perdón en nombre del gobierno a las víctimas de los 12 años de guerra civil y prometió una compensación económica para las víctimas. Se trata, sin duda, de los primeros pasos para una democracia plena *(full)*, en un país azotado *(battered)* por la guerra.

Comstock / Photolibrary

Para hablar de política

alcalde, alcaldesa	*mayor*
apoyar	*to support*
cámara alta	*upper house, senate*
derechista *(m. f.)*	*rightist, right-wing*
diputado(a)	*representative*
izquierdista *(m. f.)*	*leftist, left-wing*
postular	*to be a candidate for*
propugnar	*to defend, to advocate*
representante *(m. f.)*	*representative*
senado	*senate*
senador(a)	*senator*

Para hablar de asuntos políticos

control de las armas de fuego *(m.)*	*gun control*
narcotráfico	*drug traffic*
pena de muerte	*death penalty*
prohibición del tabaco *(f.)*	*prohibition of cigarettes*
sanidad pública *(f.)*	*health care*
suicidio asistido	*assisted suicide*

Vocabulary practice: Name some well-known politicians and have the class label them as izquierdistas o derechistas. Then ask for the names os the local alcalde (alcaldesa)/gobernador(a)/diputado(a)/representante/senador(a).

Al hablar de la afiliación política

—¿Cuál es tu afiliación política?	*What is your political affiliation?*
—¿A qué partido perteneces?	*To what party do you belong?*
—¿De qué partido eres miembro?	*What party are you a member of?*
—¿Te consideras liberal o conservador(a)?	*Do you consider yourself a liberal or a conservative?*

Al hablar de los candidatos

—¿Ya decidiste por quién vas a votar? *Did you already decide who you are going to vote for?*

—Para presidente y vicepresidente no tengo ningún problema. Pero para los otros puestos, ¡ay de mí! *For president and vice president I don't have a problem. But for the other positions, woe is me!*

—¿Qué opinas del candidato a gobernador? *What do you think of the candidate for governor?*

—No estoy muy satisfecho(a) con el que propuso mi partido político. Pero ¿qué se puede hacer? *I'm not very satisfied with the one my political party nominated. But what can one do?*

—Pues, si no te gusta el candidato demócrata, puedes votar por la republicana. *Well, if you don't like the democratic candidate, you can vote for the republican.*

¡A practicar, luego a conversar!

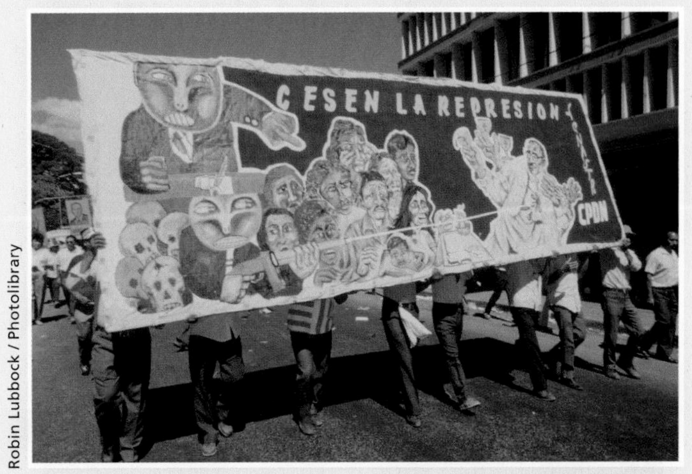

Robin Lubbock / Photolibrary

A. Liberal o conservador. Decide si las siguientes afirmaciones se identifican tradicionalmente con una ideología conservadora (C) o liberal (L).

1. __L__ La sanidad pública es un derecho de todos.
2. __C__ Hay que luchar contra los terroristas allí, para que no vengan aquí.
3. __C__ La riqueza se filtra de arriba hacia abajo.
4. __C, L__ Muchos de los problemas de este país son culpa del gobierno.
5. __L__Las mujeres tienen derecho a decidir sobre lo relacionado con su cuerpo.

Suggestion: Have students do the matching activity in pairs. Then have volunteers go to the board and write some of their original sentences. Have the class correct any errors.

B. Palabras clave: partido. Para ampliar tu vocabulario, relaciona las palabras de la primera columna con las definiciones de la segunda columna. Luego, escribe una oración con cada palabra.

__e__ 1. sacar partido	a. persona que está a favor de algo
__d__ 2. partidista	b. acción de salir
__a__ 3. partidario	c. estar roto
__b__ 4. la partida	d. persona que favorece un partido
__c__ 5. estar partido en dos o más	e. aprovechar

C. Encuesta. Prepara una encuesta para saber la afiliación política de unos cinco compañeros de clase y sus opiniones sobre dos o tres asuntos políticos o sociales que tú consideras importantes. Informa a la clase sobre los resultados de tu encuesta.

D. Dramatización. Dramatiza la siguiente situación con dos compañeros(as) de clase. Un(a) estudiante universitario(a) tiene padres con puntos de vista muy inflexibles sobre la política. Cada vez que invita a un(a) amigo(a) a su casa lo (la) interrogan sobre su punto de vista político como si fuera la inquisición.

El Salvador: la consolidación de la paz

Segunda mitad del siglo XIX

El salvadoreño Manuel José Arce fue el primer presidente de las Provincias Unidas de Centroamérica. El 30 de enero de 1841, dos años después de que la federación fue disuelta, se proclamó la República de El Salvador. Durante las primeras cuatro décadas existió mucha inestabilidad política en la nueva república. A pesar de esto, al final del siglo XIX se dio un considerable desarrollo económico impulsado por el floreciente cultivo del café.

Library of Congress

El primer presidente de Centroamérica, Manuel José Arce

Primera mitad del siglo XX

A principios del siglo XX se estableció en El Salvador una relativa paz, durante la cual hubo ocho períodos presidenciales. Este período de paz terminó en 1932 cuando el impulso reformador del presidente Arturo Araujo fue detenido por un golpe militar y una insurrección popular fue reprimida sangrientamente por el ejército. Más de treinta mil personas resultaron muertas en la masacre; el propio líder de la insurrección, Agustín Farabundo Martí, fue ejecutado. Desde entonces la sociedad salvadoreña se fue polarizando en bandos contrarios de derechistas e izquierdistas, lo cual llevó al país a una verdadera guerra civil.

Jose Cabezas / Getty Images

La dolorosa guerra civil causó más de 75.000 muertos y desaparecidos en El Salvador.

La guerra civil

En 1972 intervino el ejército y el presidente electo, José Napoleón Duarte, tuvo que irse al exilio. A partir de este mismo año se sucedieron una serie de gobiernos militares y se incrementó la violencia política. El 10 de octubre de 1980 se formó el Frente Farabundo Martí para la Liberación Nacional (FMLN), que reunió a todos los grupos guerrilleros de la izquierda. El futuro del país se veía tan oscuro que más de doscientos mil salvadoreños consiguieron asilo en los EE.UU. y otros miles trataron de entrar en los EE.UU. ilegalmente.

En 1986, San Salvador sufrió un fuerte terremoto que destruyó gran parte del centro de la ciudad, ocasionando miles de víctimas. Sin embargo, la continuación de la guerra civil causó más muertes aún. Alfredo Cristiani, elegido presidente en 1989, firmó en 1992 un acuerdo de paz con el FMLN después de negociaciones supervisadas por las Naciones Unidas. Así terminó una guerra que había causado más de ochenta mil muertos y había paralizado el desarrollo económico del país. En 1994, Armando Calderón Sol, el nuevo presidente, prometió continuar el progreso hacia la paz en el país. Ese esfuerzo, junto con el de Francisco Flores, presidente electo en 1999, motivó el inicio del regreso a El Salvador de muchos de los que habían salido del país.

El Salvador de hoy

- Al ser un país rico en folclore y tradiciones, la producción artesanal se encuentra muy difundida en todo el estado y contribuye en gran medida al desarrollo de la economía nacional.
- Las remesas de salvadoreños que trabajan en los Estados Unidos son una fuente importante de ingresos del extranjero y compensan el déficit comercial. Las remesas han aumentado constantemente; alcanzaron un monto de $3.787 millones en 2008.
- Las elecciones presidenciales, celebradas el 15 de marzo de 2009, dieron como ganador al periodista Mauricio Funes, del partido FMLN, quien gobernará el país hasta 2013.

El que había sido un grupo guerrillero, el FMLN, ganó las elecciones de 2009

¿COMPRENDISTE?

A. Hechos y acontecimientos. ¿Recuerdas los datos más importantes de la lectura? Para asegurarte, trabaja con un(a) compañero(a) de clase para escribir una breve definición que explique el significado de las siguientes personas y elementos en la historia de El Salvador. Luego, comparen sus definiciones con las de la clase.

1. las Provincias Unidas de Centroamérica
2. Agustín Farabundo Martí
3. Armando Calderón Sol
4. Francisco Flores
5. Mauricio Funes

VOCABULARIO ÚTIL

asilo	*asylum, refuge*
compensar	*to offset*
detenido(a)	*stopped, halted*
esfuerzo	*effort*
floreciente *(m. f.)*	*flourishing*
monto	*total*
muy difundido(a)	*widespread*

B. A pensar y a analizar. La guerra civil salvadoreña fue una de las más sangrientas de Centroamérica. ¿Cuáles fueron los momentos más importantes de esa guerra que causó más de ochenta mil muertos? Indica brevemente la importancia de estos momentos clave en esa guerra civil.

La Guerra Civil Salvadoreña:

1972 / José Napoleón Duarte
1980 / el Frente Farabundo Martí
1986 / San Salvador
1992 / Alfredo Cristiani

C. Apoyo gramatical: expresiones indefinidas y negativas. Un(a) compañero(a) no entiende mucho de la historia de El Salvador porque te contesta en forma negativa las preguntas que le haces.

MODELO ¿Has escuchado la fecha 30 de enero de 1841? (nunca) *Actividad C:* Answers will vary.
No, nunca he escuchado esa fecha. o: **No he escuchado esa fecha nunca.** o: **No, nunca.**

1. ¿Te ha explicado alguien la situación política de El Salvador? (nadie) No, nadie me ha explicado…
2. ¿Conoces a algún político salvadoreño? (ninguno) No, no conozco a ningún político…
3. ¿Has oído hablar de José Napoleón Duarte? (nunca) No, nunca he oído…
4. ¿Has leído sobre Alfredo Cristiani o Armando Calderón Sol? (ni… ni) No, no he leído ni de Alfredo Cristiani ni de Armando Calderón Sol.
5. ¿Sabes algo del presidente actual de El Salvador? (nada) No, no sé nada del…
6. ¿Tienes alguna idea de la fecha de las próximas elecciones presidenciales? (ninguna) No, no tengo ninguna idea…
7. ¿Te interesa estudiar la historia de algún período histórico especial? (ninguno) No, no me interesa estudiar la historia de ningún período…
8. Dices que no has oído hablar de Agustín Farabundo Martí. ¿Has oído hablar del arzobispo Óscar Arnulfo Romero? (tampoco) No, tampoco he oído hablar…

Gramática 8.3: Antes de hacer esta actividad conviene repasar esta estructura en las págs. 371–373.

Extensions: Bring in an art book with Isaías Mata's paintings and have the class discuss one of them. Read a selection from Alegrías Luisa en el país de la realidad or of Argueta's *One Day of Life* and have the class comment on it.

Isaías Mata

La vida y obra del pintor Isaías Mata reflejan la realidad vivida por su país natal, El Salvador. Se educó en la Universidad Centroamericana de San Salvador, donde llegó a ser el director de la Facultad de Arte. Como muchos otros artistas, escritores e intelectuales salvadoreños, en 1989 fue detenido por el ejército y se vio obligado a salir de su patria. De 1989 a 1993 llevó a cabo en San Francisco, California, una intensa producción artística, varios murales y pinturas al óleo. Como muchos de los miles de salvadoreños que tuvieron que abandonar su país durante la guerra civil, Isaías Mata regresó a El Salvador en 1993. Entre 1993 y 1996 sirvió de coordinador y profesor en la Facultad de Diseño de la Universidad Tecnológica y de profesor en la Facultad de Arte de la Universidad de El Salvador. En 1997 regresó a los EE.UU. a enseñar. Al siguiente año llevó su arte muralista a Corrientes, Argentina, donde reside desde 1998.

Stan Honda/AFP Photo/Newscom

Claribel Alegría

Conocida y destacada escritora salvadoreña que en 1932 sufrió el intenso trauma de presenciar la masacre de treinta mil campesinos conocida como "la Matanza", un hecho que nunca pudo olvidar y que se convirtió en uno de los temas de su vida y de su obra. Junto con Gabriela Mistral, ha sido considerada una de las poetas más tiernas y maternales por la delicadeza y sentimiento de su lírica. Ha publicado libros de poemas, novelas y un libro de cuentos infantiles. Entre los más populares se cuentan *Luisa en el país de la realidad* (1986); *Fuga de Canto Grande / Fugues (1992)* y *Umbrales / Thresholds* (1996). Obtuvo en 2005 el Premio Internacional Neustadt, considerado en los Estados Unidos el más importante después del Premio Nobel.

Manlio Argueta

Este novelista, crítico y poeta salvadoreño se inició en la poesía durante su niñez. Terminó sus siete años de estudios de doctorado en Jurisprudencia y Ciencias Sociales en la Universidad de El Salvador, donde se destacó como fundador del Círculo Literario Universitario (1956), una de las promociones literarias más reconocidas en su país. Debido a la crítica contra el gobierno, expresada en sus obras, en 1972 fue exiliado a Costa Rica donde vivió hasta 1993. Una de sus obras más famosas y que expresa esa dura realidad es *One Day of Life*. Fue fundador y por diez años presidente del Instituto Cultural Costarricense-Salvadoreño donde hizo labor de intercambio artístico, en Centroamérica y con Europa. A partir del año 2000 es Director de la Biblioteca Nacional de El Salvador, CONCULTURA, San Salvador.

Otros salvadoreños sobresalientes

Ernesto Álvarez: industrial cafetalero
Roxana Auirreurreta: artista
José Roberto Cea: poeta, novelista, cuentista, dramaturgo y ensayista
Mauricio Cienfuegos: futbolista
Juan Carlos Colorado: arquitecto y artista en vidrio
Roque Dalton (1933–1975): poeta, novelista y periodista
Reyna Hernández: poeta
Fernando Llort: pintor
Lilian Serpas: poeta
Álvaro Torres: cantautor

Suggestions: Ask students what a **cafetalero** is. Ask them to look up two or more of the **Otros salvadoreños sobresalientes** on the Internet and have them turn in a brief written report on what they find. You may want to offer extra credit for this work.

¿COMPRENDISTE?

VOCABULARIO ÚTIL

ajusticiamiento	*execution*
comprometido(a)	*committed*
matanza	*slaughter*
tierno(a)	*tender*

A. **Los nuestros.** Contesta las siguientes preguntas. Luego, compara tus respuestas con las de dos o tres compañeros(as).

1. ¿Qué distingue al pintor Isaías Mata? ¿Qué caracteriza su pintura? Si Isaías Mata fuera escritor, ¿sobre qué crees que escribiría?
2. Según lo que sabes de la vida de Claribel Alegría, ¿de qué crees que se trata la novela *Luisa en el país de la realidad*? ¿Qué papel ha jugado en su producción literaria la matanza de los indígenas?
3. ¿Dónde y qué estudió Manlio Argueta? ¿Qué caracteriza a su obra y por qué? ¿Por qué crees que su imaginación jugó un papel importante en su poesía?

B. **Miniprueba.** Demuestra lo que aprendiste de estos talentosos salvadoreños al completar estas oraciones.

1. Como muchos otros artistas, escritores e intelectuales salvadoreños, en 1989 Isaías Mata se vio obligado a __c__ El Salvador.
   a. servir en el ejército de b. regresar a c. salir de
2. Claribel Alegría ha sido considerada una de las poetas más __a__ por la delicadeza y sentimiento de su lírica.
   a. tiernas y maternales b. expresivas y románticas c. feminista y activista
3. La obra *One Day of Life* es una crítica al __b__ salvadoreño.
   a. modelo económico b. gobierno c. estilo de vida

¡Diviértete en la red!
Busca "Isaías Mata" en Google Images para ver varios ejemplos de su arte y/o "Claribel Alegría" y "Manlio Argueta" en YouTube para escuchar varias entrevistas con estos talentosos salvadoreños. Ven a clase preparado(a) para presentar lo que encontraste.

ESCRIBAMOS AHORA

Suggestion: Keep in mind that this writing activity should only take 3-5 minutes of class time. All other writing can be done at home.

La semblanza biográfica

1 **Para empezar.** Una biografía es una historia que narra la vida de una persona, una autobiografía narra en primera persona y una semblanza biográfica es una descripción biográfica de una persona importante en la vida del protagonista en una biografía o una autobiografía. Dentro de la autobiografía que leyeron, *Me llamo Rigoberta Menchú y así me nació la conciencia,* encontramos semblanzas biográficas referidas a otras personas relevantes en la vida de la narradora. En el fragmento, Rigoberta relata lo que le impresionó de lo que le habían contado de la juventud de su padre:

"Mi padre nació en Santa Rosa Chucuyub, es una aldea del Quiché. Pero cuando se murió su padre, [...] mi abuela se quedó con tres hijos..."

"Mi abuelita buscó otro señor donde regalar a uno de sus hijos. Y el primer hijo era mi padre que tuvo que regalarle a otro señor".

Y más adelante:

"Vivió con gentes... así... blancos, gentes ladinas. Pero nunca aprendió el castellano..." [...]
"...no tenía ropa y estaba muy sucio..."

2 **A generar ideas.** Para prepararse para relatar la semblanza biográfica de su padre, la autora tuvo que pensar en todos los momentos claves de la vida de su padre. Piensa ahora en una persona de suma importancia en tu vida, un familiar o un(a) amigo(a) o maestro(a) favorito(a). En preparación para escribir una semblanza biográfica sobre esa persona, prepara dos o tres diagramas como este, que representa cómo Rigoberta podría haber organizado parte de la información referente a su padre.

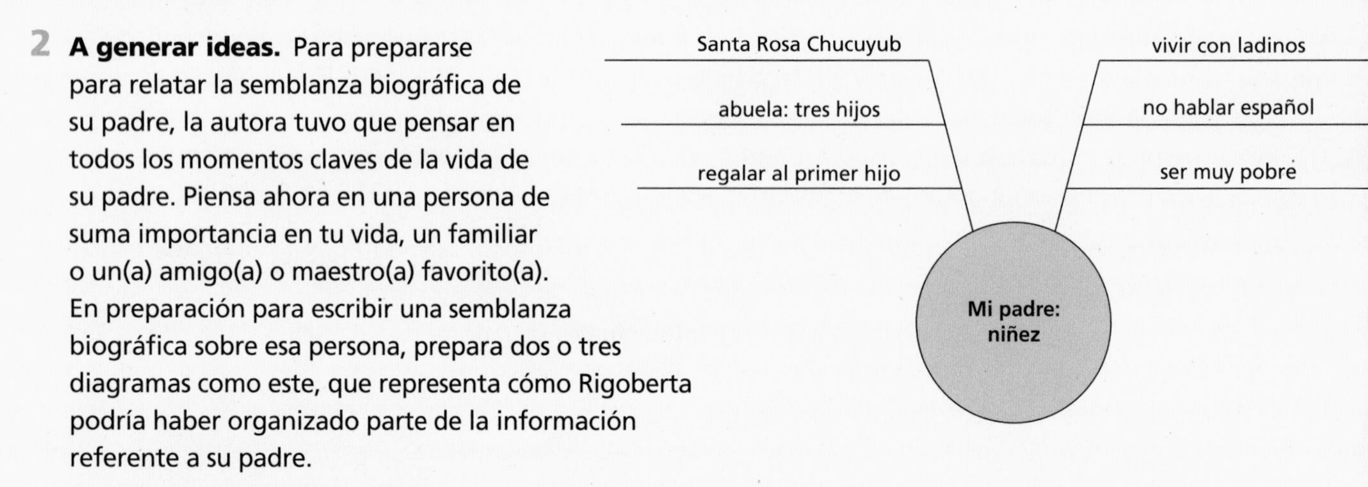

En tus diagramas, en cada círculo, identifica un momento importante que quieres desarrollar, y en las barras, anota detalles relacionados a ese momento.

3 **Tu borrador.** Ahora escribe tu borrador desarrollando la información que anotaste en párrafos que describan en detalle tus memorias tan especiales.¡Buena suerte!

4 **Revisión.** Intercambia tu borrador con un(a) compañero(a). Revisa su semblanza biográfica prestando atención a las siguientes preguntas. ¿Ha incluido todos los detalles importantes? ¿Ha revelado suficiente información? ¿Tienes algunas sugerencias sobre cómo podría mejorar su descripción?

5 **Versión final.** Considera las correcciones que tu compañero(a) te ha indicado y revisa tu semblanza biográfica por última vez. Como tarea, escribe la copia final en la computadora. Antes de entregarla, dale un último vistazo a la acentuación, a la puntuación, a la concordancia y a las formas de los verbos.

6 **Publicación (opcional).** Cuando tu profesor(a) te devuelva la semblanza biográfica corregida, revísala con cuidado y luego devuélvesela a tu profesor(a) para que las ponga todas en un libro que va a titular: **Semblanzas biográficas por los estudiantes del señor (de la señora/señorita)...**

¡Antes de leer!

A. Anticipando la lectura. Contesta las siguientes preguntas con dos o tres compañeros(as).

1. ¿Qué experiencia tienen con los fenómenos naturales (huracanes, terremotos, tornados, erupciones volcánicas, inundaciones *[floods]*, etcétera)? ¿Cuáles son frecuentes en su región? ¿Han causado alguna vez estos fenómenos una zona de desastre en su ciudad o región? Expliquen.
2. ¿Qué desastre natural que ocurrió en otro país recuerdan? ¿Cuántas víctimas hubo? ¿Qué otras consecuencias tuvo ese desastre? ¿Qué conclusiones sacaron ustedes de ese desastre?

B. Vocabulario en contexto. Busca estas palabras en la lectura que sigue y, en base al contexto, decide cuál es su significado. Para facilitar encontrarlas, las palabras aparecen en negrilla en la lectura. ***Vocabulario...:*** Ask volunteers to create original sentences with these vocabulary words.

1. **castigado**	(a.) golpeado	b. perdonado	c. llamado
2. **asoló**	a. evitó	(b.) destruyó	c. reconstruyó
3. **espantosos**	(a.) horribles	b. pequeños	c. interesantes
4. **damnificados**	(a.) víctimas	b. afortunados	c. seleccionados
5. **demolidos**	a. reconstruidos	b. fabricados	(c.) destruidos
6. **infausto**	(a.) fatal	b. alegre	c. feriado

Sobre el autor

Róger Lindo es un escritor salvadoreño nacido en San Salvador en 1955. Aunque emigró a los Estados Unidos en 1991, su tema de interés sigue siendo El Salvador, y se lo considera uno de los mejores poetas de la postguerra salvadoreña. Ha publicado dos obras, una de poesía, *Los infiernos espléndidos* (1998) y otra de ficción *El perro en la niebla* (2008). En la actualidad trabaja como periodista en el diario *La Opinión.* El siguiente artículo fue escrito tras uno de los últimos terremotos de El Salvador.

Michael Newman/PhotoEdit

El Salvador: seguir de pie

Los Ángeles. Crueldad* de su signo es que a un país tan castigado por las adversidades, se le hubiera bautizado El Salvador. Su historia es un recuento* apretado* de cataclismos, naturales y sociales, que se vienen alternando desde sus orígenes para castigar a este pueblo forjado en la desgracia, experto en emerger una y otra vez de entre las cenizas y de los escombros,* porque no le queda alternativa.

Cruelty · *retelling* / difícil · *rubble*

El 7 de junio de 1917, Jueves de Corpus, la capital salvadoreña, entonces de alrededor de nueve mil casas, fue destruida por un horrendo terremoto-erupción. El Volcán de San Salvador, a cuyo pie se levanta la ciudad, empezó a arrojar* lava, cenizas y gases azufranados* a las 7:30 de la noche sobre una población aterrorizada ya por los temblores previos. El poeta colombiano Porfirio Barba Jacob, que por esos días se hacía llamar Ricardo Arenales, se encontraba ahí. Describe la catástrofe con colores terribles en su crónica novelada *El terremoto de San Salvador*.

to throw out / *sulfurous*

En 1965, en la madrugada del Día de la Cruz, otro terremoto **asoló** San Salvador. Para siempre en la memoria los **espantosos** sacudimientos,* las calles agrietadas,* las dormidas en los corredores de la casa, las paredes resquebrajadas,* las calles abiertas, la ruina de lo que fueran hitos* en el San Salvador de mi niñez, los vecinos que por primera vez se hablaban, la incorporación al léxico común de la palabra "**damnificados**".

shaking · *cracked* · *cracked* / *landmarks*

En 1986, en plena guerra civil "75 mil muertos, incontables pérdidas económicas, una diáspora* que envió al extranjero a la quinta parte de la población, el cisma* en las familias", el Valle de las Hamacas volvió a hacerle honor a su nombre. Los edificios principales de la capital fueron **demolidos**, más de 1.500 personas sucumbieron en un minuto de furia.

migration · *schism*

Cada quince años más o menos, un terremoto hace que El Salvador caiga de rodillas. Los californianos no son ajenos* al sentimiento de vivir con el alma en vilo.* No pocas veces se preguntan si el temido "Big One", el Grande que predicen los científicos, se presentará alguna vez en sus vidas. En Centroamérica cada terremoto es el Grande. Nicaragua, 1972, y Guatemala,

strangers · suspenso

1976, lo confirman. En El Salvador, si se incluye el terremoto del sábado 13, una sola generación fue testigo de tres espantosos, tres grandes seísmos.* — terremotos

35 Después del terremoto del sábado, el mundo sabe de la existencia de Las Colinas, de Santa Tecla, de Comasagua. Es la toponimia* de la adversidad. Nombres adosados* a imágenes de padres y madres que lloran a sus hijos, de cuadrillas* de voluntarios que arañan* la tierra con las manos desnudas en busca de sobrevivientes, de oídos que se acercan a un orificio en busca de 40 señales de vida. Sábado Negro le llaman ya en El Salvador, y quieren decir Sábado **Infausto**.

¿Cómo es posible que un país siga de pie después de tantos golpazos? Quizá porque la amenaza y el acoso* constante y la contemplación de las muchas caras de la muerte le han hecho amar la vida. Es un país que para 45 seguir viviendo tiene que hacer cosas suicidas,* como lanzarse al exilio en esquifes trémulos,* aventurarse por la fría noche de los desiertos y superar bardas* imposibles.

Hoy, como ayer, los afectados por antonomasia* de los horrores colectivos son los ciudadanos que duermen en casas de bahareque* y adobe, los de 50 a pie, los que hacía unos días bregaban* y se frustraban aprendiendo a contar en dólares. Pero no hay lugar para la infatuación de ser salvadoreño. Ciertamente, debieran dar medallas por serlo.

Mañana El Salvador volverá a ponerse de pie.* Pero vivir en esa tierra será siempre como vivir sobre un retumbo.*

terremotos
nombres de lugares
fixed on
teams / scratch
hounding
suicidal
esquifes... pequeños barcos que tiemblan
walls
par excellence
paredes de palo
slaved away
ponerse... *stand up*
sound of thunder

¡Después de leer!

A. Hechos y acontecimientos. ¿Recuerdas los datos más importantes de la lectura? Para asegurarte, contesta las siguientes preguntas.

1. ¿Cuántos desastres naturales menciona el artículo?
2. ¿Cada cuánto tiempo ocurren, según este artículo?
3. ¿Cómo describe el artículo al pueblo salvadoreño?
4. ¿Quién sufre más durante estos desastres naturales, según el artículo?
5. ¿Cuáles son las conclusiones que extrae el artículo sobre los salvadoreños y vivir en El Salvador?

B. A pensar y a analizar. Contesta las siguientes preguntas.

1. ¿Es este un artículo optimista o pesimista sobre la vida en El Salvador? Explica.
2. ¿Crees que las opiniones del autor del artículo motivaron que en su día el autor emigrara hacia los Estados Unidos? Explica.
3. El autor vive en la actualidad en California, también famosa por sus destructivos terremotos. ¿Por qué crees que el autor no saca las mismas conclusiones sobre vivir en una zona sísmica como California?
4. ¿Te mudarías a causa de los desastres naturales? ¿Por qué crees que, en general, la gente permanece en Chile (frecuentes terremotos), el centro de los Estados Unidos (tornados), la Florida y el Caribe (huracanes)...?

C. Manual contra los desastres naturales. En grupos de cuatro, imagínense que viven en El Salvador y que forman parte del grupo político que gobierna ese país. Es su primer año en el poder y deciden acometer (*to undertake*) reformas que ayuden o mitiguen los problemas que menciona el artículo. ¿Qué harían? Hagan una lista de leyes para cambiar la situación de El Salvador. Compartan su lista con la clase y hagan una única que contenga las mejores y más prácticas iniciativas.

D. Apoyo gramatical: El imperfecto de subjuntivo: formas y cláusulas con *si*. Di lo que podría pasar si ocurriera un terremoto.

MODELO si ocurrir un terremoto / mucha gente sentirse aterrorizada
Si ocurriera un terremoto, mucha gente se sentiría aterrorizada.

1. si alguien estar en un terremoto / no actuar siempre con calma Si alguien estuviera... no actuaría...
2. si las personas estar aterrorizadas / salir de sus casas corriendo Las personas saldrían... si estuvieran...
3. si una familia temer quedarse en casa/ dormir al aire libre Una familia dormiría... si temiera...
4. si el terremoto tener lugar junto al mar/ poder venir también un tsunami Si el terremoto tuviera... podría...
5. si las calles quedar agrietadas /el transporte interrumpirse El transporte se interrumpiría... si las calles quedaran...
6. si los muros de una casa resquebrajarse / ser necesario repararlos pronto Si los muros se resquebrajaran... sería...
7. si los hospitales derrumbarse / el número de víctimas aumentar El número de víctimas aumentaría... si los hospitales se derrumbaran...
8. si las cuadrillas de rescate (*rescue*) no actuar rápido, muchas vidas perderse Muchas vidas se perderían... si las cuadrillas de rescate no actuaran...
9. si existir muchos daños / el gobierno ayudar a los damnificados Si existieran ... el gobierno ayudaría ...
10. si haber peligro para el público / algunos edificios ser demolidos Si hubiera... algunos edificios serían...

Gramática 8.4: Antes de hacer esta actividad conviene repasar esta estructura en las págs. 373–375.

Barcelona Venecia

Un cortometraje de David Muñoz Palomares

GUIÓN, DIRECCIÓN Y PRODUCCIÓN: DAVID MUÑOZ PALOMARES MÚSICA: JORDI PORTAZ SONIDO: ALBERT COLLADO ACTORES PRINCIPALES: MIQUEL BORDOY, NELLO NEBOT, ENG TAP Y RAMSÉS MORALEDA

Dallas and John Heaton / Photolibrary

Antes de ver el corto

Vocabulario útil

500 del ala	*500 cash*	**proceder con cautela**	*to proceed carefully*
barrio	*neighborhood*	**¡Qué demonios!**	*What the heck!*
billete de avión *(m.)*	*airplane ticket*	**recuperar**	*to recover*
deshacerse de . . .	*to get rid of*	**regresar**	*to return*
en nuestro poder	*at our disposal*	**sablazo**	*scrounge*
enloquecer	*to go mad, crazy*	**seguridad aeronáutica** *(f.)*	*air traffic security*
la bolsa	*the stock market*	**ser capaz de**	*to be able to*
matones	*thugs*	**sospechoso**	*suspicious*
¡mierda!	*oh shit!*	**te acostumbras**	*you become accustomed*
muy sencillo	*very easy*	**teoría de los agujeros de gusano**	*worm-hole theory*
no les hace ninguna gracia	*they don't think it's funny at all*	**unidireccional** *(m. f.)*	*unidirectional, one-way*
pantomima	*pantomime*	**ventas cortas**	*short sales*
pérdidas cuantiosas	*huge losses*	**vigilado(a)**	*under surveillance*
postura	*position*		

A. ¿Sinónimos? Con tu compañero(a), indiquen si los siguientes pares de palabras están relacionadas entre ellas sí (**Sí**) o no (**No**).

__Sí__ 1. calle / barrio
__Sí__ 2. hacer gracia / divertir
__No__ 3. vigilado / sablazo
__Sí__ 4. regresar / viajar
__Sí__ 5. postura / posición
__No__ 6. proceder con cautela / deshacerse
__Sí__ 7. billete / boleto
__Sí__ 8. ser capaz de / poder
__No__ 9. pérdidas / pantomima
__No__ 10. matón / sospechoso

B. Competencia. Con tu compañero(a), completen las siguientes oraciones usando palabras del vocabulario.

1. ___La bolsa___ de Barcelona tuvo enormes pérdidas ayer. Cayó casi un 5%.
2. No sé si voy a ___ser capaz___ de pasar mi clase de química. Los exámenes son muy difíciles.
3. Cuando el padre de Ángel supo que había ganado la lotería, parecía que iba a ___enloquecer___. No paraba de saltar y gritar.
4. Este apartamento es pequeño pero con el tiempo ___te acostumbras___ a vivir en él.
5. No sé a ti, pero a mí la crisis económica no me ___hace ninguna gracia___.

C. Modismos. Con tu compañero(a), indiquen otra manera de expresar los siguientes modismos que aparecen en el cortometraje.

__h__ 1. No les hace gracia.
__g__ 2. 100 del ala
__a__ 3. enloquecer
__b__ 4. proceder con cautela
__c__ 5. regresar
__e__ 6. unidireccionales
__f__ 7. acostumbrarse
__d__ 8. recuperar

a. volverse loco
b. ir con cuidado
c. volver
d. volver a tener
e. en un solo sentido
f. habituarse
g. cien en efectivo
h. no les gusta

Fotogramas de *Barcelona Venecia*

Este cortometraje narra un viaje inesperado de un turista involuntario sin billete de vuelta. Con un(a) compañero(a), observen estos fotogramas y relacionen cada uno con las siguientes frases que describen la acción. Después, escriban una sinopsis de lo que creen que es la trama. Compartan su sinopsis con las de otras dos parejas de la clase.

__1__ a. Federico, me ha ocurrido algo muy extraño mientras hablaba con usted.

__3__ b. Mire, hay una entrada a Barcelona.

__6__ c. Hice un gesto que debió ser especial y...

__4__ d. Oiga, yo no sé de qué va todo esto. Yo estoy aquí por accidente.

__5__ e. Estaba caminando por el Paseo de Gracia... y ahora me encuentro en el medio de Venecia.

__2__ f. ¿Vio cómo cerró la bolsa ayer?

1

2

3

4

5

6

Después de ver el corto

A. Lo que vimos. Con tu compañero(a), decidan si acertaron al anticipar la trama en la sinopsis que escribieron. ¿Hasta qué punto acertaron? ¿Dónde variaron de la trama?

B. ¿Qué piensan? Con tu compañero(a), contesten ahora las siguientes preguntas.

1. ¿Qué opinan de este corto? ¿Les gustó? ¿Por qué sí o no?
2. ¿Lo comprendieron la primera vez que lo vieron? ¿Qué fue lo que más ayudó su comprensión?
3. ¿Creen que *Barcelona Venecia* se parece a alguna película que hayan visto o historia que hayan leído? Si sí, ¿a cuál? Si no, ¿les parece totalmente original? Expliquen por qué.

C. Viajero circunstancial. Con tu compañero(a), contesten las siguientes preguntas. Luego compartan sus respuestas con la clase.

1. Si se vieran atrapados *(trapped)* en una situación como la del personaje de este cortometraje, ¿qué es lo que más les preocuparía? ¿Qué es lo que más le preocupa al protagonista? ¿Por qué?
2. ¿Se consideran personas tacañas *(stingy)*? ¿Creen que el protagonista es tacaño? Expliquen por qué sí o no.
3. Las personas de Barcelona o las catalanas en general tienen fama de ser muy laboriosas y muy interesadas en el dinero. ¿Creen que se puede hacer una generalización de ese tipo con tantas personas al mismo tiempo? ¿Creen que el estereotipo añade algo más de humor a la historia? Justifiquen por qué sí o no.

D. Debate. En grupos de cuatro tengan un debate sobre los estereotipos. ¿Creen que los estereotipos esconden algo de verdad? Un grupo opina que sí y otro que no, que son siempre falsos e injustos. Preparen sus argumentos y defiéndanlos. Luego informen a la clase quién ganó con sus argumentos.

E. Apoyo gramatical. Secuencia de tiempos: las cláusulas con *si*. Tú y tus compañeros(as) dicen cómo habrían reaccionado en una situación semejante a la que vieron en el cortometraje *Barcelona Venecia*. Atención: la cláusula con **si** no siempre comienza la oración.

MODELO si yo ser el viajero / yo quedarme en Venecia
Si yo hubiera sido el viajero, yo me habría quedado en Venecia. o
yo quedarme en Venecia / si yo ser el viajero
Yo me habría quedado en Venecia si yo hubiera sido el viajero.

1. si yo llegar a Venecia repentinamente / yo tener una gran alegría Si yo hubiera llegado... yo habría tenido...
2. yo sentirme desconcertado / si yo ser el señor del cortometraje Yo me habría sentido... si yo hubiera sido...
3. si algo parecido ocurrirme a mí / yo volverme loco(a) Si algo parecido me hubiera ocurrido... yo me habría vuelto...
4. yo no saber cómo actuar / si yo encontrarme de repente en un lugar lejano Yo no habría sabido... si yo me hubiera encontrado...
5. si alguien mencionarme los agujeros de gusano / yo pensar que esa persona estaba trastornada Si alguien me hubiera mencionado... yo habría pensado...
6. si yo llegar a otra dimensión espacial / yo considerarme alguien muy especial Si yo hubiera llegado... yo me habría considerado...
7. yo consultar a un siquiatra de inmediato / si yo hacer un viaje interdimensional Yo habría consultado... si yo hubiera hecho...

Gramática 8.3: Antes de hacer esta actividad conviene repasar esta estructura en las págs. 371–373.

Películas que te recomendamos

- ***Casi divas*** **(Issa López, 2008)**
- ***No digas nada*** **(Felipe Jiménez Luna, 2007)**
- ***Ruido*** **(Marcelo Bertalmío, 2005)**

8.3 Indefinite and Negative Expressions

Indefinite		Negative	
algo	*something, anything*	**nada**	*nothing, anything*
alguien	*someone, somebody, anybody*	**nadie**	*no one, nobody, anybody*
alguno	*some, any*	**ninguno**	*no, any, none*
alguna vez	*sometime, ever*	**nunca, jamás**	*never, ever*
siempre	*always*		
o	*or*	**ni**	*nor*
o... o	*either ... or*	**ni... ni**	*neither ... nor*
también	*also, too*	**tampoco**	*neither, either*
cualquiera	*any, whatever*		

—¿Sabes **algo** de los poemas de Claribel Alegría? *Do you know anything about Claribel Alegría's poems?*

—Antes no sabía **nada** de ellos, pero ahora sé un poco más. *Before I didn't know anything about them, but I now know a little more.*

—¿Ha leído **alguien** una obra de Manlio Argueta? *Has anybody read a work by Manlio Argueta?*

—No, **nadie** ha leído a ese autor salvadoreño. *No, nobody has read that Salvadoran author.*

—¿Has visitado San Salvador o Soyapango? *Have you visited San Salvador or Soyapango?*

—No me interesa visitar **ni** Soyapango **ni** Santa Ana. **Tampoco** pienso pasar tiempo en San Miguel. *I'm not interested in visiting either Soyapango or Santa Ana. I don't intend to spend time in San Miguel either.*

Alguno and ninguno

› **Alguno** varies in gender and number: **alguno, alguna, algunos, algunas; ninguno** is used in the singular only: **ninguno, ninguna.** As adjectives, they agree with the noun they modify.

—¿Has visto **algunos** cuadros de Isaías Mata? *Have you seen some of Isaías Mata's paintings?*

—He visto **algunos** cuadros suyos, pero no he visto **ningún** mural suyo. *I have seen some of his paintings, but I have not seen any of his murals.*

› **Alguno** and **ninguno** lose the final -**o** before a masculine singular noun.

Ningún presidente ha resuelto el problema de la inflación. *No president has solved the inflation problem.*

¿Conoces algún volcán salvadoreño? *Are you familiar with any Salvadoran volcano?*

› When **alguien, nadie, alguno/a/os/as** or **ninguno/a/os/as** introduce a direct object referring to people, they are preceded by the preposition **a**.

—¿Conoces **a alguien** de San Salvador? *Do you know anyone from San Salvador?*

—No conozco **a nadie** de allá. *I don't know anyone from there.*

Nunca and *jamás*

› **Nunca** and **jamás** both mean *never*. **Nunca** is more frequently used in everyday speech. **Jamás** or **nunca jamás** are used for emphasis.

Nunca he estado en Santa Ana.	*I have never been to Santa Ana.*
¡**Jamás** pensé que la comida salvadoreña fuera tan sabrosa!	*I never thought Salvadoran food was so tasty!*
—¿Visitarías otra vez El Salvador por sólo cinco días?	*Would you ever visit El Salvador again for just five days?*
—¡No, **nunca jamás!** La próxima vez me quedaré mucho más tiempo.	*No, never ever! Next time I'll stay much longer.*

› In questions, **jamás** or **alguna vez** may be used to mean *ever*; **jamás** is preferred when a negative answer is expected.

¿Te has interesado **alguna vez** (**jamás**) por escribir poemas?	*Have you ever been interested in writing poems?*
—¿Has probado **jamás** los tamales salvadoreños?	*Have you even tried Salvadoran tamales?*
—**Nunca jamás.**	*Never ever.*

No

› **No** is placed before the verb in a sentence. Object pronouns are placed between **no** and the verb.

No recibí la tarjeta postal que mandaste desde Santa Ana. **No** la enviaste a mi dirección antigua, ¿verdad?	*I didn't receive the post card you sent from Santa Ana. You didn't send it to my old address, did you?*

› Negative sentences in Spanish can contain one or more negative words. The word **no** is omitted when another negative expression precedes the verb.

—Yo **no** he leído **nada** sobre el poeta revolucionario Roque Dalton.	*I have not read anything on the revolutionary poet Roque Dalton.*
—Yo **tampoco** he leído nada de él.	*I haven't read anything about him either.*
—Mis amigos **no** se han interesado **nunca** por la política.	*My friends have never been interested in politics.*
—Mis amigos **nunca** se han interesado por la política **tampoco**.	*My friends have never been interested in politics either.*

Cualquiera

Cualquiera *(any, whatever)* may be used as an adjective or a pronoun. When used as an adjective before a singular noun, **cualquiera** is shortened to **cualquier.**

Cualquier persona que visita El Salvador queda encantado con el país y su gente.	*Any person who visits El Salvador is captivated by the country and its people.*
—¿Crees tú que los poemas de Claribel Alegría son difíciles de entender?	*Do you think the poems by Claribel Alegría are hard to understand?*
—No, yo creo que **cualquiera** los entiende.	*No, I believe anyone can understand them.*

Ahora, ¡a practicar!

A. ¿Cuánto sabes? Contesta estas preguntas para ver cuánto sabes sobre El Salvador y su cultura.

MODELO ¿Has visitado El Salvador?
Nunca he visitado El Salvador. o **Sí, visité El Salvador en 2010.**

1. ¿Entiendes algo de la situación política de El Salvador?
2. ¿Sabes si El Salvador tiene costas en el mar Caribe?
3. ¿Has visitado alguna vez la ciudad de San Salvador?
4. ¿Sabes cuál es la segunda ciudad más poblada de El Salvador?
5. ¿Has leído alguna vez acerca de "la guerra del fútbol" entre El Salvador y Honduras?
6. ¿Conoces algunos festivales salvadoreños?
7. ¿Has escuchado algunos grupos musicales salvadoreños?
8. ¿Has leído algunos poemas de Claribel Alegría?
9. ¿Conoces a alguien que haya estado en el pueblo maya la Joya de Cerén?

B. Opiniones opuestas. Tu compañero(a) contradice cada afirmación que tú haces.

MODELO Todos quieren resolver los problemas ecológicos.
Nadie quiere resolver los problemas ecológicos.

1. Siempre se va a encontrar solución a un conflicto.
2. Un gobernante debe consultar con todos.
3. La economía ha mejorado algo.
4. El gobierno debe conversar con todos los grupos políticos.
5. Ha habido algunos avances en la lucha contra el narcotráfico.
6. Muchos se declaran conservadores o liberales.

C. Quejas. Con un(a) compañero(a), prepara una lista de quejas que los padres tienen de sus hijos y otra lista de quejas que los hijos tienen de los padres.

MODELOS Padres: **¡Jamás limpias tu cuarto!**
Hijos: **Mis padres nunca me mandan suficiente dinero.**

8.4 The Imperfect Subjunctive: Forms and *si*-clauses

Forms

-ar Verbs	*-er* Verbs	*-ir* Verbs
tomar	***prometer***	***insistir***
tom**ara**	prometi**era**	insisti**era**
tom**aras**	prometi**eras**	insisti**eras**
tom**ara**	prometi**era**	insisti**era**
tom**áramos**	prometi**éramos**	insisti**éramos**
tom**arais**	prometi**erais**	insisti**erais**
tom**aran**	prometi**eran**	insisti**eran**

› To form the imperfect subjunctive of all verbs drop **-ron** from the third-person plural form of the preterite and add the appropriate endings, which are the same for all verbs: **-ra, -ras, -ra, -ramos, -rais, -ran.** Note that there is a written accent mark on the first-person plural form.

tomar~~ron~~ → tomara
prometie~~ron~~ → prometiera
insistie~~ron~~ → insistiera

› All verbs with spelling and stem changes, or with irregular stems in the third-person plural form of the preterite maintain that same irregularity in the imperfect subjunctive.

leer: leyeron → leyera, leyeras, leyera, leyéramos, leyerais, leyeran
dormir: durmieron → durmiera, durmieras, durmiera, durmiéramos, durmierais, durmieran
estar: **estuv**ieron → **estuv**iera, **estuv**ieras, **estuv**iera, **estuv**iéramos, **estuv**ierais, **estuv**ieran

Other verbs that follow this pattern are:

Spelling Changes

creer: creyeron → creyera
oír: oyeron → oyera

Stem Changes

mentir: mintieron → mintiera
pedir: pidieron → pidiera

Irregular Verbs

decir: **dijer**on → **dijer**a
haber: **hubie**ron → **hubie**ra
hacer: **hicie**ron → **hicie**ra
ir/ser: **fue**ron → **fue**ra
poder: **pudie**ron → **pudie**ra
poner: **pusie**ron → **pusie**ra
querer: **quisie**ron → **quisie**ra
saber: **supie**ron → **supie**ra
tener: **tuvie**ron → **tuvie**ra
venir: **vinie**ron → **vinie**ra

› The imperfect subjunctive has two sets of endings. The **-ra** endings, which have been presented, are the most common throughout the Spanish-speaking world. The **-se** endings (**-se, -ses, -se, -semos, -seis, -sen**) are used most often in Spain and infrequently in Latin America.

Imperfect Subjunctive in *si*-clauses

One important use of the imperfect subjunctive is in sentences that express situations that are hypothetical, improbable, or completely contrary to fact. In these instances, the **si**-clause with the imperfect subjunctive states the condition, and the main clause with the conditional states the result of the condition. Either the main clause in the conditional or the **si**-clause in the imperfect subjunctive may begin the sentence.

Si yo **fuera** a El Salvador, no dejaría de visitar el volcán Izalco. — *If I were to go to El Salvador, I would not fail to visit the Izalco Volcano.*

Muchos más estadounidenses **visitarían** El Salvador si **supieran** más del país. — *Many more Americans would visit El Salvador if they knew more about the country.*

Ahora, ¡a practicar!

A. Deseos. Tus amigos salvadoreños te dicen que les gustaría más San Salvador si tuviera las siguientes cualidades.

MODELO proponer medidas para disminuir la contaminación
Nos gustaría más San Salvador si propusieran medidas para disminuir la contaminación.

1. planear mejor el crecimiento de la ciudad
2. solucionar los embotellamientos del tráfico
3. promover más los museos de la ciudad
4. mantener mejor la red de caminos y carreteras
5. haber menos ruido en las calles
6. crear más áreas verdes en la ciudad

B. Planes remotos. Di lo que a ti te gustaría hacer si pudieras visitar El Salvador.

MODELO ir a El Salvador / visitar las ruinas mayas
Si fuera a El Salvador, visitaría las ruinas mayas.

1. estar en el centro de San Salvador / no dejar de ver la Catedral Metropolitana
2. querer comprar objetos de artesanía en San Salvador / ir a los mercados de Ilopango
3. practicar surf / viajar a la playa de La Libertad
4. llegar hasta el Parque Nacional Cerro Verde / hacer caminatas
5. necesitar un lugar tranquilo / dirigirse al pueblito colonial de Suchitoto
6. poder / ir a ver la laguna Alegría dentro del cráter del volcán Tecapa
7. estar en forma / subir a uno de los muchos volcanes del país
8. tener tiempo / llegar hasta el bosque de lluvia de Montecristo

C. Recomendaciones. Di lo que les recomendarías a tus compañeros que hicieran o no hicieran.

MODELO **Les recomendaría que estudiaran más.**

D. Poniendo condiciones. Di bajo qué condiciones harías lo siguiente.

MODELO visitar Centroamérica
Visitaría Centroamérica si tuviera dinero.

1. llamar a mis abuelos
2. comprar un carro nuevo
3. hacer un viaje a Europa
4. sacar una "A" en todas mis clases
5. correr un maratón
6. trabajar durante el verano

Lección 8: Guatemala

Derechos humanos

amenazar *to threaten*
analfabetismo *illiteracy*
anciano(a) *old, elderly*
asesinato político *political assassination*
color de la piel *(m.)* *skin color*
corrupción política *(f.)* *political corruption*
democracia *democracy*
derechos humanos *human rights*
igualdad de hombres y mujeres *(f.)* *equality of men and women*
igualdad de oportunidades *(f.)* *equal opportunity*
injusticia militar *military injustice*
libertad *(f.)* *liberty*
libertad de reunión y asociación *(f.)* *freedom of assembly and association*
origen nacional *(m.)* *national origin*
paz *(f.)* *peace*
personas desaparecidas *missing persons*
propiedad *(f.)* *property*
raza *race (ancestry)*
tribunal *(m.)* *court*

Descripción

agrado *liking*
asco *disgust, revulsion*
ausente *(m. f.)* *distracted; absent*
orgulloso(a) *proud*
penoso(a) *lamentable*
soledad *(f.)* *solitude, loneliness*

Personas

astrónomo(a) *astronomer*
compatriota *(m. f.)* *compatriot, fellow countryman(woman)*
etnia *ethnic group*
guerrero(a) *warrior*
mago(a) *magician*
obrero(a) *worker*

Tom Pepeira / Photolibrary

Palabras útiles

antorcha *torch*
caja *box*
capitanía *a territory governed by the military independent of the viceroyalty to which it belonged*
cardamomo *cardamom*
conocimiento *knowledge*
foro *forum*
gaviota *seagull*
grabación *(f.)* *recording*
huellas *footprints*
sustantivo *noun*

Verbos y expresiones verbales

acarrear *to carry, to haul*
arrasar *to sweep to victory*
dar fin a *to end, to put an end to*
dar paso a *to give way to*
englobar *to include; to put all together*
estar de pie *to be standing*
hacer mandados *to run errands*
me cuesta mucho *I find it difficult*
pastorear *to graze, to bring cattle to pasture*

Lección 8: El Salvador

Políticos

alcalde, alcaldesa	*mayor*
cámara alta	*upper house, senate*
derechista *(m. f.)*	*rightist, right-wing*
diputado(a)	*representative*
izquierdista *(m. f.)*	*leftist, left-wing*
representante *(m. f.)*	*representative*
senado	*senate*
senador(a)	*senator*

Damnificados

ajusticiamiento	*execution*
apretado(a)	*hard, difficult, tight, narrow*
asilo	*asylum, refuge*
damnificado(a)	*victim*
demolido(a)	*demolished, destroyed*
infausto(a)	*unlucky, accursed*
matanza	*slaughter*

Verbos

asolar	*to devastate; to destroy*
compensar	*to offset*

Asuntos políticos

apoyar	*to support*
control de las armas de fuego *(m.)*	*gun control*
narcotráfico	*drug traffic*
pena de muerte	*death penalty*
postular	*to be a candidate for*
prohibición del tabaco *(f.)*	*prohibition of cigarettes*
propugnar	*to defend; to advocate*
sanidad pública *(f.)*	*health care*
suicidio asistido	*assisted suicide*
votar	*to vote*

Comstock / Photolibrary

Descripción

comprometido(a)	*committed*
detenido(a)	*stopped, halted*
difundido(a)	*widespread*
tierno(a)	*tender*

Palabras útiles

diáspora	*migration*
esfuerzo	*effort*
floreciente *(m. f.)*	*flourishing*
monto	*total*

LECCIÓN 9

Sed del futuro

NICARAGUA Y HONDURAS

Carl Hiebert / Photolibrary

Suggestions: Have students think about the meaning of the title: To what **sed** might this refer? Why **del futuro**? Ask students if they think it is an appropriate description of the situation of these countries. Have them explain their responses.

LOS ORÍGENES

Lee sobre los mayas con su avanzada civilización, los nicaraos y los misquitos, cuyo origen todavía se desconoce. Aprende también sobre la estructura política original de lo que hoy consideramos Centroamérica y el papel de Nicaragua y Honduras en ella (págs. 380–381).

SI VIAJAS A NUESTRO PAÍS...

- En **Nicaragua** visitarás la capital —con una población de más de un millón ochocientos mil—, la hermosa ciudad colonial de León, la ciudad de Masaya a la entrada del Parque Nacional del Volcán Masaya y una cadena de veinticinco volcanes —varios activos, con erupciones espectaculares (págs. 382–383).
- En **Honduras** conocerás la capital —con una población de más de un millón—, San Pedro Sula, Copán —la ciudad maya más avanzada y elaborada artísticamente— y algunos parques nacionales (págs. 400–401).

MEJOREMOS LA COMUNICACIÓN

Aprende a hablar con facilidad de medios de transporte (págs. 384–385) y de negocios internacionales (págs. 402–403).

AYER YA ES HOY

Haz un recorrido por la historia de Nicaragua desde su independencia y las intervenciones extranjeras hasta el presente (págs. 386–387), y por la de Honduras desde la segunda mitad del siglo XIX hasta nuestros días (págs. 404–405).

LOS NUESTROS

- En **Nicaragua** conoce a un notable escritor, abogado, periodista y político; a una de las figuras más sobresalientes de la poesía latinoamericana contemporánea y a un guitarrista, compositor y cantante, célebre por su habilidad para tocar la guitarra con los pies (págs. 388–389).
- En **Honduras** conoce a un escritor considerado uno de los mejores expositores de la moderna narrativa hondureña; a un médico, cirujano y farmacólogo de fama internacional y a una famosa periodista y presentadora de televisión hondureña (págs. 406–407).

¡LUCES! ¡CÁMARA! ¡ACCIÓN!

Comprende la vulnerabilidad nicaragüense a las extraordinarias fuerzas de la naturaleza y disfruta de la belleza poética de uno de los mayores poetas del mundo hispanohablante en el video "Nicaragua: bajo las cenizas del volcán" (pág. 390).

ESCRIBAMOS AHORA

Aprende a escribir un cuento reinventado (pág. 408).

Y AHORA, ¡A LEER!

- Disfruta de una versión poética del mito de la creación del mundo de la pluma de Gioconda Belli en el fragmento de su novela *El infinito en la palma de la mano* (págs. 391–393).
- Calcula cuánto necesitarías para estar en paz y libre de deudas, inspirado(a) por el poema "Paz del solvente", del hondureño José Adán Castelar (págs. 409–411).

GRAMÁTICA

Repasa los siguientes puntos gramaticales:

- 9.1 Imperfect Subjunctive: Noun and Adjective Clauses (págs. 394–396)
- 9.2 Imperfect Subjunctive: Adverbial Clauses (págs. 397–399)
- 9.3 Imperfect Subjunctive: Main Clauses (pág. 412)
- 9.4 Other Perfect Tenses (págs. 413–417)

LOS ORÍGENES

Las primeras evidencias de la presencia humana en la actual Honduras se encuentran cerca de la ciudad de La Esperanza, en Intibucá, donde se desarrollaron asentamientos humanos hace unos 12 mil años.

En la noche de los tiempos

¿Qué pueblos habitaban el territorio hoy hondureño y nicaragüense?

Fletcher & Baylis / Photo Researchers, Inc.

La civilización más avanzada que habitó el territorio hoy considerado hondureño es la civilización maya. Los mayas se establecieron alrededor de la ciudad de Copán, en el occidente de Honduras. Esta ciudad prosperó durante el período Clásico (150–900), desarrollándose en ella muchas disciplinas como la escultura, pintura, astronomía, matemáticas, música y literatura. En las ruinas de esta ciudad se encuentra la Escalinata de los Jeroglíficos, con más de 2000 glifos.

La actual Nicaragua estaba poblada por los nicaraos (de cuyo nombre se derivó el nombre de Nicaragua), un grupo nativo que emigró desde regiones del norte después de la caída de Teotihuacán. Según la tradición, debían viajar hacia el sur hasta encontrar un lago con dos volcanes que se levantaran de las aguas, es decir, cuando llegaran a Ometepetl (Omepete), la isla volcánica más grande del mundo rodeada por un lago de agua dulce.

Colonización, conquista e independencia

¿Cómo se produjeron la conquista y colonización de la actual Honduras?

La colonización de Honduras comenzó en 1522, año en que Gil González Dávila emprendió su conquista. Entre los líderes de la resistencia destacó el cacique Lempira, un líder guerrero de los lencas, que organizó a su pueblo para defenderse de la invasión de los conquistadores españoles. Lempira murió traicionado por el capitán español Alonso de Cáceres. Tras la conquista de los territorios y durante cerca de tres siglos, la vida de la colonia se desarrolló con relativa paz. En la actual Nicaragua, las ciudades de Granada y León fueron fundadas por Francisco Fernández de Córdoba en 1524, y cuatro años después se creó la Provincia de Nicaragua, que pasó a incorporarse a la Capitanía General de Guatemala, parte a su vez del Virreinato de Nueva España hasta 1821.

¿Cómo y cuándo se independizó Nicaragua de España?

El 11 de octubre de 1821, la Diputación Provincial de Nicaragua proclamó la independencia absoluta de España y se unió a México. En 1823, Nicaragua se incorporó a la Federación de las Provincias Unidas de Centroamérica. La federación no sobrevivió mucho tiempo y Nicaragua fue el primer Estado en separarse de ella de modo definitivo, en 1838.

Los misquitos

¿Cuál es el origen de los misquitos?

A mediados del siglo XVII se desarrolló en el noreste de la actual Nicaragua la nación de los zambos misquitos. Su territorio se extiende desde Cabo Cameron, en Honduras, hasta el sur del río Grande, en Matagalpa, Nicaragua. Se trata de un terreno de difícil acceso, con lo que se explica que permanecieran aislados de la conquista española de la zona. Su origen no está claro. Una de las teorías más aceptadas es que surgió de la mezcla entre los indígenas que habitaban la región y los sobrevivientes del naufragio de un barco de esclavos que se hundió en el litoral. Lograron mantenerse al margen de la autoridad española y desarrollaron fuertes lazos con los ingleses de Jamaica, quienes establecieron una especie de protectorado en la Mosquitia.

Jim and Mary Whitmer / Photolibrary

¿COMPRENDISTE?

A. Hechos y acontecimientos. Contesta las siguientes preguntas. Luego, compara tus respuestas con las de un(a) compañero(a).

1. ¿Cuáles fueron los pueblos indígenas que ocuparon el territorio que ahora conocemos como Honduras y Nicaragua?
2. ¿Quién fue Lempira?
3. Antes de ser independiente, ¿a qué país perteneció el territorio hoy hondureño? ¿Cuándo se separó?
4. ¿En qué año se independizó Nicaragua? Antes de separarse, ¿a qué federación perteneció?
5. ¿Quiénes son los misquitos? ¿Cuál se considera que es su origen?

VOCABULARIO ÚTIL

asentamiento	*settlement*
emprender	*to embark on*
escalinata	*stairway*
glifo	*glyph, a concave ornament (arquitecture)*
hundir	*to sink*
jeroglífico	*hieroglyph*
litoral *(m.)*	*coast*
lazo	*tie*
naufragio	*shipwreck*
sobreviviente	*surviving*
zambo(a)	*person of mixed African and Native American blood*

B. A pensar y a analizar. Contesta las siguientes preguntas con dos o tres compañeros(as) de clase.

1. ¿Por qué creen que los países de Centroamérica se unieron inicialmente? ¿Por qué no lograron mantener esa unidad? ¿Qué creen que acabó con la Federación de las Provincias Unidas de Centroamérica?
2. ¿Creen que es posible, como se asegura de los misquitos, que surja un pueblo con una identidad tan marcada a partir de un grupo reducido de personas? ¿Por qué sí o no? ¿De qué otra manera se podría explicar el origen de los misquitos? ¿Cuál es más creíble? ¿Por qué?

¡Diviértete en la red!
Busca "cultura misquita" en YouTube para ver fascinantes videos de este pueblo. Ve a clase preparado(a) para compartir la información que encontraste.

Nicaragua

Comprehension check: Ask: 1. ¿Por qué crees que la obra teatral *El Güegüense* fue declarada Patrimonio Oral e Intangible de la Humanidad por la UNESCO? 2. ¿Cuál de los varios atractivos de León te interesa más? ¿Por qué dices eso? 3. ¿Por qué crees que la gente de Masaya sigue viviendo allí, al lado de un volcán activo? ¿Lo harías tú? Explica tu respuesta. 4. Nicaragua se conoce como la "Tierra de lagos y volcanes". ¿Qué evidencia hay en esta sección que apoya este nombre?

Nombre oficial: República de Nicaragua
Población: 5.891.199 (estimación de 2009)
Principales ciudades: Managua (capital), León, Granada, Masaya
Moneda: Córdoba (C$)

En Managua, la capital, con una población de más de un millón ochocientos mil, tienes que conocer...

- el Palacio Nacional de la Cultura, con 11 salas dedicadas a arqueología, cerámica, artesanía, pintura, arte sacro y una sala a *El Güegüense*, obra teatral de la literatura prehispánica nicaragüense, que fue declarada por la UNESCO Patrimonio Oral e Intangible de la Humanidad en el año 2005.
- el Centro Cultural de Managua, sede de escuelas nacionales de arte, música, danza, artes plásticas y teatro. Se exhiben enormes cuadros de lo que fue la antigua capital antes del terremoto de 1972.
- el Mercado Roberto Huembes, famoso por concentrar a vendedores de artesanía de todo el país.
- la laguna de Tiscapa, de origen volcánico, cuenta con un mirador *(observation point)* en la montaña desde donde se puede apreciar los edificios modernos de la zona urbana de la ciudad.

David Constantine / Photolibrary

El lago de Managua se presta a la práctica de los deportes acuáticos.

En León, no dejes de ver...

- León Viejo, con algunos de los edificios coloniales mejor conservados de Centroamérica.
- la Basílica de Asunción y el Colegio de Asunción, una de las muchas edificaciones antiguas de la ciudad, en estilos neoclásico, barroco, colonial y gótico.
- sus hermosas playas de arena negra, como Las Peñitas, Juan Venado, El Velero, El Tránsito y Poneloya junto con Salinas Grandes.
- la cadena volcánica Los Maribios, con una docena de volcanes que atraviesan *(cross)* todo el departamento de León y le dan una imagen única.

En Masaya, conocida como la cuna del folclore nicaragüense, dado que la mayoría de los bailes folclóricos nicaragüenses nacieron aquí, tienes que visitar...

- el histórico barrio Monimbó, que conserva las tradiciones y costumbres indígenas y donde se hacen artesanías típicas.
- la Iglesia de San Jerónimo, que fue destruida por el terremoto que azotó el país a mediados del año 2000, pero que ya ha sido completamente restaurada. Es hogar de la imagen milagrosa del santo patrono de Masaya.
- el Parque Nacional Volcán Masaya, a unos cinco kilómetros de la ciudad, cuyo volcán ha estado en continua actividad desde la época de la Conquista española, expulsando lava y gases. Es un volcán doble —Masaya y Nindiri—, con cuatro conos volcánicos.
- el lago del Cráter Apoyo, un lago dentro del enorme cráter que mide seis kilómetros (3.7 millas) de punta a punta, abierto por una erupción catastrófica hace veintiún mil años.

"Tierra de lagos y volcanes"

El paisaje nicaragüense del Pacífico está marcado por la impresionante cadena de veinticinco volcanes, varios de los cuales siguen activos con erupciones espectaculares. Entre ellos se encuentran....

- los volcanes Concepción y Maderas, ambos activos, en la isla de Ometepe en el lago de Nicaragua.
- el hermoso volcán Momotombo, que baña el lago de Managua. Es un símbolo de Nicaragua.
- el volcán San Cristóbal, el más alto del país. Tiene una forma cónica perfecta, que está permanentemente expulsando humo.

Juergen Richter / Photolibrary

El majestuoso volcán Concepción al atardecer

¡Diviértete en la red!

Busca "Managua", "León", "Masaya" o cualquiera de estos volcanes en Google Images o en YouTube para ver fotos y videos de estos imponentes lugares. Ven a clase preparado(a) para describir en detalle el lugar que escogiste.

¡Viaje al centro de las Américas!

Aunque parezca mentira, la llamada "fiebre del oro" llevó a muchos aventureros del este al oeste de los Estados Unidos viajando a través de Nicaragua. En lugar de una ruta por tierra, muchos preferían viajar por barco a través del istmo de Nicaragua. Pero no se trata de algo que pertenece al pasado. En 2006, el presidente nicaragüense Bolaños anunció una iniciativa para la construcción de un canal similar al de Panamá, que reduciría el viaje entre Nueva York y San Francisco en más de un día.

Para hablar de transportes

aterrizar	*to land*
barco de recreo	*pleasure boat*
barco de vela	*sailboat*
boleto de ida	*one-way ticket*
boleto de ida y vuelta	*round-trip ticket*
boleto sencillo	*one-way ticket*
bote *(m.)*	*small boat*
buque de carga *(m.)*	*cargo boat*
camioneta cubierta	*minivan*
despegar	*to take off*
equipaje *(m.)*	*luggage*
equipaje de mano *(m.)*	*carry-on luggage*
transporte terrestre *(m.)*	*ground transportation*
tren de carga *(m.)*	*freight train*
tren de pasajeros *(m.)*	*passenger train*
vehículo con tracción a cuatro ruedas	*vehicle with four-wheel drive*
vehículo todo terreno	*all-terrain vehicle*
vuelo con (sin) escalas	*flight with (without) stopovers*
vuelo directo	*direct flight*

John Coletti / Photolibrary

Vocabulary practice: Ask students what means of transportation they own or use regularly and which one they prefer **para transporte terrestre / ir de vacaciones / ir de tu casa a la universidad.** Then ask if they have traveled by **tren de pasajeros / vehículo todo terreno / barco (de recreo/vela).**

Al hablar de transporte por tierra

—Antes, el sistema de transporte en Nicaragua era muy diverso. Se usaba de todo: mulas y carretas, autos nuevos y unos muy antiguos, camiones y camionetas, autobuses viejísimos y bicicletas.

Previously, the transportation system in Nicaragua was very diverse. They used everything: mules and carts, new cars and some very old ones, big trucks and small trucks, extremely old buses, and bicycles.

—¿Y cómo eran los caminos y las carreteras? Y ahora, ¿cómo son?

And what were the roads and highways like? And how are they now?

—En las ciudades había buenas calles y otras que no eran tan buenas, como en cualquier país. Pero en el campo, la mayoría de los caminos no estaban pavimentados ni lo están ahora.

In the cities there were good streets and others that weren't so good, as in any country. But in the countryside, most of the roads were not paved nor are they now.

Al describir el transporte marítimo

—En el lago de Managua hay muchas actividades acuáticas. Puedes alquilar canoas o lanchas de motor.

In Lake Managua there are a lot of aquatic activities. You can rent canoes or motor boats.

—También puedes cruzar el lago con tu coche en un transbordador. Son muy cómodos con tal de que no lleven demasiados pasajeros.

You can also cross the lake with your car in a ferryboat. They are very comfortable provided that they are not carrying too many passengers.

Al hablar de vuelos

—¡Ah! Ya regresaste. Cuéntame, ¿cómo fue tu viaje a Centroamérica?

Oh! You returned already. Tell me, how was your trip to Central America?

—¡Fascinante! Pero estoy muerto(a). El vuelo de vuelta fue muy agotador.

Fascinating! But I'm dead tired. The return flight was very exhausting.

¡A practicar, luego a conversar!

A. ¿Sinónimos? Indica si las siguientes palabras son sinónimas (Sí) o no (No).

__No__ 1. despegar / aterrizar

__Si__ 2. vuelo sin escalas / vuelo directo

__Si__ 3. boleto sencillo / boleto de ida

__No__ 4. bote de vela / banco de carga

__No__ 5. camioneta cubierta / tren de carga

B. Palabras clave: vuelo/volar. Para ampliar tu vocabulario, trabaja con un(a) compañero(a) de clase para decidir cuál es el significado de **volar/vuelo** en las frases de la izquierda. Luego, escriban dos oraciones con cada expresión.

__b__ 1. volar un Boeing 777 — a. to use high-flown language

__a__ 2. usar un lenguaje de alto vuelo — b. to pilot a commercial aircraft

__f__ 3. volar un edificio — c. to shout from the rooftop

__g__ 4. escribir a vuela pluma — d. to miss the flight

__e__ 5. levantar el vuelo — e. to take off

__d__ 6. perder el vuelo — f. to blow up a building

__c__ 7. echar las campanas al vuelo — g. to write without thinking

C. Dramatización. Dramatiza la siguiente situación con un(a) compañero(a) de clase. Quieren viajar juntos a Centroamérica y necesitan ponerse de acuerdo sobre cómo, cuándo y adónde van a viajar. Hagan un itinerario ideal y detallen cuánto van a costar los boletos y los demás gastos que anticipan que van a tener.

D. Encuesta. Entrevista a dos o tres de tus compañeros(as) de clase sobre incidentes interesantes que han tenido usando distintos medios de transporte, tanto en su ciudad como en el extranjero. Luego, informa a la clase del resultado de tu encuesta.

Nicaragua: reconstrucción de la armonía

Las intervenciones extranjeras y los Somoza

Nicaragua declaró su independencia el 12 de noviembre de 1838, después de separarse de la Federación de Provincias Unidas de Centroamérica. Desde entonces, Nicaragua se vio invadida frecuentemente por gobiernos extranjeros —El Salvador, Honduras, Gran Bretaña y los Estados Unidos. Estas intervenciones afectaron negativamente el desarrollo político del país al punto que el patriota César Augusto Sandino se puso al frente de un grupo de guerrilleros y en 1933 logró expulsar a la marina estadounidense. El 1º de enero de 1937, Anastasio Somoza García, jefe de la Guardia Nacional, ordenó la muerte de Sandino, depuso al presidente Juan Bautista Sacasa y se proclamó presidente. De esta manera comenzó el período de gobierno oligárquico de la familia Somoza (1937–1979) que incluye los gobiernos de Anastasio Somoza García y de sus hijos, Luis Somoza Debayle y Anastasio (Tachito) Somoza Debayle.

John Coletti / Photolibrary

Retrato de Sandino en una casa de San Juan del Sur, Nicaragua

Revolución sandinista

La oposición al gobierno unía a casi todos los sectores del país después del asesinato de Pedro Joaquín Chamorro, editor del diario *La Prensa,* ocurrido el 10 de enero de 1978. Tan pronto como se vio que el Frente Sandinista de Liberación Nacional (FSLN) incrementaba sus ataques militares, el gobierno estadounidense retiró su apoyo al gobierno y Anastasio Somoza Debayle salió del país el 17 de julio de 1979. Dos días después los líderes de la oposición sandinista entraron victoriosos a Managua.

La guerra civil costó más de treinta mil vidas y destrozó la economía del país. La Junta de Gobierno de Reconstrucción Nacional formada por cinco miembros tomó el poder y se vio reducida a tres en 1981 por renuncias de los miembros moderados. Aunque hubo una exitosa campaña de educación por todo el país, pronto los esfuerzos del régimen sandinista se vieron obstaculizados por continuos ataques de guerrilleros antisandinistas (llamados "contras") apoyados por el gobierno de los EE.UU. El régimen sandinista, a su vez, recibió ayuda militar y económica de Cuba y de la Unión Soviética.

Difícil proceso de reconciliación

En noviembre de 1984 fue elegido presidente el líder del Frente Sandinista, Daniel Ortega. En las elecciones libres de 1990, Ortega fue derrotado por la candidata de la Unión Nacional Opositora (UNO), Violeta Barrios de Chamorro, cuyo gobierno logró la pacificación de los "contras", reincorporó la economía nicaragüense al mercado internacional y reanudó lazos de amistad con los EE.UU. En enero de 1997, hubo otra transmisión pacífica de poder cuando Chamorro entregó la presidencia a Arnoldo Alemán Lacayo, quien había vencido en elecciones democráticas a Daniel Ortega, el candidato sandinista. Cuando por fin parecía que mejoraba la situación económica en Nicaragua, el huracán Mitch devastó el país en 1998.

Visions LLC / Photolibrary

Protestando la Contra nicaragüense

Posteriormente al desastre, y en parte a consecuencia del mismo, el país tuvo que hacer frente a una grave crisis política y social en 1999. Dado el carácter violento que adoptaron y la dura respuesta de la policía y el ejército a una depuración iniciada por el gobierno de los sectores vinculados al sandinismo, el país volvió a estar al borde de una nueva guerra civil.

La Nicaragua de hoy

Ron Nickel / Photolibrary

Nicaragüenses que disfrutan de un juego de béisbol de pelota blanda

- En las elecciones legislativas y presidenciales celebradas el 4 de noviembre de 2001, la victoria fue para Enrique Bolaños del Partido Liberal Constitucionalista.
- En el año 2006 se celebraron nuevas elecciones, las cuales fueron ganadas por el candidato del Frente Sandinista de Liberación Nacional, Daniel Ortega.
- En noviembre de 2008 se celebraron elecciones municipales, que sumieron al país en una profunda crisis política. La oposición rechazó los resultados de los comicios, realizados sin observadores internacionales. A raíz de las acusaciones de fraude, los Estados Unidos y la Unión Europea congelaron su ayuda a Nicaragua.
- Nicaragua es, principalmente, un país agricultor. Entre los principales productos que exporta se encuentran la banana, el café, el azúcar, el tabaco y la carne de res. El ron Flor de Caña es conocido como uno de los mejores de Latinoamérica. Al igual que otros países del continente, las remesas de nicaragüenses que viven en el extranjero constituyen una ayuda importante en la economía del país.

¿COMPRENDISTE?

A. Hechos y acontecimientos. ¿Recuerdas los datos más importantes de la lectura? Para asegurarte, trabaja con un(a) compañero(a) de clase para escribir una breve definición que explique el significado de las siguientes personas y elementos en la historia de Nicaragua. Luego, comparen sus definiciones con las de la clase.

1. César Augusto Sandino
2. el FSLN
3. Pedro Joaquín Chamorro
4. los sandinistas
5. Daniel Ortega
6. Violeta Barrios de Chamorro
7. Arnoldo Alemán Lacayo
8. Enrique Bolaños

B. A pensar y a analizar. ¿Qué papel han tenido los EE.UU. a lo largo de la historia de Nicaragua? ¿A quiénes han apoyado? ¿Ha tenido un efecto negativo o positivo esta participación? Expliquen.

VOCABULARIO ÚTIL

comicio	*election*
congelar	*to freeze*
deponer	*to overthrow, to depose*
depuración *(f.)*	*purge, cleansing*
destrozar	*to wreck, to ruin*
incrementar	*to increase*
reanudar	*to resume*
retirar	*to withdraw*
sumir	*to plunge, to immerse*
vinculado(a)	*tied to*

C. Apoyo gramatical. El imperfecto del subjuntivo: cláusulas nominales y adjetivales. Di cómo se sentían muchos nicaragüenses a causa de algunos acontecimientos históricos que ocurrieron en su país.

MODELO deplorar / el país estar en guerra civil
Muchos nicaragüenses deploraban que el país estuviera en guerra civil.

1. lamentar / el país ser invadido por países extranjeros lamentaban / fuera invadido
2. pedir / elecciones en que no haber fraude pedían / no hubiera
3. querer / los infantes de marina *(marines)* estadounidenses salir del país querían / salieran
4. desear / políticos que mantener la independencia del país deseaban / mantuvieran
5. necesitar / ciudadanos como Sandino luchar por un país libre necesitaban / lucharan
6. estar contentos de / la economía mejorar entre 1995 y 1997 estaban contentos / mejorara
7. sentir mucho / el huracán Mitch devastar el país en 1998 sentían / devastara
8. solicitar / gobiernos que respetar las libertades individuales solicitaban / respetaran
9. alegrarse de / la gente siempre creer en un futuro mejor se alegraban / creyera

Gramática 9.1: Antes de hacer esta actividad conviene repasar esta estructura en las págs. 394–396.

Suggestions: Read an excerpt of a work by Ramírez, a poem by Zamora, or play a song by Meléndez for the class.

Sergio Ramírez

AP Images / Moises Castillo

Es un notable escritor, abogado, periodista y político nicaragüense. A los dieciocho años, fundó la revista *Ventana* y a los veintiuno publicó su primer libro, *Cuentos.* Fue elegido vicepresidente de la república en 1984, tiempo en que se destacó por su papel político y cultural. Ha escrito más de treinta obras, muchas de las cuales han sido traducidas a varios idiomas. Algunos críticos dicen que su obra maestra es su novela, *Sombras nada más* (2002), la cual muestra los eventos políticos y sociales de Latinoamérica en las últimas décadas del siglo XX. Ramírez es columnista de varios periódicos publicados en distintos países; entre ellos: *El País*, de Madrid; *La Jornada*, de México; *El Nacional*, de Caracas; *El Tiempo*, de Bogotá y *La Opinión*, de Los Ángeles.

© Margaret Randall

Daisy Zamora

Poeta, escritora, artista y psicóloga, es una de las figuras más sobresalientes de la poesía latinoamericana contemporánea. Su obra es conocida por el amplio espectro de temas que abarca en interconexión con los avatares de la vida diaria: temas que van desde los derechos humanos, la política, la revolución, el feminismo, el arte, la historia y la cultura. Por su activa participación durante la revolución, fue nombrada viceministra de Cultura y Directora Ejecutiva del Instituto de Economía e Investigaciones Sociales. Su poesía es vibrante y conmovedora y se identifica completamente con los problemas de la mujer tanto en sus actividades diarias como también en su papel político. En 2006 fue reconocida como la *Escritora del Año* por la Asociación Nacional de Artistas de Nicaragua.

Tony Meléndez

Paul Hawthorne / Getty Images

Este guitarrista, compositor, cantante y escritor nicaragüense es célebre por su habilidad para tocar la guitarra con los pies, ya que nació sin brazos. Creció en medio de grandes limitaciones materiales, pero en medio de una gran riqueza espiritual. Fue su padre quien le dio sus primeras lecciones de guitarra y aquella vieja guitarra española que perteneció a su progenitor es uno de sus más preciados tesoros. El 15 de septiembre de 1987, en Los Ángeles, interpretó *Never Be the Same*, durante la visita del Papa Juan Pablo II. El sorpresivo e inesperado saludo del Papa cambió su vida. Juan Pablo II lo invitó a seguir dando esperanza a todos. Entre sus libros se encuentran *Un regalo de esperanza* y *No me digas que no puedes*.

Suggestions: Ask students what a **grabador(a)** does. Ask students to look up two or more of the **Otros nicaragüenses sobresalientes** on the Internet and have them turn in a brief written report on what they find. You may want to offer extra credit for this work.

Otros nicaragüenses sobresalientes

Violeta Barrios de Chamorro: política y ex presidenta

Mario Cajina-Vega: cuentista

Ernesto Cardenal: poeta y sacerdote

Lizandro Chávez Alfaro: cuentista, novelista, ensayista, poeta y diplomático

Pablo Antonio Cuadra: poeta, editor y periodista

Rubén Darío (1867–1916): poeta, periodista y diplomático

Bernard Dreyfus: pintor

Armando Morales: pintor, dibujante y grabador

Daniel Ortega: político y líder sandinista

Hugo Palma-Ibarra: médico y pintor

¿COMPRENDISTE?

VOCABULARIO ÚTIL

avatares *(m. pl.)*	*ups and downs*
colocar	*to place; to put*
deshacerse de	*to get rid of*
dictar	*to teach*
preciado(a)	*prized*
progenitor(a)	*father; mother*
radicar	*to reside; to live*

A. **Los nuestros.** Contesta las siguientes preguntas. Luego, compara tus respuestas con las de tus compañeros(as) de clase.

1. ¿En qué forma ha contribuido a la cultura de su país Sergio Ramírez? ¿Qué papel cumple Sergio Ramírez a nivel internacional?
2. ¿Qué especialidades abarca Daisy Zamora? ¿Cuáles son algunos de los puestos que ha tenido? ¿Llaman tu atención los temas que trata?
3. ¿Por qué crees que Tony Meléndez tiene tanta fuerza interior? ¿Por qué crees que el saludo del Papa impactó tanto su vida? ¿Crees que las personas que logran sobreponerse *(to overcome)* a las dificultades son espiritualmente más fuertes que los demás? Explica tu respuesta.

B. **Miniprueba.** Demuestra lo que aprendiste de estos talentosos nicaragüenses al seleccionar la opción que complete mejor estas oraciones.

1. *Sombras nada más,* de Sergio Ramírez, muestra __a__ de Latinoamérica.
   a. los eventos políticos y sociales b. la cultura c. la falta de progreso
2. Entre los temas principales de la obra de Daisy Zamora se encuentra __b__.
   a. el de la pobreza b. el del feminismo c. el de los desastres naturales
3. El mensaje de Tony Meléndez encierra un fuerte contenido de __c__.
   a. charlas motivacionales
   b. limitaciones físicas
   c. esperanza y optimismo

¡Diviértete en la red!

Busca "Sergio Ramírez Nicaragua" en Google Web y "Daisy Zamora" o "Tony Meléndez" en YouTube para obtener datos interesantes y ver videos de estos talentosos nicaragüenses. Ven a clase preparado(a) para presentar lo que encontraste.

¡LUCES! ¡CÁMARA! ¡ACCIÓN!

Suggestion: Keep in mind that the previewing questions are critical-thinking questions with several possible answers. Make sure students have valid reasons for answering as they do.

Nicaragua: bajo las cenizas del volcán

Antes de empezar el video

En parejas. Contesten las siguientes preguntas en parejas.

1. ¿Cuáles son algunos resultados inevitables de una guerra civil que perdura años y años? Expliquen en detalle.
2. ¿Qué pasa cuando un grupo de gente insiste en construir sus casas o ciudades en lugares geográficamente hermosos pero, a la vez, peligrosos debido a las fuerzas naturales de la región? Den ejemplos.
3. ¿Qué representa el color azul para Uds.? ¿Cuántos significados distintos tiene? Expliquen.

Monumento a las víctimas de las erupciones volcánicas en Nicaragua

Después de ver el video

A. Nicaragua: bajo las cenizas del volcán. Contesta las siguientes preguntas con un(a) compañero(a) de clase.

1. ¿Por qué se dice que Managua ha sido una de las ciudades más castigadas por el fuego? ¿Qué ha hecho la ciudad en honor de las víctimas de estos desastres?
2. ¿Qué evidencia hay de que ha habido erupciones de volcanes en la región de Managua desde tiempos prehistóricos?
3. ¿Cuál es la obra más influyente de la poesía castellana del siglo XX? ¿Cuándo se publicó?
4. ¿Qué significaba el color azul para Rubén Darío?

B. A pensar y a interpretar. Contesta las siguientes preguntas.

1. ¿Qué ha hecho que Managua, la capital de Nicaragua, empiece a florecer de nuevo en otra zona? ¿Qué edificios antiguos han sobrevivido?
2. Si hay evidencia de erupciones volcánicas en la región desde tiempos prehistóricos, ¿por qué crees que continúan construyendo la ciudad en el mismo sitio?
3. ¿Por qué es tan importante la casa de Rubén Darío? ¿Qué se puede aprender de una persona en una visita a la casa donde vivió y murió? ¿Qué se puede aprender de ti en una visita a la casa de tus padres?

C. Apoyo gramatical. El imperfecto del subjuntivo: las cláusulas adverbiales. Completa el siguiente párrafo sobre un paseo por las ciudades de León y Managua al que te invitó una amiga nicaragüense.

Me gustaba mucho la poesía de Rubén Darío antes de que (1) __supiera__ (saber) mucho de su vida. Una amiga nicaragüense me invitó a León a fin de que yo (2) __recorriera__ (recorrer) con ella la ciudad en que creció el poeta, (3) __visitara__ (visitar) la casa en que vivió y (4) __entendiera__ (entender) mejor su poesía. Luego ella me acompañó a la capital para que yo (5) __conociera__ (conocer) el Teatro Nacional Rubén Darío y (6) __asistiera__ (asistir) a uno de los espectáculos que presentaban en esa fecha. Luego ella y yo hicimos un paseo por Managua a fin de que (7) __comprendiera__ (comprender) su pasado y su presente. Me dijo que a menos de que yo (8) __estuviera__ (estar) en el sitio no comprendería el espíritu de los nicaragüenses de afrontar el futuro con optimismo a pesar de los muchos desastres naturales que han sufrido.

Gramática 9.2: Antes de hacer esta actividad conviene repasar esta estructura en las págs. 397–399.

¡Antes de leer!

A. Génesis o evolución. Responde con un(a) compañero(a) a las siguientes preguntas.

1. ¿Cómo creen que se formó la vida en la tierra? ¿Creen en la versión creacionista de la *Biblia* o la evolucionista de Charles Darwin? ¿En qué basan sus creencias?
2. ¿Qué relatos o versiones de la creación o teorías de la evolución conocen? Comenten las que conocen.
3. ¿Qué saben de la prosa poética? ¿Han leído algún texto en prosa que tenga muchos rasgos de la poesía, tal vez alguna canción que cuenta una historia de una forma poética? Expliquen qué les impresiona de ese tipo de escritura.

B. Vocabulario en contexto. Busca estas palabras en la lectura que sigue y, en base del contexto, decide cuál es su significado. Para facilitar encontrarlas, las palabras aparecen en negrilla en la lectura. ***Vocabulario...:*** Ask volunteers to create original sentences with these vocabulary words.

1. **posarse**	a. la sensibilidad	(b.) depositarse	c. la elegancia
2. **la brisa**	(a.) el viento	b. las hojas	c. la lluvia
3. **verdor**	(a.) verde	b. tamaño	c. terreno
4. **los riachuelos**	a. los desiertos	b. los lagos	(c.) los arroyos
5. **echarse**	a. despertarse	b. levantarse	(c.) acostarse
6. **con dulzura**	a. indirectamente	(b.) con ternura	c. directamente

Sobre la autora

La poeta y novelista **Gioconda Belli** nació en Managua. Participó desde el año 1970 en la lucha contra la dictadura de Anastasio Somoza, como miembro del Frente Sandinista. Esto la obligó a exiliarse en México y Costa Rica por varios años. Después del triunfo sandinista y hasta 1986, ocupó varios cargos dentro del gobierno revolucionario. Su primer libro, *Sobre la grama* (1972), ganó el premio de poesía de la Universidad Nacional de Nicaragua. Entre 1982 y 1987, publicó tres libros de poesía: *Truenos y arco iris, Amor insurrecto* y *De la costilla de Eva*. En 1988, publicó su primera novela, *La mujer habitada*. En 2008 publicó la novela *El infinito en la palma de la mano*, a la que pertenece el siguiente fragmento. El compromiso político y el ser y el sentir femenino son los dos temas fundamentales en sus obras.

AP Images / Zoe Selsky

El infinito en la palma de la mano

(Fragmento)

Y fue.

Súbitamente.* De no ser, a ser consciente de que era. Abrió los ojos, se tocó y supo que era un hombre, sin saber cómo lo sabía. Vio el Jardín y se sintió visto. Miró a todos lados esperando ver a otro como él.

Mientras miraba, el aire bajó por su garganta* y el frescor del viento despertó sus sentidos. Olió.* Aspiró a pleno pulmón.* En su cabeza sintió el volteo azorado* de las imágenes buscando ser nombradas. Las palabras, los verbos surgían limpios y claros en su interior, a **posarse** sobre cuanto lo rodeaba. Nombró y vio lo que nombraba reconocerse. La **brisa** batió las ramas* de los árboles. El pájaro cantó. Las largas hojas abrieron sus manos afiladas.* ¿Dónde estaba?, se preguntó. ¿Por qué aquel cuya mirada lo observaba no se dejaba ver? ¿Quién era?

Caminó sin prisa hasta que cerró el círculo del sitio donde le había sido dado existir. El **verdor**, las formas y colores de la vegetación cubrían el paisaje y se hundían en su mirada causándole alegría en el pecho.

Nombró las piedras, **los riachuelos**, los ríos, las montañas, los precipicios, las cuevas, los volcanes. Observó las pequeñas cosas para no desairarlas*: la abeja, el musgo, el trébol.* [...]

Después que hizo cuanto estaba supuesto a hacer, el hombre se sentó en una piedra a ser feliz y contemplarlo todo. Dos animales, un gato y un perro, vinieron a **echarse** a sus pies. Por más que intentó enseñarles a hablar, sólo logró que lo miraran a los ojos **con dulzura.** [...]

Súbitamente: Inesperadamente
garganta: *throat*
Olió: *He sniffed.* / **Aspiró...** *He breathed deeply*
volteo... *spinning*
ramas: *branches*
afiladas: *delgadas*
desairarlas: *to slight them*
la... *the bee, the moss, the clover*

¡Después de leer!

A. Hechos y acontecimientos. ¿Recuerdas los datos más importantes de la lectura? Para asegurarte, contesta las siguientes preguntas.

1. ¿Qué fue lo primero que hizo el hombre al ser creado?
2. ¿Qué sentidos fueron los primeros en despertarse en el hombre?
3. ¿Quién sentía el hombre que lo estaba observando?
4. ¿A qué cosas puso nombre el hombre?
5. ¿Qué animales se acercaron al hombre? ¿Hablaban?

B. A pensar y a analizar. Contesta las siguientes preguntas con un(a) compañero(a).

1. ¿Cuál es la base de este relato, un relato sobre la evolución o la creación? Expliquen.
2. En este relato el hombre da nombre a las cosas. ¿Creen que eso se refleja también en otros relatos de la creación? Expliquen.
3. ¿Qué creen que aporta la prosa poética a este texto? ¿Creen que este efecto revisionista de un texto conocido añade algo a la historia? ¿Qué añade?

C. Revisemos otros mitos. Inspirados en esta hermosa narración del origen del mundo, hagan otra narración mitológica en grupos de cuatro. Elijan un mito (creación del mundo, creación del hombre/de la mujer, fin del mundo, etcétera), inventen los detalles y nárrenlos de una manera poética. Sean creativos y poéticos imaginando qué ocurre en la descripción. Compartan su narración con la clase.

D. Apoyo gramatical. El imperfecto del subjuntivo: las cláusulas nominales, adjetivales y adverbiales. Completa las siguientes oraciones con la forma apropiada del imperfecto de subjuntivo para recrear el momento de la creación.

1. El hombre no existía antes de que ocurriera (ocurrir) la creación.
2. El hombre se dio cuenta de que era hombre sin que nadie se lo dijera (decir).
3. El hombre esperaba que otro como él estuviera (estar) a su lado.
4. El hombre se alegró de que el frescor del viento despertara (despertar) sus sentidos.
5. El hombre se sorprendió de que tantas ideas e imágenes volaran (volar) en su cabeza.
6. Era extraño que, aunque él no reconociera (reconocer) las cosas, las cosas se reconocieran al ser nombradas.
7. Aunque sentía otra presencia, no había nadie en el jardín que lo acompañara (acompañar).
8. El hombre estaba contento de que el paisaje del lugar fuera (ser) tan bello.
9. El hombre observó también las cosas pequeñas para que estas no se sintieran (sentir) desairadas.
10. El hombre hizo esfuerzos para que el perro y el gato aprendieran (aprender) a hablar, pero estos sólo lo miraban con dulzura.

Gramática 9.1 and 9.2: Antes de hacer esta actividad conviene repasar esta estructura en las págs. 394–399.

9.1 Imperfect Subjunctive: Noun and Adjective Clauses

The imperfect subjunctive is used in noun and adjective clauses when the verb in the main clause is in a past tense or in the conditional and the same circumstances requiring the present subjunctive occur.

Uses in Noun Clauses

The imperfect subjunctive is used in a noun clause when:

› the verb or impersonal expression in the main clause indicates a wish, a recommendation, a suggestion, or a command and the subject of the noun clause is different from the subject of the main clause. An infinitive is used if there is no subject change.

Era importante que el gobierno **cumpliera** sus promesas. — *It was important that the government fulfill its promises.*

Me **recomendaron** que **hiciera** ejercicio para perder peso. — *They recommended that I exercise to lose weight.*

Desearíamos que **leyeras** ese libro sobre la historia reciente de Nicaragua. — *We would like you to read that book on the recent history of Nicaragua.*

Desearíamos leer ese libro sobre la historia reciente de Nicaragua. — *We would like to read that book on the recent history of Nicaragua.*

› the verb or impersonal expression in the main clause indicates doubt, uncertainty, disbelief, or denial. When the opposite of these verbs and expressions is used, the verb in the dependent clause is in the indicative because certainty is implied.

Los expertos **dudaban** que las huellas de Acahualinca **fueran** el resultado de la erupción de un volcán. — *The experts doubted that the footprints of Acahualinca were the result of a volcano eruption.*

En 2006, **parecía improbable** que Daniel Ortega **ganara** las próximas elecciones presidenciales y que **fuera** elegido presidente de la república por segunda vez. — *In 2006, it seemed improbable that Daniel Ortega would win the coming presidential elections and be elected president of the republic a second time.*

Muchos indígenas **no dudaban** que el cacique Lempira **murió** a causa de una traición. — *Many natives didn't doubt that Chief Lempira died because of treason.*

› the verb or impersonal expression in the main clause conveys emotions, opinions, and judgments and there is a change of subject. If there is no change of subject, the infinitive is used.

Todos **estaban sorprendidos** de que Tony Meléndez **pudiera** hacer tantas cosas usando solamente sus pies. — *Everyone was surprised that Tony Meléndez could do so many things using only his feet.*

Los padres de Tony Meléndez **temían** que el niño **tuviera** una vida difícil a causa de sus limitaciones físicas. — *Tony Meléndez's parents feared that the child would have a difficult life because of his physical limitations.*

Los padres de Tony Meléndez **temían carecer** de medios para atender a su hijo. — *Tony Meléndez's parents were afraid of lacking the means to look after their son.*

Uses in Adjective Clauses

› The subjunctive is used in an adjective clause (dependent clause) when it describes someone or something in the main clause whose existence is unknown or uncertain.

Necesitábamos un guía que **conociera** bien la ciudad de León.	*We needed a guide who knew the city of León well.*
La gente pedía un gobierno que **impulsara** reformas sociales.	*People were asking for a government that would promote social reforms.*

› When the adjective clause refers to someone or something that is known to exist, the indicative is used.

Encontré un guía que **conocía** muy bien la ciudad de León.	*I found a guide who knew the city of León very well.*
Pablo Antonio Cuadra escribió poemas que **transformaron** la poesía de su país.	*Pablo Antonio Cuadra wrote poems that transformed the poetry of his country.*

Ahora, ¡a practicar!

A. La comunidad de Solentiname. Menciona algunos de los objetivos de Ernesto Cardenal cuando fundó en 1965 la comunidad de Solentiname.

MODELO la gente / tener un lugar espiritual
Ernesto Cardenal quería (deseaba, pedía) que la gente tuviera un lugar espiritual.

1. la gente / vivir en armonía
2. el lugar idílico de Solentiname / ayudar al desarrollo espiritual de la comunidad
3. la gente / meditar sobre las necesidades de una sociedad justa
4. la gente / entender la necesidad de los cambios sociales
5. algunos artistas / venir a enseñar su arte
6. los campesinos del lugar / descubrir el mundo de las artes
7. todos / soñar con crear lugares de paz como Solentiname

B. El pasado reciente. ¿De qué se lamentaban algunos nicaragüenses al recordar tiempos de un pasado reciente?

MODELO el país / tener una dictadura
Los nicaragüenses se lamentaban de que el país tuviera una dictadura.

1. el país / no estar unido
2. la actividad económica / decaer casi cada día
3. la capital / estar superpoblada
4. la violencia / predominar en muchos lugares
5. tantos sitios / ser destruidos por terremotos o guerras
6. el gobierno / no mejorar la situación del país
7. el presidente / no luchar por eliminar la pobreza
8. el futuro / no ser muy optimista

C. Deseos y realidad. Di primero qué tipo de gobernante pedía la gente durante las últimas elecciones presidenciales de Nicaragua. Luego, di si, en tu opinión, la gente obtuvo o no ese tipo de gobernante.

MODELO crear empleos
La gente pedía (quería) un gobernante que creara empleos.
La gente eligió (votó por) un gobernante que (no) creó empleos.

1. mejorar los sueldos de los obreros
2. estabilizar la nación
3. generar más trabajos
4. respetar las libertades civiles
5. reestablecer relaciones con la comunidad internacional
6. dar más recursos para la educación
7. hacer reformas económicas
8. desarrollar la industria nacional
9. atender a la clase trabajadora
10. construir más carreteras

D. Pasatiempos en la secundaria. Usa el dibujo que aparece a continuación para decir lo que tú y tus amigos(as) consideraban importante hacer y no hacer cuando estaban en la escuela secundaria.

MODELO **Era importante (necesario, esencial) que durmiéramos lo suficiente.**
Era obvio (seguro, verdad) que los jóvenes dormían demasiado.

9.2 Imperfect Subjunctive: Adverbial Clauses

The imperfect subjunctive is used in adverbial clauses when the verb in the main clause is in a past tense or in the conditional and the same circumstances requiring the present subjunctive exist.

› Adverbial clauses always use the subjunctive when they are introduced by the following conjunctions:

a fin (de) que	**con tal (de) que**	**para que**
a menos (de) que	**en caso (de) que**	**sin que**
antes (de) que		

Mis padres visitaron Nicaragua **antes de que** Daniel Ortega **ganara** la presidencia en 2006.
My parents visited Nicaragua before Daniel Ortega won the presidency in 2006.

Nuestro agente de viajes nos dijo que no tendríamos una visión completa de Nicaragua **a menos que visitáramos** otros lugares además de la capital.
Our travel agent told us that we would not have a complete view of Nicaragua unless we visited other places besides the capital.

› Adverbial clauses are always in the indicative when they are introduced by conjunctions such as **como, porque, ya que,** and **puesto que.**

El 17 de julio de 1979 es un día memorable para muchos nicaragüenses **porque** ese día el dictador Anastasio Somoza Debayle **salió** del país.
July 17, 1979 is a memorable date for many Nicaraguans because on that day the dictator Anastasio Somoza Debayle left the country.

› Adverbial clauses may be in the subjunctive or the indicative when they are introduced by conjunctions of time: **cuando, después (de) que, en cuanto, hasta que, mientras que,** and **tan pronto como.** The subjunctive is used when the adverbial clause refers to an anticipated event that has not yet taken place. The indicative is used when the adverbial clause refers to completed or habitual past actions or a statement of fact.

Una amiga mía me dijo que visitaría Nicaragua tan pronto como **terminara** sus estudios.
A friend of mine told me that she would visit Nicaragua as soon as she finished her studies.

Mis padres subieron hasta el cráter del volcán Masaya cuando **visitaron** Nicaragua.
My parents went up to the Masaya Volcano's crater when they visited Nicaragua.

Cuando **iba** a Managua, siempre subía a la laguna de Tiscapa.
When I used to go to Managua, I would always go up to Tiscapa Lagoon.

› An adverbial clause introduced by **aunque** can also be in the subjunctive or the indicative. The subjunctive is used when the adverbial clause expresses a possibility or a conjecture. If the adverbial clause expresses a fact, the verb is in the indicative.

Aunque **tuviera** la oportunidad, no visitaría ningún volcán activo en Nicaragua.
Even if I had the opportunity, I would not visit any active volcano in Nicaragua.

Aunque **pasé** varios días en Nicaragua, nunca pude ir a la ciudad de Granada.
Even though I spent several days in Nicaragua, I was never able to go to the city of Granada.

Ahora, ¡a practicar!

A. Los planes de tu amigo. Un amigo te habló de sus planes de pasar un semestre en Managua. ¿Qué te dijo?

MODELO a menos que / no reunir el dinero necesario
Me dijo que pasaría el próximo semestre en Managua a menos que no reuniera el dinero necesario.

1. con tal que / encontrar una buena escuela donde estudiar
2. siempre que / aprobar todos los cursos que tiene este semestre
3. a menos que / tener problemas económicos
4. a fin de que / su español mejorar
5. en caso de que / poder vivir con una familia

B. Primer día. Tu amigo(a) imagina cómo sería su primer día en la capital nicaragüense.

MODELO llegar al aeropuerto internacional Augusto César Sandino / tomar un taxi al hotel
Tan pronto como (Cuando / En cuanto) yo llegara al aeropuerto internacional Augusto César Sandino, tomaría un taxi al hotel.

1. entrar en mi cuarto de hotel / ponerse ropas y zapatos cómodos
2. estar listo / ir a la plaza de la Revolución, que antes se llamaba plaza de la República
3. llegar a la plaza de la Revolución / entrar en la Catedral Vieja primero
4. terminar mi visita a la Catedral Vieja / admirar la estatua de Rubén Darío frente al Teatro Nacional Rubén Darío
5 admirar la estatua de Rubén Darío / disfrutar con la arquitectura del Teatro Nacional Rubén Darío
6. cansarse de mirar edificios / caminar hacia la laguna de Tiscapa
7. alcanzar la laguna de Tiscapa / admirar la vista hacia Managua
8. acabar la visita a la laguna / sentarse en uno de los cafés cercanos
9. terminar de tomar un refresco / volver al hotel, seguramente cansadísimo(a)

C. César Augusto Sandino (1895–1934). Completa la siguiente narración sobre la vida de este líder nacionalista seleccionando la forma verbal apropiada del indicativo o del subjuntivo.

Sandino fue un patriota que luchó contra el gobierno conservador de los años 20 porque (1) ___________ (quería / quisiera) un país independiente. No se sentiría feliz hasta que (2) ___________ (terminó / terminara) la ocupación estadounidense. Juró perseverar hasta que los infantes de marina (3) ___________ (abandonaron / abandonaran) el territorio nacional. Cuando se le (4) ___________ (preguntaba / preguntara) a la gente si apoyaba o no a Sandino, la mayoría estaba con él, no contra él. Todos decían que estarían contentos cuando las fuerzas estadounidenses (5) ___________ (volvieron / volvieran) a su país. Aunque la guardia nacional nicaragüense y los infantes de marina estadounidenses (6) ___________ (trataron / trataran) muchas veces de capturar a Sandino, nunca pudieron hacerlo. Hubo alegría en enero de 1933, puesto que en esa fecha las fuerzas estadounidenses se (7) ___________ (retiraron / retiraran) de Nicaragua. Desgraciadamente para Sandino, casi antes de que (8) ___________ (pasó / pasara) un año, fue asesinado por miembros de la Guardia Nacional comandada por el general Anastasio Somoza García, futuro dictador del país. Sandino murió sin que (9) ___________ (murieron / murieran) los ideales por los cuales él había luchado. Años más tarde se fundó el Frente Sandinista de Liberación Nacional a fin de que grupos guerrilleros (10) ___________ (combatieron / combatieran) la dictadura de la familia Somoza.

D. ¡Qué fastidioso! Tú eres una persona muy fastidiosa. Pensabas pasar unos días en la ciudad colonial de Granada junto al lago de Nicaragua, pero decidiste que no irías a menos que se cumplieran ciertas condiciones. Di cuáles serían esas condiciones.

MODELO a menos que
No iría a menos que pudiera planear una caminata al volcán Mombacho.

1. con tal de que
2. sin que
3. antes de que
4. para que
5. en caso de que
6. aunque

SI VIAJAS A NUESTRO PAÍS...

Honduras

Comprehension check:
Ask: **1. ¿Cuál de los varios lugares mencionados en la capital te interesa más? ¿Por qué?**
2. ¿Por qué fue necesario construir la Fortaleza de San Fernando de Omoa? ¿Qué crees que atraía a piratas a la costa hondureña?
3. ¿Qué hace que Copán sea la ciudad maya más avanzada y elaborada artísticamente?

Nombre oficial: República de Honduras
Población: 7.989.415 (estimación de 2010)
Principales ciudades: Tegucigalpa (capital), San Pedro Sula, El Progreso, Choluteca
Moneda: Lempira (L)

En Tegucigalpa, la capital, con una población de más de un millón, tienes que conocer...

- el Centro Histórico, lleno de historia colonial, una hermosa catedral y la Plaza Morazán, considerada el corazón de la ciudad.
- la Iglesia Los Dolores, con su fachada *(façade)* de un gran estilo barroco; un edificio singular de gran valor simbólico en la historia de la ciudad.
- la Galería Nacional de Arte, en un antiguo edificio colonial restaurado, con una colección de arte de los más sobresalientes pintores hondureños.
- el Parque de las Naciones Unidas en el cerro El Picacho, con la mejor vista de la ciudad además del Jardín Confucio, dedicado al filósofo chino, y un zoológico.

AP Images / Tim Aylen

Un noventa por ciento de la población hondureña es mestiza

En la ciudad San Pedro Sula, considerada la capital industrial, tienes que visitar...

- el Museo de Antropología e Historia, uno de los destinos turísticos más importantes de la ciudad con su colección de artefactos precolombinos y arte colonial.
- el mercado Guamilito, con la más completa selección de artesanías hondureñas.
- la Fortaleza de San Fernando de Omoa, a corta distancia de la ciudad, una impresionante fortaleza construida para repeler el ataque de piratas a la costa hondureña.

En Copán, la ciudad maya más avanzada y elaborada artísticamente, no dejes de ver...

- la Gran Plaza, famosa por sus altares e imponentes estelas construidas entre los años 711 y 736. La mayoría de las estelas o "árboles de piedra" mayas fueron erigidos *(erected)* para demostrar el poder de los reyes mayas y el poder de la creación.
- la Acrópolis, con sus templos y fachadas esculpidas *(sculpted)* donde se observan figuras humanas y animales divinos, así como elementos astronómicos y mitológicos.
- el campo para el juego de pelota, el más artístico de Mesoamérica.
- la Escalinata de los Jeroglíficos, que sostiene el texto más largo conocido que nos haya legado *(left)* la civilización maya.

Stuart Westmoreland / Photolibrary

Campo de pelota en Copán, donde los mayas practicaban el juego de pelota

worldswildlifewonders / Shutterstock

El majestuoso quetzal

La llamada del quetzal

Este pájaro sagrado de los mayas, es uno de los más hermosos del mundo y todavía se puede ver en los bosques nublados del...

- Parque Nacional La Tigra, cerca de Tegucigalpa.
- Parque Nacional La Muralla, cerca de Tegucigalpa.
- Parque Nacional Cerro Azul Meámbar, cerca del lago de Yojoa.
- Parque Nacional Cusucu, cerca de San Pedro Sula.

¡Diviértete en la red!

Busca en Google Images o en YouTube para ver fotos y videos del bello quetzal y de cualquiera de los lugares mencionados aquí. Ven a clase preparado(a) para describir en detalle lo que escogiste.

Negocios sin fronteras

Desde el año 2004, Costa Rica, Guatemala, Honduras, Nicaragua, la República Dominicana y los Estados Unidos están unidos comercialmente por el tratado de libre comercio CAFTA-DR. Este tratado tiene como objetivos fundamentales estimular la expansión y diversificación del comercio en la región, eliminar los obstáculos al comercio y facilitar la circulación de mercancías y servicios entre los distintos países. También quiere promover condiciones de competencia leal en la zona de libre comercio, aumentar la inversión y defender las patentes y la propiedad intelectual. El CAFTA-DR ha recibido distintos tipos de críticas por las ventajas y desventajas que aporta a cada uno de los países.

Para hablar de negocios internacionales

acción *(f.)* — *stock*
aduana — *customs*
beneficio — *benefit*
bienes de consumo *(m. pl.)* — *consumer goods*
bolsa — *stock market*
crédito — *credit*
déficit comercial *(m.)* — *trade deficit*
exportación *(f.)* — *export, exportation*
feria de muestras — *trade fair*
ganancia — *earning, profit*
importación *(f.)* — *import, importation*
inversión *(f.)* — *investment*
logística — *logistics*
mercancías — *merchandise, goods*
productividad *(f.)* — *productivity*
tarifas aduaneras — *customs tariffs*
tipo de cambio — *exchange rate*

Stockbrokerxtra Images / Photolibrary

Al hablar de negocios internacionales

—Oye, ¿qué se entiende por negocios internacionales? Tengo entendido que es una carrera que está de moda por el tema de la globalización, pero no sé exactamente cómo funciona.

Say, what is meant by international business? I understand that it's a popular career these days due to the topic of globalization, but I really don't know exactly how it works.

—Los negocios internacionales son, en general, las transacciones que tienen lugar en el extranjero entre individuos, compañías y/o organizaciones. Incluye las actividades económicas de exportar o importar bienes y la inversión directa de fondos en compañías internacionales.

International business is, in general, the transactions between individuals, companies, and/or organizations that take place abroad. It includes the economic activities of exporting or importing goods and the direct investment of funds in international companies.

Al hablar de la importancia de la cultura en los negocios

—Para tener éxito, solo hay que estar bien entrenado en negocios, ¿no?

To be successful, one only needs to be well trained in business, right?

—Al contrario, las costumbres y tradiciones culturales también son fundamentales. Con los estadounidenses son muy importantes, por ejemplo, la competencia y los resultados a corto plazo. Los centroamericanos, por su parte, prefieren tomar decisiones en grupo y enfocarse en resultados más a largo plazo; la confianza y la amistad son también muy importantes a la hora de negociar.

On the contrary, the customs and cultural traditions are also fundamental. With Americans, for example, competition and short-term results are very important. Central Americans, on the other hand, prefer to make decisions in groups and to focus more on long-term results; trust and friendship are also very important at the time of negotiation.

¡A practicar, luego a conversar!

A. ¿Sinónimos? Indica si las siguientes palabras son sinónimas [Sí] o no [No].

__Sí__ 1. crédito / préstamo

__No__ 2. importación / exportación

__No__ 3. pérdida / ganancia

__No__ 4. tipo de cambio / aduana

__No__ 5. ganancia / mercancía

Suggestion: Have students do Activity B in pairs. Then have volunteers read their translation to the class. Have the class refine each definition.

B. Palabras clave: importar. Para ampliar tu vocabulario, trabaja con un(a) compañero(a) para traducir al inglés estas oraciones que contienen expresiones relacionadas con la palabra **importar**. Luego, escriban una oración original en español para cada significado de la palabra **importar**.

1. **No me importa** lo que piense la gente. It doesn't matter to me (It's not important to me / I don't care) what people think.
2. Esta empresa **importa** bananas hondureñas. This company imports Honduran bananas (bananas from Honduras).
3. **Me importa** la paz mundial. World peace is important to me.
4. Eso **no importa**. That is not important.
5. **Lo que importa** es que te sientas bien contigo mismo. What matters (The important thing) is that you feel good with yourself.

C. ¿Exportación? Con un(a) compañero(a), decidan qué tipos de productos creen que se podrían exportar de los Estados Unidos a Centroamérica. ¿Y al revés? ¿Qué estrategia usarían para venderlos? Desarrollen su estrategia, teniendo en cuenta la logística, las costumbres culturales y todo lo que consideren importante. Compartan sus ideas con la clase.

D. Debate. En grupos de cuatro, organicen un debate sobre las ventajas y desventajas de la globalización. Dos personas de cada grupo deben discutir a favor y dos en contra. Informen a la clase quiénes presentaron el mejor argumento.

Suggestion: Ask students to explain the subtitle. To what **esperanzas** might this refer? Why **en el futuro**?

Honduras: con esperanzas en el futuro

Segunda mitad del siglo XIX

El 5 de noviembre de 1838 Honduras se separó de la Federación de Provincias Unidas de Centroamérica y proclamó su independencia. Inmediatamente estalló la lucha política entre los conservadores y los liberales. Esta se manifestó en doce guerras civiles y en numerosos cambios de gobierno.

Princeton University Library

Primera mitad del siglo XX

A principios del siglo XX grandes compañías estadounidenses como la *United Fruit Company* y la *Standard Fruit Company* controlaban enormes extensiones territoriales para la producción y exportación masiva de bananas a los EE.UU. Desde entonces, la banana se convirtió en la base de la riqueza comercial de Honduras. Desgraciadamente, esta nueva riqueza no beneficiaba a la mayoría de los hondureños, quienes tuvieron que continuar con sus labores tradicionales de campesinos o ganaderos.

La realidad actual

A pesar de tener una economía de recursos limitados que se basa principalmente en la agricultura, Honduras se ha visto libre de las guerras civiles que afectaron a El Salvador, Nicaragua y Guatemala, en la segunda mitad del siglo XX. Desde 1980, se han alternado en el gobierno políticos corruptos, apoyados por los militares, como también políticos determinados a mejorar el bienestar del pueblo hondureño. Sobresale entre ellos el candidato del Partido Liberal, Carlos Roberto Reina Idiáquez, quien con la promesa de eliminar la corrupción en el gobierno y de controlar la influencia militar, ganó las elecciones de 1993. Terminó su gestión en 1997, logrando solamente algunas de las metas que inicialmente se había propuesto. En octubre de 1998, el huracán Mitch causó pérdidas cercanas a los cuatro mil millones de dólares en la agricultura del café y del plátano.

El siglo XX terminó con los militares otra vez en el poder, involucrados con el narcotráfico y en cobros ilegales a los rancheros.

La Honduras de hoy

© Edgard Garrido / Reuters / Corbis

- Las elecciones de 2001 fueron ganadas por Ricardo Maduro, quien tuvo un cierto grado de éxito en el crecimiento económico del país.
- En 2006, el liberal Manuel Zelaya Rosales asumió el poder. En 2009, Zelaya fue derrocado por los militares y deportado a la capital costarricense. Ese mismo día, el Congreso designó como sucesor al presidente del Congreso, Roberto Micheletti.
- El 29 de noviembre de 2009, Porfirio Lobo Sosa ganó las elecciones presidenciales. En enero de 2010 fue posesionado como nuevo Presidente de la República y otorgando una amnistía general, decretada el mismo día, trató de superar la crisis política en la que Honduras se vio envuelta los últimos meses de 2009.

- La economía del país ha crecido lentamente y la distribución de las riquezas sigue siendo muy desigual. Aproximadamente 3.7 millones de habitantes viven en la pobreza y el desempleo alcanza cifras que llegan al 27,9%.
- Honduras también se ve beneficiada con las remesas que mandan emigrantes hondureños al país.

¿COMPRENDISTE?

VOCABULARIO ÚTIL

cobro	*collection (of payments)*
desigual	*unequal; uneven*
involucrado(a)	*involved*
meta	*goal*
posesionar	*to take possession*

A. Hechos y acontecimientos. ¿Recuerdas los datos más importantes de la lectura? Para asegurarte, completa las siguientes oraciones.

1. Poco después de conseguir su independencia, Honduras sufrió numerosos…
2. Dos compañías estadounidenses que llegaron a controlar grandes extensiones territoriales en Honduras eran…
3. El producto que estas dos compañías cultivaban fue…
4. Honduras se distingue de El Salvador, Nicaragua y Guatemala en la segunda mitad del siglo XX debido a que…
5. Carlos Roberto Reina Idiáquez ganó las elecciones de 1993 prometiendo…
6. En 1998, el huracán Mitch causó pérdidas de…
7. Los militares, a fines del siglo XX, se vieron involucrados en…

B. A pensar y a analizar. Contesta las siguientes preguntas con dos o tres compañeros(as) de clase.

1. ¿Qué limitaciones tiene la economía de Honduras? En la opinión de Uds., ¿qué debería hacer este país para diversificar su economía?
2. En su opinión, ¿por qué han tenido tanto poder los militares en Honduras?

C. Apoyo gramatical: el imperfecto del subjuntivo en las cláusulas principales. Sigue el modelo para expresar los deseos de muchos hondureños que conocen bien la historia de su país.

MODELO el país / nunca tener una guerra civil
Ojalá que el país nunca tuviera una guerra civil.

1. el ejército / no entremeterse *(to interfere)* en la política del país Ojalá que el ejército no se entremetiera…
2. nuestro país / no estar en una zona de huracanes Ojalá que nuestro país no estuviera…
3. nosotros / no sufrir otro desastre como el del huracán Mitch Ojalá que nosotros no sufriéramos…
4. la economía / diversificarse Ojalá que la economía se diversificara.
5. menos personas / vivir en la pobreza Ojalá que menos personas vivieran…
6. nuestro presupuesto / no depender tanto de las remesas de los emigrantes Ojalá que nuestro presupuesto no dependiera…
7. los militares / nunca derrocar a gobiernos elegidos democráticamente Ojalá que los militares nunca derrocaran…
8. nosotros / no encontrarse en otra crisis política como la de 2009 Ojalá que nosotros no nos encontráramos…

Gramática 9.3: Antes de hacer esta actividad conviene repasar esta estructura en la pág. 412.

Julio Escoto

Royal Tropical Institute

Ensayista, cuentista y crítico literario hondureño, Julio Escoto es considerado un escritor de técnica clara y precisa, y uno de los mejores expositores de la moderna narrativa hondureña. Escoto concibe al escritor como un hombre en introspección constante, en análisis continuo, en búsqueda de algo que quizás él mismo no ve con suficiente claridad. Sus características le dan una particular visión del mundo. En su opinión, "el escritor... es en alguna forma el barómetro, el sismógrafo de la sociedad y debe aplicar su inteligencia en advertir sobre aquello que se ve o va mal para la nación". Es considerado el intelectual con mayor conciencia de la identidad hondureña.

El País / Newscom

Salvador Moncada

Médico, cirujano y farmacólogo hondureño, Salvador Moncada realizó sus estudios de Medicina y Cirugía en la Universidad de El Salvador, donde se licenció en 1970, después de lo cual marchó a Londres para doctorarse en Farmacología. Entre las investigaciones más importantes que ha realizado se encuentran las relacionadas a la trombosis y arterioesclerosis. Gracias a él se descubrió la *prostaciclina*, sustancia con la cual se trata, hoy en día, la trombosis. Está en posesión de cinco patentes correspondientes a distintos fármacos, y es autor, colaborador o director de unas cuatrocientas publicaciones científicas. Sus muchos méritos profesionales le han valido el reconocimiento de todo el mundo.

Neida Sandoval

Michael Bush / UPI / Landov

Famosa periodista y presentadora de televisión hondureña. Empezó su carrera en Honduras con el programa *Proyecciones Militares*. En 1987 se trasladó a los Estados Unidos y, un año después, empezó a trabajar para el Canal 41 de KLUZ, afiliado de Univisión. Es miembro de la Asociación Nacional de Periodistas Hispanos. Se hizo acreedora a varias nominaciones a los premios Emmy por la manera en la que narró acontecimientos de peso internacional hasta que, en 1998 ganó dos premios Emmy gracias al reportaje que hizo sobre los daños que causó el huracán Mitch en Honduras y en otros países de Centroamérica. En la actualidad está considerada entre los cien periodistas hispanos más influyentes en los Estados Unidos. En 2003 fue condecorada por el Congreso Nacional de Honduras. Ha sido parte activa de las campañas televisivas *Teletón* en su país natal.

Suggestions: Ask students to look up two or more of the **Otros hondureños sobresalientes** on the Internet and have them turn in a brief written report on what they find. You may want to offer extra credit for this work.

Otros hondureños sobresalientes

Óscar Acosta: cuentista, poeta, ensayista y periodista
Víctor Cáceres Lara (1915–1993): poeta, cuentista, periodista y catedrático
Julia de Carias: pintora
Nelia Chavarría: pianista
Max Hernández: fotógrafo
Lempira (¿1497?–1537): héroe nacional, cacique
Ezequiel Padilla: pintor
Roberto Quesada: cuentista, novelista y editor
Miguel Ángel Ruiz Matute: pintor
Roberto Sosa: poeta y editor
Clementina Suárez (¿1906?–1991): poeta
Pompeyo del Valle: poeta, cuentista y periodista
Mario Zamora: escultor

¿COMPRENDISTE?

A. Los nuestros. Contesta las siguientes preguntas. Luego, compara tus respuestas con las de dos o tres compañeros(as) de clase.

1. ¿Cuáles son algunas características que le dan a Julio Escoto una particular visión del mundo? ¿Por qué crees que la identidad hondureña es tan importante en su obra? ¿Coincides con él en pensar que los escritores juegan un papel fundamental en la vida de la sociedad? Explica.
2. ¿Cuál es el campo en el que más se ha destacado Salvador Moncada? ¿Qué enfermedades han sido estudiadas por Moncada y qué gran descubrimiento realizó? ¿Por qué crees que tantas universidades lo han reconocido a nivel mundial?
3. ¿Cuáles son las profesiones de Neida Sandoval? ¿Qué la hizo famosa en su carrera en Univisión y que la llevó a ganar premios Emmy? ¿A qué crees que se debe su influencia como periodista hispana en los Estados Unidos?

VOCABULARIO ÚTIL

acontecimiento	*event*
acreedor(a) a	*worthy of*
advertir (ie)	*to warn*
cirugía	*surgery*
cirujano(a)	*surgeon*
concebir (i)	*to conceive*
fármaco	*medicine, drug*
farmacólogo(a)	*pharmacologist*
programa matinal	*morning show*
presentador(a)	*announcer (TV)*
relatar	*to relate; to recount*
sismógrafo	*seismograph*

B. Miniprueba. Demuestra lo que aprendiste de estos talentosos hondureños al completar estas oraciones.

1. El escritor hondureño Juan Escoto es __c__, cuentista y crítico literario.
   a. poeta b. periodista c. ensayista
2. Salvador Moncada descubrió la *prostaciclina*, sustancia con la cual se trata, hoy en día, la __b__.
   a. artritis b. trombosis c. gastritis crónica
3. Neida Sandoval ha sido incluida entre los cien periodistas hispanos más __a__ en los Estados Unidos.
   a. influyentes
   b. talentosos
   c. profesionales

¡Diviértete en la red!
Busca "Julio Escoto", "Salvador Moncada" y/o "Neida Sandoval" en YouTube para escuchar entrevistas con estos talentosos hondureños. Ven a clase preparado(a) para presentar lo que encontraste.

ESCRIBAMOS AHORA

Suggestion: Keep in mind that this writing activity should only take 3-5 minutes of class time. All other writing can be done at home.

Una narración reinventada

1 **Para empezar.** Los cuentos reinventados le permiten al autor recrear ciertas historias y hasta el estilo de narrar, según su propio gusto. Nótese, por ejemplo, en la narración reinventada de Gioconda Belli, *El infinito en la palma de la mano,* cómo ella adapta un estilo algo poético y cambia algunos detalles de la narración bíblica de la creación. Narración original del libro del *Génesis:*

"Y Dios el Señor formó de la tierra todos los animales y todas las aves, y se los llevó al hombre para que les pusiera nombre. El hombre puso nombre a todos los animales domésticos, a todas las aves y a todos los animales salvajes, y ese nombre les quedó. Sin embargo, ninguno de ellos resultó ser la ayuda adecuada para él". (Gen. 2: 19–20)

Narración de Gioconda Belli:

"El verdor, las formas y colores de la vegetación cubrían el paisaje y se hundían en su mirada causándole alegría en el pecho.

Nombró las piedras, los riachuelos, los ríos, las montañas, los precipicios, las cuevas, los volcanes. Observó las pequeñas cosas para no desairarlas: la abeja, el musgo, el trébol".

A. Comenta el estilo de escribir de Gioconda Belli. ¿Cómo se compara con la versión original de la *Biblia*?

B. ¿Qué cosas nombró el primer hombre y qué cosas solo observó? ¿Fue así en la versión original?

Assign parts A and B as homework.

2 **A generar ideas.** Piensa ahora en una narración conocida que te gustaría reinventar. Puede ser una continuación de la creación o una narración del Apocalipsis, el final del mundo, tu cuento de hadas favorito...; hay muchas posibilidades. Escribe un título para la narración y debajo, haz una lista de dos columnas. Anota en la primera columna los detalles más importantes de la narración que vas a reinventar y en la segunda columna los cambios que piensas hacer.

3 **Tu borrador.** Ahora empieza a desarrollar tu narración. Puedes seguir el orden tradicional del cuento, o puedes empezar por la mitad del cuento original o por el final. Lo importante es desarrollarlo de una manera natural. Presta atención al estilo que vas a usar. ¿En qué persona lo vas a narrar —primera, segunda o tercera? ¿Vas a seguir el estilo del original o uno algo más cómico, serio, poético...? Escribe tu borrador ahora. ¡Buena suerte!

4 **Revisión.** Intercambia tu borrador con un(a) compañero(a). Revisa su narración prestando atención a las siguientes preguntas. ¿Ha desarrollado bien la narración? ¿Qué estilo ha usado? ¿Ha sido consistente en su uso? ¿Ha cambiado la versión original? ¿Quedan claros los cambios? ¿Tienes algunas sugerencias sobre cómo podría mejorar su narración?

5 **Versión final.** Considera las correcciones que tu compañero(a) te ha indicado y revisa tu narración. Como tarea, escribe la copia final en la computadora. Antes de entregarla, dale un último vistazo a la acentuación, a la puntuación, a la concordancia y a las formas de los verbos.

6 **"El mejor de la clase" (opcional).** Cuando tu profesor(a) te devuelva tu narración corregida, revísala con cuidado. En grupos de cuatro o cinco, túrnense para leer sus cuentos. Cada grupo va a seleccionar el que consideran "el mejor". Luego, esas personas van a leer sus cuentos a la clase entera y la clase va a votar, en secreto, por "El mejor de la clase".

¡Antes de leer!

A. Anticipando la lectura. Haz las siguientes actividades con un(a) compañero(a) de clase.

1. ¿Tienen ustedes o han tenido alguna vez dificultades para llegar a fin de mes con sus finanzas? ¿Cómo sobreviven? ¿Necesitan aprender a administrarse *(to manage your money)?* ¿Cómo creen que sobrevive la gente que tiene esas dificultades todos los meses? ¿Cómo creen que se administran?
2. ¿Creen que las dificultades económicas enseñan algo a la gente que las sufren? ¿Cuáles creen que son esas enseñanzas? ¿Creen que la gente que no tiene dificultades puede estar mimada *(spoiled)*? ¿Qué consecuencias tendría para esas personas?
3. Normalmente identificamos la poesía con temas que se prestan a ser "poéticos". En su opinión, ¿cuáles son los temas más comunes en poesía? Preparen una lista y compárenla con las de otros grupos.
4. De los siguientes temas, ¿hay algunos que Uds. no consideran apropiados para la poesía? ¿Cuáles son y por qué?

_____ la alegría
_____ el amor
_____ un vuelo en avión
_____ un paseo en bicicleta
_____ un viaje en carro
_____ la muerte de un ser querido
_____ las dificultades para llegar a fin de mes
_____ la guerra
_____ un tomate
_____ una culebra
_____ una araña
_____ una corrida de toros

Vocabulario…: Ask volunteers to create original sentences with these words.

B. Vocabulario en contexto. Busca estas palabras en la lectura que sigue y, en base al contexto, decide cuál es su significado. Para facilitar encontrarlas, las palabras aparecen en negrilla en la lectura.

1. **acreedores**	a. parientes	b. mejores amigos	c. a quienes se debe dinero
2. **de lujo**	a. nueva	b. barata	c. especial
3. **cercaría**	a. cerraría	b. abriría	c. compraría
4. **seres**	a. dientes	b. personas	c. enemigos
5. **me sobraría**	a. me faltaría	b. me quedaría	c. me alcanzaría

Sobre el autor

José Adán Castelar nació en 1941 y forma parte de la generación más reciente de poetas que han transformado la poesía contemporánea hondureña. Sus poemas reflejan un tono conversacional y una manera experimental de escribir poemas que rompe con los moldes convencionales. En general, la obra poética de Castelar continúa la tradición iniciada por la "Generación del 50" al enfatizar la temática social. Sus publicaciones más recientes incluyen *También del mar* (1991), *Rutina* (1992) y *Rincón de espejos* (1994).

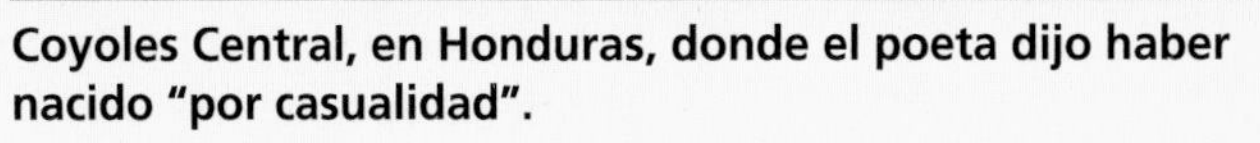

Coyoles Central, en Honduras, donde el poeta dijo haber nacido "por casualidad".

El poema "Paz del solvente" es un buen ejemplo de la poesía moderna porque su organización tipográfica no sigue las normas tradicionales.

Suggestions: Ask students to look at the photo and speculate about it. Who is the person in the picture? What is that person doing? Have them jot down their predictions and check to see if they were correct after completing the reading. Ask them what they think of the format/appearance of this poem.

Paz del solvente*

solvente: del... de el que tiene liquidez

2.000 el máximo que he ganado jamás
por una declamación* de poesía
— Allen Ginsberg[1]

declamación: recitación

	Oh si yo pudiera ganar en mi país	
	esa cantidad por leer mis poemas:	
	Pagaría viejas deudas que me avergüenzan	1870.00
	(sería otra vez vecino de mis **acreedores**)	
5	compraría *El amor en los tiempos del cólera*[2]	
	en edición **de lujo**	30.00
	iría a La Ceiba[3] por un mes	
	al mar	
	(por unos días adios tos	
10	afonía* capitalina)	
	cercaría el solarcito* que me dio	
	el sindicato	300.00
	(pienso que es mío todavía)	
	compraría los lentes que mamá necesita	175.00
15	mandaría al dentista a mis **seres** queridos	900.00
	dejaría esta ropa que ya pide descanso	100.00
	estos zapatos patizambos*	
	estos anteojos de piedra	200.00
	me emborracharía con los amigos	100.00
20	después de un gran almuerzo	
	alegraría a mi amor con mis días	
	solventes	175.00
	y **me sobraría** —estoy seguro— paz	4000.00
	para no ser más deudor	(sin mercado negro)
25	sino de la poesía	

afonía: pérdida de la voz
solarcito: propiedad pequeña
patizambos: *bowlegged*

Castelar, José Adán. "Paz del solvente," de *Tiempo ganado al mundo* (Tegucigalpa, Honduras: Librería Paradiso, 1989), pp. 200–201. Used with permission of the Honduran poet.

[1] Allen Ginsberg (1926–1997) es un poeta y prosista estadounidense. Su poesía tiene con frecuencia una temática social o política y favorece una estructura poco tradicional. Muchos lo consideran el "padrino espiritual del movimiento anticultural" de la década de los 60 y principios de la de los 70.

[2] *El amor en los tiempos del cólera* (1985) es una novela de amor escrita por Gabriel García Márquez.

[3] La Ceiba es un puerto y lugar turístico en la costa caribeña de Honduras.

¡Después de leer!

A. Hechos y acontecimientos. ¿Recuerdas los datos más importantes de la lectura? Para asegurarte, contesta las siguientes preguntas.

1. ¿Por qué piensas que el poeta incluye una cita del poeta estadounidense Allen Ginsberg al principio del poema? ¿Crees que el poeta puede ganar lo que ganó Allen Ginsberg alguna vez? ¿Por qué?
2. ¿Cuál es el gasto mayor que el poeta se propone? ¿Cuál es el menor? ¿Estás de acuerdo con las prioridades del poeta? Explica.
3. ¿Qué otros gastos piensa tener el poeta?
4. ¿Cómo interpretas los últimos tres versos del poema?

B. A pensar y a analizar. Haz las siguientes actividades con un(a) compañero(a) de clase.

1. ¿Qué da a entender el poema que, hasta ahora, le ha dado o no la poesía al poeta? ¿Riquezas? ¿Gusto por las cosas? ¿Amigos?... ¿Qué más?
2. ¿Qué te gustaría hacer a ti que no es lucrativo pero que, de serlo, te haría financieramente independiente? ¿A qué dedicarías tu tiempo si no tuvieras que trabajar/estudiar tantas horas? ¿Serías más feliz? ¿Menos? Explica.
3. Preparen una lista con cada uno de los posibles gastos que Uds. harían en caso de tener cuatro mil dólares a su disposición. Comparen las semejanzas y las diferencias entre sus listas y la que aparece en el poema "Paz del solvente".

C. Apoyo gramatical: otros tiempos perfectos. Completa las siguientes oraciones acerca del poema "Paz del solvente" usando el pluscuamperfecto de indicativo o de subjuntivo, según convenga.

1. Era evidente que el poeta nunca ___había recibido___ (recibir) pago por recitar sus poemas.
2. El poeta lamentaba que no ___hubiera pagado___ (pagar) las deudas que tenía.
3. El poeta dijo que nunca ___había comprado___ (comprar) *El amor en los tiempos del cólera* en edición de lujo.
4. El poeta sentía que no ___hubiera podido___ (poder) pasar un mes de vacaciones junto al mar.
5. El poeta habría estado contento si le ___hubiera dado___ (dar) un par de lentes a su madre.
6. Era verdad que el poeta no ___había hecho___ (hacer) arreglos al solarcito que le dio el sindicato.
7. El poeta sabía que sus familiares no ___habían ido___ (ir) al dentista desde hacía mucho tiempo.
8. Era una lástima que últimamente el poeta no ___hubiera gozado___ (gozar) de paz por falta de dinero.

Gramática 9.4: Antes de hacer esta actividad conviene repasar esta estructura en las págs. 413–417.

9.3 Imperfect Subjunctive: Main Clauses

› Both the past subjunctive and the conditional of the verbs **poder, querer,** and **deber** are used to make polite recommendations or statements. With other verbs, the conditional is more commonly used for this purpose.

—**Debieras** (**Deberías**) visitar Honduras en el verano, la época de las fiestas.
You should visit Honduras during the summer, the time for festivals.

—Entiendo que llueve mucho en esa época. **Quisiera** (**Querría**) ir en mayo, cuando es más seco.
I understand that it rains a lot at that time. I'd like to go in May, when it is drier.

› The imperfect subjunctive is used after **ojalá (que)** to express wishes that are unlikely to be fulfilled or that cannot be fulfilled.

¡Ojalá que me **sacara** la lotería y **pudiera** viajar por toda Centroamérica!
I wish I'd win the lottery and could travel throughout Central America!

¡Ojalá **estuviera** tomando sol en una de las playas de Honduras en este momento!
I wish I were sunbathing on one of Honduras's beaches right now!

Ahora, ¡a practicar!

A. Recomendaciones. Un amigo te hace recomendaciones amables acerca de tu próximo viaje a Honduras.

MODELO consultar a un agente de viajes
Pudieras (Podrías) consultar a un agente de viajes.

1. viajar durante los meses secos, entre noviembre y abril
2. leer una guía turística
3. comprar tu billete de avión con anticipación
4. llevar dólares y también algunas lempiras
5. viajar en avión dentro del país si es posible
6. hacer excursiones en algunos de los parques nacionales

B. Soñando. Tú y tus compañeros expresan deseos que seguramente no se cumplirán.

MODELO no tener que estudiar para el examen de mañana
Ojalá no tuviera que estudiar para el examen de mañana.

1. estar tomando el sol en una playa en estos momentos
2. andar de viaje por Honduras
3. ganar un viaje a Tegucigalpa
4. aprobar todos mis cursos sin asistir a clases
5. tener un empleo interesante
6. poder jugar al tenis más a menudo

9.4 Other Perfect Tenses

The perfect tenses are formed by combining the appropriate tense of the auxiliary verb **haber** with the past participle of a verb. In *Lección 7* you learned to combine the present indicative of **haber** with past participles to form the present perfect indicative. In this lesson, you will learn to combine other tenses and moods of **haber** with past participles to form the rest of the perfect tenses. The present perfect subjunctive of **haber** followed by a past participle is used to form the present perfect subjunctive; the imperfect indicative and subjunctive of **haber** followed by past participles are used to form the past perfect indicative and subjunctive; the future perfect and conditional perfect tenses are formed using the future and conditional of **haber** with past participles.

Present Perfect Subjunctive

Forms

-*ar* Verbs	-*er* Verbs	-*ir* Verbs
haya termin**ado**	**haya** aprend**ido**	**haya** recib**ido**
hayas termin**ado**	**hayas** aprend**ido**	**hayas** recib**ido**
haya termin**ado**	**haya** aprend**ido**	**haya** recib**ido**
hayamos termin**ado**	**hayamos** aprend**ido**	**hayamos** recib**ido**
hayáis termin**ado**	**hayáis** aprend**ido**	**hayáis** recib**ido**
hayan termin**ado**	**hayan** aprend**ido**	**hayan** recib**ido**

› Reflexive and object pronouns must precede the conjugated form of the verb **haber.**

Para muchos es extraordinario que un gran número de lenguas indígenas **se hayan conservado** hasta nuestros días. — *For many it is extraordinary that a great number of indigenous languages have been preserved until now.*

› As you learned in *Lesson 7,* the past participle is formed by adding -**ado** to the stem of -**ar** verbs and -**ido** to the stem of -**er** and -**ir** verbs: terminar → **terminado,** aprender → **aprendido,** recibir → **recibido.** The past participle is invariable; it always ends in -**o.**

› The following is a list of common irregular past participles:

abierto **escrito** **puesto** **visto**
cubierto **hecho** **resuelto** **vuelto**
dicho **muerto** **roto**

Use

› The present perfect subjunctive is used in dependent clauses that require the subjunctive and that refer to past actions or events that began in the past and continue in the present. The verb in the main clause may be in the present or present perfect indicative, the future, or in a command form.

Mis padres no han regresado todavía. Es posible que **hayan decidido** pasar más días en Honduras.	*My parents have not returned yet. It is possible that they have decided to spend a few more days in Honduras.*
Hasta ahora no he conocido a nadie que **haya estado** en la costa de Mosquitos.	*Up to now I have not met anyone who has been to the Mosquito Coast.*
Espero que mis padres **hayan asistido** a una fiesta tradicional en Honduras.	*I hope my parents have attended a traditional festival in Honduras.*
Preguntaré cómo ir a San Pedro Sula tan pronto como **haya llegado** a mi hotel en Tegucigalpa.	*I will ask about how to go to San Pedro Sula as soon as I have arrived at my hotel in Tegucigalpa.*
En tu próxima visita, ve a un lugar donde no **hayas estado** antes.	*On your next visit, go to a place where you have not been before.*

Ahora, ¡a practicar!

A. Cambios recientes. Menciona algunos cambios que es posible que hayan ocurrido en Honduras últimamente.

MODELO estabilizar la situación política
Es posible que se haya estabilizado la situación política.

1. promover el desarrollo industrial
2. tratar de aumentar la economía
3. mejorar la situación socioeconómica de los indígenas
4. controlar la inflación
5. terminar los bloqueos de caminos
6. elevar la aportación de las remesas

B. Razones. Tú imaginas algunos de los deseos de José Adán Castelar, el autor de "Paz del solvente".

MODELO recibir mucho dinero por leer mis poemas
Ojalá que yo recibiera mucho dinero por leer mis poemas.

1. no tener ninguna deuda
2. vivir lejos de mis acreedores
3. poder comprar mis libros favoritos
4. ser dueño de una casa en La Ceiba
5. gozar de buena salud
6. estar endeudado solo con la poesía

C. Quejas. Los padres de unos amigos tuyos que estuvieron de viaje en Honduras lamentan que sus hijos no hayan podido hacer todas las cosas que habían planeado.

MODELO ver ningún quetzal
Sentimos (Lamentamos, Es triste, Es una lástima) que no hayan visto ningún quetzal.

1. admirar el estilo barroco de la Iglesia Los Dolores
2. subir al cerro El Picacho

3. explorar la impresionante Fortaleza de San Fernando de Omoa
4. recorrer el Parque Nacional La Tigra
5. entrar en el Museo de Antropología e Historia de San Pedro Sula
6. tomar muchas más fotos de las ruinas de Copán
7. hacer una excursión a las Islas de la Bahía
8. ... *(añade otros planes que no se realizaron)*

D. ¿Buen o mal gusto? ¿Qué opinas de la ropa que llevaban las personas en las siguientes situaciones?

MODELO En su entrevista para un puesto de gerente de una boutique que se especializa en ropa super elegante para mujeres de negocios, Estela Quispe llevaba jeans y una blusa con lunares negros y amarillos.
Es bueno (fascinante, maravilloso, triste, deprimente) que haya llevado jeans y una blusa con lunares.

1. El primer día de clases Mario Méndez llevaba shorts y zapatos sin calcetines.
2. La noche de su *senior prom* Marianela Ávalos llevaba un vestido largo de terciopelo negro y un collar de perlas.
3. El acompañante de Marianela llevaba overoles, una camisa roja y botas negras.
4. Para su entrevista para ser aceptado a un programa graduado en la Universidad de Stanford, Ernesto Trujillo llevaba un traje azul marino, camisa blanca, corbata roja y un par de tenis blancos.
5. Para la boda de su prima, Maricarmen Rodríguez llevaba una falda negra con volantes blancos y una blusa blanca con rayas negras.
6. El esposo de Maricarmen llevaba pantalones negros, camisa blanca, corbata negra y zapatos blancos.

Past Perfect Indicative and Past Perfect Subjunctive

Past Perfect Indicative	Past Perfect Subjunctive
había aceptado	**hubiera / hubiese** aceptado
habías aceptado	**hubieras / hubieses** aceptado
había aceptado	**hubiera / hubiese** aceptado
habíamos aceptado	**hubiéramos / hubiésemos** aceptado
habíais aceptado	**hubierais / hubieseis** aceptado
habían aceptado	**hubieran / hubiesen** aceptado

› The past perfect indicative is used to show that a past action took place before another past action or before a specific time in the past.

Se estima que a fines de 1998 el veinte por ciento de la población hondureña estaba sin casa a causa del huracán Mitch que **había azotado** el país unas semanas antes.
It is estimated that by the end of 1998 twenty percent of the Honduran population was homeless because of Hurricane Mitch, which had battered the country some weeks before.

Antes de octubre de 1813, ningún país latinoamericano **había declarado** su independencia.
Before October 1813, no Latin American country had declared its independence.

› The past perfect subjunctive is used when conditions for use of the subjunctive are met, and a past action takes place before a prior point in time. The main verb of the sentence may be in the past (preterite, imperfect, past perfect), the conditional, or the conditional perfect.

Cuando visitamos Honduras hace unos años, todos se quejaban de que el gobierno no **hubiera podido** controlar la corrupción política. — *When we visited Honduras a few years ago, everyone was complaining that the government had not been able to curb political corruption.*

A muchos hondureños no les gustó que el ejército **hubiese derrocado** al presidente Manuel Zelaya en 2009. — *Many Hondurans did not like that the army had overthrown President Manuel Zelaya in 2009.*

Future Perfect and Conditional Perfect

Future Perfect	Conditional Perfect
habré comprendido	**habría** comprendido
habrás comprendido	**habrías** comprendido
habrá comprendido	**habría** comprendido
habremos comprendido	**habríamos** comprendido
habréis comprendido	**habríais** comprendido
habrán comprendido	**habrían** comprendido

› The future perfect is used to show that a future action will have been completed prior to the start of another future action or prior to a specific time in the future.

La próxima semana ya **habremos terminado** nuestra visita a Honduras. — *Next week we will have already finished our visit to Honduras.*

Cuando tú llegues a las Islas de la Bahía, yo ya **habré salido** de Honduras. — *When you reach the Bay Islands, I will have already left Honduras.*

› The conditional perfect expresses conjecture or what would or could have occurred in the past. It often appears in sentences with a **si**-clause.

No sé qué **habrían hecho** ellos en esa situación. — *I don't know what they would have done in that situation.*

Si hubieras recorrido la Ruta Lenca, **habrías visto** muchos pueblos coloniales. — *If you had traveled along the Lenca Trail, you would have seen many colonial villages.*

Ahora, ¡a practicar!

A. Preguntas para el escritor. Di lo que unos estudiantes le preguntaron a Julio Escoto, considerado uno de los mejores escritores hondureños contemporáneos.

MODELO escribir poemas también
Le preguntaron si había escrito poemas también.

1. querer escribir desde que era niño
2. recibir premios literarios internacionales
3. leer literatura hondureña solamente
4. publicar más libros de cuentos o más libros de ensayo

5. interesarse por ocupar cargos políticos
6. tener siempre confianza en sus dotes *(talents)* creativas
7. describir bien la sociedad de su país

B. Quejas. A comienzos del siglo XXI algunos hondureños se quejaban de muchas cosas que habían ocurrido un poco antes. ¿Qué lamentaba la gente?

MODELO la deuda externa / aumentar drásticamente
La gente lamentaba que en los años anteriores la deuda externa hubiera aumentado drásticamente.

1. la productividad del país / disminuir
2. los precios de la ropa y de los comestibles / subir mucho
3. la inflación / no controlarse
4. el estándar de vida / declinar
5. muchos hondureños / emigrar
6. las culturas indígenas / no promoverse mucho
7. ... *(añade otras quejas que conoces)*

C. Predicciones. Tu amigo(a) hondureño(a) es muy optimista. ¿Qué opiniones expresa acerca de lo que cree que habrá ocurrido dentro de veinte años?

MODELO el país / modernizarse completamente
Dentro de veinte años, el país ya se habrá modernizado completamente.

1. el desempleo / bajar
2. la economía / estabilizarse
3. la deuda externa / pagarse
4. el país / convertirse en una potencia exportadora
5. la industria del turismo / expandirse
6. el país / convertirse en uno de los más prósperos de Centroamérica
7. el país / llegar a ser una nación industrializada

D. Vacaciones muy cortas. Después de una corta estadía en Honduras, les dices a tus amigos lo que habrías hecho en caso de que hubieras podido quedarte más tiempo.

MODELO conversar más tiempo con estudiantes hondureños
Habría conversado más tiempo con estudiantes hondureños.

1. admirar la pintura hondureña en la Galería Nacional de Arte
2. subir al cerro El Picacho para tener una vista de Tegucigalpa
3. ir de compras al mercado Guamilito
4. adquirir más artesanías hondureñas
5. ver un partido de fútbol
6. bañarse en las playas de La Ceiba
7. visitar las tres Islas de la Bahía
8. hacer buceo en la isla Roatán

Lección 9: Nicaragua

Transporte

aterrizar *to land*
barco de recreo *pleasure boat*
barco de vela *sailboat*
boleto de ida *one-way ticket*
boleto de ida y vuelta *round-trip ticket*
boleto sencillo *one-way ticket*
bote *(m.)* *small boat*
buque de carga *(m.)* *cargo boat*
camioneta cubierta *minivan*
despegar *to take off*
equipaje *(m.)* *luggage*
equipaje de mano *(m.)* *carry-on luggage*
transbordador *(m.)* *ferryboat*
transporte terrestre *(m.)* *ground transportation*
tren de carga *(m.)* *freight train*
tren de pasajeros *(m.)* *passenger train*
vehículo con tracción a cuatro ruedas *vehicle with four-wheel drive*
vehículo todo terreno *all-terrain vehicle*
vuelo con (sin) escalas *flight with (without) stopovers*
vuelo directo(a) *direct flight*

Isla

brisa *breeze*
riachuelo *brook, stream*
verdor *(m.)* *greenery, lushness*

Palabras útiles

avatares *(m. pl.)* *ups and downs*
dulzura *sweetness*
preciado(a) *prized*
progenitor(a) *father; mother*

Naufragio

agotador(a) *exhausting*
asentamiento *settlement*
emprender *to embark on*
escalinata *stairway*
glifo *glyph, a concave ornament (arquitecture)*
hundir *to sink*
jeroglífico *hieroglyph*
lazo *tie*

worldswildlifewonders / Shutterstock

litoral *(m.)* *coast*
naufragio *shipwreck*
posarse *to alight, to land*
sobreviviente *(m. f.)* *survivor*
zambo(a) *person of mixed African and Native American blood*

Política

comicio *election*
congelar *to freeze*
deponer *to overthrow; to depose*
depuración *(f.)* *purge, cleansing*
destrozar *to wreck; to ruin*
incrementar *to increase*
reanudar *to resume*
retirar *to withdraw*
sumir *to plunge; to immerse*
vinculado(a) *tied to*

Verbos

colocar *to place; to put*
deshacerse de *to get rid of*
dictar *to teach*
echarse *to lie down*
radicar *to reside; to live*

Lección 9: Honduras

Negocios internacionales

acción *(f.)*	*stock*
aduana	*customs*
beneficio	*benefit*
bienes de consumo *(m. pl.)*	*consumer goods*
bolsa	*stock market*
competencia	*competition*
crédito	*credit*
déficit comercial *(m.)*	*trade deficit*
exportación *(f.)*	*export, exportation*
extranjero	*abroad*
feria de muestras	*trade fair*
ganancia	*earning, profit*
importación *(f.)*	*import, importation*
inversión *(f.)*	*investment*
logística	*logistics*
mercancías	*merchandise, goods*
productividad *(f.)*	*productivity*
tarifas aduaneras	*customs tariffs*
tipo de cambio	*exchange rate*

Palabras útiles

cercar	*to fence (off)*
de lujo	*luxury*
seres *(m. pl.)*	*beings (human)*
sismógrafo	*seismograph*

Economía

acreedor(a) a	*worthy of; creditor*
advertir (ie)	*to warn*
cobro	*collection (of payments)*
confianza	*trust*
corto plazo	*short-term*
desigual	*unequal; uneven*
involucrado(a)	*involved*
largo plazo	*long-term*
meta	*goal*
posesionar	*to take possession*

Royal Tropical Institute

Cirugía

acontecimiento	*event*
cirugía	*surgery*
cirujano(a)	*surgeon*
fármaco	*medicine, drug*
farmacólogo(a)	*pharmacologist*

Presentador

programa matinal	*morning show*
presentador(a)	*announcer (TV)*
relatar	*to relate; to recount*

Verbos

concebir (i)	*to conceive*
entrenar	*to train*
sobrar	*to have left over; to be more than enough*

Dos mares, un destino

COSTA RICA Y PANAMÁ

Tony Anderson / Photolibrary

Suggestions: Have students think about the meaning of the title: To what **dos mares** might this refer? Why **un destino**? Ask students if they think it is an appropriate description of the situation of these countries. Have them explain their responses.

LOS ORÍGENES

Lee sobre los indígenas precolombinos, el descubrimiento y la colonización del área de la actual Costa Rica y Panamá. Descubre también la importancia geográfica del istmo centroamericano y su influencia en el desarrollo de la región (págs. 422–423).

SI VIAJAS A NUESTRO PAÍS…

- En **Costa Rica** estarás en el "puente biológico" entre Norteamérica y Sudamérica y visitarás la capital, San José —con una población de más de trescientos cincuenta mil—, la provincia de Limón, la región más biodiversificada del mundo y algunas de las mejores playas del país (págs. 424–425).
- En **Panamá** visitarás la más cosmopolita capital de Centroamérica, la Ciudad de Panamá, una joya del período colonial con una población de más de ochocientos mil, las islas de San Blas, el canal de Panamá y algunos festivales panameños (págs. 440–441).

MEJOREMOS LA COMUNICACIÓN

- Aprende a hablar con facilidad de la artesanía (págs. 426–427) y de la geografía (págs. 442–443).

AYER YA ES HOY

Haz un recorrido por la historia de Costa Rica desde la independencia hasta la época contemporánea (págs. 428–429) y por la de Panamá desde el siglo XVIII hasta el presente (págs. 444–445).

LOS NUESTROS

- En **Costa Rica** conoce a una gran poeta, actriz y dramaturga feminista, al primer astronauta latinoamericano y a un experto de la pintura hiperrealista (págs. 430–431).
- En **Panamá** conoce a la aspirante más joven en ganar el concurso de *Latin American Idol*, a un escritor y fotógrafo que se ha destacado por sus cuentos breves y a un pianista, compositor y jazzista panameño de fama internacional (págs. 446–447).

¡LUCES! ¡CÁMARA! ¡ACCIÓN!

Descubre un río de Costa Rica que ofrece enormes posibilidades para el rafting: el Pacuare (pág. 432).

ESCRIBAMOS AHORA

Prepara una evaluación escrita de este curso (pág. 448).

Y AHORA, ¡A LEER!

- Explora tus ideas sobre la paz y el orden mundial inspirado(a) por el discurso de Óscar Arias en ocasión de la entrega del Premio Nobel de la Paz (págs. 433–435).
- Reflexiona sobre lo que significa ser mujer con el poema "La única mujer", de la escritora panameña Bertalicia Peralta (págs. 449–451).

¡EL CINE NOS ENCANTA!

Disfruta de la ironía de un final inesperado del cortometraje *Medalla al empeño* (págs. 452–455).

GRAMÁTICA

Repasa los siguientes puntos gramaticales:

- 10.1 Sequence of Tenses: Verbs in the Indicative (págs. 436–437)
- 10.2 Sequence of Tenses: Verbs in the Indicative and the Subjunctive (págs. 438–439)
- 10.3 Sequence of Tenses: ***Si***-clauses (págs. 456–457)

LOS ORÍGENES

Distintos pueblos indígenas ocuparon, antes de la conquista española, el territorio que hoy comprende Costa Rica y Panamá. Sin embargo, en Costa Rica la gran mayoría de la población actual es de origen español sin mezcla. En Panamá, el 70% de sus habitantes son mestizos y hay una considerable población negra.

Las poblaciones indígenas y la colonización

¿Cuántas personas habitaban la zona?

Cuando Cristóbal Colón desembarcó en Costa Rica por primera vez en 1502, se calcula que solo había unos treinta mil indígenas en la región, a los cuales se les añadían tres colonias militares aztecas que recogían tributos para Tenochtitlán. Al sur, se encontraban los kunas, los guaymíes y los chocoes. Los descendientes de estas tribus forman los tres grupos de indígenas más numerosos que continúan viviendo en la región de Panamá.

Library of Congress, Prints and Photographs Division

Cristóbal Colón pisó la costa ahora costarricense dura su cuarto y último viaje.

¿Cómo se fue colonizando la región?

Después de que Cristóbal Colón fuera el primer europeo en pisar terreno de la actual Costa Rica, Vasco Núñez de Balboa consiguió cruzar el istmo y en septiembre de 1513 llegó al océano Pacífico. En 1519 Pedrarias Dávila, gobernador del territorio que hoy es Panamá, fundó la Ciudad de Panamá.

Con la conquista española, la población indígena que habitaba el territorio que hoy día es Costa Rica y Panamá disminuyó considerablemente debido a enfermedades introducidas por los españoles y al hecho de que muchos fueron enviados a Perú a trabajar las minas de oro. La disminución de la población indígena dio inicio a un mestizaje racial y permitió que el castellano y el catolicismo reemplazaran muchas de las lenguas y religiones nativas.

Gonzalez Azumendi / Photolibrary

Indígenas Emberá [literalmente, la gente del maíz] de comunidad Parara Puru en Panamá

La importancia estratégica del Istmo

¿Cómo afectó a la región su desarrollo?

En 1574 Costa Rica se integró a la Capitanía General de Guatemala que en 1823 se convirtió en las Provincias Unidas de Centroamérica. Cuando los colonos españoles se dieron cuenta de que no había riquezas minables en Costa Rica, la mayoría decidió abandonar la región en busca de riquezas en otras partes. En cambio, la Ciudad de Panamá, situada en la costa del océano Pacífico, experimentó un gran desarrollo gracias a la construcción del Camino Real que unía Nombre de Dios, ciudad caribeña, con Puerto Bello, ciudad en la costa atlántica. Este camino facilitaba mover el oro de Perú al Atlántico, camino a España. El tráfico de mercancías por el istmo atrajo a piratas. En 1717, para enfrentarse con el problema de los piratas y para facilitar la búsqueda de oro, España instituyó el Virreinato de Nueva Granada, el cual incluía aproximadamente el territorio de las que hoy son las repúblicas de Venezuela, Colombia, Ecuador y Panamá. Este fue suprimido en 1723 y reestablecido en 1739 cuando Panamá pasó a formar parte del virreinato.

Tim MacMillan / Photolibrary

Cristóbal Colón regresó a España sin haber descubierto el istmo centroamericano.

¿COMPRENDISTE?

VOCABULARIO ÚTIL

comprender	*to include, to comprise*
cruzar	*to cross*
dar inicio	*to begin*
desembarcar	*to disembark, to land*
disminución *(f.)*	*decrease, drop*
pisar	*to step on*

A. Hechos y acontecimientos. Contesta las siguientes preguntas. Luego, compara tus respuestas con las de un(a) compañero(a).

1. ¿Cuáles fueron algunos de los pueblos indígenas que ocuparon el territorio que ahora conocemos como Costa Rica y Panamá?
2. ¿Qué efecto tuvo la conquista española en la población indígena que habitaba el territorio que hoy día es Costa Rica y Panamá?
3. ¿Quién fue el primer europeo que cruzó el istmo de Panamá y vio el océano Pacífico?
4. ¿A qué se debe el gran desarrollo que experimentó la Ciudad de Panamá en el siglo XVIII?
5. ¿Qué atrajo a piratas al istmo en el siglo XVIII y qué hizo España para enfrentarse al problema?
6. ¿A qué virreinato pertenecía el territorio que hoy incluye las repúblicas de Venezuela, Colombia, Ecuador y Panamá?

B. A pensar y a analizar. Contesta las siguientes preguntas con dos o tres compañeros(as) de clase.

1. Colón bautizó las costas que descubrió como Costa Rica porque vio que unos indígenas llevaban joyas de oro, aunque luego no se encontró oro en la región. ¿Podemos hoy día considerar "rica" a Costa Rica? ¿Por qué? ¿Cuál es la ironía en esta historia?
2. ¿Conocen otros casos en la conquista y colonización de América donde la situación geográfica haya influido tanto en su desarrollo económico como en el caso de Panamá? ¿De qué país o región se trata? ¿Cuáles fueron las consecuencias?

¡Diviértete en la red!
Busca "cuarto viaje de Colón" en Google Web para conocer más de la precaria situación del almirante *(admiral)* antes de morir, de sus desilusiones y desengaños. Ve a clase preparado(a) para compartir la información que encontraste.

SI VIAJAS A NUESTRO PAÍS...

Costa Rica

Suggestions: Ask students if they have visited Costa Rica. If so, have them share their experiences with the class. Also ask if they are familiar with any of the places mentioned here.

Comprehension check: Ask: **1. ¿Cuál de los varios lugares mencionados en la capital te interesa más? ¿Por qué? 2. ¿Qué impresión tienes de Limón? ¿Qué te gustaría visitar más, Tortuguero o Cahuita? ¿Por qué? 3. ¿Qué evidencia hay de biodiversidad en Costa Rica? ¿Por qué crees que hay tanta en este pequeño país?**

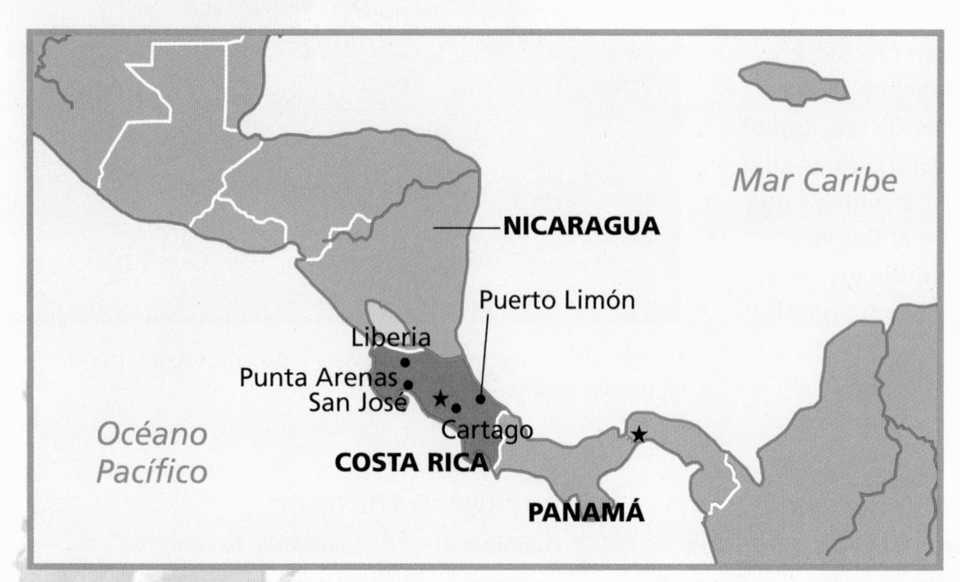

Nombre oficial: República de Costa Rica
Población: 4.438.995 (estimación de 2009)
Principales ciudades: San José (capital), Limón, Alajuela, San Francisco
Moneda: Colón (C/)

En San José, la capital, y en sus alrededores, tienes que conocer...

- el Teatro Nacional, de arquitectura neoclásica, que es una de las atracciones turísticas más importantes de la ciudad.
- el Museo del Jade, el único museo de jade precolombino de Latinoamérica, con más de siete mil piezas de jade, barro *(clay)*, piedra, madera y artefactos de oro.
- el Museo de Arte y Diseño Contemporáneo, que incluye cuatro salas de exposiciones, una sala auditorio y un espacio externo, para eventos artísticos de distintos tipos.
- el Museo del Oro, con la colección de joyería de oro precolombina más grande de Centroamérica.
- el volcán Arenal, todavía activo, a unos noventa kilómetros de San José.

Robert Harding / Photolibrary

El Teatro Nacional en San José

En la provincia de Limón vas a conocer...

- Puerto Limón, la capital de la cultura afro-caribeña de Costa Rica.
- el Parque Nacional Tortuguero, uno de los lugares más importantes del mundo para la anidación *(nesting)* de tortugas marinas.
- el Parque Nacional Cahuita, con sus riquezas marinas y un arrecife *(reef)* que sostiene una grandiosa variedad de coral vivo a lo largo de su costa de arena blanca.

Chesapeake Images / Shutterstock

Exuberante naturaleza en el Parque Nacional Tortuguero.

La región más biodiversificada del mundo

- Costa Rica ha dedicado más del 25% de su territorio a áreas ecológicas protegidas.
- Cuenta con veintisiete parques nacionales, cincuenta y ocho refugios de vida salvaje *(wildlife)*, treinta y dos zonas protegidas, quince zonas de humedales pantanosos *(marshlands)*, once reservas forestales y ocho reservas biológicas.
- En esta área, más o menos del tamaño de la mitad de Ohio, se encuentra el cinco por ciento de todas las especies de plantas y animales del mundo.
- Costa Rica da cobijo *(shelter)* a doscientas cinco especies de mamíferos *(mammals)*, ochocientas cincuenta especies de aves, ciento sesenta y nueve especies de anfibios, doscientas catorce especies de reptiles y ciento treinta especies de peces de agua dulce.

John Cancalosi / Photolibrary

Vista aerea de una maravillosa playa costarricense

Las mejores playas de Costa Rica

- las playas del Parque Nacional Manuel Antonio, unas de las mejores y más bellas del mundo aparte de ser un paraíso para los amantes del surf
- las numerosas playas excepcionales de la península de Nicoya, que dan al Pacífico: la playa de Tamarindo, excelente para poder practicar la pesca deportiva, el surf, el buceo y los paseos en kayak, y la playa de Mal País, paraíso para los surfistas, la pesca deportiva y el buceo
- la playa del Parque Nacional Corcovado, la joya de la impresionante península de Osa, declarada Patrimonio Natural de la Humanidad por la UNESCO en el año 1997

¡Diviértete en la red!

Busca en Google Images o en YouTube para ver fotos y videos de cualquiera de los lugares mencionados aquí. Ven a clase preparado(a) para describir en detalle el lugar que escogiste.

¡La artesanía es arte!

La artesanía costarricense es una expresión cultural de gran belleza. El visitante puede disfrutar tanto de las reproducciones de objetos precolombinos como de la tradicional carreta, pasando por las esculturas de madera o arcilla, la cerámica, los productos de cuero, la joyería y las piezas creadas en mimbre. El valor de la artesanía es tan alto que el 22 de marzo de 1988 el presidente Dr. Óscar Arias nombró la carreta Símbolo Nacional de Costa Rica. La carreta, finamente decorada, es el símbolo del trabajo y la dedicación de los costarricenses.

Heiner Heine / Photolibrary

Al apreciar la artesanía

arcilla *clay*
arete *(m.)* *earring*
bañado en oro *gold-plated*
bordado *embroidery*
carreta *ox cart*
cerámica *ceramics*
cestería *basketmaking*
coser *to sew*
impresión *(f.)* *printing*
labrar *to carve, to cut, to tool, to work*
litografía *lithography*
máscara *mask*
mimbre *(m.)* *wicker*
piel *(f.)* *leather*
puntadas *stitches (in sewing)*
quilate *(m.)* *carat*
soplado de vidrio *glassblowing*
talla (de madera) *(wood) carving (object)*
tallado en madera *wood carving (craft)*
tejeduría *weaving*
tejer *to weave; to knit*
tejer a ganchillo *to crochet*
tela *material*
vidriería *glassmaking*

Al interesarse en la alfarería

—Parece que mi hijo se ha interesado por la alfarería vidriada. Se pasa todo el tiempo libre haciendo objetos de barro. Ya tiene su propio torno de alfarero y su horno en el garaje.

It seems my son has become interested in glazed pottery. He spends all his free time making earthenware. He already has his own potter's wheel and kiln in the garage.

Al interesarse en el trabajo en piel

—¿Te conté que mi nuevo pasatiempo es labrar la piel fina?

Did I tell you that my new hobby is tooling fine leather?

—¡Qué bien! Puedes hacerme un bolso de cuero para mi cumpleaños.

That's great! You can make me a leather handbag for my birthday.

¡A practicar, luego a conversar!

A. La artesanía es arte. Completa las siguientes frases con las palabras apropiadas del vocabulario.

1. Quiero comprarme unos aretes de oro de 14 ___quilates___.
2. ¿Viste la colección de ___máscaras / cerámica___ de divinidades precolombinas que tienen Carmela y Rosa en su casa?
3. No, de lana no. Mi prenda de ropa favorita sigue siendo una chamarra de ___piel___.
4. ¿Viste las réplicas de carretas que fabrican en Costa Rica? Son un excelente ejemplo del ___tallado en madera___.

B. Palabras clave: carro. Para trabajar con un vocabulario más amplio, relaciona las palabras de la primera columna con las oraciones en inglés de la segunda columna que le correspondan. Luego, escribe una oración con cada palabra. Compara tus oraciones con las de dos compañeros(as) de clase.

___d___	1. carro	a. *Carriages* are a thing of the past.
___e___	2. carreta	b. It is very late. Let's get on the *road* as soon as possible.
___b___	3. carretera	c. I need to have some work done to the *body* of my car.
___a___	4. carroza	d. He bought a brand-new *car*.
___c___	5. carrocería	e. Let's buy a beautiful Costa Rican *cart*.

C. Encuesta. Entrevista a cuatro compañeros(as) para ver qué tipo de artesanía les gusta. Pregúntales también si hacen alguna artesanía ellos mismos o si han comprado alguna en sus viajes. Luego, compara tus datos con los del resto de la clase para saber cuál es la artesanía favorita.

D. Dramatización. Dramatiza la siguiente escena con dos compañeros(as) de clase. Tres amigos(as) están pasando las vacaciones de primavera en Costa Rica. Como hoy es el último día de su visita, deciden ir de compras para llevarles alguna artesanía típica a sus parientes. En una tienda de regalos Uds. discuten qué van a comprar y por qué.

Suggestion: Ask students how they think Costa Rica has been able to maintain democracy throughout most of its history and avoid the dictatorships that have been so common in Central America.

Costa Rica: ¿utopía americana?

Anthony John Coletti

Rafael Yglesias Castro, nieto de José María Castro Madriz, fue presidente de Costa Rica de 1894 a 1902.

Anthony John Coletti

La independencia

Costa Rica elaboró su propia constitución en 1823. Ese mismo año, la ciudad de San José venció a la ciudad rival de Cartago, y le quitó el control del gobierno convirtiéndose en la capital. Costa Rica formó parte de las Provincias Unidas de Centroamérica de 1823 a 1838, y proclamó su independencia absoluta el 31 de agosto de 1848. El primer presidente de la nueva república fue José María Castro Madriz.

Durante la segunda mitad del siglo XIX aumentaron considerablemente las exportaciones de café y se establecieron las primeras plantaciones bananeras. En 1878, el empresario estadounidense Minor C. Keith, dueño de *Tropical Trading,* obtuvo del gobierno grandes concesiones territoriales para el cultivo del banano con el compromiso de construir un ferrocarril entre San José y Puerto Limón. Debido a la unificación de *Tropical Trading* y *Boston Fruit Co.* nació la *United Fruit Company,* que los campesinos pronto nombraron "Mamita Yunai".

Dos insurrecciones

Solo en dos ocasiones se interrumpió la legalidad constitucional en Costa Rica en el siglo XX. La primera fue durante el régimen del general Federico Tinoco Granados, cuyo gobierno autoritario (1917–1919) causó una insurrección popular y la marginación de los militares. La segunda fue durante la breve guerra civil que estalló cuando el gobierno anuló las elecciones presidenciales de 1948.

El país retornó a la vida constitucional con el gobierno de Otilio Ulate (1949–1953). En 1949 se aprobó una nueva constitución que disolvió el ejército y dedicó el presupuesto militar a la educación. Costa Rica es el único país latinoamericano que no tiene ejército y con ello ha podido evitar los golpes de estado promovidos por militares ambiciosos.

© Bettmann / Corbis

La guerra civil del 48 duró apenas dos semanas, pero como toda guerra civil fue dolorosa.

Segunda mitad del siglo XX

En 1953, José Figueres fue elegido presidente. Consiguió renegociar los contratos con la *United Fruit Company* de forma beneficiosa para Costa Rica. La compañía se vio obligada a invertir en el país el 45% de sus ganancias y perdió el monopolio de los ferrocarriles, las compañías eléctricas y las plantaciones de cacao y caña. Figueres fue elegido presidente otra vez en 1970.

En la década de los 80, las guerras civiles centroamericanas representaron un grave peligro para Costa Rica. Óscar Arias Sánchez, elegido presidente en 1986, jugó un papel activo en la resolución de los conflictos centroamericanos a través de la negociación. Fue galardonado con el Premio Nobel de la Paz en 1987.

Costa Rica hoy

AFP / Getty Images

La presidenta Laura Chinchilla Miranda es la primera mujer en alcanzar el máximo puesto político del país.

- La entrada del país al siglo XXI se ha visto marcada por un cuestionamiento de su modelo democrático. El sistema bipartidista empezó a decaer en 2002 cuando ambos partidos perdían peso electoral.
- En 2010 Laura Chinchilla Miranda ganó las elecciones presidenciales, la primera vez que una mujer llega a la presidencia de Costa Rica (la novena de Latinoamérica).
- Costa Rica ya no solo es un país eminentemente agrícola sino también uno con una economía de servicios. Destacan la producción de café y el turismo que desde inicios del año 2000 genera más divisas que cualquiera de los otros productos agrícolas de exportación. Aprovechando su ambiente pacífico, el alto nivel educativo de sus habitantes y adecuadas políticas de atracción de empresas, Costa Rica también fabrica materiales y productos tecnológicos.

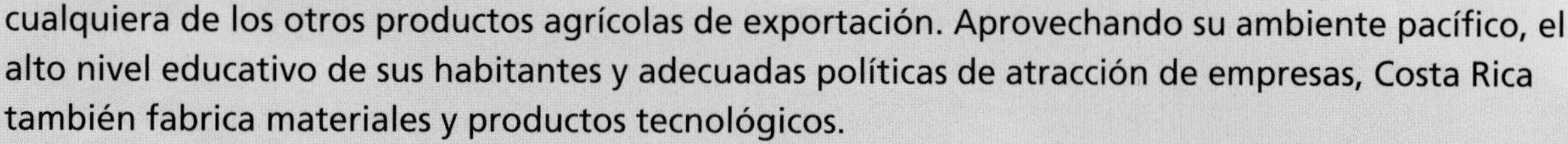

- Costa Rica ocupa el tercer lugar a nivel mundial en la clasificación del índice de desempeño ambiental de 2010. Entre los países de Latinoamérica, ocupa el primer lugar en la clasificación del índice de competitividad turística.

¿COMPRENDISTE?

A. Hechos y acontecimientos. Trabaja con un(a) compañero(a) de clase para escribir una breve explicación del significado de las siguientes personas, lugares y elementos. Luego, comparen sus explicaciones con las de la clase.

1. José María Castro Madriz
2. la *United Fruit Company*
3. la constitución de 1949
4. Laura Chinchilla Miranda
5. una economía de servicios
6. la importancia del turismo

B. A pensar y a analizar. En grupos de tres, expliquen cómo Costa Rica ha gozado de una relativa estabilidad política a lo largo del siglo XX y hasta el presente, mientras que sus vecinos han sufrido insurrecciones sangrientas y guerras civiles.

C. Apoyo gramatical. Secuencia de tiempos: verbos en indicativo. Siguiendo el modelo, menciona algunos de los datos que leíste sobre Costa Rica.

MODELO Cristóbal Colón / caminar por las playas de Costa Rica en su cuarto viaje
He leído que Cristóbal Colón caminó por las playas de Costa Rica en su cuarto viaje.

1. Cristóbal Colón / desembarcar por primera vez en Costa Rica en 1502. desembarcó
2. En 1848 Costa Rica / proclamar su independencia absoluta. proclamó
3. En 1949 una breve guerra civil / estallar en Costa Rica. estalló
4. La constitución de 1949 / disolver el ejército en Costa Rica. disolvió
5. En 1986 Óscar Arias Sánchez / resultar elegido presidente del país. resultó
6. En 1987 Óscar Arias Sánchez / recibir el Premio Nobel de la Paz. recibió
7. En 2010 Costa Rica / tener su primera mujer presidenta, Laura Chinchilla Miranda. tuvo

VOCABULARIO ÚTIL

anular	*to cancel, to declare null and void*
aprovechar	*to take advantage of*
bipartidista *(m. f.)*	*bipartisan, two-party*
cuestionamiento	*questioning*
decaer	*to decline, to deteriorate*
desempeño	*performance*
disolver (ue)	*to dissolve; to break up*
invertir (ie)	*to invest*
marginación *(f.)*	*exclusion*
monopolio	*monopoly*
presupuesto	*budget*
quiebre *(m.)*	*breakup, dissolution*

Gramática 10.1: Antes de hacer esta actividad, conviene repasar esta estructura en las págs. 436–437.

Ana Istarú

Photo courtesy Ana Istaru, ©Julia Ardón

Esta poeta, actriz y dramaturga costarricense, gracias a su padre, penetra en el mundo de las letras y por su madre conoce la pasión por el teatro. Muchos críticos y lectores de su poesía coinciden en que es una poesía un tanto erótica con perspectiva de género, es decir, una poesía muy femenina. Por el erotismo de su poesía consigue que a veces el significado de sus versos pueda ser interpretado de diversas maneras, como corresponde a una verdadera obra literaria, según los propios deseos del lector o lectora. Ha escrito cuatro obras de teatro, obteniendo varios premios como dramaturga. Sus obras han sido montadas en Costa Rica, España, México y los Estados Unidos. En varias ocasiones ha sido galardonada con premios, como el Premio Ancora de Teatro 1999–2000, por su actuación en el teatro costarricense.

NASA

Franklin Chang-Díaz

De origen costarricense, es el primer astronauta y físico hispanoamericano que viajó en el transbordador espacial. En 1981, logró el sueño de su vida: ser astronauta. Ha sido el primer astronauta latinoamericano de la NASA, el tercer no estadounidense del hemisferio occidental en viajar al espacio y uno de los hombres con más misiones y horas espaciales en la historia. Comparte el récord de número de viajes al espacio a bordo del transbordador espacial, con un total de siete misiones espaciales entre 1986 y 2002. En la actualidad se dedica a la investigación para la propulsión con plasma, fundamental para futuras misiones espaciales de larga distancia como, por ejemplo, llegar a Marte.

Gonzalo Morales Sáurez

Photo courtesy Gonzalo Morales Sáurez

Este pintor costarricense realizó sus estudios en la Academia de Bellas Artes en Madrid, España. Es mejor conocido en el medio por sus trabajos hiperrealistas, que incluyen, entre otros, retratos y naturaleza muerta. Algunos críticos afirman que la obra de Morales Sáurez no es pintura por pintura, sino pintura de pensamiento hondo, inteligente, intenso, profundo. La modernidad de su pintura está más en el enfoque que realiza de la realidad que en las técnicas o manejos artesanos que emplea. Utiliza, por ejemplo, viejas fachadas de casas, muebles, habitaciones vacías, envoltorios de paquetes, todos empleados en la creación de metáforas artísticas.

Suggestion: Ask students to look up two or more of the **Otros costarricenses sobresalientes** on the Internet and have them turn in a brief written report on what they find. You may want to offer extra credit for this work.

Otros costarricenses sobresalientes

Laureano Albán: poeta

Fernando Carballo Jiménez: pintor

Alfonso Chase: poeta

Carlos Cortés: poeta, cuentista, novelista y compilador de antologías

Magda Gordienko: pintora

Xenia Gordienko: pintora

Luis Muñoz: músico

Carmen Naranjo: poeta, novelista y embajadora

Julieta Pinto: cuentista, novelista y catedrática

Juan Carlos Robelo: pintor

Samuel Rovinski: poeta, cuentista, novelista, dramaturgo y ensayista

¿COMPRENDISTE?

A. **Los nuestros.** Contesta las siguientes preguntas. Luego, comparte tus respuestas con las de dos o tres compañeros(as) de clase.

1. ¿En qué campos ha tenido éxito Ana Istarú? ¿Qué tipo de persona crees que es? ¿Crees que el erotismo le quita elegancia a la poesía?
2. ¿Cuál fue el sueño de Franklin Chang-Díaz? ¿Cómo lo logró? ¿Crees que tú podrías llegar a ser astronauta? Explica.
3. ¿Cuál es el tema central de la pintura de Morales Sáurez? ¿En qué consiste la modernidad en su obra? Explica.

B. **Miniprueba.** Demuestra lo que aprendiste de estos talentosos costarricenses al completar estas oraciones.

1. Por el erotismo de su poesía, Ana Istarú consigue que a veces el significado de sus versos pueda ser interpretado de __c__.
   a. manera equivocada b. modo ambivalente c. diversas maneras
2. La investigación para la propulsión con plasma de Chang-Díaz es fundamental para futuras misiones espaciales de __b__.
   a. corta duración b. larga distancia c. la estación espacial
3. El pintor Morales Sáurez es mejor conocido por sus trabajos __a__.
   a. hiperrealistas b. surrealistas c. realistas

VOCABULARIO ÚTIL

beca	*scholarship*
bolsillo	*pocket*
corte *(m.)*	*style; cut*
enfoque *(m.)*	*focus*
envoltorio	*wrapping*
fachada	*façade*
físico(a)	*physicist*
hondo(a)	*deep*
manejo	*aptitude*
Marte *(m.)*	*Mars*
matricularse	*to register*
montar	*to stage*
naturaleza muerta	*still life*
retrato	*portrait*
transbordador espacial *(m.)*	*space shuttle*

¡Diviértete en la red!

Busca "Ana Istarú" y/o "Franklin Chang-Díaz" en YouTube para ver fascinantes videos de estos talentosos costarricenses o busca "Gonzalo Morales Sáurez" en Google Images para ver ejemplos de su arte. Ven a clase preparado(a) para presentar lo que encontraste.

Suggestions: Ask students to comment on the subtitle of the video, **Para amantes de la naturaleza**. Then, have them predict what they will see based on the questions in **Antes de empezar el video.** After viewing the video, have them check their predictions to see if they were correct.

Costa Rica: para amantes de la naturaleza

Antes de empezar el video

En parejas. Contesten las siguientes preguntas en parejas.

1. La región donde viven, ¿se presta a los deportes extremos? ¿Qué deportes son?
2. ¿Les gustan los deportes extremos? ¿Cuáles han practicado? ¿Qué han sentido al practicarlos?
3. ¿Han hecho Uds. *rafting* alguna vez? ¿Dónde? ¿Les gustó o no? ¿Por qué?

Después de ver el video

A. La exuberancia ecológica de Costa Rica. Contesta las siguientes preguntas con un(a) compañero(a) de clase.

1. ¿Qué es un río de flujo natural?
2. Según Rafael Gallo, ¿qué es el *rafting*? ¿Qué es lo más importante de este deporte?

B. A pensar y a interpretar. Contesta las siguientes preguntas.

1. ¿Qué atractivo tiene el río Pacuare para el *rafting*?
2. ¿Por qué es tan importante el chaleco salvavidas en el *rafting*?
3. ¿Qué otros deportes extremos creen que se pueden practicar en Costa Rica? Expliquen por qué opinan así.

C. Apoyo gramatical. Secuencia de tiempos: verbos en indicativo y subjuntivo. Selecciona la forma verbal que completa mejor cada oración para leer acerca de algunas atracciones de Costa Rica.

Los amantes de la naturaleza creen que 1. han encontrado / hayan encontrado el paraíso terrenal. Ellos están seguros de que el paraíso 2. tiene / tenga nombre; se llama Costa Rica. Dudan que 3. existe / exista un lugar con tantas oportunidades de disfrutar de paisajes extraordinarios. Le pedí a una amiga ecologista que conoce bien su país, que me 4. dijera / diga qué lugar visitar. Ella sabe que a mí me 5. encanten / encantan las aventuras emocionantes en lugares maravillosos. Ella sugirió que yo me 6. informara / informaría sobre las excursiones por el río Pacuare, la joya de los rápidos de Costa Rica. A los que les gustan las aventuras apasionantes, como a mí, ella les recomienda que 7. hacen / hagan rafting en ese río maravilloso. Todos los que bajan por el río, se sorprenden de que 8. puedan / podrán combinar aventura y belleza. Cristóbal Colón pensó que él 9. había encontrado / hubiera encontrado un lugar con mucho oro. Es verdad que no 10. hay / haya oro, pero hay belleza que todos pueden gozar.

Gramática 10.2: Antes de hacer esta actividad, conviene repasar esta estructura en las págs. 438–439.

¡Antes de leer!

Vocabulario…: Ask volunteers to create original sentences with these vocabulary words.

A. Anticipando la lectura. Imagínate que has sido galardonado con el Premio Nobel de la Paz y tienes que preparar el discurso que vas a pronunciar al aceptar el premio. Como preparación para escribir ese discurso, contesta las siguientes preguntas.

1. ¿Cómo piensas empezar tu discurso? ¿Les vas a dar las gracias a las personas responsables? ¿A quiénes? ¿Qué vas a decir?
2. ¿Qué vas a decir sobre la importancia de este premio y el honor de haberlo recibido?
3. ¿Qué piensas decir acerca de la paz mundial? ¿De la paz en general?
4. En tu opinión, ¿es apropiado criticar en esta ocasión a algunos gobernantes o países que parecen no respetar la paz? ¿Hay algunos que tú criticarías? ¿Cuáles? ¿Qué dirías de ellos?
5. ¿Qué otros asuntos crees que debes mencionar?
6. ¿Cómo terminarías tu discurso?

B. Vocabulario en contexto. Busca estas palabras en la lectura que sigue y, a base del contexto, decide cuál es su significado. Para facilitar encontrarlas, las palabras aparecen en negrilla en la lectura.

1. **concretaron**	a. escucharon	(b.) hicieron realidad	c. cancelaron
2. **coraje**	(a.) bravura	b. dinero	c. paciencia
3. **asunto**	a. decisión	b. conclusión	(c.) cuestión
4. **plazos**	a. ejércitos	(b.) límites de tiempo	c. centros en la ciudad
5. **inadvertidos**	(a.) no reconocidos	b. destacados	c. primeros
6. **cerciorándonos**	a. dudándonos	b. ignorándonos	(c.) asegurándonos

Sobre el autor

Óscar Arias Sánchez, político costarricense, fue galardonado con el Premio Nobel de la Paz en 1987 mientras era presidente de su país. Nació en Heredia, Costa Rica, en 1941, en el seno de una acomodada familia dedicada a la exportación del café. Estudió derecho y economía en la Universidad de Costa Rica. En 1974, completó su doctorado en la Universidad de Essex, en Inglaterra, y regresó a enseñar ciencias políticas en la Universidad de Costa Rica. En 1986, fue elegido presidente de Costa Rica por un amplio margen. Tiene varias publicaciones sobre ciencias políticas, que incluyen *Democracia, independencia y sociedad latinoamericana* (1977), *Horizontes de paz* (1994) y *Nuevas dimensiones de la educación* (1994).

Guillermo Legaria / Getty Images

La paz no tiene fronteras

(Fragmento del discurso de aceptación del Premio Nobel de la Paz en 1987)

Cuando ustedes decidieron honrarme con este premio, decidieron honrar a un país de paz, decidieron honrar a Costa Rica. Cuando, este año, 1987, concretaron el deseo de Alfred E. Nobel de fortalecer los esfuerzos de paz en el mundo, decidieron fortalecer los esfuerzos para asegurar la paz en América Central. Estoy agradecido por el reconocimiento de nuestra búsqueda de la paz. Todos estamos agradecidos en Centroamérica.

Nadie sabe mejor que los honorables miembros de este Comité que este premio es una señal* (signo) para hacerle saber al mundo que ustedes quieren promover la iniciativa de paz centroamericana. Con su decisión, apoyan sus posibilidades de éxito; declaran cuán bien conocen que la búsqueda de la paz no puede terminar nunca, y que es una causa permanente, siempre necesitada del apoyo verdadero de amigos verdaderos, de gente con **coraje** para promover el cambio en favor de la paz, a pesar de todos los obstáculos.

La paz no es un **asunto** de premios ni de trofeos. No es producto de una victoria ni de un mandato. No tiene fronteras, no tiene **plazos,** no es inmutable* (invariable) en la definición de sus logros.

La paz es un proceso que nunca termina; es el resultado de innumerables decisiones tomadas por muchas personas en muchos países. Es una actitud, una forma de vida, una manera de solucionar problemas y de resolver conflictos. No se puede forzar en la nación más pequeña ni puede imponerla la nación más grande. No puede ignorar nuestras diferencias ni dejar pasar **inadvertidos** nuestros intereses comunes. Requiere que trabajemos y vivamos juntos.

La paz no es sólo un asunto de palabras nobles y de conferencias Nobel. Ya tenemos abundantes palabras, gloriosas palabras, inscritas en las cartas* (*charters*) de las Naciones Unidas, de la Corte Mundial, de la Organización de Los Estados Americanos y de una red* (conjunto) de tratados internacionales y leyes. Necesitamos hechos que respeten esas palabras, que honren los compromisos avalados* (garantizados) por esas leyes. Necesitamos fortalecer nuestras instituciones de paz como las Naciones Unidas, **cerciorándonos** de que se utilizan en favor del débil tanto como del fuerte. [...]

Suggestion: After students have answered the questions, have them compare their answers with those of a classmate.

¡Después de leer!

A. Hechos y acontecimientos. ¿Recuerdas los datos más importantes de la lectura? Para asegurarte, contesta las siguientes preguntas.

1. Según Óscar Arias, ¿a quiénes honró el Comité Nobel de la Paz al decidir darle el premio a él?
2. ¿Por qué dice que "este premio es una señal"? ¿Una señal para qué?
3. ¿Cómo define él la paz? Explica.
4. Además de dar discursos y organizar conferencias sobre la paz, ¿qué más necesitan hacer el Comité Nobel y los que reciben el Premio Nobel de la Paz, según el orador?

B. A pensar y a analizar. En grupos de tres, contesten las siguientes preguntas.

1. ¿Cuál es el tema de este discurso?
2. ¿Están Uds. de acuerdo con el título del discurso? ¿Es posible la paz mundial? Expliquen.
3. ¿Qué opinan Uds. del discurso de Óscar Arias? ¿Creen que Arias fue suficientemente diplomático, demasiado diplomático o no suficientemente diplomático? Den ejemplos para apoyar sus respuestas.

C. Quiero agradecerles... Imagínate que tú y tu compañero(a) acaban de casarse y están ahora en la recepción. Los dos deciden expresar su gratitud a todas las personas que hicieron este momento posible: sus padres, familias, amigos. Preparen sus discursos de agradecimiento *(gratitude)* y preséntenlos en grupos de cuatro o seis personas.

D. Apoyo gramatical. Secuencia de tiempos: verbos en indicativo y subjuntivo. Selecciona la forma verbal apropiada para saber lo que opinan Carlos y Lidia, dos estudiantes costarricenses, acerca del discurso de Óscar Arias.

CARLOS: Óscar Arias dice que la paz no 1. es / sea asunto de palabras.

LIDIA: Sí, él piensa que la paz 2. debe / deba ser asunto de obras.

CARLOS: Me alegro de que él 3. ha recibido / haya recibido el Premio Nobel.

LIDIA: Yo también me alegré mucho de que él 4. había recibido / hubiera recibido el Premio Nobel.

CARLOS: Él cree que 5. tenemos / tengamos que fortalecer nuestras instituciones de paz.

LIDIA: Sí, sería una buena idea que 6. fortalezcamos / fortaleciéramos nuestras instituciones de paz.

CARLOS: Él desea que Centroamérica 7. tiene / tenga paz y democracia.

LIDIA: Sí, es evidente que la paz sin democracia no 8. será / sea útil.

CARLOS: Él querría que todos los gobiernos 9. respeten / respetaran los derechos universales del hombre.

LIDIA: Es una lástima que en el pasado algunos gobiernos no 10. respetaron / hayan respetado los derechos universales del hombre.

CARLOS: Es esencial que 11. practicamos / practiquemos el diálogo y la tolerancia para alcanzar la paz.

LIDIA: Sería bueno que todos 12. prestan / prestaran atención a esas palabras.

Gramática 10.2: Antes de hacer esta actividad, conviene repasar esta estructura en las págs. 438–439.

10.1 Sequence of Tenses: Verbs in the Indicative

› Sequence of tenses refers to the fact that in a sentence with a dependent clause, there must be a correlation between the tense of the main verb and that of the dependent verb. The following tenses can be used when the main and dependent clauses are in the indicative.

Simple Tenses		Perfect Tenses	
Present	acepto	**Present Perfect**	he aceptado
Future	aceptaré	**Future Perfect**	habré aceptado
Imperfect	aceptaba	**Past Perfect**	había aceptado
Preterite	acepté	**Preterite Perfect**	hube aceptado*
Conditional	aceptaría	**Conditional Perfect**	habría aceptado

› When the verbs of the main and the dependent clauses are in the indicative, there are no restrictions on the way tenses can combine as long as the sentence makes sense.

Los kunas **son** miembros de una familia lingüística que **incluye** a muchos grupos indígenas que **habitaban** grandes extensiones de Sudamérica y Centroamérica.
The Kunas are members of a linguistic family that include many indigenous groups that lived in large areas of land in South America and Central America.

Unos amigos míos me **contaron** que se **habían divertido** inmensamente cuando **visitaron** San José.
Some friends of mine told me that they had had a great time when they visited San José.

Cuando **viajamos** a un pueblecito donde **hacen** vasijas, muchos **querían** comprar una.
When we traveled to a small village where they make vases, many wanted to buy one.

› The same rule applies when the main verb is a command form.

Dime qué **quieres** hacer hoy; no me **digas** lo que **querías** hacer ayer.
Tell me what you want to do today; don't tell me what you wanted to do yesterday.

Pregúntame adónde **iré** esta tarde.
Ask me where I'll go this afternoon.

Explíquenme lo que **habrían hecho** Uds. en esa situación.
Explain to me what you would have done in that situation.

* The preterite perfect is not used in spoken language, and it is rarely used in written language.

Ahora, ¡a practicar!

A. Paraíso ecológico. Tú mencionas lo que te dijeron unos amigos costarricenses sobre su país.

MODELO la superficie del país / ocupar el 0,3% de la superficie del planeta
Unos amigos me dijeron que la superficie del país ocupaba el 0,3% de la superficie del planeta.

1. el país / ser uno de los lugares favoritos para el ecoturismo
2. su pequeño país / contener el 5% de la biodiversidad mundial
3. Costa Rica / contar con más especies de aves que los Estados Unidos
4. la Reserva Biológica Bosque Nuboso Monteverde / ser una de las siete maravillas de Costa Rica
5. el país / tener más variedades de mariposas que todo el continente africano
6. el 25% del territorio natural / estar ocupado por parques nacionales y reservas naturales
7. Costa Rica / ser el puente ecológico entre Norteamérica y Sudamérica

B. Recuerdos. Un señor costarricense te habla del día en que supo que Óscar Arias Sánchez había recibido el Premio Nobel de la Paz en 1987.

MODELO tener veinte años
Cuando nuestro presidente recibió el Premio Nobel, yo tenía veinte años.

1. vivir en Limón con mi familia
2. ser estudiante universitario
3. llevar una vida muy tranquila
4. estar con unos amigos
5. estar mirando las noticias por casualidad
6. no saber que el presidente era también un líder internacional

C. Futuro inmediato. ¿Cómo ves la situación en Costa Rica en los próximos quince años?

MODELO haber prosperidad económica
Opino (Pienso, Imagino) que habrá prosperidad económica todavía. u **Opino (Pienso, Imagino) que no habrá prosperidad económica.**

1. existir un sistema político democrático
2. aumentar la población de modo significativo
3. promover proyectos económicos con países vecinos
4. disminuir la importancia de la agricultura
5. desarrollarse incluso más la industria del ecoturismo
6. diversificarse las exportaciones
7. construirse más carreteras
8. *(...añade otras predicciones)*

D. ¿Qué pasará? ¿Habrá cambios en Costa Rica antes del año 2020?

MODELO la constitución / cambiar
Me imagino (Supongo / Sin duda) que antes del año 2020 la constitución (no) habrá cambiado.

1. la población / alcanzar ocho millones
2. el gobierno costarricense / hacer más acuerdos de libre comercio con países latinoamericanos
3. el nivel de pobreza / disminuir mucho
4. el turismo / seguir siendo una fuente de ingresos
5. las culturas indígenas / desaparecer
6. la falta de carreteras / ser superado
7. el país / depender menos de las importaciones
8. el gobierno / crear más parques nacionales
9. la moneda nacional / conservar su valor
10. *(...añade otras predicciones)*

E. ¡Ahora sé más! Di lo que pensabas acerca de Costa Rica antes de leer la lección y después de leerla.

MODELO ser un país muy pequeño
Pensaba que Costa Rica era un país muy pequeño, pero ahora sé que hay otros países más pequeños.

1. ser un país muy rico, por su nombre
2. beneficiarse de un gobierno militar
3. estar al sur de Panamá
4. no tener influencia indígena
5. ser una región seca, sin lluvias
6. no interesarse por el medio ambiente
7. poseer alto porcentaje de analfabetismo
8. estar al lado de México
9. *(...añade otras impresiones)*

10.2 Sequence of Tenses: Verbs in the Indicative and the Subjunctive

Main Verb (Indicative)	Dependent Verb (Subjunctive)
Present Present Perfect Future Future Perfect Command	Present Present Perfect

› If the main verb of a sentence is in the present, present perfect, future, future perfect, or is a command, the verb in the dependent clause is usually in the present or the present perfect subjunctive.

La gente **espera** que la nueva presidenta les **resuelva** todos sus problemas. — *People expect the new president to solve all their problems for them.*

Sé que el profesor me **aconsejará** que **lea** algunos poemas de Ana Istarú. — *I know the professor will advise me to read some of Ana Istarú's poems.*

Queremos conversar con alguien que **haya estado** en Costa Rica recientemente. — *We want to talk with someone who has been to Costa Rica recently.*

› The dependent clause may also be in the imperfect or the past perfect subjunctive when the action expressed by the dependent clause occurred prior to that of the main clause.

Siento que tu viaje a San José no se **realizara.** — *I'm sorry your trip to San José did not take place.*

No creo que Costa Rica **hubiera declarado** su independencia antes de 1800. — *I don't think Costa Rica had declared its independence before 1800.*

› If the main verb is in any of the past tenses, the conditional, or the conditional perfect, the verb of the dependent clause must be either in the imperfect or the past perfect subjunctive. The past perfect subjunctive signals that the action in the dependent clause is prior to that of the main clause.

Main Verb (Indicative)	Dependent Verb (Subjunctive)
Preterite Imperfect Past Perfect Conditional Conditional Perfect	Imperfect Past Perfect

¿**Deseabas** visitar un pueblo que **tuviera** un buen mercado de artesanías? — *Did you want to visit a village that had a good handicrafts market?*

Al no verte en el aeropuerto, todos **temimos** que **hubieras perdido** el vuelo. — *When we didn't see you at the airport, we all feared you might have missed your flight.*

Sería bueno que **aumentaran** el presupuesto para la educación. — *It would be good if they increased the budget for education.*

Le dije a mi compañera que me **había molestado** que nadie **hubiera querido** acompañarme al Museo de Jade. — *I told my friend that it had bothered me that nobody had wanted to accompany me to the Jade Museum.*

Ahora, ¡a practicar!

A. Cosas sorprendentes. Les mencionas a tus amigos datos de Costa Rica que te han sorprendido.

MODELO ser un país relativamente pequeño
Me ha sorprendido que Costa Rica sea un país relativamente pequeño.

1. poseer una gran cantidad de parques nacionales
2. tener costas en el mar Caribe y en el océano Pacífico
3. no contar con muchas riquezas minerales
4. exportar tantos textiles
5. disponer de una gran biodiversidad
6. producir un café muy apreciado por los conocedores *(connoisseurs)*
7. *(... añade otras cosas sorprendentes)*

B. Posible visita. Tú y tus amigos dicen cuándo o bajo qué condiciones visitarán Costa Rica.

MODELO antes de que
Visitaré Costa Rica antes de que termine el año escolar.

1. tan pronto como / reunir dinero
2. con tal (de) que / poder quedarme allí tres meses por lo menos
3. después (de) que / graduarme
4. cuando / estar en mi tercer año de la universidad
5. en cuanto / aprobar mi curso superior de español

C. Cosas buenas. Estas son algunas de las respuestas que te dan tus amigos costarricenses cuando les preguntas qué cambios desean en el país.

MODELO la economía / no depender tanto de los productos agrícolas
Preferiría (Me gustaría / Sería bueno) que la economía no dependiera tanto de los productos agrícolas.

1. el gobierno / proteger las industrias nacionales
2. el país / diversificar la economía
3. la población / no estar concentrada en el área metropolitana
4. el gobierno / continuar preocupándose de la preservación de las áreas naturales
5. nosotros / explotar más los recursos naturales del país
6. la presidenta / (no) poder ser reelegida

D. Un costarricense ejemplar. Siguiendo el modelo, tú dices cómo reaccionaste después de leer acerca de Franklin Chang-Díaz.

MODELO viajar a los Estados Unidos con solo cincuenta dólares en el bolsillo
A mí me sorprendió que él hubiera viajado a los Estados Unidos con solo cincuenta dólares en el bolsillo.

1. aprender inglés rápidamente
2. estudiar ingeniería nuclear en el *Massachusetts Institute of Technology*
3. doctorarse en 1977
4. llegar a ser astronauta en 1981
5. ser el primer astronauta latinoamericano de la NASA
6. participar en siete misiones espaciales
7. crear una compañía de alta tecnología

Panamá

Comprehension check: Ask: **1. ¿Por qué crees que la Ciudad de Panamá es un centro de intensa actividad financiera y centro bancario internacional? 2. ¿Qué es lo que más te llama la atención del archipiélago formado por las islas de San Blas? 3. ¿Puede considerarse el canal de Panamá, en tu opinión, "la octava maravilla del mundo"? ¿Por qué sí o por qué no? 4. ¿A cuál festival panameño te gustaría asistir? ¿Por qué?**

Nombre oficial: República de Panamá
Población: 3.360.447 (estimación de 2009)
Principales ciudades: Ciudad de Panamá (capital), San Miguelito, Colón, David
Moneda: Balboa (B) y dólar estadounidense (US$)

La Ciudad de Panamá, con una población de más de ochocientos mil y con una intensa actividad financiera internacional, es conocida como la "ciudad de los rascacielos", la capital más cosmopolita de Centroamérica y el centro cultural y económico del país. En la ciudad, tienes que conocer...

Jane Sweeney / Photolibrary

- el Casco Antiguo, sitio del Palacio de las Garzas *(Herons)* (el palacio presidencial), construido entre el siglo XVII y XVIII, la Catedral y la Iglesia de San José, la cual cuenta con un altar de oro espectacular, ruinas de conventos y residencias, calabozos originales, y un monumento a Francia y a los aproximadamente veintidós mil trabajadores franceses que murieron durante la construcción del canal.
- el Teatro Nacional, de estilo neoclásico, que es una joya arquitectónica y la máxima casa de las artes en Panamá.
- el Museo de Arte Contemporáneo, con la colección más completa de artistas panameños desde el siglo XX hasta el presente.
- el Museo del Canal Interoceánico, que ofrece a quienes lo visitan la posibilidad de acercarse *(to get nearer)* a la historia y al presente de esta imponente obra de ingeniería.
- las ruinas de Panamá Vieja, la original ciudad colonial fundada en 1519 y la primera ciudad europea construida en la costa del Pacífico.

En el archipiélago formado por las Islas de San Blas, puedes ver...

- trescientas sesenta y cinco islas de espectacular belleza (una para cada día del año), donde se puede nadar y practicar *snorkeling*, buceo, *kayak* o pesca.
- los caseríos *(small villages)* de los indígenas kunas y aprender sobre su fascinante cultura.
- la vestimenta tradicional de las mujeres kunas. Llevan diariamente vistosas blusas hechas con "molas", la aplicación de trozos de tela cosidos uno encima de otro, formando intrincados y extraordinarios diseños originales.

rj lerich / Shutterstock

Lytton Photography / iStockphoto

El canal de Panamá

- El canal de Panamá, con una longitud de aproximadamente ochenta kilómetros entre los océanos Atlántico y Pacífico fue construido en una de las áreas más estrechas del continente; une a Norteamérica con Sudamérica.
- Esta obra de ingeniería tan revolucionaria e increíble ha llegado a ser llamada la "octava maravilla del mundo".
- El canal, utilizado por entre trece mil y catorce mil barcos cada año, funciona veinticuatro horas al día, trescientos sesenta y cinco días al año, ofreciendo servicio de tránsito *(passage)* a naves de todas las naciones, sin discriminación alguna.
- Al lado del canal, el ferrocarril de Panamá, que se construyó entre 1850 y 1855, fue otra obra maestra de la ingeniería de su época. Se estima que más de doce mil personas murieron sólo en la construcción del ferrocarril, la mayoría de cólera y malaria.

Festivales panameños

- El *Panamá Jazz Festival*, donde genios y leyendas vivas de la música de la talla *(stature)* del panameño Rubén Blades y el cubano Chucho Valdés forman parte de la lista de invitados.
- La Feria de las Flores y del Café en Boquete de Chiriquí, en enero
- El Festival Nacional de la Mejorana en el pueblo de Guararé, el festival folclórico de más renombre en la República de Panamá, con música, bailes y trajes tradicionales de todo el país
- La Feria de La Chorrera, el punto donde se reúnen los sectores comercial, industrial, agrícola, ganadero y el folclore, no solo del distrito, sino del país

©Alfredo Maiquez / Lonely Planet

¡Diviértete en la red!
Busca "Ciudad de Panamá", "islas de San Blas", "canal de Panamá" o uno de los festivales mencionados aquí, en Google Web y/o YouTube. Selecciona un sitio y ve a clase preparado(a) para presentar un breve resumen sobre lo que más te impresionó.

El lugar indicado

Gracias a su posición geográfica, desde el siglo XVI y a través de los siglos, Panamá ha sido una vía de cruce entre dos océanos y un centro comercial, y ha servido de vía de tránsito y transporte de mercancías y personas. La costa caribeña cuenta con excelentes puertos, lo que contribuye además a su alto desarrollo económico.

Aparte del canal, Panamá debe su posición estratégica a importantísimas vías de comunicaciones y transporte: el ferrocarril transístmico, la Vía Simón Bolívar, que cambia su nombre a carretera Boyd Roosevelt (también conocida como Vía Transístmica), el Aeropuerto Internacional de Tocumen y la Zona Libre de Colón, entre otras.

Al hablar de accidentes geográficos

acantilado	*cliff*
altiplanicie *(f.)*	*highlands*
altiplano	*high plateau*
arroyo	*stream*
cerro	*hill*
colina	*hill*
cordillera	*mountain range*
cuesta	*slope; escarpment*
cueva	*cave*
desembocadura	*mouth of a river, estuary*
dique *(m.)*	*dam*
falla	*fault*
humedal *(m.)*	*wetland*
localizar	*to locate; to find*
llano	*plain*
llanura	*plain, prairie*
manantial *(m.)*	*spring*
marisma	*marsh*
meseta	*plateau*
occidental *(m. f.)*	*western*
oriental *(m. f.)*	*eastern*
pantano	*swamp*
sabana	*savanna*
ubicarse	*to be situated or located*
valle *(m.)*	*valley*

NASA

Al hablar de ríos

—¿Notaste que Centroamérica no tiene ningún río de gran extensión?

Did you notice that Central America does not have any major rivers?

—Sí, creo que tiene que ver con su geografía ístmica.

I think it has to do with its isthmic geography.

—Tal vez. Son cortos y están sobre todo en la vertiente atlántica. Algunos sirven de frontera entre Honduras y Nicaragua, Guatemala y México, Costa Rica y Nicaragua y Costa Rica y Panamá.

Perhaps. They are short and are mainly on the Atlantic side. Some serve as borders between Honduras and Nicaragua, Guatemala and México, Costa Rica and Nicaragua, and Costa Rica and Panamá.

Al interesarse por los volcanes

—¿Y qué me dices de los volcanes?

And what can you tell me about the volcanos?

—En Centroamérica hay unos sesenta volcanes en el interior (casi todos apagados) y treinta y uno sobre la costa del Pacífico (la mayoría todavía activos). Algunos superan los cuatro mil metros sobre el nivel del mar.

In Central America there are about sixty volcanos in the interior (almost all extinct) and thirty-one on the Pacific coast (the majority still active). Some are over four thousand meters above sea level.

¡A practicar, luego a conversar!

A. ¿Relacionadas? Indica si las siguientes palabras están relacionadas **(Sí)** o no **(No)**.

__Sí__ 1. pantano / marisma

__Sí__ 2. cuesta / colina

__No__ 3. dique / acantilado

__Sí__ 4. meseta / llanura

__Sí__ 5. cordillera / montaña

B. Palabras clave: cuesta. Para trabajar con un vocabulario más amplio, relaciona las oraciones de la primera columna con sus traducciones.

__c__ 1. Va cuesta arriba.

__f__ 2. Va cuesta abajo.

__e__ 3. Lleva el peso del mundo a cuestas.

__a__ 4. El que algo quiere, algo le cuesta.

__b__ 5. Cuesta un ojo de la cara.

__d__ 6. No me cuesta ayudar.

a. If you want something, it's going to cost you.

b. It costs an arm and a leg.

c. He's going uphill.

d. I don't mind helping.

e. He's carrying the weight of the world on his back.

f. She's going downhill.

C. Su paisaje. En grupos de tres describan la geografía de la región donde viven. También expliquen cómo su geografía afecta la economía y el estilo de vida de la gente (dónde y en qué trabaja, qué come y bebe, cómo se divierte...). Compartan sus conclusiones con el resto de la clase.

D. Debate. Como ya hemos visto, algunos países, por su geografía, sufren terremotos, tornados, huracanes, erupciones volcánicas... y sin embargo, la mayoría de la gente no se va a vivir a otros lugares considerados más seguros. En grupos de cuatro debatan este tema: dos personas a favor de que es irresponsable quedarse a vivir en un lugar poco seguro y dos insistiendo que ningún lugar es seguro. Informen a la clase quiénes presentaron el mejor argumento.

Panamá: acercando dos océanos

La independencia y la vinculación con Colombia

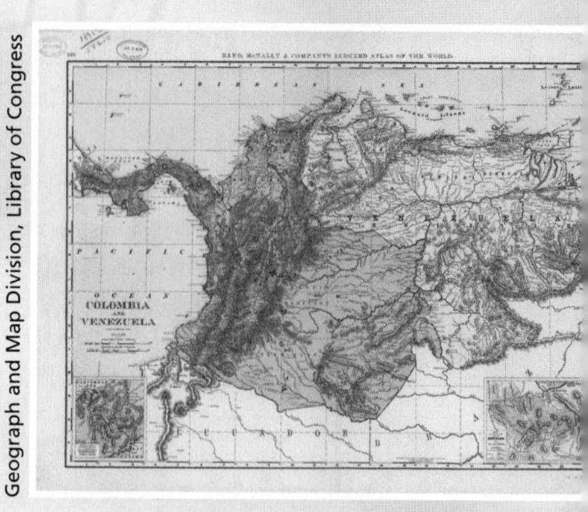
Geograph and Map Division, Library of Congress

Panamá pasó a depender del Virreinato de Nueva Granada en 1739. El 28 de noviembre de 1821 una junta de notables declaró la independencia en la Ciudad de Panamá, fecha en que se conmemora oficialmente su independencia. Pocos meses más tarde, Panamá se integró a la República de la Gran Colombia junto con Venezuela, Colombia y Ecuador.

En la Ciudad de Panamá se realizó el primer Congreso Interamericano, convocado por Simón Bolívar en 1826. Después de la desintegración de la Gran Colombia, Panamá siguió siendo parte de Colombia, aunque entre 1830 y 1840 hubo tres intentos fallidos de separar el istmo de ese país.

El istmo en el siglo XIX

El descubrimiento de oro en California en 1848 revitalizó el istmo, el cual se convirtió en la vía marítima obligada entre las costas oriental y occidental de los EE.UU. En 1855, se completó, con capital estadounidense, la construcción del ferrocarril interoceánico por el istmo de Panamá. Este nuevo sistema de transporte le trajo prosperidad a Panamá.

En 1880, se iniciaron las obras para la construcción de un canal bajo la dirección del constructor del canal de Suez, Ferdinand de Lesseps. La compañía encargada del proyecto lo abandonó en 1889. Poco después de este fracaso, el gobierno de los EE.UU. y el de Colombia concluyeron un tratado para la construcción del canal, aunque el Senado colombiano se negó a ratificarlo.

Library of Congress, Prints and Photographs Division

La República de Panamá

Un movimiento separatista, apoyado por los EE.UU., proclamó la independencia de Panamá respecto a Colombia el 3 de noviembre de 1903. Los EE.UU. reconocieron de inmediato al nuevo estado y enviaron fuerzas navales para impedir la llegada de tropas colombianas al istmo.

En 1904 se reanudó la construcción del canal, que fue abierto al tráfico el 15 de agosto de 1914. Panamá se convirtió de hecho en un protectorado de los EE.UU., pues la constitución de 1904 autorizaba la intervención de las fuerzas armadas de los EE.UU. en la república en caso de desórdenes públicos.

La época contemporánea

En 1968 un golpe de estado estableció una junta militar dirigida por Omar Torrijos. El 7 de septiembre de 1977 Torrijos y el presidente Carter firmaron dos tratados por los cuales los EE.UU. cedían permanentemente el canal a Panamá el 31 de diciembre de 1999.

En 1983, Manuel Antonio Noriega tomó la jefatura de la Guardia Nacional que, bajo el nombre de Fuerzas de Defensa de Panamá (FDP), siguió siendo el verdadero poder político del país hasta 1988, cuando fue derrocado por una intervención militar estadounidense. En 1992, un tribunal de Miami sentenció a Noriega a cuarenta años de prisión.

En 1999, Mireya Moscoso Rodríguez llegó a ser la primera mujer proclamada presidenta de Panamá. Durante su gobierno, Panamá asumió el control del canal.

Panamá hoy

- Ricardo Martinelli Berrocal, empresario millonario que ganó las elecciones en mayo de 2009, tomó posesión de la administración del gobierno desde julio de 2009 hasta el año 2014.
- La economía panameña y su sistema bancario son conocidos internacionalmente como uno de los más sólidos del continente. Por su posición geográfica actualmente ofrece al mundo una amplia plataforma de servicios marítimos, comerciales, inmobiliarios y financieros, entre ellos la Zona Libre de Colón, la zona franca más grande del continente y la segunda del mundo.

Randy Faris / Photolibrary

A pensar…: After reading, ask students to make a list of U.S. participation/intervention in Panama during the twentieth century. Then ask them how they think Panamanians might feel about the U.S. given its continuous involvement in their country.

¿COMPRENDISTE?

A. Hechos y acontecimientos. Escribe una breve explicación del significado de las siguientes personas y eventos. Luego, compara tus explicaciones con las de la clase.

1. Congreso Interamericano de 1826
2. Ferdinand de Lesseps
3. Manuel Antonio Noriega
4. Mireya Moscoso Rodríguez

B. A pensar y a analizar. Contesta las siguientes preguntas con dos o tres compañeros(as) de clase.

1. ¿Qué importancia ha tenido la posición geográfica de Panamá en su historia?
2. ¿Creen Uds. que los militares de los EE.UU. actuaron legalmente en 1989 cuando entraron en la capital de Panamá y tomaron preso a Manuel Antonio Noriega, líder máximo del país? ¿Cómo creen que reaccionaron los panameños? Bajo circunstancias parecidas, ¿aprobarían Uds. que el ejército de otro país entrara en Washington, D.C., y tomara preso al presidente de los EE.UU.? ¿Por qué sí o no?

VOCABULARIO ÚTIL

acercar	*to bring closer together or nearer; to approach*
apoyar	*to support*
fallido(a)	*unsuccessful, failed*
franco(a)	*free, open*
franja	*strip (of land)*
inmobilario(a) *(adj.)*	*real estate*
jefatura	*leadership*
reanudarse	*to resume*
resentimiento	*resentment, bitterness*
vinculación *(f.)*	*connection, link*

C. Apoyo gramatical. Secuencia de tiempos: las cláusulas con *si*. Tú y tus compañeros de curso dicen lo que investigarán si tienen que escribir un trabajo escrito sobre la historia de Panamá.

MODELO escribir sobre los grupos indígenas de Panamá
Si tengo que hacer un trabajo, escribiré sobre los grupos indígenas de Panamá.

1. buscar información sobre el Virreinato de Nueva Granada en el siglo XVIII buscaré
2. enfocarme en el movimiento de independencia de Panamá en el siglo XIX me enfocaré
3. informarme sobre el primer Congreso Interamericano convocado por Simón Bolívar en 1826 me informaré
4. describir el intento de Ferdinand de Lesseps de construir un canal en Panamá a fines del siglo XIX describiré
5. leer documentos sobre el tratado Hay-Bunau Varilla firmado en 1903 leeré
6. dar un informe sobre la devolución *(return)* del canal al pueblo de Panamá daré

Gramática 10.3: Antes de hacer esta actividad conviene repasar esta estructura en las págs. 456–457.

Margarita Henríquez

Xinhua / Landov

Es una artista panameña, ganadora de la tercera edición de *Latin American Idol*; a los diecisiete años se convierte en la aspirante más joven en ganar este concurso. Su carrera musical comenzó cuando cantó por primera vez en el conjunto típico de su padre, el acordeonista panameño Juancín Henríquez, a la edad de doce años. En 2005, entró al festival de talento juvenil "Proyecto Estrella 20–30" donde se consagró ganadora con tan solo catorce años. Como premio del concurso, presentaron su primer disco de música típica panameña. Durante 2008, incursionó en el mundo de la TV siendo presentadora del programa *Así es mi tierra,* que destaca la música típica y las costumbres folclóricas del pueblo panameño, de la cadena Telemetro Panamá. Tiene ya dos álbumes publicados: *Margarita* con el que ya ganó un disco de oro y *Punto de partida*, su más reciente publicación.

© Cheeris Aguado

José Luis Rodríguez Pittí

Es un escritor y fotógrafo panameño. Autor de narraciones, ensayos y poesía se ha destacado por sus cuentos breves de contenido humano y contemporáneo. Por su libro *Sueños*, la Universidad de Panamá le otorgó el Premio de Cuento "Darío Herrera" (1994). Es el editor de la revista electrónica *minitextos.org* dedicada a la literatura breve. Desde enero de 2008 es presidente de la Asociación de Escritores de Panamá. Como fotógrafo, recorrió a principios de la década de los 90 la región de Azuero, en el sur de Panamá, recopilando historias e imágenes, con las que compuso tres ensayos fotográficos: "Viernes Santo en Pesé", "Azuero" y "Noche de Carnaval". Ha participado en exposiciones colectivas y algunas de sus fotos han aparecido como portadas de libros.

Danilo Pérez

Este famoso pianista, compositor y jazzista panameño es fundador del *Panamá Jazz Festival*. Entre 1985 y 1988, siendo aún estudiante, llegó a tocar con músicos de la talla de Jon Hendricks, Terence Blanchard y Claudio Roditi. En la década de los 80 formó parte de la Orquesta de las Naciones Unidas, siendo el más joven del grupo y miembro del disco premiado con un Grammy, *Live at the Royal Festival*. En 1995 se convirtió en el primer latinoamericano que formó parte del grupo de Wynton Marsalis y el primer músico de jazz que tocó con la Orquesta Sinfónica de Panamá. En 1996 grabó su disco *PanaMonk* que además de ser nombrado una "obra maestra del jazz" por *The New York Times,* fue escogido como uno de los cincuenta discos más importantes del jazz piano por la revista *Downbeat.*

Saul Loeb / Getty Images

Otros panameños sobresalientes

Tatyana Alí: actriz y cantante

Rosario Arias de Galindo: editora y periodista

Ricardo J. Bermúdez: arquitecto, poeta y cuentista

Rubén Blades: músico, compositor, actor y político

Rosa María Britton: médica, novelista, cuentista y dramaturga

Enrique Jaramillo Levi: catedrático, editor de antologías, poeta y cuentista

Raúl Leis: sociólogo, periodista, catedrático y cuentista

Sheila Lichacz: pintora

Dimas Lidio Pitty: poeta, novelista y cuentista

José Quintero (1929–1999): actor y director

Pedro Rivera: poeta, cuentista y cineasta

Suggestion: Ask students to look up two or more of the **Otros panameños sobresalientes** on the Internet and have them turn in a brief written report on what they find. You may want to offer extra credit for this work.

¿COMPRENDISTE?

VOCABULARIO ÚTIL

aspirante *(m. f.)*	*contender*
concurso	*contest*
consagrar	*to confirm; to establish*
incursionar	*to penetrate, to make incursions*
portada	*cover, title page*
recopilar	*to collect, to gather*
talla	*stature*

A. Los nuestros. Contesta las siguientes preguntas. Luego, comparte tus respuestas con dos o tres compañeros(as) de clase.

1. ¿Crees que el hecho de que su padre fuera músico influyó en la carrera de Margarita Henríquez? ¿Por qué? ¿Cómo crees que, siendo tan joven, ha logrado perseguir sus sueños?
2. ¿Consideras el cuento breve una obra literaria? ¿Se pueden combinar expresiones artísticas como la fotografía y el escribir? Explica.
3. ¿En qué campos ha alcanzado éxito Danilo Pérez? ¿Crees que su talento es innato? ¿Crees que el arte latinoamericano y el jazz pueden ir de la mano? Explica.

B. Miniprueba. Demuestra lo que aprendiste de estos talentosos panameños al completar estas oraciones.

1. Margarita Henríquez fue la aspirante __a__ en ganar *Latin American Idol.*
   a. más joven   b. más talentosa   c. más dedicada
2. Rodríguez Pittí se ha destacado por sus cuentos breves de contenido __c__.
   a. imaginativo   b. infantil   c. humano y contemporáneo
3. Danilo Pérez es un eximio *(eminent)* intérprete de __b__.
   a. música clásica   b. jazz   c. blues

¡Diviértete en la red!

Busca "Margarita Henríquez", "José Luis Rodríguez Pittí" y/o "Danilo Pérez" en YouTube para ver y escuchar a estos talentosos panameños. Ven a clase preparado(a) para presentar lo que encontraste.

Suggestion: Keep in mind that this writing activity should only take 3–5 minutes of class time. All other writing can be done at home.

Una evaluación escrita

Steffan Foerster Photography / Shutterstock

1 **Para empezar.** Al evaluar información, uno tiene que actuar como "experto" sobre el tema de la información. Para hacerse experto, hay que seguir cierto proceso:

a. **Recordar lo que has aprendido:** recordar la información y anotarla
b. **Mostrar lo que has aprendido:** explicar, dar ejemplos, mencionar detalles importantes
c. **Analizar:** hacer comparaciones y contrastes
d. **Evaluar y hacer recomendaciones:** señalar ventajas y desventajas, claridad y valor, y convencer a otros del valor

2 **A generar ideas.** Prepárate ahora para hacer una evaluación por escrito de este curso. Sigue el proceso indicado, empezando por recordar y anotar información que te ayude a mostrar lo que has aprendido. Luego anota también información que te ayudará a analizar y evaluar la organización y el contenido del curso.

3 **Tu borrador.** Ahora desarrolla esta información en unos cuatro o cinco párrafos: uno o dos para recordar y mostrar, otros dos para analizar y finalmente, uno para evaluar y hacer recomendaciones. Escribe tu borrador ahora. ¡Buena suerte!

4 **Revisión.** Intercambia tu borrador con un(a) compañero(a). Revisa su evaluación, prestando atención a las siguientes preguntas. ¿Ha recordado los detalles importantes? ¿Ha dado buenos ejemplos y los ha explicado claramente? ¿Ha hecho buenas comparaciones y contrastes? ¿Ha señalado las ventajas y desventajas, la claridad y el valor?

5 **Versión final.** Considera las correcciones que tu compañero(a) te ha indicado, revisa la evaluación y, como tarea, escribe la copia final en la computadora. Antes de entregarla, dale un último vistazo a la acentuación, a la puntuación, a la concordancia y a las formas de los verbos.

6 **Conclusión (opcional).** Cuando tu profesor(a) te devuelva la evaluación corregida, revísala con cuidado. Luego, en grupos de tres o cuatro, lean sus evaluaciones al grupo, por turnos. Coméntenlas y decidan si están de acuerdo o no en sus juicios. Informen a la clase sobre sus decisiones.

¡Antes de leer!

A. Anticipando la lectura. Haz las siguientes actividades con un(a) compañero(a) de clase.

1. Lean los primeros tres o cuatro versos de "La única mujer" e identifiquen la voz narrativa de ese poema.
2. Piensen en el título del poema y en los versos que leyeron. Luego, escriban dos o tres temas que Uds. creen que van a mencionarse en el poema. Después de leer el poema, vuelvan a sus predicciones para ver si acertaron o no.

B. Vocabulario en contexto. Busca estas palabras en la lectura que sigue y, en base al contexto, decide cuál es su significado. Para facilitar encontrarlas, las palabras aparecen en negrilla en la lectura. *Vocabulario…:* Ask volunteers to create original sentences with these vocabulary words.

1. lágrimas	(a.) llorar	b. amar	c. odiar
2. sembrar	(a.) plantar	b. destruir	c. pintar
3. agita	a. lava	b. descansa	(c.) mueve
4. erguida	(a.) recta	b. despacio	c. rápido
5. alaridos	a. perros	b. criminales	(c.) gritos
6. dolorida	a. alegre	(b.) triste	c. bien vestida

Sobre la autora

Courtesy of Bertalicia Peralta

Bertalicia Peralta nació en la Ciudad de Panamá en 1939. Estudió música en el Instituto Nacional de Música y periodismo en la Universidad Nacional. Entre sus escritos se cuentan siete volúmenes de poesía que le han traído importantes galardones internacionales y algunos de sus cuentos han sido adaptados a la televisión. Se destacan *En tu cuerpo cubierto de flores* (1985); *Zona de silencio* (1987); *Piel de gallina* (1990); *Invasión U.S.A.* (1989); *Leit Motif* (1999). Además, escribió el guión para el ballet *El escondite del prófugo*, que forma parte del repertorio del Ballet Nacional de Panamá. En reconocimiento por sus valiosas actividades culturales, la Ciudad de Panamá la ha declarado "Hija Meritoria", y le ha otorgado las llaves de la ciudad.

En "La única mujer" detalla las cualidades que elevan a la mujer al nivel de lo extraordinario. También expresa la opinión de que una mujer debe liberarse de la sumisión y tiene que aprender el verdadero valor de las cosas y de la vida.

La única mujer

		La única mujer que puede ser
		es la que sabe que el sol para su vida empieza ahora
shed / darts		la que no derrama* **lágrimas** sino dardos* para
barbed wire barrier		**sembrar** la alambrada* de su territorio
peticiones, pedidos	5	la que no comete ruegos*
		la que opina y levanta su cabeza y **agita** su cuerpo
		y es tierna, sin vergüenza y dura sin odios
olvida		la que desaprende* el alfabeto de la sumisión
		y camina **erguida**
a... estar sola	10	la que no le teme a la soledad* porque siempre ha estado sola
		la que deja pasar los **alaridos** grotescos de la violencia
hace		y la ejecuta* con gracia
lleno		la que se libera en el amor pleno*
		la que ama
	15	la única mujer que puede ser la única
		es la que **dolorida** y limpia decide por sí misma
		salir de su prehistoria

¡Después de leer!

A. Hechos y acontecimientos. ¿Recuerdas los datos más importantes de la lectura? Para asegurarte, contesta las siguientes preguntas.

1. Según la narradora, ¿cuáles de estos adjetivos describen a la única mujer? Cita el verso o versos que verifican tus selecciones.

amorosa	fuerte	independiente	orgullosa
atenta	humilde	optimista	sumisa

2. ¿Qué significa cuando la narradora dice que la única mujer tiene que "salir de su prehistoria"?

B. A pensar y a analizar. Haz las siguientes actividades con un(a) compañero(a).

1. ¿Conocen a alguna mujer que se acerca a esta definición? ¿Es un personaje público? ¿Una amiga de ustedes? ¿Cómo se relacionan con ella? ¿Qué les inspira?
2. *Para los hombres:* ¿Tendrías de novia a la mujer que se describe en "La única mujer"? ¿Por qué sí o no? *Para las mujeres:* ¿Hasta qué punto te identificas con la única mujer? ¿Te gustaría ser más como ella? ¿Por qué sí o no?

C. A personalizar. ¿Cómo se adapta a la vida diaria una personalidad como la descrita en este poema? ¿Cómo se comporta una mujer así en relación a las convenciones sociales, el machismo, la igualdad en el trabajo, el acoso *(harassment)* sexual, la educación...? Con tu compañero(a) describan el perfil *(profile)* de esta persona, su relación con su familia, su trabajo, la política y todo lo que consideren relevante.

D. Apoyo gramatical. Secuencia de tiempos: las cláusulas con *si*. Unas compañeras te dicen lo que harían si fueran "la única mujer", como la del poema de ese título que leyeron.

MODELO yo comenzar mi vida en este momento
Si yo fuera la única mujer, yo comenzaría mi vida en este momento.

1. yo no derramar lágrimas no derramaría
2. yo hacer peticiones justas haría
3. yo expresar mis opiniones expresaría
4. yo caminar con la cabeza bien en alto caminaría
5. yo no ser sumisa no sería
6. yo no temer a la soledad no temería
7. yo amar con plenitud amaría
8. yo no vivir en la prehistoria no viviría

Gramática 10.3: Antes de hacer esta actividad conviene repasar esta estructura en las págs. 456–457.

Medalla al empeño

Un cortometraje de Flavio González Mello

GUIÓN Y DIRECCIÓN: FLAVIO GONZÁLEZ MELLO **PRODUCCIÓN:** CALABAZITAZ TIERNAZ **MÚSICA ORIGINAL:** GERARDO AUSTRALIA **PRODUCCIÓN EJECUTIVA:** JESÚS OCHOA Y RODRIGO MURRAY **PRODUCCIÓN:** MARIO MANDUJANO Y EVERARDO GOUT **ACTORES PRINCIPALES:** JUAN MANUEL BERNAL EN EL PAPEL DE PRESTAMISTA Y FARNESIO DE BERNAL EN EL PAPEL DE "CICLISTA RETIRADO"

Jacques Loic / Photolibrary

Antes de ver el corto

¿Qué sabes de ciclismo?

alcanzar *to catch up with*
caída *fall*
dar la salida *to give the "let the race begin" signal, to start*
emparejar *to even up*
escalar *to climb*
manubrio *handlebars*
meta *finish line*
ovacionar *to applaud*
pedalear *to pedal*
pelotón *(m.)* *bunch, pack*
puerto *mountain pass*
rebasar *to pass, to overtake*

Otras palabras

batidora *whisk; mixer*
chiflar *to boo; to whistle*
empeñar *to pawn*
hazaña *heroic deed*
ni modo *no way*
repartidor(a) de leche *milkman; milkwoman*
timo *scam*

A. ¿Sinónimos? Con tu compañero(a), indiquen si los siguientes pares de palabras son sinónimas **(S)** o antónimas (contrarias) **(A)** entre ellas.

S 1. ovacionar / aplaudir
A 2. caída / victoria
S 3. carretera / camino
A 4. dar la salida / llegar a la meta
A 5. escalar / descender
S 6. competencia / concurso
S 7. rebasar / pasar
S 8. pelotón / grupo
A 9. escalar / caída
A 10. chiflar / ovacionar

B. Competencia. Con tu compañero(a), completen las siguientes oraciones usando palabras del vocabulario.

1. El corredor del equipo ganador consiguió llegar a la ___meta___ con cinco minutos de ventaja sobre el segundo clasificado.
2. Es un ___puerto___ muy difícil de ___escalar___. Tiene una altitud de dos mil metros y el viento sopla muy fuerte allí.
3. Aunque el corredor mexicano intentó separarse del ___pelotón___ fue rebasado a diez kilómetros de la meta.
4. La multitud ___ovacionó___ al campeón.
5. Los que no estaban de acuerdo con la decisión de los jueces les ___chiflaron___ más de quince minutos.

C. Modismos. Con tu compañero(a), indiquen otra manera de expresar los siguientes modismos que aparecen en el cortometraje.

e 1. Daban por suyo.
h 2. ganarse unos quintos
g 3. Son bien mulas.
f 4. Ahora o nunca.
c 5. romper la marca
b 6. cortarme el aire
a 7. dispuesto a perder dignamente
d 8. Se arrepintió.

a. aceptar el no ganar con gracia
b. quitar la resistencia del viento
c. superar el récord anterior
d. Cambió de idea.
e. Pensaban que iban a ganar.
f. Este es el momento ideal.
g. Son personas difíciles.
h. ganar algo de dinero

Fotogramas de *Medalla al empeño*

Este cortometraje tiene lugar *(takes place)* en una casa de empeño *(pawnshop)*. Con un(a) compañero(a), observen estos fotogramas y escriban una sinopsis de lo que creen que es la trama. Compartan su sinopsis con las de otras dos parejas de la clase.

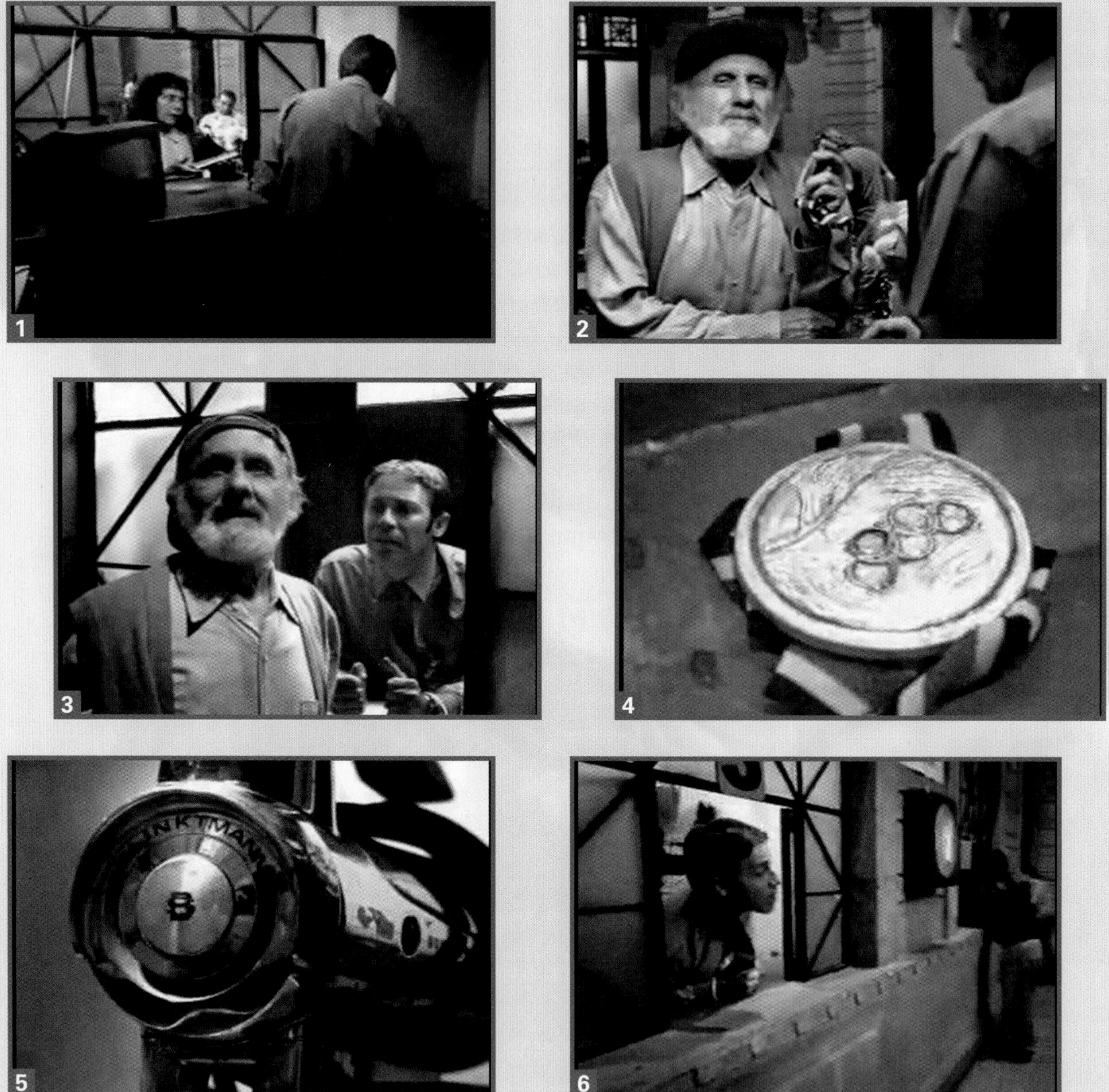

From *Medalla al empeño*

Después de ver el corto

A. Lo que vimos. Con tu compañero(a), decidan si acertaron al anticipar la trama en la sinopsis que escribieron. ¿Hasta qué punto acertaron? ¿Dónde variaron de la trama?

B. ¿Qué piensan? Con tu compañero(a), contesten ahora las siguientes preguntas.

1. ¿Qué opinan de este corto? ¿Les gustó? ¿Por qué sí o no?
2. ¿Les parece una historia verosímil, creíble? ¿Por qué sí o no?
3. ¿Creen que *Medalla al empeño* se parece a alguna película que hayan visto o historia que hayan leído? Si sí, ¿a cuál? Si no, ¿les parece totalmente original? Expliquen.

C. El timador timado *(cheated swindler)*. Con tu compañero(a), contesten las siguientes preguntas. Luego compartan sus respuestas con la clase.

1. Si tuvieran que empeñar algunos de sus objetos valiosos, ¿qué empeñarían?
2. ¿Son ustedes personas que ponen mucho esfuerzo en las cosas, o más bien se rinden *(do you give up)* ante la dificultad?
3. ¿Alguien los ha timado alguna vez? ¿Qué pasó? Describan algún timo que conozcan.
4. ¿Crees que hay "justicia poética" en casos en los que el timador sale timado? Expliquen su respuesta.

D. Debate. En grupos de cuatro tengan un debate sobre la moralidad o no de "robar a un ladrón" *(to steal from a thief)*. ¿Creen que en los Estados Unidos se comprende este principio? ¿Por qué sí o no? ¿Creen que en otros países se aplica más? Preparen sus argumentos y defiéndanlos. Luego informen a la clase quién ganó con sus argumentos.

E. Apoyo gramatical. Secuencia de tiempos: las cláusulas con *si*. Tú y tus compañeros dicen cómo habrían reaccionado frente a la historia que contó el protagonista del cortometraje *Medalla al empeño.*

MODELO (no) examinar la medalla cuidadosamente
Si yo hubiera sido el (la) empleado(a), habría examinado la medalla cuidadosamente. o
Si yo hubiera sido el (la) empleado(a), no habría examinado la medalla cuidadosamente.

1. (no) pedirle identificación al cliente (no) le habría pedido
2. (no) preguntar la fecha de la competencia ciclística (no) habría preguntado
3. (no) tener dudas sobre la historia del cliente (no) habría tenido
4. (no) interesarme en la historia del cliente (no) me habría interesado
5. (no) entusiasmarme con esa historia (no) me habría entusiasmado
6. (no) creer la historia (no) habría creído
7. (no) darle dinero al cliente (no) le habría dado

Gramática 10.3: Antes de hacer esta actividad conviene repasar esta estructura en las págs. 456–457.

Películas que te recomendamos
- ***Carancho*** **(Pablo Trapero, 2010)**
- ***El orfanato*** **(Juan Antonio Bayona, 2007)**
- ***Sin dejar huella*** **(María Novaro, 2000)**

10.3 Sequence of Tenses: *Si*-clauses

The sequence of tenses in conditional **si**-clauses does not totally comply with the rules given in the first part of this lesson. The following are the most frequently used structures.

› For actions likely to take place in the present or future, the **si**-clause is in the present indicative and the result clause is in the present indicative or the future, or is a command form.

Si-clause	Result Clause
	Present Indicative
si + Present Indicative	Future
	Command

Si **podemos, queremos** ver el Museo del Canal Interoceánico. — *If we can, we want to see the Interoceanic Canal Museum.*

Si **voy** a Panamá, **tomaré** sol en una de las playas. — *If I go to Panamá, I will sunbathe on one of the beaches.*

No **dejes** de ver el canal de Panamá si **estás** en Panamá. — *Make sure you see the Panama Canal if you are in Panamá.*

› For unlikely or contrary-to-fact actions or situations in the present or in the future, the **si**-clause is in the imperfect subjunctive and the result clause in the conditional.

Si-clause	Result Clause
si + Imperfect Subjunctive	Conditional

Si mis padres **fueran** a las islas San Blas, **comprarían** muchas molas. — *If my parents went to San Blas Islands, they would buy many molas.*

› For contrary-to-fact actions in the past, the **si**-clause is in the past perfect subjunctive and the result clause in the conditional perfect.

Si-clause	Result Clause
si + Past Perfect Subjunctive	Conditional Perfect

Si hubiera ido a Portobelo, **habría visto** la vieja aduana desde donde salía el oro para España. — *If I had gone to Portobelo, I would have seen the old customs house from where the gold going to Spain left.*

Ahora, ¡a practicar!

A. Islas del paraíso. Si pudieras ir, ¿cómo sería tu visita a las islas San Blas?

MODELO ver el modo de vida de los indios kunas
Si pudiera ir a las islas San Blas, vería el modo de vida de los indios kunas.

1. viajar a una de las islas en un pequeño avión
2. tratar de hospedarme en la casa de una familia
3. adquirir algunas molas
4. hacer buceo submarino en aguas transparentes
5. querer visitar más de una isla
6. sentirse lejos del ruido de las ciudades
7. aprender algunas palabras del idioma kuna

B. Planes. ¿Qué planes tienes para los días que vas a pasar en Ciudad de Panamá?

MODELO tener tiempo / ir al Museo de Arte Contemporáneo
Si tengo tiempo, iré al Museo de Arte Contemporáneo.

1. ir al Casco Viejo / admirar los edificios coloniales
2. entrar en la iglesia San José / poder admirar el famoso Altar de Oro
3. querer distraerme / dar una vuelta por la avenida Balboa
4. alguien acompañarme / pasear por el Parque Natural Metropolitano
5. no estar muy cansado(a) / visitar el Museo del Canal Interoceánico
6. subir al ferrocarril de Panamá / ir del océano Pacífico al océano Atlántico
7. desear un objeto de recuerdo / comprar algunos cedés de Danilo Pérez
8. darme hambre / almorzar en uno de los restaurantes en el barrio El Cangrejo

C. ¡Qué lástima! En tu viaje a Panamá no pudiste visitar todo lo que querías. Di lo que habrías hecho si hubieras tenido tiempo.

MODELO asistir a una función en el Teatro Nacional
Si hubiera tenido tiempo, habría asistido a una función en el Teatro Nacional.

1. recorrer el fuerte San Lorenzo, cerca de Colón
2. ir a la península de Azuero
3. pasear por el parque Cervantes, en medio de la ciudad de David
4. ver un lugar habitado por el pueblo indígena emberá
5. viajar al archipiélago de Bocas del Toro
6. hacer buceo submarino en una de las islas de Panamá

Lección 10: Costa Rica

Artesanía

alfarería	*glazed pottery*
arcilla	*clay*
arete *(m.)*	*earring*
cerámica	*ceramics*
cestería	*basketmaking*
cuero	*leather*
horno	*kiln*
impresión *(f.)*	*printing*
litografía	*lithography*
mimbre *(m.)*	*wicker*
objetos de barro	*earthenware*
pan de oro *(m.)*	*gold foil*
piel *(f.)*	*leather*
quilate *(m.)*	*carat*
soplado de vidrio	*glassblowing*
talabartero	*saddler*
tallado en madera	*wood carving (craft)*
torno de alfarero	*potter's wheel*
vidriería	*glassmaking*

Políticos

anular	*to cancel, to repeal*
aprovechar	*to take advantage of*
asiento	*seat*
bipartidista *(m. f.)*	*bipartisan*
decaer	*to decline, to fail*
desempeño	*performance*
disolver (ue)	*to dissolve, to break up*
marginación *(f.)*	*exclusion*

Transbordador espacial

coraje *(m.)*	*courage, bravery*
cruzar	*to cross*
desembarcar	*to disembark, to land*
físico(a)	*physicist*
Marte *(m.)*	*Mars*
peligro	*danger*
transbordador espacial *(m.)*	*space shuttle*

Bordados y tejidos

bordado	*embroidery*
coser	*to sew*
puntadas	*stitches (in sewing)*
tejeduría	*weaving*
tejer	*to weave*
tejer a ganchillo	*to crochet*
tejer a punto	*to knit*
tela	*material*

Photo courtesy Ana Istaru, ©Julia Ardón

Presupuesto

asegurar	*to assure; to guarantee*
avalado(a)	*guaranteed*
cerciorarse	*to make sure*
concretar	*to specify*
invertir (ie, i)	*to invest*
monopolio	*monopoly*
plazo	*time limit, due date*
presupuesto	*budget*

Palabras útiles

beca	*scholarship*
bolsillo	*pocket*
corte *(m.)*	*cut, style*
enfermedad *(f.)*	*disease, illness*
enfoque *(m.)*	*focus*
envoltorio	*wrapping*
fachada	*façade*
hondo(a)	*deep*
manejo	*handling*
pensamiento	*thought*
quiebre *(m.)*	*breakup*
retrato	*portrait*

Verbos

labrar	*to work*
matricularse	*to register*
montar	*to stage*
pisar	*to step on*

Lección 10: Panamá

Geografía

acantilado	*cliff*
altiplanicie *(f.)*	*highlands*
altiplano	*high plateau*
arroyo	*stream*
colina	*hill*
cordillera	*mountain range*
cuesta	*slope; escarpment*
desembocadura	*mouth of a river, estuary*
dique *(m.)*	*dam*
falla	*fault*
humedal *(m.)*	*wetland*
localizar	*to locate, to find*
llano	*plain*
llanura	*plain, prairie*
manantial *(m.)*	*spring*
marisma	*marsh*
meseta	*plateau*
occidental *(m. f.)*	*western*
oriental *(m. f.)*	*eastern*
pantano	*swamp*
sabana	*savanna*
ubicarse	*to be situated or located*
valle *(m.)*	*valley*

Concurso

acercar	*to bring closer together or nearer; to approach*
agitar	*to shake, to stir*
alarido(a)	*shriek, howl*
aspirante *(m. f.)*	*contender*
concurso	*contest*
consagrar	*to confirm, to establish*
dolorido(a)	*grieving, sorrowing*
erguido(a)	*erect, swelled with pride*
lágrimas	*tears*
resentimiento	*resentment, bitterness*
talla	*stature*

Palabras útiles

fallido(a)	*unsuccessful, failed*
franco(a)	*free, open*
franja	*strip (of land)*
inmobilario(a) *(adj.)*	*real estate*
jefatura	*leadership*
portada	*cover, title page*

rj lerich / Shutterstock

Verbos

incursionar	*to penetrate, to make incursions*
reanudarse	*to resume*
recopilar	*to collect, to gather*
sembrar	*to sow, to scatter, to spread*

Tablas verbales

Verb Conjugations

REGULAR VERBS	-*ar* verbs	-*er* verbs	-*ir* verbs
Infinitive	**hablar** *to speak*	**comer** *to eat*	**vivir** *to live*
Present Participle	**hablando** *speaking*	**comiendo** *eating*	**viviendo** *living*
Past Participle	**hablado** *spoken*	**comido** *eaten*	**vivido** *lived*
SIMPLE TENSES			
Present Indicative *I speak, do speak, am speaking*	hablo hablas habla hablamos habláis hablan	como comes come comemos coméis comen	vivo vives vive vivimos vivís viven
Imperfect Indicative *I was speaking, used to speak, spoke*	hablaba hablabas hablaba hablábamos hablabais hablaban	comía comías comía comíamos comíais comían	vivía vivías vivía vivíamos vivíais vivían
Preterite *I spoke, did speak*	hablé hablaste habló hablamos hablasteis hablaron	comí comiste comió comimos comisteis comieron	viví viviste vivió vivimos vivisteis vivieron
Future *I will speak, shall speak*	hablaré hablarás hablará hablaremos hablaréis hablarán	comeré comerás comerá comeremos comeréis comerán	viviré vivirás vivirá viviremos viviréis vivirán
Conditional *I would speak*	hablaría hablarías hablaría hablaríamos hablaríais hablarían	comería comerías comería comeríamos comeríais comerían	viviría vivirías viviría viviríamos viviríais vivirían
Present Subjunctive *(that) I speak*	hable hables hable hablemos habléis hablen	coma comas coma comamos comáis coman	viva vivas viva vivamos viváis vivan

Imperfect Subjunctive (-ra) *(that) I speak, might speak*	hablara hablaras hablara habláramos hablarais hablaran	comiera comieras comiera comiéramos comierais comieran	viviera vivieras viviera viviéramos vivierais vivieran
Commands *speak* **(tú)** **(vosotros)** **(Ud.)** **(Uds.)**	habla, no hables hablad, no habléis hable, no hable hablen, no hablen	come, no comas comed, no comáis coma, no coma coman, no coman	vive, no vivas vivid, no viváis viva, no viva vivan, no vivan
PERFECT TENSES			
Present Perfect Indicative *I have spoken*	he hablado has hablado ha hablado hemos hablado habéis hablado han hablado	he comido has comido ha comido hemos comido habéis comido han comido	he vivido has vivido ha vivido hemos vivido habéis vivido han vivido
Past Perfect Indicative *I had spoken*	había hablado habías hablado había hablado habíamos hablado habíais hablado habían hablado	había comido habías comido había comido habíamos comido habíais comido habían comido	había vivido habías vivido había vivido habíamos vivido habíais vivido habían vivido
Future Perfect *I will have spoken*	habré hablado habrás hablado habrá hablado habremos hablado habréis hablado habrán hablado	habré comido habrás comido habrá comido habremos comido habréis comido habrán comido	habré vivido habrás vivido habrá vivido habremos vivido habréis vivido habrán vivido
Conditional Perfect *I would have spoken*	habría hablado habrías hablado habría hablado habríamos hablado habríais hablado habrían hablado	habría comido habrías comido habría comido habríamos comido habríais comido habrían comido	habría vivido habrías vivido habría vivido habríamos vivido habríais vivido habrían vivido
Present Perfect Subjunctive *(that) I might have spoken*	haya hablado hayas hablado haya hablado hayamos hablado hayáis hablado hayan hablado	haya comido hayas comido haya comido hayamos comido hayáis comido hayan comido	haya vivido hayas vivido haya vivido hayamos vivido hayáis vivido hayan vivido
Past Perfect Subjunctive *(that) I had spoken*	hubiera hablado hubieras hablado hubiera hablado hubiéramos hablado hubierais hablado hubieran hablado	hubiera comido hubieras comido hubiera comido hubiéramos comido hubierais comido hubieran comido	hubiera vivido hubieras vivido hubiera vivido hubiéramos vivido hubierais vivido hubieran vivido

Stem-changing Verbs

1 Stem-changing Verbs Ending in *-ar* and *-er*

e → ie: pensar *(to think)*

Present Indicative	pienso, piensas, piensa, pensamos, pensáis, piensan		
Present Subjunctive	piense, pienses, piense, pensemos, penséis, piensen		
Commands	piensa, no pienses (tú)	pensad, no penséis (vosotros)	
	piense, no piense (Ud.)	piensen, no piensen (Uds.)	
Other Verbs	cerrar	empezar	perder
	comenzar	entender	sentarse

o → ue: volver *(to return, come back)*

Present Indicative	vuelvo, vuelves, vuelve, volvemos, volvéis, vuelven		
Present Subjunctive	vuelva, vuelvas, vuelva, volvamos, volváis, vuelvan		
Commands	vuelve, no vuelvas (tú)	volved, no volváis (vosotros)	
	vuelva, no vuelva (Ud.)	vuelvan, no vuelvan (Uds.)	
Other Verbs	acordarse	demostrar	llover
	acostarse	encontrar	oler (**o → hue**)
	colgar	jugar (**u → ue**)	mover
	costar		

2 Stem-changing Verbs Ending in *-ir*

e → ie, i: sentir *(to feel)*

Present Participle	sintiendo			
Present Indicative	siento, sientes, siente, sentimos, sentís, sienten			
Present Subjunctive	sienta, sientas, sienta, sintamos, sintáis, sientan			
Preterite	sentí, sentiste, sintió, sentimos, sentisteis, sintieron			
Imperfect Subjunctive	sintiera, sintieras, sintiera, sintiéramos, sintierais, sintieran			
Commands	siente, no sientas (tú)	sentid, no sintáis (vosotros)		
	sienta, no sienta (Ud.)	sientan, no sientan (Uds.)		
Other Verbs	adquirir (**i → ie, i**)	convertir	herir	preferir
	consentir	divertir(se)	mentir	sugerir

e → i, i: servir *(to serve)*

Present Participle	sirviendo			
Present Indicative	sirvo, sirves, sirve, servimos, servís, sirven			
Present Subjunctive	sirva, sirvas, sirva, sirvamos, sirváis, sirvan			
Preterite	serví, serviste, sirvió, servimos, servisteis, sirvieron			
Imperfect Subjunctive	sirviera, sirvieras, sirviera, sirviéramos, sirvierais, sirvieran			
Commands	sirve, no sirvas (tú)	servid, no sirváis (vosotros)		
	sirva, no sirva (Ud.)	sirvan, no sirvan (Uds.)		
Other Verbs	concebir	elegir	reír	seguir
	despedir(se)	pedir	repetir	vestir(se)

o → ue, u: **dormir** *(to sleep)*	
Present Participle	d**u**rmiendo
Present Indicative	d**ue**rmo, d**ue**rmes, d**ue**rme, dormimos, dormís, d**ue**rmen
Present Subjunctive	d**ue**rma, d**ue**rmas, d**ue**rma, d**u**rmamos, d**u**rmáis, d**ue**rman
Preterite	dormí, dormiste, d**u**rmió, dormimos, dormisteis, d**u**rmieron
Imperfect Subjunctive	d**u**rmiera, d**u**rmieras, d**u**rmiera, d**u**rmiéramos, d**u**rmierais, d**u**rmieran
Commands	d**ue**rme, no d**ue**rmas (tú) dormid, no d**ú**rmáis (vosotros) d**ue**rma, no d**ue**rma (Ud.) d**ue**rman, no d**ue**rman (Uds.)
Other Verbs	morir(se)

Verbs with Spelling Changes

1 Verbs ending in *-ger* or *-gir*

g → j before **o, a:** **escoger** *(to choose)*				
Present Indicative	esco**j**o, escoges, escoge, escogemos, escogéis, escogen			
Present Subjunctive	esco**j**a, esco**j**as, esco**j**a, esco**j**amos, esco**j**áis, esco**j**an			
Commands	escoge, no esco**j**as (tú) escoged, no esco**j**áis (vosotros) esco**j**a, no esco**j**a (Ud.) esco**j**an, no esco**j**an (Uds.)			
Other Verbs	coger	dirigir	escoger	proteger
	corregir (i)	elegir (i)	exigir	recoger

2 Verbs ending in *-gar*

g → gu before **e:** **pagar** *(to pay)*				
Preterite	pa**gu**é, pagaste, pagó, pagamos, pagasteis, pagaron			
Present Subjunctive	pa**gu**e, pa**gu**es, pa**gu**e, pa**gu**emos, pa**gu**éis, pa**gu**en			
Commands	paga, no pa**gu**es (tú) pagad, no pa**gu**éis (vosotros) pa**gu**e, no pa**gu**e (Ud.) pa**gu**en, no pa**gu**en (Uds.)			
Other Verbs	entregar	jugar (ue)	llegar	obligar

3 Verbs ending in *-car*

c → qu before **e:** **buscar** *(to look for)*			
Preterite	bus**qu**é, buscaste, buscó, buscamos, buscasteis, buscaron		
Present Subjunctive	bus**qu**e, bus**qu**es, bus**qu**e, bus**qu**emos, bus**qu**éis, bus**qu**en		
Commands	busca, no bus**qu**es (tú) buscad, no bus**qu**éis (vosotros) bus**qu**e, no bus**qu**e (Ud.) bus**qu**en, no bus**qu**en (Uds.)		
Other Verbs	acercar	indicar	tocar
	explicar	sacar	

4 Verbs ending in *-zar*

z → c before e: empezar (ie) *(to begin)*

Preterite	empecé, empezaste, empezó, empezamos, empezasteis, empezaron
Present Subjunctive	empiece, empieces, empiece, empecemos, empecéis, empiecen
Commands	empieza, no empieces (tú) empezad, no empecéis (vosotros) empiece, no empiece (Ud.) empiecen, no empiecen (Uds.)
Other Verbs	almorzar (ue) comenzar (ie) cruzar organizar

5 Verbs ending in a consonant + *-cer* or *-cir*

c → z before o, a: convencer *(to convince)*

Present Indicative	convenzo, convences, convence, convencemos, convencéis, convencen
Present Subjunctive	convenza, convenzas, convenza, convenzamos, convenzáis, convenzan
Commands	convence, no convenzas (tú) convenced, no convenzáis (vosotros) convenza, no convenza (Ud.) convenzan, no convenzan (Uds.)
Other Verbs	ejercer esparcir vencer

6 Verbs ending in a vowel + *-cer* or *-cir*

c → zc before o, a: conocer *(to know, be acquainted with)*

Present Indicative	conozco, conoces, conoce, conocemos, conocéis, conocen
Present Subjunctive	conozca, conozcas, conozca, conozcamos, conozcáis, conozcan
Commands	conoce, no conozcas (tú) conoced, no conozcáis (vosotros) conozca, no conozca (Ud.) conozcan, no conozcan (Uds.)
Other Verbs	agradecer, conducir[1], desconocer, establecer, obedecer, ofrecer, parecer, permanecer, pertenecer, producir, reducir, traducir

7 Verbs ending in *-guir*

gu → g before o, a: seguir (i) *(to follow)*

Present Indicative	sigo, sigues, sigue, seguimos, seguís, siguen
Present Subjunctive	siga, sigas, siga, sigamos, sigáis, sigan
Commands	sigue, no sigas (tú) seguid, no sigáis (vosotros) siga, no siga (Ud.) sigan, no sigan (Uds.)
Other Verbs	conseguir distinguir perseguir proseguir

8 Verbs ending in *-guar*

gu → gü before e: averiguar *(to find out)*

Preterite	averigüé, averiguaste, averiguó, averiguamos, averiguasteis, averiguaron
Present Subjunctive	averigüe, averigües, averigüe, averigüemos, averigüéis, averigüen
Commands	averigua, no averigües (tú) averiguad, no averigüéis (vosotros) averigüe, no averigüe (Ud.) averigüen, no averigüen (Uds.)
Other Verbs	apaciguar atestiguar

[1]See **conducir** in the section on irregular verbs for further irregularities of verbs ending in **-ducir.**

9 Verbs ending in *-uir*

unstressed **i → y** between vowels: **construir** *(to build)*

Present Participle	constru**y**endo
Present Indicative	constru**y**o, constru**y**es, constru**y**e, construimos, construís, constru**y**en
Preterite	construí, construiste, constru**y**ó, construimos, construisteis, constru**y**eron
Present Subjunctive	constru**y**a, constru**y**as, constru**y**a, constru**y**amos, constru**y**áis, constru**y**an
Imperfect Subjunctive	constru**y**era, constru**y**eras, constru**y**era, constru**y**éramos, constru**y**erais, constru**y**eran
Commands	constru**y**e, no constru**y**as (tú) — construid, no constru**y**áis (vosotros) constru**y**a, no constru**y**a (Ud.) — constru**y**an, no constru**y**an (Uds.)
Other Verbs	concluir, contribuir, destruir, huir, instruir, sustituir

10 Verbs ending in *-eer*

unstressed **i → y** between vowels: **creer** *(to believe)*

Present Participle	cre**y**endo
Preterite	creí, creíste, cre**y**ó, creímos, creisteis, cre**y**eron
Imperfect Subjunctive	cre**y**era, cre**y**eras, cre**y**era, cre**y**éramos, cre**y**erais, cre**y**eran
Other Verbs	leer, poseer

11 Some verbs ending in *-iar* and *-uar*

i → í when stressed: **enviar** *(to send)*

Present Indicative	env**í**o, env**í**as, env**í**a, enviamos, enviáis, env**í**an
Present Subjunctive	env**í**e, env**í**es, env**í**e, enviemos, enviéis, env**í**en
Commands	env**í**a, no env**í**es (tú) — enviad, no enviéis (vosotros) env**í**e, no env**í**e (Ud.) — env**í**en, no env**í**en (Uds.)
Other Verbs	ampliar, confiar, enfriar, guiar, variar

u → ú when stressed: **continuar** *(to continue)*

Present Indicative	contin**ú**o, contin**ú**as, contin**ú**a, continuamos, continuáis, contin**ú**an
Present Subjunctive	contin**ú**e, contin**ú**es, contin**ú**e, continuemos, continuéis, contin**ú**en
Commands	contin**ú**a, no contin**ú**es (tú) — continuad, no continuéis (vosotros) contin**ú**e, no contin**ú**e (Ud.) — contin**ú**en, no contin**ú**en (Uds.)
Other Verbs	acentuar, efectuar, graduar(se), situar

Irregular Verbs

1

abrir *(to open)*

Past Participle	abierto
Other Verbs	cubrir, descubrir

2

andar *(to walk; to go)*

Preterite	anduve, anduviste, anduvo, anduvimos, anduvisteis, anduvieron
Imperfect Subjunctive	anduviera, anduvieras, anduviera, anduviéramos, anduvierais, anduvieran

3

caer *(to fall)*

Present Participle	cayendo
Past Participle	caído
Present Indicative	caigo, caes, cae, caemos, caéis, caen
Preterite	caí, caíste, cayó, caímos, caísteis, cayeron
Present Subjunctive	caiga, caigas, caiga, caigamos, caigáis, caigan
Imperfect Subjunctive	cayera, cayeras, cayera, cayéramos, cayerais, cayeran

4

conducir *(to lead; to drive)*[1]

Present Indicative	conduzco, conduces, conduce, conducimos, conducís, conducen			
Preterite	conduje, condujiste, condujo, condujimos, condujisteis, condujeron			
Present Subjunctive	conduzca, conduzcas, conduzca, conduzcamos, conduzcáis, conduzcan			
Imperfect Subjunctive	condujera, condujeras, condujera, condujéramos, condujerais, condujeran			
Other Verbs	introducir	producir	reducir	traducir

5

dar *(to give)*

Present Indicative	doy, das, da, damos, dais, dan
Preterite	di, diste, dio, dimos, disteis, dieron
Present Subjunctive	dé, des, dé, demos, deis, den
Imperfect Subjunctive	diera, dieras, diera, diéramos, dierais, dieran

6

decir *(to say, tell)*

Present Participle	diciendo	
Past Participle	dicho	
Present Indicative	digo, dices, dice, decimos, decís, dicen	
Preterite	dije, dijiste, dijo, dijimos, dijisteis, dijeron	
Future	diré, dirás, dirá, diremos, diréis, dirán	
Conditional	diría, dirías, diría, diríamos, diríais, dirían	
Present Subjunctive	diga, digas, diga, digamos, digáis, digan	
Imperfect Subjunctive	dijera, dijeras, dijera, dijéramos, dijerais, dijeran	
Affirm. tú Command[2]	di	
Other Verbs	desdecir	predecir

[1]All **-ducir** verbs follow this pattern.

[2]The other command forms are identical to the present subjunctive forms.

7

escribir *(to write)*

Past Participle	escrito
Other Verbs	inscribir, prescribir, proscribir, subscribir, transcribir

8

estar *(to be)*

Present Indicative	estoy, estás, está, estamos, estáis, están
Preterite	estuve, estuviste, estuvo, estuvimos, estuvisteis, estuvieron
Present Subjunctive	esté, estés, esté, estemos, estéis, estén
Imperfect Subjunctive	estuviera, estuvieras, estuviera, estuviéramos, estuvierais, estuvieran

9

haber *(to have)*

Present Indicative	he, has, ha, hemos, habéis, han
Preterite	hube, hubiste, hubo, hubimos, hubisteis, hubieron
Future	habré, habrás, habrá, habremos, habréis, habrán
Conditional	habría, habrías, habría, habríamos, habríais, habrían
Present Subjunctive	haya, hayas, haya, hayamos, hayáis, hayan
Imperfect Subjunctive	hubiera, hubieras, hubiera, hubiéramos, hubierais, hubieran

10

hacer *(to do; to make)*

Past Participle	hecho
Present Indicative	hago, haces, hace, hacemos, hacéis, hacen
Preterite	hice, hiciste, hizo, hicimos, hicisteis, hicieron
Future	haré, harás, hará, haremos, haréis, harán
Conditional	haría, harías, haría, haríamos, haríais, harían
Present Subjunctive	haga, hagas, haga, hagamos, hagáis, hagan
Imperfect Subjunctive	hiciera, hicieras, hiciera, hiciéramos, hicierais, hicieran
Affirm. tú Command	haz
Other Verbs	deshacer, rehacer, satisfacer

11

ir *(to go)*

Present Participle	yendo
Present Indicative	voy, vas, va, vamos, vais, van
Imperfect Indicative	iba, ibas, iba, íbamos, ibais, iban
Preterite	fui, fuiste, fue, fuimos, fuisteis, fueron
Present Subjunctive	vaya, vayas, vaya, vayamos, vayáis, vayan
Imperfect Subjunctive	fuera, fueras, fuera, fuéramos, fuerais, fueran
Affirm. tú Command	ve

12

morir (ue) *(to die)*

Past Participle	muerto

13

oír *(to hear)*

Present Participle	oyendo
Past Participle	oído
Present Indicative	oigo, oyes, oye, oímos, oís, oyen
Preterite	oí, oíste, oyó, oímos, oísteis, oyeron
Present Subjunctive	oiga, oigas, oiga, oigamos, oigáis, oigan
Imperfect Subjunctive	oyera, oyeras, oyera, oyéramos, oyerais, oyeran

14

poder *(to be able)*

Present Participle	pudiendo
Present Indicative	puedo, puedes, puede, podemos, podéis, pueden
Preterite	pude, pudiste, pudo, pudimos, pudisteis, pudieron
Future	podré, podrás, podrá, podremos, podréis, podrán
Conditional	podría, podrías, podría, podríamos, podríais, podrían
Present Subjunctive	pueda, puedas, pueda, podamos, podáis, puedan
Imperfect Subjunctive	pudiera, pudieras, pudiera, pudiéramos, pudierais, pudieran

15

poner *(to put, place)*

Past Participle	puesto		
Present Indicative	pongo, pones, pone, ponemos, ponéis, ponen		
Preterite	puse, pusiste, puso, pusimos, pusisteis, pusieron		
Future	pondré, pondrás, pondrá, pondremos, pondréis, pondrán		
Conditional	pondría, pondrías, pondría, pondríamos, pondríais, pondrían		
Present Subjunctive	ponga, pongas, ponga, pongamos, pongáis, pongan		
Imperfect Subjunctive	pusiera, pusieras, pusiera, pusiéramos, pusierais, pusieran		
Affirm. tú Command	pon		
Other Verbs	componer	proponer	sobreponer
	descomponer	reponer	suponer
	oponer		

16

querer *(to want, wish)*

Present Indicative	quiero, quieres, quiere, queremos, queréis, quieren
Preterite	quise, quisiste, quiso, quisimos, quisisteis, quisieron
Future	querré, querrás, querrá, querremos, querréis, querrán
Conditional	querría, querrías, querría, querríamos, querríais, querrían
Present Subjunctive	quiera, quieras, quiera, queramos, queráis, quieran
Imperfect Subjunctive	quisiera, quisieras, quisiera, quisiéramos, quisierais, quisieran

17

reír (i) *(to laugh)*

Past Participle	riendo
Preterite	reí, reíste, rió, reímos, reisteis, rieron
Imperfect Subjunctive	riera, rieras, riera, riéramos, rierais, rieran
Other Verbs	freír reírse sonreír(se)

18

romper *(to break)*

Past Participle	roto

19

saber *(to know)*

Present Indicative	sé, sabes, sabe, sabemos, sabéis, saben
Preterite	supe, supiste, supo, supimos, supisteis, supieron
Future	sabré, sabrás, sabrá, sabremos, sabréis, sabrán
Conditional	sabría, sabrías, sabría, sabríamos, sabríais, sabrían
Present Subjunctive	sepa, sepas, sepa, sepamos, sepáis, sepan
Imperfect Subjunctive	supiera, supieras, supiera, supiéramos, supierais, supieran

20

salir *(to go out; to leave)*

Present Indicative	salgo, sales, sale, salimos, salís, salen
Future	saldré, saldrás, saldrá, saldremos, saldréis, saldrán
Conditional	saldría, saldrías, saldría, saldríamos, saldríais, saldrían
Present Subjunctive	salga, salgas, salga, salgamos, salgáis, salgan
Affirm. tú Command	sal

21

ser *(to be)*

Present Indicative	soy, eres, es, somos, sois, son
Imperfect Indicative	era, eras, era, éramos, erais, eran
Preterite	fui, fuiste, fue, fuimos, fuisteis, fueron
Present Subjunctive	sea, seas, sea, seamos, seais, sean
Imperfect Subjunctive	fuera, fueras, fuera, fuéramos, fuerais, fueran
Affirm. tú Command	sé

22

tener *(to have)*

Present Indicative	tengo, tienes, tiene, tenemos, tenéis, tienen
Preterite	tuve, tuviste, tuvo, tuvimos, tuvisteis, tuvieron
Future	tendré, tendrás, tendrá, tendremos, tendréis, tendrán
Conditional	tendría, tendrías, tendría, tendríamos, tendríais, tendrían
Present Subjunctive	tenga, tengas, tenga, tengamos, tengáis, tengan
Imperfect Subjunctive	tuviera, tuvieras, tuviera, tuviéramos, tuvierais, tuvieran
Affirm. tú Command	ten
Other Verbs	contener detener retener

23

traer *(to bring)*

Present Participle	trayendo
Past Participle	traído
Present Indicative	traigo, traes, trae, traemos, traéis, traen
Preterite	traje, trajiste, trajo, trajimos, trajisteis, trajeron
Present Subjunctive	traiga, traigas, traiga, traigamos, traigáis, traigan
Imperfect Subjunctive	trajera, trajeras, trajera, trajéramos, trajerais, trajeran
Other Verbs	contraer distraer

24

valer *(to be worth)*

Present Indicative	valgo, vales, vale, valemos, valéis, valen
Future	valdré, valdrás, valdrá, valdremos, valdréis, valdrán
Conditional	valdría, valdrías, valdría, valdríamos, valdríais, valdrían
Present Subjunctive	valga, valgas, valga, valgamos, valgáis, valgan
Affirm.* tú *Command	val

25

venir *(to come)*

Present Participle	viniendo
Present Indicative	vengo, vienes, viene, venimos, venís, vienen
Preterite	vine, viniste, vino, vinimos, vinisteis, vinieron
Future	vendré, vendrás, vendrá, vendremos, vendréis, vendrán
Conditional	vendría, vendrías, vendría, vendríamos, vendríais, vendrían
Present Subjunctive	venga, vengas, venga, vengamos, vengáis, vengan
Imperfect Subjunctive	viniera, vinieras, viniera, viniéramos, vinierais, vinieran
Affirm.* tú *Command	ven
Other Verbs	convenir intervenir

26

ver *(to see)*

Past Participle	visto
Present Indicative	veo, ves, ve, vemos, veis, ven
Imperfect Indicative	veía, veías, veía, veíamos, veíais, veían
Preterite	vi, viste, vio, vimos, visteis, vieron
Present Subjunctive	vea, veas, vea, veamos, veáis, vean

27

volver (ue) *(to come back, return)*

Past Participle	vuelto
Other Verbs	devolver envolver resolver

Vocabulario español–inglés

This **Vocabulario** includes all active and most passive words and expressions in **Mundo 21** (conjugated verb forms and proper names used in passive vocabulary are generally omitted). A number in parentheses follows all active vocabulary. This number refers to the lesson where the word or phrase is introduced. The number **(1)**, for example, refers to *Lección 1*. The gender of nouns is indicated as masculine *(m.)* or feminine *(f.)*. When the noun designates a person, both the masculine and feminine forms are given if the English equivalents are different, for example, **abuelo** (grandfather), **abuela** (grandmother). Adjectives ending in –**o** are given in the masculine singular with the feminine ending –**a** given in parentheses, for example, **acomodado(a).** Verbs are listed in the infinitive form **(-ar, -er, -ir).** Stem-changes in verbs are given in parenthesis, for example **conferir (ie, i).** Spelling changes in verbs are given in parentheses, for example **brincar (qu).**

A

a bordo *on board*
a cargo de *in charge of* (4.2)
a favor *in favor* (6.1)
a fin de *in order to* (6.1)
a fines de *at the end of* (4.1)
a golpes *bash, batter*
a lo largo de *throughout* (7.1)
a mediados *mid, middle*
a medida *made to measure* (3.2)
a menudo *often*
a partir de *starting from* (3.3)
a perpetuidad *a life sentence*
a pesar de *in spite of* (1.1)
a principios de *at the beginning of* (4.2)
a propósito *by the way* (4.2)
a rayas *striped* (3.2)
a tientas *to feel one's way*
a través de *by means of* (4.1)*; across* (6.1)
abarcar *to cover* (5.2)
abastecimiento *supply* (6.1)
abeja *bee*
abogado(a) *lawyer*
abominable *detestable*
aborigines *aborigines, the earliest inhabitants*
abortar *to abort, to miscarry, to foil*
abotonarse *to button up*
abovedado(a) *arched, vaulted*
abrazar *to embrace*
abrazo *embrace*
abreviar *to abbreviate* (2.2)
absorber *to absorb*
abstracción *abstraction*
abstracto(a) *abstract* (2.1)
abundante *abundant*
abundar *to abound*
aburridísimo *extremely boring* (2.2)
aburrido(a) *boring* (1.1)
aburrir *to be boring* (1.1)
acabar de *to have just*
acabarse *to finish, to come to an end, to run out*
acantilado *cliff* (10.2)
acariciar *to caress, to stroke*
acarrear *to carry, to haul* (8.1)
acaso *by chance, by accident* (3.2)
acceder *to agree; to come to power*
acceso *access, entrance*
acción *(f.) stock* (9.2)
aceite *oil*
acelerado(a) *fast, rapid* (7.1)
acelerar *to speed up, to accelerate*
acerca *about, relating to*
acercar *to bring nearer*
acercarse *to bring closer together or nearer; to approach* (10.2)
acertar *to guess correctly, to be right*
acoger *to receive, to welcome* (5.1)
acomodado(a) *prosperous, well-off* (1.1)
acomodarse *to settle down, to conform* (6.2)
acompañante *companion, accompanist*
aconsejar *to advise, to counsel*
acontecimiento *event* (9.2)
acordarse de *to remember*
acorde *(m.) chord* (1.2)
acordeonista *accordionist*
acoso *relentless pursuit, harassment*
acostumbrado(a) *accustomed*
acostumbrar *to get somebody used to doing something; to be in the habit of doing something*
acreedor(a) a *worthy of; creditor* (9.2)
acta *minutes, proceedings*
activista *(m. f.) activist*
actualidad
actualmente *currently* (2.2)
acuarela *watercolor* (2.1)
acueducto *aqueduct*
acuerdo *agreement* (5.1)
acumular *to accumulate*
acupuntura *acupuncture* (3.3)
acústica *acoustic* (1.2)
adaptarse *to adapt oneself*
adecuado(a) *adequate, appropriate*
adelantado(a) *advanced* (2.1)
adelantar *to advance*
adelante *forward*
adelgazar *to lose weight, to be thin*
además *also*
adivinar *to guess*
adolorido(a) *sore* (3.3)
adoración *adoration*
adorar *to adore*
adosado(a) *semidetached, terraced*
adquirir (ie) *to acquire*
aduana *customs* (9.2)
advertir (ie) *to warn* (9.2)
afamado(a) *famous* (6.1)
afectado(a) *affected*
afectar *to affect*
afecto *affection*
afectuoso(a) *warm-hearted, affectionate*
afeitar(se) *to shave*
aferrar(se) *to seize, to clutch, to cling*
aficionado(a) *fan, enthusiast* (4.1)
afiliado(a) *affiliated*
afirmar *to affirm*
afortunado(a) *fortunate*
afrocaribeño(a) *Afro-Caribbean*
afueras *outside, outskirts*
agitar *to shake, to stir* (10.2)
agobiar *to burden, to exhaust* (3.1)
agotador(a) *exhausting* (9.1)
agradar *to be pleasing or agreeable*
agradecer *(irreg.) to appreciate*
agradecido(a) *grateful*
agrado *liking* (8.1)
agrícola *agricultural*
agrietado(a) *chapped, cracked, split*
agropecuario(a) *farming and lifestock* (6.2)
agua dulce *fresh water* (9.1)
agua potable *potable water* (6.2)
aguantar *to bear, to stand* (7.1)
aguardar *to wait for* (7.2)
aguja *needle*
ahorrar *to save (money)* (3.1)
aislado(a) *isolated* (4.1)
aislamiento *isolation*
aislar *to isolate*
ajeno(a) *foreign, strange*
ajustado(a) *tight* (3.2)
ajustar *to tighten, to adjust*
ajusticiamiento *execution* (8.2)
al filo de *at the edge of* (1.1)
al igual que *the same as* (3.3)
ala *wing*
alameda *avenue, boulevard*
alarido(a) *shriek, howl* (10.2)
alba *dawn*
albergar *to house, to accommodate*
albiceleste *white and light blue*
alcalde, alcaldesa *mayor* (8.2)
alcance *reach, range, scope*
alcanzar (c) *to reach, to attain* (1.1)*, to catch up with* (10.2)
aldea *village* (5.1)
alegrar *to make happy, to cheer up*
alemán *German*
alergia *allergy* (3.3)
alferería *glazed pottery* (10.1)
algodón *(m.) cotton* (3.3)
álguido(a) *culminating, critical* (4.1)
alimento *food*
aliviado(a) *recovered, better (health)* (3.3)
alma *(m.) soul* (3.3)
almacén *warehouse, store, grocery store*
almohada *pillow*
alrededor *around* (5.1)
alrededores
alta costura *high fashion* (3.2)
alterar *to change, to alter*
alternar *to alternate*
altiplanicie *(f.) highlands* (10.2)
altiplano *high plateau* (10.2)
altura *height; altitude*
amanecer *(m.) dawn* (7.2)
amante *(m. f.) lover*
amargamente *bitterly*
amargo(a) *bitter*
ámbar *ambar*

ambicioso(a) *ambicious*
ambiental *environmental*
ambiente *(m.) environment* (6.2)
ámbito *field* (1.1)
ambos(as) *both* (3.3)
amenazar *to threaten* (8.1)
amigdalitis *(f.) tonsilitis* (3.3)
amistoso(a) *friendly* (5.1)
amnistía *amnesty*
amonestar *to warn* (4.2)
amoroso(a) *loving, caring*
ampliamente *widely, largely*
ampliar (í) *to enlarge*
amplio(a) *wide, spacious*
amplitud *spaciousness, room, space*
añadir *to add* (4.2)
analfabetismo *illiteracy* (8.1)
ancho *wide*
anciano(a) *old, elderly* (8.1)
andar *to walk*
andino(a) *Andean*
anestesia *anesthesia*
anexado(a) *annexed*
anfibio *amphibian, amphibious*
anhelado(a) *yearned for* (2.1)
anhelo *wish, desire*
anidación *nesting*
anillo *ring*
animación digital *(f.) digital animation* (1.1)
aniquilado(a) *annihilated, wiped out* (7.1)
aniquilar *annihilate, wipe out*
Aniversario de la revolución *(m.) Anniversary of the Revolution* (5.2)
Año nuevo *(m.) New Year's Day* (5.2)
anochecer *nightfall, dusk, to get dark*
anotación *(f.) annotation* (7.2)
anotar *to score, to jot* (4.2)
ansiosamente *anxiously*
anteayer *day before yesterday*
anteojos *glasses, spectacles*
antepasado(a) *ancestor* (3.3)
antibiótico *antibiotic* (3.3)
anticipando *anticipating*
anticuado(a) *old-fashioned* (3.2)
antidepresivo *antidepressant* (3.3)
antiguo(a) *old*
antihéroe *antihero*
antología *anthology*
antónimo(a) *antonymous*
antorcha *torch* (8.1)
anular *to cancel, to repeal* (10.1)
aparato *apparatus*
aparcar *to park*
aparcería *sharecropping*
aparecer *to appear* (1.2)
aparentar *to feign, to appear like*
aparentemente *apparently*
aparición *appearance, apparition*
apariencia *appearance*
apasionado(a) *intense, impassioned* (7.1)
apasionante *exciting, enthralling*
apelativo *name* (2.1)
apenas *scarcely* (1.1)
apendicitis *(f.) appendicitis* (3.3)
apiadarse *to take pity*
aplastar *to squash, to quash*
aplaudir *to applaud, to clap*
aplicar *to apply*
apoderado(a) *proxy, representative, agent, manager*
apoderarse *to seize, to take possession* (3.3)
apogeo *height, zenith, apogee*
aportación *contribution* (1.1)
aportar *to contribute* (1.2)
aporte *support* (1.1)
apostar *to bet*
apoyar *to support* (8.2)
apoyo *support*
apreciado(a) *appreciated*
apreciar *to be fond of, to appreciate*
apresurarse *to hurry up* (6.1)
apretado(a) *hard, difficult* (8.2)
apretar *to press, to push, to squeeze*
apretón *hug, crush*
aprobar (o:ue) *to pass, to approve* (1.2)
apropiado(a) *appropriate*
aprovechar *to take advantage of* (10.1)
aprovecharse *to use to one's advantage, to take advantage of*
aprovisionamiento *supply, provision* (5.1)
aproximadamente *approximately*
aproximarse *approximate, come up to, approach*
apuesta *bet*
apuntar *to make a note of, to note down, to point out*
apurado(a) *in a hurry*
araña *spider*
arbitrario(a) *arbitrary*
árbitro *referee* (4.2)
archipiélago *archipelago*
archivo *file*
arcilla *clay* (10.1)
arco *arch* (2.1)
arduamente
arena *sand* (4.1)
arete *earring* (10.1)
argumento *plot, storyline*
arma *arm, weapon*
armonía *harmony* (1.2)
armónica *harmonica* (1.2)
arpa *harp*
arpista *(m. f.) harpist, harp player* (5.1)
arquitectura *arquitecture*
arrancar *to set out, to pull away* (2.1)
arrasar *to sweep to victory* (8.1)
arrecife *reef*
arreglista *(m. f.) music arranger* (1.2)
arrepentirse *to be sorry, to regret*
arrestar *to arrest*
arriesgarse *to risk*
arrojar *to throw*
arroyo *stream* (10.2)
arrugado(a) *wrinkled* (3.2)
arruinarse *to be ruined* (4.2)
arte *(m.) art* (2.1)
artefacto *artefact*
arteria *artery*
artesanal *(m. f.) artisan* (5.1)
artesanía *craftwork, crafts* (2.1)
artesano(a) *artisan, craftsperson* (1.1)
artículo *article*
artista *(m. f.) artist* (2.1)
artritis *(f.) arthritis* (3.3)
arzobispo *archbishop*
asaltar *to rob, to hold up*
asalto *holdup, robbery*
asamblea *assembly*
ascendencia *ancestry* (1.2)
ascender *to rise, to ascend; to be promoted*
ascenso *promotion, ascent*
asco *disgust, revulsion* (8.1)
asegurar *to assure, to guarantee* (10.1)
asegurarse *to assure oneself*
asentado(a) *settled, deep-rooted*
asentamiento *settlement* (9.1)
asesinado(a) *murdered, assassinated*
asesinar *to murder*
asesinato *murder*
asesinato político *political assassination* (8.1)
asesino *assassin, killer*
asexuado *sexless*
asfaltado *asphalted*
asiento *seat* (10.1)
asilo *asylum, refuge* (8.2)
asimilación *assimilation*
asimilarse *to assimilate*
asimismo *likewise* (5.2)
asolar *to devastate, to destroy* (8.2)
asomarse *to lean out, to take a look*
asombrado(a) *amazed, astonished*
asombrar *to amaze, to astonish*
aspecto *aspect*
aspirante *contender* (10.2)
aspirar *to aspire*
astrónomo(a) *astronomer* (8.1)
asumir *to assume*
asunto *matter, issue*
asustado(a) *scared* (2.2)
atacar (qu) *to attack*
ataque *attack*
atar *to tie, to tie up*
atardecer *to get dark, dusk*
ataúd *coffin*
atención *attention*
atender *to pay attention, to attend to, to see to*
aterciopelado(a) *velvety*
aterrizar *to land* (9.1)
atestiguar (ü) *to testify*
atletismo *track and field* (7.2)
atmósfera *atmosphere*
atracción *attraction*
atractivo(a) *attractive*
atraer *to attract* (6.2)
atraído(a) *attracted* (5.1)
atrás *behind*
atravesar (ie) *to cross, to go across*
atribuido(a) *attributed*
atribuir *to attribute*
atropellar *to run over* (2.1)
audición *audition*
audiencia *audience*
aula *classroom*
aumentar *to increase*
aumento *increase* (7.1)
aún *still, yet*
ausente *distracted; absent* (8.1)
ausentismo *absenteeism*
auténtico(a) *authentic*
autobiografía *autobiography*
autóctono(a) *indigenous, native*
autodestructivo *self-destructive*
automotriz *automotive*
autorretrato *self-portrait* (2.1)
avalado(a) *guaranteed* (10.1)
avanzado(a) *advanced* (4.1)
avatares *(m. pl.) ups and downs* (9.1)
ave *bird*
aventurarse *to be adventurous*
aventurero(a) *adventurer*
avergonzar (üe) *to embarrass, to put to shame* (3.3)
averiguar (ü) *to find out*
avistamiento *sighting* (7.1)
¡Ay de mí! *Woe is me!*
ayudar *to help*
ayuntamiento *city hall*
azar *chance*
azotar *to whip, to flog*
azucareras *sugar refineries* (1.2)

B

bahía *bay*
balada *ballad*
balneario *spa, resort*
baloncesto *basketball* (2.1)
bananero(a) *banana picker; banana tree*
banano *banana tree*
bancario(a) *bank employee*
bancarrota *bankruptcy* (5.2)
banda sonora *soundtrack/score* (1.2)
banda *strip* (5.1)
bandera *flag*
bando *edict, side, camp*
bañista *bather*
baraja *deck, pack of cards*
barato(a) *cheap* (3.2)
barba *beard*
barco de recreo *pleasure boat* (9.1)
barco de vela *sailboat* (9.1)
barco *ship* (1.1)
barra *rail, rod, pole, bar*
barriga *belly, tummy*
barrilete *small barrel*
barro *mud, clay*
barroco(a) *baroque* (2.1)
basar *to base*
basarse *to be based on*
base lograda *(f.) base hit* (7.2)
básquetbol *(m.) basketball* (7.2)
basquetbolista *basketball player*
bastante *enough*
basura *garbage* (6.2)
batalla *battle* (3.1)
batazo *a great hit (baseball)*
batería *set of percussion instruments or drums* (1.2); *battery*
batir *to beat, to whisk, to whip*
baúl *trunk*
bautizado(a) *baptized*
beca *scholarship* (5.2)
béisbol de pelota blanda *(m.) softball* (7.2)
belleza *beauty*
bello(a) *beautiful* (2.1)
beneficiar *to benefit*
beneficiarse *to benefit*
beneficio *benefit* (9.2)
beneficioso(a) *beneficial* (3.1)
bengala *flare, sparkler*
beso *kiss*
bestiario *bestiary*
biblia *bible*
bienes *(m.) property, assets* (2.2)
bienes de consumo *(m. pl.) consumer goods* (9.2)
bienestar *well-being, welfare*
billete *(m.) ticket*
biodiversidad *(f.) biodiversity* (6.2)
biografía *biography*
biográfico(a) *biographical* (1.1)
bipartidista *(m. f.) bipartisan* (10.1)
blanquinegro *black and white*
bloquear *to block*
bloqueo *blockade* (7.1)
boceto *sketch* (2.1)
bodegón *(m.) still life* (2.1)
boleto *ticket*
boleto de ida *one-way ticket* (9.1)
boleto de ida y vuelta *round-trip ticket* (9.1)
boleto sencillo *one-way ticket* (9.1)
boliche *bar, small store*
bolsa *stock market* (9.2)
bolsillo *pocket* (10.1)
boquete *hole, opening*
boquiabierto *open-mouther, flabbergasted*
bordado *embroidery* (10.1)
Borinquén *Puerto Rican*
borrador *draft, rough draft; eraser*
bosque *(m.) forest*
bosque tropical *(m.) tropical forest* (6.2)
bosquejo *outline*
bostezar *to yawn*
bostezo *yawn* (6.2)
bote *(m.) small boat* (9.1)
bravura *bravery*
brazo *arm*
bregar *to slave away*
breve *brief*
brillar *to shine*
brisa *breeze* (9.1)
bronce *(m.) bronze* (2.1)
bruma *(sea) mist*
bruto(a) *ignorant, uncouth, gross*
bucear *buccaneer*
bucear con tubo de respiración *to snorkel* (7.2)
buceo *underwater swimming*
buque *(m.) ship* (7.1)
buque de carga *(m.) cargo boat* (9.1)
burlar *to outwit, to evade*
burlarse *to make fun of*
bursátili *stock market, exchange*
buscar (qu) *to look for*
búsqueda *search* (6.1)

C

caballeriza *stable*
caballero *gentleman*
caballete *(m.) easel* (2.1)
caballo *horse*
cabaña *cabin, shack*
caber *(irreg.) to fit*
cabezal *bolster, headrest; headboard*
cabo *cape, end*
cacerola *saucepan, pan*
cachorro *cub* (7.2)
cacique *(m.) Indian chief* (4.1)
cada *each, every*
cadena *chain; network* (1.1)
caída *fall* (7.1)
caja *box* (8.1)
cajero(a) *cashier, teller*
cajita *small box*
cajón *drawer, box* (1.1)
calabozo *cell, dungeon* (7.1)
calcetín *sock*
caldera *caldron, boiler; crater*
calentamiento *warm-up*
calentamiento global *global warming* (6.2)
calentar (ie) *to warm-up* (3.1)
caleta *cove, small bay*
cálido *bold*
callado(a) *quiet*
callar *to be quiet, to shut up*
caluroso(a) *hot, warm*
cámara alta *upper house, senate* (8.2)
cambio climático *climate change* (6.2)
cambio de guardia *changing of guard*
caminata *walk* (3.1)
campana *bell*
campaña *campaign*
campeonato *championship* (2.1)
campesino(a) *peasant, rural, peasant-like*
campo *field* (3.1)
caña *sugar cane* (1.2)
cáncer *(m.) cancer* (3.3)
candidato(a) *candidate*
candombe *African-influenced dance (Uruguay)*
cangrejo *crab*
caníbal *(m.) cannibal* (5.1)
canoa *canoe* (5.1)
cansado(a) *tired, tiring* (3.1)
cansancio *tiredness*
cantautor(a) *singer-songwriter* (1.2)
cantidad *(f.) a large number* (5.1), *quantity*
canto *song, chant*
caoba *mahogany tree, mahogany*
caótico(a) *chaotic*
capa *layer, cape*
capa de ozono *ozone layer* (6.2)
capacidad *(f.) capacity*
capaz *capable*
capilla *chapel*
capirote *pointed hood*
capitanía *a territory governed by the military independent of the viceroyalty to which it belonged* (8.1)
capricho *whim, caprice*
capturar *to capture*
cara *face*
carbón *(m.) coal* (6.1)
cárcel *jail*
cardamomo *cardamom* (8.1)
carecer *to lack, to be without* (3.2)
cargado(a) *loaded*
cargo *post* (4.1)
caribeño(a) *Caribbean*
caricia *caress*
cariño *affection*
cariñoso(a) *affectionate*
carismático *charismatic*
Carnaval *(m.) Carnival* (5.2)
caro(a) *expensive* (3.2)
carrera ciclista *bicycle race* (3.1)
carrera *race* (3.1)
carreras y saltos *track* (3.1)
carreta *wagon, cart*
carretera *highway, road* (2.1)
carrocería (auto) *bodywork*
cartel *poster, sign*
cartón *cardboard, carton*
casa discográfica *recording company* (1.2)
casco *helmet*
caserío *hamlet, village; farmhouse*
casi *almost*
caso *case*
castellano *Castillian; Spanish*
castigado(a) *affected; punished* (5.2)
castigar *to punish*
castigo *punishment* (5.1)
casualidad *chance, coincidence*
cataclismo *natural disaster, cataclysm*
catacumbas *catacombs*
catarata *waterfall*
catarro, resfriado *cold* (illness) (3.3)
catástrofe *catastrophy*
catastrófico(a) *catastrophic*
catedrático(a) *university professor*
cauteloso(a) *cautious, careful* (6.1)
cautivar *to captivate*
cautiverio *captivity, confinement*
caverna *cave, cavern*
cecertarse *to reach an agreement, to come to terms* (4.2)
ceder *to cede, to hand over* (2.2)
celda *cell*
célebre *famous* (5.1)
cencerro *small bell* (7.1)
ceniza *ash*

censura *censureship* (2.1)
central nuclear *(f.) nuclear plant* (6.1)
cerámica *ceramics (10.1), pottery*
ceramista *ceramist*
cercanías *vicinity; surrounding area* (6.1)
cercano(a) *nearby, close*
cercar *to fence off* (9.2)
cerciorarse *to make sure* (10.1)
cerezo *cherry tree*
cerros *hills* (1.1)
certidumbre *(f.) certainty*
césped *(m.) grass* (4.2)
cestería *basketmaking* (10.1)
chaleco *vest*
chamarra *jacket* (3.2)
chancho *pig*
charlar *to chat, to talk*
chequere *(m.) gourd covered with beads that rattle* (7.1)
chicle *chewing gum* (5.1)
chicotazo *whipping*
chiflar *to whistle; to boo*
chino(a) *Chinese*
chisme *gossip* (3.1)
chismoso(a) *gossipy, gossip*
choque *crash, collision, shock*
ciclismo *cycling* (7.2)
ciclo *cycle*
ciego(a) *blind* (1.2)
cielo *sky*
ciencia ficción *science fiction* (1.1)
cierre *closure, closing*
cierto(a) *certain, true*
cifra *number* (1.1)
cilantro *coriander*
cincel *(m.) chisel* (2.1)
Cinco de mayo *May fifth* (5.2)
cineasta *movie director*
cinta *ribbon, tape*
circuito *track, circuit*
circulación *circulation*
círculo *circle*
circunstancia *circumstance*
cirugía *surgery* (9.2)
cirujano(a) *surgeon* (9.2)
cita *date, appointment*
ciudadanía *citizenship* (1.1)
ciudadano(a) *citizen*
claridad *(f.) clarity*
claro(a) *clear*
clavar *to hammer, to fix on*
clave *key, code*
clientela *clientele, customers*
coartada *alibi*
cobarde *(m. f.) coward*
cobijo *shelter*
cobro *collection* (*of payments*) (9.2)
cocido *stew; cooked*
coger (j) *to catch*
coherente *coherent, consistent*
colapso *collapse*
colchón *mattress*
colectivo *collective, group; bus*
cólera *cholera; anger, rage*
colina *hill* (10.2)
collado *hill; pass*
collar *necklace, collar*
colocar *to place, to put* (9.1)
colonia *colony*
colonizador(a) *colonizer*
colonizar *to colonize, to settle*
colono *colonist* (2.2)
coloquial *colloquial*
color de la piel *skin color* (7.2)
colorado *red*
colorido(a) *colorful, color*
columna *column* (2.1)
comandar *to command*
combatir *to combat, to fight*
combustible *(m.) fuel* (6.1)
comedia *comedy* (2.2)
comentar *to comment*
comentario *commentary*
comenzar (ie) *to start*
comerciante *storekeeper, shopkeeper*
comercio *trade, commerce*
comestible *(m.) food* (7.2)
cometa *comet*
cometer *to commit* (4.2)
comicio *election* (9.1)
cómico(a) *comic* (1.1)
comienzo *beginning*
comillas *quotation marks*
comisión *committee, commission*
cómodo(a) *comfortable*
compañía *company*
comparación *comparison*
comparar *to compare*
compartir *to share*
compás *(m.) rhythm* (7.1)
compatriota *(m. f.) compatriot, fellow countryman(woman)* (8.1)
compenetrado(a) *committed* (5.2)*; sharing feelings, sympathizing*
compensación *compensation*
compensar *to offset* (8.2)
competencia *competition* (9.2)
competir *to compete* (3.1)
competitivo(a) *competitive*
complacer *(irreg.) to please*
completarse *to complement each other*
complicado(a) *complicated*
componer *(irreg.) to fix, to compose* (1.2)
comportamiento *performance, behavior* (1.2)
comprobar *to verify* (1.2)
comprometido(a) *committed* (8.2)
compromiso *obligation, engagement, compromise*
común *common*
comunismo *communism*
comunista *communist*
con maldad *with malice* (5.1)
concebir (i) *to concieve* (9.2)
conceder *to grant, to concede* (2.2)
concentrar *to concentrate*
concertarse *to agree* (4.2)
concesión *concession*
conciencia *conscience*
conciente *conscience* (6.1)
concierto *concert* (1.2)
conciudadanos *fellow citizen, fellow countrymen*
concluir *to complete, to finish, to conclude*
concordancia *agreement, concordance*
concretar *to specify* (10.1)
concurso *contest* (10.2)
conde *earl, count*
condecoración *(f.) decoration; award*
condecorado(a) *awarded* (3.1)
conectar *to connect*
conferencia *lecture, talk*
confianza *trust* (9.2)
confirmar *to confirm*
conga *popular Caribbean dance* (7.1)
congelado(a) *frozen* (4.2)
congelar *to freeze* (9.1)
conglomerado *conglomeration*
congregación *(f.) congregation*
congreso *congress*
cónico(a) *conical, conic*
conjunto *band* (3.2), *group* (6.2)*; collection*
conmemorar *to commemorate*
conmovedor(a) *moving, touching* (1.1)
cono *cone*
conocimiento *knowledge* (8.1)
conquista *conquest*
consagración *(f.) consecration* (3.1)
consagrado(a) *time-honored, hallowed* (7.2)
consagrar *to confirm, to establish* (10.2)
consecuencia *consequence*
consecutivo(a) *consecutive*
conseguir (i, i) (g) *to achieve; to obtain* (2.1)
consejero(a) *advisor, counselor, director*
consejo *advice; council; meeting*
consejo de seguridad *security council* (4.1)
conservatorio *conservatory*
considerablemente *considerably*
consigo *with you/him/her/one*
consiguiente *resulting, consequent*
consistente *thick, solid, sound, consistent*
constar *to figure in, to be included in, to consist of*
constituir *to make up, to constitute, to represent*
construido(a) *constructed*
construir (y) *to construct*
consultar *to consult*
consumidor(a) *consumer*
consumir *to consume*
consumo *consumption*
consumo de energía *energy consumption* (6.1)
contagio *contagion* (5.2)
contaminación *(f.) pollution* (6.2)
contaminado(a) *contaminated*
contaminar *to contaminate*
contar (ue) con *to count on*
contemplación *contemplation*
contemplar *to contemplate*
contemporáneo(a) *contemporaneous* (2.1)
contener *to contain*
contenido *content*
contestación *answer, reply*
contexto context
contra *against*
contrabajo *bass* (*singer; instrument*) (1.2)
contracciones *contractions*
contragolpe *(m.) to counterattack* (5.1)
contraproducente *(m. f.) counterproductive* (3.1)
contrario(a) *contrary*
contrastar *to contrast*
contraste *contrast*
contratar *to contract*
contribución *contribution*
contribuir *to contribute* (3.3)
contrincante *(m. f.) rival, opponent* (6.2)
control de las armas de fuego *(m.) gun control* (8.2)
convencer (z) *to convince*
convencido *convinced*
conveniencia *coexistence*
convenio *agreement*
convenir *to be suitable*
convento *convent*
convertir *to convert*
convertirse (ie) (i) *to become* (1.1)
convivir *to live together, to coexist*
coordinador(a) *coordinator*
copia *copy*

copita *a small cup; a glass (of wine)*
coprotagonista *(m. f.) co-star* (4.1)
coqueteo(a) *flirt*
coraje *(m.) anger* (1.2)
coraje *courage, bravery* (10.1)
corazón *(m.) heart* (2.1)
cordial *cordial, friendly*
cordillera *mountain range* (10.2)
coro *chorus* (1.2)
corona *crown*
coronar *to crown* (2.1)
corredor(a) *runner* (3.1)
corregido(a) *corrected*
correspondencia *correspondence*
corrida de toros *bullfight*
corriente *(f.) trend, current* (6.1)
corriente *ordinary; stream*
corrió la voz *there was a rumor; the news spread* (6.1)
corrupción *(f.) corruption*
corrupción política *(f.) political corruption* (8.1)
corte *(m.) cut, style* (10.1); *court*
cortejo *courtship, wooing*
cortina *curtain*
corto plazo *short-term* (9.2)
cortometraje *short movie or film*
coser *to sew (10.1)*
costilla *rib*
costo *cost*
costumbre *custom*
costura *sewing*
cotizado(a) *valued*
cráneo *cranium, skull* (6.1)
cráter *crater*
creación *creation*
creacionista *creationist*
creador(a) *creator*
crear *to create* (4.1)
creativo(a) *creative* (1.1)
crecer *(irreg.) to grow*
creciente *(m. f.) growing, increasing* (4.1)
crecimiento *growth* (3.1)
crédito *credit* (9.2)
creíble *credible, believable*
crepúsculo *twilight, dusk*
criar *to bring up, to raise*
criarse *to grow up*
crimen *crime*
criticar *to criticize*
crítico(a) *critic* (1.2)
crónica *report, article, chronicle*
cruce *crossing, crossroads*
crujido *creaking, rustling*
cruzar *to cross* (10.1)
cuadrilla *team, gang, squad*
cuadrito *small square*
cuadro *square; painting; scene*
cualquiera *any, anyone*
cuate *(m. f.) twin* (5.1)
cubierto(a) *covered, overcast*
cubista *cubist* (2.1)
cubo *bucket, bin, garbage can*
cubrir *to cover*
cueca *popular dance of Chile, Bolivia, Perú* (7.1)
cuentista *(m. f.) short-story writer, storyteller*
cuento de hadas *fairytale*
cuento *short story* (2.2)
cuero *leather* (10.1)
cuesta *slope; escarpment* (10.2)
cuestionar *to question*
cueva *cave* (2.1)
cuidado *careful*
cuidar *to take care of*
culebra *snake*
culminar *to culminate*
culpa *fault*
cultivar *to cultivate*
cultivo *farming, cultivation*
cumbia *popular dance of Colombia* (7.1)
cumpleaños *birthday*
cumplir *to carry out, to obey, to achieve*
cuna *cradle; birthplace*
cura *(m.) priest* (1.1)
curar *to cure*
curiosear *to pry; to browse*
curiosidad *curiosity*

D

damnificado(a) *victim* (8.2)
danés *(m.)* **danesa** *(f.) Danish*
danza *(f.) dance*
danzante *(m. f.) dancer; adj. dancing*
danzón *(m.) popular dance of Cuba* (7.1)
dañar *to damage, to hurt*
dar fin a *to end, to put an end to* (8.1)
dar muerte *to kill* (3.1)
dar paso a *to give way to* (8.1)
darse cuenta *to realize* (3.1)
dato *(m.) piece of information, fact*
de cerca *closely*
de hecho *in fact, as a matter of fact* (3.3)
de lujo *luxury* (9.2)
de pie *standing*
debido a *due to*
débil *weak* (3.3)
debilitado(a) *weakened*
debutar *to make one's start, to appear for the first time*
década *(f.) decade*
decaer *to decline, to fail* (10.1)
decisivo(a) *decisive*
declaración *(f.) statement, deposition* (6.1)
declarar *to declare*
declinar *to decline*
decretar *to decree*
dedicar *to dedicate*
dedicatoria *(f.) dedication*
defender (ie) opiniones *to defend opinions* (4.1)
defensa *(f.) defense*
déficit *(m.)* **comercial** *trade deficit* (9.2)
deforestación *(f.) deforestation* (6.2)
defunción *(f.) deceased, death* (5.2)
degollar (ue) *to cut the throat of someone*
dejar *to leave, to abandon; to permit*
dejar de *to fail to, to stop*
delantero(a) *front, foremost*
delicadeza *(f.) delicacy*
delicado(a) *delicate*
delirar *to be delirious; to talk nonsense*
delito *(m.) crime, offense* (5.2)
democracia *(f.) democracy* (8.1)
demolido(a) *demolished, destroyed* (8.2)
demora *(f.) delay* (5.1)
demostración *(f.) demonstration*
denominar *to name, to call* (6.1)
dentadura *(f.) set of teeth*
dentadura *(f.)* **postiza** *false teeth* (6.1)
denunciar *to denounce*
dependiente(a) *(m. f.) employee, clerk*
deponer *to overthrow, to depose* (9.1)
deportes *(m. pl.)* **acuáticos** *water sports*
deportivo(a) *sport, sports*
depositar *to deposit, to place*
deprimente *depressing*
deprimir *to depress* (1.1)
depuración *(f.) purge, cleansing* (9.1)
derechista *(m. f.) rightist, right-wing* (8.2)
derechos *(m. pl.)* **humanos** *human rights* (8.1)
derivar *to derive; to drift*
derramar *to pour*
derrame *(m.) spilling, shedding; (cerebral) hemorrhage* (1.1)
derretir (i) *to melt*
derrocado(a) *toppled, overthrown* (6.2)
derrocamiento *(m.) overthrow* (5.1)
derrocar *to overthrow*
derrota *(f.) defeat; disorder, shambles* (2.1)
derrotado(a) *defeated* (2.2)
derrotar *to defeat* (3.1)
derrumbar *to demolish, to tear down*
derrumbarse *to collapse, to cave in*
desabotonar *to unbutton*
desafío *(m.) challenge*
desafortunado(a) *unlucky*
desairado(a) *slighted, snubbed*
desaparecer *to disappear* (4.1)
desaparición *(f.) disappearance*
desapercibido(a) *unnoticed* (1.2)
desarrollo *(m.) development* (1.1)
desastrado(a) *dirty, slovenly* (3.2)
desastroso(a) *disastrous*
desatender (ie) *to neglect, to ignore*
descalzo(a) *barefooted*
descansar *to rest*
descanso *(m.) rest*
descargar *to unload*
descender (ie) *to descend, to go down*
descendiente *(m. f.) descendant*
desconcertar *to disconcert*
desconocer *to not know, to not recognize*
desconocido(a) *unknown*
describir *to describe* (4.1)
descubrimiento *(m.) discovery*
descubrir *to discover*
descuento *(m.) injury time (soccer)* (4.2)
desembarcar *to disembark, to land* (10.1)
desembocadura *(f.) mouth of a river, estuary* (10.2)
desembocar *to flow, to empty (river)*
desempeño *(m.) performance* (10.1)
desempleo *(m.) unemployment* (3.2)
desengaños *(m. pl.) bitter lessons of life* (3.3)
deseo *(m.) desire*
desértico(a) *desert-like, barren*
desertización *(f.) desertification, turning land into a desert* (6.2)
desesperación *(f.) desperation*
desesperadamente *desperately*
desfavorecido(a) *disadvantaged*
desfile *(m.) parade* (1.1)
desfondado(a) *crumbling*
desgajar *to tear off*
desgracia *(f.) disgrace*
deshacer *to undo*
deshacerse de *to get rid of* (9.1)
deshecho(a) *undone*
desierto *(m.) dessert* (3.1)
designado(a) *designated*
designar *to designate*
desigual *unequal; uneven* (9.2)
desintegración *(f.) disintegration*
deslizar *to slide, to slip*
deslizarse *to slide* (5.1)
desmovilización *(f.) demobilization*
desnudo(a) *naked* (3.1)
desolado(a) *desolate, disconsolate*

desorden *(m.) disorder*
desordenar *to make untidy, to mess up*
despedir (i) *to discharge, to dismiss*
despegar *to take off* (9.1)
despertar (ie) *to awaken*
despiadado(a) *cruel, pitiless*
despierto(a) *wide-awake, alert*
despoblar *to depopulate* (1.2)
desposeído(a) *dispossessed*
destacado(a) *distinguished, prominent* (1.2)
destacar *to stand out, to highlight* (1.1)
destacarse *to stand out* (2.1)
destemplado(a) *out of tune, unharmonious*
destinado(a) *destined; assigned*
destino *(m.) destination; fate*
destituido(a) *removed, dismissed* (6.1)
destrozar *to wreck, to ruin* (9.1)
destruir (y) *to destroy*
desventaja *(f.) disadvantage*
detallado(a) *detailed*
detalle *(m.) detail*
detener *to detain; to stop; to arrest*
detenido(a) *stopped, halted* (8.2)
deteriorar *to deteriorate*
detestar *to detest* (1.1)
deuda *(f.) debt* (4.2)
devaluación *(f.) devaluation*
devastar *to devastate*
devolución *(f.) return, restitution*
devolver (ue) *to return, to give back*
día *(m.) day*
Día de Acción de Gracias *(m.) Thanksgiving Day* (5.2)
Día de la Bandera *Flag Day* (5.2)
Día de la Constitución *(m.) Constitution Day* (5.2)
Día de la Independencia *(m.) Independence Day* (5.2)
Día de las Madres *(m.) Mother's Day* (5.2)
Día de los Enamorados *(m.) Valentine's Day* (5.2)
Día de los Inocentes *(m.) April Fool's Day* (5.2)
Día de los Muertos *(m.) Day of the Dead (All Soul's Day)* (5.2)
Día de los Padres *(m.) Father's Day* (5.2)
Día de los Reyes Magos *(m.) Epiphany* (5.2)
Día del Santo *(m.) Saint's Day* (5.2)
Día del Trabajador *(m.) Labor Day* (5.2)
día feriado *(m.) holiday* (5.2)
diabetes *(f.) diabetes* (3.3)
diablo *(m.) devil*
diagrama *(m.) diagram*
dialecto *(m.) dialect*
diario *(m.) newspaper*
diáspora *(f.) migration* (8.2)
dibujante *(m. f.) sketcher, illustrator*
dibujar *to draw, to sketch, to design*
dibujo *(m.)* **animado** *animated cartoon* (1.1)
dicho *(m.) saying*
dictadura *(f.) dictatorship* (1.1)
dictar *to give* (5.1), *to teach* (9.1)
diente *(m.) tooth*
dificultar *to make difficult, to become difficult*
difundir *to spread, to disseminate*
dinamismo *(m.) dynamism*
dinero *(m.) money*
dios *(m.) god*
diputado(a) *representative* (8.2)
dique *(m.) dam* (10.2)
dirigente *(m. f.) leader, head*
dirigido(a) *directed*
dirigir (j) *to direct*
disco *(m.)* **compacto (CD, Cedé)** *compact disk (CD)* (1.2)
discriminación *(f.) discrimination*
discurso *(m.) speech*
diseñador(a) *designer*
diseño *design* (3.2)
disfrutar *to enjoy*
disgustar *to annoy, to displease*
disidente *(m. f.) dissident, dissenter*
disminución *(f.) decrease, reduction*
disminuir (y) *to decrease, to diminish* (6.1)
disolver (ue) *to dissolve, to break up* (10.1)
displicente *disagreeable, fretful*
disponer *to arrange, to stipulate* (5.2)
dispuesto(a) *ready, prepared*
disputar *to dispute, to argue over*
disputarse *to contend, to compete for* (4.2)
distancia *(f.) distance*
distinción *(f.) distinction*
distinguir (g) *to distinguish*
distinguirse (g) *to distinguish oneself* (4.1)
distinto *distinct, different; various*
distraer *to distract; to amuse*
distribución *(f.) distribution*
distribuir (y) *to distribute*
distrito *(m.) district*
disuadir *to dissuade*
disuelto(a) *dissolved* (4.1)
diversidad *(f.) diversity*
diversificación *(f.) diversification*
diversificar *to diversify*
diverso(a) *diverse*
divertir (ie, i) *to entertain*
divertirse (ie, i) *to enjoy oneself*
dividir *to divide*
divinamente *wonderfully, divinely*
divino(a) *divine*
divisa *(f.) foreign currency* (7.1)
doblar *to double; to fold*
doble *double*
docena *(f.) dozen*
doctorado *(m.) doctorate*
doctorarse *to get the doctor's degree*
doctrina *(f.) doctrine*
documental *(m.) documentary* (1.2)
doler (ue) *to hurt, to ache*
dolorido(a) *grieving, sorrowing* (10.2)
doloroso(a) *painful*
doméstico(a) *domestic, household*
dominación *(f.) domination*
dominar *to dominate*
dominó *(m.) domino*
donaire *(m.) wit, grace* (1.1)
dorado(a) *golden*
dotación *(f.) funding* (7.2)
dotar *to endow; to equip*
dotes *(f. pl.) talent, gift*
drama *(m.) drama* (1.1)
dramatizar *to dramatize*
dramaturgo(a) *playwright* (2.2)
ducha *(f.) shower, bath*
duda *(f.) doubt*
duelo *(m.) mourning; grief*
duelo *(m.)* **nacional** *national mourning* (5.2)
dueño(a) *owner* (1.2)
dulce *sweet*
dulzura *(f.) sweetness* (9.1)
duplicar *to double, to duplicate*
duración *(f.) duration*
durar *to last* (2.2)
duro(a) *hard*
DVD (devedé, deuvedé) *(m.) DVD* (1.2)

E

echar *to throw, to throw out, to throw away*
echarse *to lie down* (9.1)
echarse a *to begin to*
ecléctico(a) *eclectic*
ecuestre *equestrian*
edificación *(f.) construction, building*
edificar *to build*
efecto *(m.) effect*
efecto *(m.)* **invernadero** *greenhouse effect* (6.2)
efectuar *to carry out* (7.2)
eficaz *efficient* (2.1)
ejecución *(f.) execution; performance*
ejercer (z) *to practice, to exert* (5.2)
ejercicio *(m.)* **aeróbico** *aerobic exercise* (3.1)
ejercicio *(m.)* **anaeróbico** *anaerobic exercise* (3.1)
ejercicio *(m.)* **cardiovascular** *cardiovascular exercise* (3.1)
ejército *(m.) army* (4.1)
elaborado(a) *elaborate, finished*
elaborar *to elaborate; to work*
elástico(a) *elastic*
electorado *(m.) electorate*
elegancia *(f.) elegance*
elegido(a) *elected*
elegir (i, i) (j) *to elect*
elevar *to lift, to elevate*
elogiado(a) *praised* (5.1)
elogiar *to praise*
embajador(a) *ambassador*
embarcación *(f.) boat, ship*
embargo *(m.) embargo; seizure*
emblemático(a) *emblematic*
embotellamiento *(m.) traffic jam, bottleneck* (2.1)
emergencia *(f.) emergency*
emerger *to emerge* (7.1)
emigrar *to emigrate*
eminentemente *essentially, basically*
emitir *to emit, to issue*
emocionante *exciting* (1.1)
empatar *to tie (in a game)* (4.2)
empeñar *to pawn*
empeñoso(a) *eager, persistent*
empeorar *to get worse; to make worse*
emperador *(m.) emperor*
empezar (ie) *to begin*
empleo *(m.) employment*
emprendedor(a) *enterprising*
emprender *to embark on* (9.1)
empresa *(f.) company, firm* (3.2)
empresario(a) *manager, director* (1.2)
en busca de *in search of* (4.2)
en contra *against* (6.1)
enamorado(a) *sweetheart, lover* (3.3)
enano(a) *dwarf*
encabezar *to be at the top (of the list)* (7.2)
encallado(a) *run aground* (7.1)
encallar *to run aground*
encaminar *to direct, to guide* (4.2)
encantador(a) *charming*
encantamiento *(m.) charm, enchantment*
encantar *to captivate, to enchant* (1.1)
encargado(a) *agent, representative*
encargar *to entrust, to put in charge* (4.1)
encender (ie) *to light, to kindle; to turn on (lights)*
encontrarse (ue) *to encounter, to find* (2.2)
encuentro *(m.) encounter* (7.1)
encuesta *(f.) survey*

endeudado(a) *indebted*
energía *(f.)* **eólica** *wind power* (6.1)
energía *(f.)* **hidráulica** *water power, hydropower* (6.1)
energía *(f.)* **(no) renovable** *(non)renewable energy* (6.1)
énfasis *(m.) emphasis*
enfatizar *to emphasize*
enfermar *to get sick*
enfermedad *(f.) disease, illness* (10.1)
enfermo(a) *sick*
enfocar *to focus*
enfoque *(m.) focus* (10.1)
enfrentamiento *(m.) confrontation* (3.3)
enfrentarse *to confront* (5.1)
enfrente *opposite, in front*
enfriar (í) *to cool down*
englobar *to include, to put all together* (8.1)
engordar *to fatten*
enjuto(a) *lean, skinny*
enmienda *(f.) amendment; emendation* (6.2)
enojar *to anger, to offend*
enorme *enormous*
enredarse *to get tangled up; to get involved*
enriquecerse *to get rich*
enriquecido(a) *enriched*
ensayista *essayist*
ensayo *(m.) essay* (2.2)
enterarse *to find out* (2.2)
entero(a) *whole, entire* (2.1)
enterrado(a) *buried*
enterrar *to bury*
entidad *(f.) entity* (6.1)
entrada *(f.) ticket* (4.2)
entregar (gu) *to deliver, to hand over*
entremeterse *to meddle*
entrenador(a) *coach* (4.2)
entrenar *to train* (9.2)
entretener *to amuse, to entertain*
entretenerse *to be amused, to amuse oneself*
entretenido(a) *entertaining* (1.1)
entrevista *(f.) interview*
entrevistador(a) *interviewer*
entrevistar *to interview*
entristecer *to sadden, to make sad*
entrometido(a) *meddler, busybody*
entusiasmar *to enthuse, to make enthusiastic*
entusiasmarse *to become enthusiastic*
entusiasmo *(m.) enthusiasm*
entusiasta *enthusiastic*
enviado(a) *envoy*
enviar (í) *to send* (1.1)
envidiar *to envy*
envoltorio *(m.) wrapping* (10.1)
eólico(a) *adj. wind*
épico(a) *epic* (1.1)
episodio *(m.) episode*
época *(f.) time, period* (1.1)
equipaje *(m.) luggage* (9.1)
equipaje *(m.)* **de mano** *(m.) carry-on luggage* (9.1)
equivalente *(m.) equivalent*
equivocado(a) *mistaken*
erguido(a) *erect, swelled with pride* (10.2)
erigido(a) *erected, built*
erosión *(f.) erosion* (6.2)
erótico(a) *erotic*
erotismo *(m.) eroticism*
erupción *(f.) eruption*
esbozo *(m.) sketch, outline, rough draft* (2.1)
escalar *to climb*
escalera *(f.) stair, stairway; ladder*
escalerilla *(f.) steps*
escalinata *(f.) stairway* (9.1)
escandalizar *to scandalize*
escapar *to escape, to flee*
escarabajo *(m.) scarab, black beetle* (4.1)
escaramuza *(f.) skirmish*
escena *(f.) scene*
escenario *(m.) stage* (1.2)
esclavista *(m. f.) slaver*
esclavitud *(f.) slavery* (7.1)
esclavizar *to enslave*
esclavo(a) *slave* (6.1)
escocés *(m.)*, **escocesa** *(f.) Scottish*
escoger (j) *to choose*
escogido(a) *chosen; select*
escondido(a) *hidden*
escondite *(m.) hiding place*
escote *(m.) neckline* (3.2)
escotilla *(f.) hatch, hatchway*
escritor(a) *writer* (2.2)
esculpido(a) *sculpted*
escultor(a) *sculptor*
escultura *(f.) sculpture* (2.1)
esencialmente *essentially*
esforzarse (ue) *to strive*
esfuerzo *(m.) effort* (8.2)
esmalte *(m.) enamel* (2.1)
esmeralda *(f.) emerald* (6.1)
espacial *spatial*
espacio *(m.) space*
espalda *(f.) back*
espantoso(a) *frightening* (1.1)
esparcir (z) *to spread*
especie *(f.) species; sort, kind*
especies *(f. pl.)* **en peligro de extinción** *endangered species* (6.2)
especificar *to specify*
específico(a) *specific*
espectacular *spectacular*
espectáculo *(m.) show, performance*
espectador(a) *spectator*
espectro *(m.) specter; spectrum*
especulador(a) *speculator*
especular *to speculate*
espejo *(m.) mirror*
espera *(f.) wait, waiting*
esperanza *(f.) hope* (3.2)
espléndido(a) *splendid*
espontáneo(a) *spontaneous*
esposo(a) *husband (wife), spouse*
esquema *(m.) sketch, diagram*
esquina *(f.) corner*
establecer (zc) *to establish*
establecerse (zc) *to settle*
establecimiento *(m.) establishment, place of business*
estacionar *to park* (2.1)
estadía *(f.) stay*
estallar *to break out* (3.1)
estampado(a) *patterned, printed* (3.2)
estándar *(m.)* **de vida** *standard of living*
estaño *(m.) tin*
estar al día *to be up to date* (2.2)
estar de pie *to be standing* (8.1)
estar listo(a) *to be ready* (7.2)
estatua *(f.) statue* (2.1)
estela *(f.) stele (monument); wake (ship)*
estético(a) *aesthetic* (7.1)
estima *(f.) esteem*
estimación *(f.) estimate; estimation*
estimular *to stimulate*
estirar *to stretch* (3.1)
estrategia *(f.) strategy*
estrecho(a) *narrow* (4.1)
estrella *(f.) star*
estremecer (zc) *to shake*
estructura *(f.) structure*
estupendo(a) *stupendous* (1.1), *great, terrific* (3.3)
estupidez *(f.) stupidity, foolishness*
etcétera *etcetera, and so on*
eterno(a) *eternal*
etnia *(f.) ethnic group* (8.1)
étnico(a) *ethnic*
evaluación *(f.) evaluation*
evangelizar *to evangelize, to preach the gospel*
evidencia *(f.) proof, evidence*
evitar *to avoid*
exagerar *to exaggerate*
exaltado(a) *exalted*
examinar *to examine; to inspect*
excelencia *(f.) excellence*
exhaustivo(a) *exhaustive*
exhausto(a) *exhausted*
exhibición *(f.) exhibit* (2.1)
exhibir *to exhibit*
exigir (j) *to demand*
exiliado(a) *exile*
exiliarse *to go into exile*
exilio *exile*
eximir *to exempt*
existencia *(f.) existence*
existir *to exist*
éxito *(m.) success* (1.1)
exitoso(a) *successful* (7.1)
éxodo *(m.) exodus* (1.1)
exótico(a) *exotic*
expandirse *to expand, to spread*
expansión *(f.) expansion*
expectante *expectant*
expedición *(f.) expedition*
expedicionario(a) *member of an expedition*
experimentar *to experiment, to try out*
explicación *(f.) explanation*
explicar *to explain*
explotación *(f.) exploitation*
explotar *to exploit*
exponer *to exhibit, to show; to expound*
exportación *(f.) export, exportation* (9.2)
exportador(a) *exporter*
exportar *to export*
expresar opiniones *to express opinions* (4.1)
exprimir *to squeeze, to press*
expuesto(a) *exposed*
expulsar *to expel* (4.2)
expulsión *(f.) expulsion*
exquisito(a) *exquisite*
extender (ie) *to extend, to stretch out*
extenso(a) *extensive, vast*
extenuado(a) *exhausted*
exterminar *to exterminate*
exterminio *(m.) extermination*
extinguir (g) *to extinguish*
extraer *to extract*
extranjero *abroad* (9.2)
extranjero(a) *foreigner* (2.2)
extrañar *to miss*
extraño(a) *strange, odd*
extraordinario(a) *extraordinary*
extraviar *to mislay, to misplace*
extremadamente *extremely*
extremista *(m. f.) extremist*

F

fábrica *(f.) factory*
fabricado(a) *manufactured*
fabricar *to manufacture, to produce*
fabuloso(a) *fabulous*
faceta *(f.) facet*
fachada *(f.) façade* (10.1)
facial *facial*
facilidad *(f.) ease, easiness*
facilitar *to facilitate; to provide*
falla *(f.) fault* (10.2)
fallido(a) *unsuccessful, failed* (10.2)
falta *(f.) lack* (4.1); *foul (sports)* (4.2)
fama *(f.) fame, reputation*
fantástico(a) *fantastic* (2.2)
fármaco *(m.) medicine, drug* (9.2)
farmacólogo(a) *pharmacologist* (9.2)
fascinante *fascinating* (2.2)
fascinar *to fascinate* (1.1)
favorecer (zc) *to favor*
faz *(f.) face* (7.1)
fe *(f.) faith* (4.2)
felicidad *(f.) happiness*
feminismo *(m.) feminism*
feminista *feminist*
fenómeno *(m.) phenomenon*
feria *(f.) fair* (5.2)
feria *(f.)* **de muestras** *trade fair* (9.2)
feriado(a) *holiday* (5.2)
feroz *(m. f.) ferocious* (4.1)
ferrocarril *(m.) railroad, railway* (3.3)
ferroviaria *railway* (4.2)
fiable *trustworthy*
fiar (í) *to entrust; to give credit to*
fiarse *to trust*
ficción *(f.) fiction*
fidelidad *(f.) fidelity*
fiebre *(f.) fever* (3.3)
fiebre *(f.)* **del oro** *gold fever*
fiesta *(f.)* **local** *local holiday* (5.2)
figurar *to appear*
figurativo(a) *figurative*
filarmónico(a) *philharmonic*
filmar *to film*
filme *(m.) film*
filo *(m.) edge*
filosofía *(f.) philosophy*
fin *(m.) end*
final *(m.) end*
finca *(f.) farm*
fingir (j) *to feign, to pretend*
firma *(f.) signature* (4.1)
firmar *to sign* (3.1)
firme *firm*
física *(f.) physics*
físico(a) *physicist* (10.1)
flagelo *(m.) scourge* (3.2)
flauta *(f.) flute* (1.2)
florecer (zc) *to flourish; to blossom*
floreciente *flourishing* (8.2)
fluidez *(f.) fluidity*
flujo *(m.) flow* (7.2)
fomentar *to foster, to encourage*
fondo *(m.) bottom*
forjado(a) *forged*
formar parte *to be part*
formidable *terrific* (1.1)
foro *(m.) forum* (8.1)
fortalecer (zc) *to strengthen*
fortalecido(a) *strengthened*
fortaleza *(f.) fortress; fortitude*
fortificado(a) *fortified*
forzado(a) *forced*
forzar (ue) *to force*
forzoso(a) *unavoidable*
fosilizado(a) *fossilized*
fotógrafo(a) *photographer*
fracasado(a) *failed, unsuccessful*
fracasar *to fail* (3.1)
fracaso *(m.) failure*
fragancia *(f.) fragrance*
fragmento *(m.) fragment*
franco(a) *free, open* (10.2)
franja *(f.) strip (of land)* (10.2)
frase *(f.) phrase* (4.1)
fraude *(m.) fraud*
frecuencia *(f.) frequency*
frecuente *frequent*
freír (í) *to fry*
frente *(m.) front; (f.) forehead;*
frescor *(m.) cool; freshness*
frescura *(f.) freshness*
frígido(a) *frigid*
frivolidad *(f.) frivolity*
frívolo(a) *frivolous*
frontera *(f.) border*
fronterizo(a) *border* (3.2)
frustrar *to frustrate*
fuego *(m.) fire* (3.3)
fuegos *(m. pl.)* **artificiales** *fireworks* (5.2)
fuente *(f.) fountain* (1.1)
fuente *(f.)* **de energía** *(f.) energy source* (6.1)
fuera *outside; away*
fuerte *strong* (3.3); *(m.) fort* (4.1)
fuerza *(f.) strength; force*
fuerzas *(f.) pl.* **armadas** *armed forces*
fundación *(f.) founding; foundation*
fundado(a) *founded, established*
fundador(a) *founder* (1.1)
fundar *to found*
funeral *(m.) funeral*
furia *(f.) fury, rage*
furtivo(a) *furtive*

G

gabinete *(m.) consulting room; cabinet; office*
galardón *(m.) reward, prize* (3.1)
galardonado(a) *awarded* (2.2)
gallego(a) *Galician*
gallina *(f.) hen*
gallinazo(a) *(m.) buzzard*
galopar *to gallop*
ganadero(a) *(m. f.) cattle rancher; ranching, cattle-raising* (5.1)
ganado *(m.) cattle, livestock*
ganado *(m.)* **vacuno** *cattle*
ganador(a) *winner* (1.1)
ganancia *(f.) earning, profit* (9.2)
ganar *to win; to earn*
garante *(m. f.) guarantor*
gas *(m.) gas*
gas *(m.)* **natural** *natural gas* (6.1)
gases *(m. pl.)* **de invernadero** *greenhouse gases* (6.2)
gasolina *(f.) gas, gasoline* (6.1)
gasto *(m.) expense*
gastritis *(f.) gastritis*
gastronómico(a) *gastronomic*
gatillo *(m.) trigger*
gaveta *(f.) drawer*
gaviota *(f.) seagull* (8.1)
generador *(m.) generator*
generalizado(a) *generalized*
género *(m.) type, style* (4.2)
genial *brilliant* (2.1)
genio *(m.) genius; temper*
gestión *(f.) administration, management* (6.2)
gigante *(m.) giant*
gigantesco(a) *gigantic, huge*
gimnasia *(f.) gymnastics* (7.2)
gira *(f.) tour* (1.2)
glifo *(m.) glyph, a concave ornament (architecture)* (9.1)
gobernante *(m. f.) leader, ruler*
gobierno *(m.) government*
gol *(m.) goal* (4.2)
goleador(a) *goal scorer*
golf *(m.) golf* (7.2)
golondrina *(f.) swallow*
golpe *(m.)* **militar** *military coup* (4.1), (4.2)
golpeado(a) *hit* (2.2)
gótico *(m.) Gothic*
gótico(a) *Gothic*
gozar *to enjoy*
grabación *(f.) recording* (8.1)
grabado *(m.) engraving* (2.1)
grabador(a) *engraver* (7.1)
grabar *to record* (1.2)
gradas *(f. pl.) stands, grandstand* (4.2)
grama *(f.) grass; lawn*
granadero *grain-producing area, granary* (4.2)
grandioso(a) *grandiose, grand*
granero *(m.) granary*
granja *(f.) farm*
granjero(a) *farmer* (1.1)
granuloso(a) *granular*
gravemente *seriously, gravely*
griego(a) *Greek*
gripe *(f.) influenza, flu* (3.3)
gritar *to shout*
grosor *(m.) thickness*
grotesco(a) *grotesque*
guajira *(f.) Cuban folk song*
guajolote *(m.) turkey* (5.1)
guano *(m.) fertilizer* (5.1)
guaracha *(f.) popular dance of Cuba and Puerto Rico* (7.1)
guardar *to keep, to put away*
guardia *(f.) guard*
guerra *(f.) war* (1.1)
guerrera *(f.) military jacket* (6.1)
guerrero(a) *warrior* (8.1)
guerrillero(a) *(m. f.) guerilla (fighter)*
guía *(f.) guide*
guiarse *to be guided by, to go by*
guión *(m.) script* (6.1)
guitarra *(f.) guitar* (1.2)
gusto *(m.) taste; pleasure*

H

habanera *(f.) popular dance of Cuba* (7.1)
habitante *(m. f.) inhabitant, resident*
habitar *to live in, to inhabit*
hábito *(m.) habit, custom*
hablar en párrafos *to speak in paragraphs* (4.1)
hacer ejercicio *to exercise, to work out* (3.1)
hacer footing, hacer jogging, correr *to go jogging or running* (3.1)
hacer golpes ilegales *to hit foul balls* (7.2)
hacer mandados *to run errands* (8.1)
hacer preguntas *to ask questions* (4.1)
hacer un cuadrangular / jonrón *to hit a home run* (7.2)

hacer un jit / batazo *to make a hit* (7.2)
hacer windsurf *to windsurf* (7.2)
hacia *toward*
hada *(f.) fairy*
hallar *to find*
hallarse *to find oneself, to meet up with* (3.2)
hallazgo *(m.) finding, discovery*
hamaca *(f.) hammock* (5.1)
hecho *(m.) event; fact* (6.1)
hecho(a) *made*
hemisferio *(m.) hemisphere*
heredar *to inherit* (2.1)
heredero(a) *heir, heiress* (3.1)
herencia *(f.) heritage* (3.3)
héroe *(m.) hero*
hervir (ie, i) *to boil*
hierro *(m.) iron* (4.1)
hinchado(a) *swollen*
hiperrealista *(m. f.) hyperrealistic*
hispano(a) *Hispanic, person with Spanish blood*
hispanohablante *(m. f.) Spanish speaker*
hispanoparlante *(m. f.) Spanish speaker*
hito *(m.) milestone* (3.2)
hogar *(m.) home*
hoja *(f.) leaf; blade*
holgado(a) *loose-fitting, baggy* (3.2)
hondo(a) *deep* (10.1)
honrado(a) *honest, honorable*
horno *(m.) kiln* (10.1)
horrendo(a) *horrific*
hostigar *to harass*
hostilidad *(f.) hostility*
huellas *(f. pl.) footsteps* (6.1), *footprints* (8.1)
hueso *(m.) bone*
huir (y) *to run away, to escape* (1.1)
humedal *(m.) wetland* (10.2)
humilde *humble*
humo *(m.) smoke*
humorístico(a) *humorous*
hundir *to sink* (9.1)
huracán *(m.) hurricane* (5.1)

I

idílico(a) *idyllic*
idioma *language*
ídolo *idol*
igual *equal, the same*
igualdad de hombres y mujeres *(f.) equality of men and women* (8.1)
igualdad de oportunidades *(f.) equal opportunity* (8.1)
igualmente *equally, likewise*
ilustrar *to illustrate*
ilustre *illustrious, distinguished*
imaginar *to imagine*
imaginarse *to envision, to visualize*
imaginativo(a) *imaginative* (1.1)
imitación *(f.) a copy, imitation* (2.1)
imitar *to imitate*
impactante *shocking, powerful*
impacto *impact*
impacto ambiental *environmental impact* (6.1)
impartir *to grant, to concede* (5.1)
impedir *to prevent*
impermeabilizar *to waterproof*
implicación *involvement*
implicar *to entail, involve*
imponente *impressive*
imponer *to impose*
imponerse *to prevail*
importación *(f.) import, importation* (9.2)
importar *to import*
imprescindible *(m. f.) essential* (3.1)
impresión *(f.) printing* (10.1)
impresionante *(m. f.) impressive* (1.1)
impresionar *to impress*
impresionista *impressionist* (2.1)
imprevisto(a) *unforeseen, unexpected*
impronta *stamp, mark*
impúdico *indecent, shameless*
impuesto *tax*
impulsado(a) *propelled, driven*
impulsar *to give a boost to* (6.1)
impulso *impulse*
inacabado(a) *unfinished* (2.1)
inadvertido(a) *unnoticed, unseen*
inauguración *opening, inauguration*
inaugurar *to open, to inaugurate, to unveil*
incansable *(m. f.) untiring* (4.1)
incentivar *to encourage, to give incentives*
inclinado(a) *slanted, inclined*
incluir *to include*
incluso *even*
incomparable *peerless, unequalable*
incomprensible *incomprehensible* (2.2)
inconcluso(a) *unfinished*
inconfundible *unmistakable*
incontable *countless,*
inconveniente *inconvenient*
incorporación *incorporation*
increíble *incredible* (2.2)
incrementar *to increase* (9.1)
incremento *increment*
incursionar *to penetrate, to make incursions* (10.2)
indeciso(a) *undecided*
indefinido(a) *indefinite, vague*
indicar *to indicate*
índice *(m.) level* (4.2); *index* (5.2)
indiferente *undefined, vague*
indígena *(m. f.) native* (5.1)
indígeno(a) *indigenous*
indignación *indignation, anger, outrage*
indignar *to make angry or indignant, to outrage*
indignarse *to get indignant*
indistintamente *without distinction or exception*
individuo *individual*
indocumentado(a) *without identity papers; illegal immigrant*
inédito(a) *unprecidented* (4.2)
inesperado(a) *unexpected*
inestabilidad *instability*
inevitable *unavoidable*
infamia *infamy*
infantil *childlike, related to childhood*
infarto *heart attack* (3.3)
infatuación *vanity, conceit*
infausto(a) *unlucky, accursed* (8.2)
infectado(a) *infected*
inferior *inferior*
infierno *hell, inferno*
inflación *inflation*
inflamado(a) *inflamed*
influencia *influence* (1.1)
influenciado(a) *influenced*
influir *to influence*
influyente *influential*
informado(a) *informed, knowledgeable*
informar *to notify, to inform*
informática *computer science*
informe *report*
ingeniero(a) *engineer*
ingenio *ingenuity, inventiveness*
ingresar *to join, to enter, to deposit*
ingreso *joining* (4.1); *income* (6.2)
inhumanamente *inhumanely*
iniciar *to start, to initiate* (7.2)
iniciativa *initiative*
inicio *beginning, start*
inigualable *unequaled* (1.2)
ininteligible *unintelligible, incomprehensible*
injusticia militar *military injustice* (8.1)
inmenso(a) *immense*
inmigración *immigration*
inmigrante *immigrant*
inmobilario(a) *(adj.) real estate* (10.2)
inmune *immune*
innato(a) *innate, natural* (5.1)
innumerable *countless*
inoxidable *stainless steel*
inquietudes *worries* (1.2)
inscrito(a) *to register, to enroll*
inseguro(a) *insecure, unstable*
insinuado *insinuated, hinted*
insistir *to insist*
insoportable *unbearable*
inspeccionar *to inspect*
inspirado(a) *inspired*
inspirar *to inspire*
instalado(a) *installed, settled*
instalar *to install*
instancia *request* (4.2)
instaurar *to establish* (6.1)
instituir *to establish, to set up*
instituto *institute*
insultar *to insult, to offend*
insurrección *uprising, insurrection*
insurrecto(a) *rebel, insurrectionist*
intacto(a) *intact*
integración *integration, incorporation*
integrarse *to integrate*
intención *intention*
intensificar *to intensify*
intenso(a) *intense, strenuous* (3.1)
intentar *to try*
intercambiar *to exchange, to swap*
intercambio *exchange*
interés *interest*
interino(a) *interim, substitute*
intermedio(a) *intermediate* (4.1)
interponer *to interpose*
interpretación *interpretation*
interpretar *to interpret*
intérprete *interpreter*
interrumpir *to interrupt*
interurbano(a) *intercity; long distance (call)*
intervenir *to take part, to intervene*
intimidad *privacy, intimacy*
intolerante *intolerant*
intransigente *intransigent, uncompromising, inflexible*
intrincado(a) *intricate, complex*
introducir *to insert, to bring in*
intrusion *intrusion, interference*
inundación *flood*
invadido(a) *invaded, attacked* (5.2)
invadir *to invade*
invariable *constant, stable*
invasion *invasion*
invasor(a) *invader*
inventar *to invent*
inversión *(f.) investment* (9.2)
inversionista *(m. f.) investor* (6.2)
inversor(a) *investor*

invertir (ie) *to invest* (5.1)
invertir *to invest* (10.1)
invitación *invitation*
involucrado(a) *involved* (9.2)
inyección *(f.) injection, shot* (3.3)
ironía *irony*
irónico(a) *ironic*
irregular *irregular*
irritante *irritating*
isla *island*
istmo *isthmus* (6.1)
izquierdista *(m. f.) leftist, left-wing* (8.2)

J

jadeante *panting*
jefatura *leadership* (10.2)
jefe *boss, chief*
jeroglífico *hieroglyph* (9.1)
jesuita *Jesuit* (5.1)
jovialmente *jovially, cheerfully*
joya *jewel*
joyería *jewelry (store)*
judío(a) *Jewish* (2.1)
juez(a) *judge*
juez de línea *linesman* (4.2)
jugársela *to risk one's life*
juguete *toy*
juguetonamente *playfully*
jungla *jungle*
junta *meeting, board*
junto a *next to*
junto *together, next to*
jurado *jury* (1.2)
jurar *to swear in* (5.1)
jurisprudencia *jurisprudence, body of law*
justificar *to justify*
justo(a) *fair, just*
juventud *(f.) youth* (1.1)

K

kilate *carat* (10.1)

L

laboral *related to labor, work*
labrar *to work* (10.1); *to carve, to sculpt*
lado *side*
ladrar *to bark*
lagartija *wall lizzard*
lago *lake*
lágrimas *tears* (10.2)
laguna *lacunae, lake*
lamentar *to regret*
lana *wool* (3.2)
lancha *small boat* (7.1)
lanzado(a) *launched, set in motion*
lanzar la pelota *to pitch the ball* (7.2)
lanzar *to launch* (1.2); *to give* (6.2); *to throw, to hurl*
lanzarse *to dive* (1.1)
largo plazo *long-term* (9.2)
larguísimo *extremely long* (2.2)
lástima *shame, pity*
lastimar *to hurt*
latir *to beat, to throb* (4.2)
latitud *latitude*
laurel *laurel*
lava *lava*
lavarropas *washing machine*
lazo *tie* (9.1)
leal *loyal*
lector *reader*
legado *legacy*
legendario(a) *legendary*
lejano(a) *distant*
lencería *lingerie* (3.2)
lengua *tongue; language*
lentamente *slowly*
lento(a) *slow* (4.1)
lesión *(f.) injury* (4.2)
lesionarse *to be injured (in sports)* (3.1)
letra *lyrics* (1.2)
letras *letters, arts*
levantar pesas *to lift weights* (3.1)
leve *(m. f.) light* (1.2), *slight, trivial* (3.2)
ley *law*
leyenda *legend*
libertad *(f.) liberty* (8.1)
libertad de reunión y asociación *(f.) freedom of assembly and association* (8.1)
libertador *liberator*
libertino *libertine, dissolute*
libra *pound, balance (zodiac)*
libre comercio *(m.) free trade* (4.1)
licenciado *graduate*
líder *leader*
lienzo *canvas* (2.1)
liga *league, conference*
limitado(a) *limited* (4.1)
lírica *poetry*
listo(a) *ready* (4.2); *clever, smart*
literario(a) *literary*
litografía *lithography* (10.1)
litoral *(m.) coast* (9.1)
llama *flame; llama (Andean animal)*
llamado *appeal, calling*
llano *plain* (10.2)
llanura *plain, prairie* (10.2)
llave *key*
lleno(a) *full*
llevar *to wear* (3.2)
llevar a cabo *to carry out* (3.1)
lluvia *rain*
lluvia ácida *acid rain* (6.2)
lo último *the latest, most up-to-date* (3.2)
localizar *to locate; to find* (10.2)
logística *logistics* (9.2)
lograr *to achieve* (2.1)
logro *achievement* (4.1)
longitud *length, longitude*
lucha libre *wrestling* (7.2)
lucha *fight, struggle, conflict* (3.3)
luchador(a) *fighter*
luchar *to fight, to struggle*
lucrativo(a) *lucrative, profitable*
luego *then*
lugar *place*
lugarteniente *(m. f.) lieutenant* (4.1)
lujo *luxury* (6.1)
lujoso(a) *luxurious* (3.2)
luminoso(a) *luminous, illuminated*
luna *moon* (3.2)

M

machismo *sexism, male chauvinism*
macroeconómico(a) *macroeconomic*
madera *wood*
madero *timber*
madrastra *stepmother* (2.2)
madrugada *dawn, early morning* (7.1)
madrugador(a) *early riser*
madurez *(f.) maturity* (2.1)
maestría *skill, mastery*
magia *magic*
magnate *magnate, tycoon*
magnificencia *magnificence*
mago(a) *magician* (8.1)
maíz *(m.) maize, corn* (5.1)
majestad *majesty*
majestuoso(a) *majestic, stately*
maldad *evilness, wickedness*
maldecir *to curse*
maldición *(f.) curse* (3.2)
malecón *breakwater, seafront*
maleducado(a) *rude, badmannered*
maloliente *stinky, smelly*
maltrato *abuse; mistreatment* (7.1)
maltrecho(a) *damaged, battered* (2.2)
mambo *popular dance* (7.1)
manantial *(m.) spring* (10.2)
manatí *manatee, sea cow of tropical Atlantic coasts and estuaries, with a rounded tail flipper*
mancha *stain, spot*
manchado(a) *stained* (3.2)
mancharse *to get dirty* (2.2)
mandados *errands*
mandar *to order about, to command*
mandato *term of office* (6.1)
mandíbula *jaw*
manejado(a) *controled, managed* (5.2)
manejar *to operate, to drive*
manejo *handling* (10.1)
manera *way, manner*
manga *sleeve* (3.2)
manifestar *to express, to demonstrate*
mano de obra *labor* (5.1)
mantener *to maintain* (4.1)
mar *sea, ocean*
marca *brand, mark*
marcadamente *markedly* (6.2)
marcar *to score* (4.2)
marcharse *to leave* (2.1)
marchito(a) *withered, faded*
marciano(a) *Martian*
marea *ocean tide*
maremoto *seaquake, tidal wave*
margen *(m.) side* (5.2)
marginación *(f.) exclusion* (10.1)
marido *husband*
marihuana *marijuana*
marina *navy, fleet*
marinero(a) *sailor*
mariposa *butterfly*
marisma *marsh* (10.2)
marítima *maritime*
mármol *(m.) marble* (2.1)
Marte *(m.) Mars* (10.1)
martillo *hammer* (2.1)
masacre *massacre*
máscara *mask* (4.1)
masivo(a) *massive*
matanza *slaughter* (8.2)
matar *to kill* (4.1)
materialista *materialist*
matinal *morning, matinée*
matricularse *to register* (10.1)
máximo *maximum, highest*
mayordomo *butler, servant*
mayoría *majority*
me cuesta mucho *I find it difficult* (8.1)
medalla *medal*
mediano(a) *medium, medium-sized*
mediante *through, by means of*

medida *measurement, measure*
medio ambiente *environment* (6.2)
medio *environment* (6.1)
medio(a) *half*
medir (i) *to measure*
meditar *to meditate*
mejilla *chick*
mejorado(a) *improved*
mejorando(a) *getting better* (3.3)
mejorar *to improve*
melancólico(a) *melancholic*
mellizo(a) *twin See* **cuate.**
melodía *melody* (1.2)
memorizar *to memorize* (4.1)
mencionar *to mention*
menosprecio *contempt, scorn*
mensaje *message*
mentir (ie) *to lie*
menudo(a) *thin, slight*
mercader *(m.) merchant*
mercancías *merchandise, goods* (9.2)
merengue *(m.) popular dance of Cuba* (7.1)
meritorio(a) *commendable, deserving*
meseta *plateau* (10.2)
mestizaje *(m.) mixture of white and Indian races* (5.1)
mestizo(a) *of mixed parentage (Indian/Spanish)* (3.3)
meta *goal* (9.2)
metáfora *metaphor*
método *method*
metrópolis *metropolis*
mezcla *mixture*
mezclar *to mix* (4.2)
mezquita *mosque, Muslim temple*
micrófono *microphone* (1.2)
miedo *fear* (6.1)
miembro *member*
mientras *while*
mierda *shit, crap*
migra *U.S. Border Patrol*
milagroso(a) *miraculous*
militar *soldier, military man or woman*
milla *mile*
millonario(a) *millionaire*
mimado(a) *spoiled, pampered*
mimbre *wicker* (10.1)
mina *mine*
minería *mining industry* (7.2)
minero(a) *miner*
miniatura *miniature*
minicuento *brief short story*
minifalda *miniskirt* (3.2)
minoría *minority*
minuciosamente *meticulously*
miope *nearsighted, short-sighted*
mirada *gaze*
mirador *vista point, balcony*
mirar *to look, to watch*
misionero(a) *missionary*
mismo(a) *the same, similar*
misterio *suspense, thriller* (1.1)
mitad *(f.) half* (3.2)
mitigar *to mitigate*
mito *myth*
mitología *mythology*
mitológico(a) *mythological*
mitómano(a) *pathological liar*
moda *fashion* (1.2)
modelaje *(m.) modeling* (3.1)
modista *(m. f.) couturier, designer*
modo *way, manner*
molde *mold*
molestar *to bother, to annoy*
moneda *coin, currency*
monetario(a) *monetary*
monopolio *monopoly* (10.1)
monopolizar *to monopolize*
montado(a) *mounted, whipped*
montar a caballo *to ride a horse* (7.2)
montar *to stage* (10.1)
monto *total* (8.2)
montón *bunch, heap, cluster*
monumento *monument*
moraleja *moral, conclusion (of the story)*
morir *to die* (4.1)
moro(a) *Moor, Muslim, North African* (2.1)
mosca *fly*
mostrar (ue) *to show* (4.2)
mostrarse *to show, to manifest, to show off*
motivación *motivation*
motivado(a) *motivated*
motivar *to motivate*
movimiento *movement* (7.1)
muchedumbre *(f.) crowd*
mudéjar *Mudejar*
mudo(a) *mute, dumb*
muela *molar, back tooth*
muelle *spring, wharf*
muerto(a) *dead* (2.2)
muestra *sample, show*
multifacético(a) *multi-skilled, multi-faceted*
multiple *many, numerous, multiple*
multitud *crowd*
muñeca *doll*
municipio *municipality, town hall*
mural *mural*
muralista *(m. f.) muralist*
muralla *wall, rampart* (1.2)
murmurar *to murmur, to gossip*
musculación *(f.) muscles* (3.1)
músculo *muscle*
musgo *moss*
musical *(m,) musical* (1.1)
musulmán(ana) *Muslim* (2.1)
muy difundido(a) *widespread* (8.2)

N

nacido(a) *born*
nacimiento *birth* (1.2)
nadador *swimmer*
nadar *to swim* (3.1)
narcotráfico *drug traffic* (8.2)
narración *tale, story*
narrador(a) *narrator* (2.2)
narrar *to narrate* (4.1)
nativo(a) *native*
naturaleza *nature* (6.2)
naufragio *shipwreck* (9.1)
nave *(m.) ship* (5.1)
navegar *to sail* (7.2)
navideño(a) *related to Christmas*
negar (ie) *to deny* (3.1)
negociante *entrepreneur, businessperson*
negocio *business*
negrilla *bold (letter)*
neoclásico(a) *neoclassic* (2.1)
nevado(a) *snowed*
nido *nest*
nítido(a) *clear, sharp* (7.2)
nivel *level*
no obstante *nevertheless* (1.2)
Nochevieja *(f.) New Year's Eve* (5.2)
nómada *nomad*
nombrado(a) *mentioned; famous, well-known*
nominación *nomination*
nota *note, receipt, grade*
notable *notable, outstanding*
novela *novel* (2.2)
novelista *(m. f.) novelist* (2.2)
novio(a) *boyfriend (girlfriend), groom (bride)*
nubarrón *(m.) large black cloud* (4.1)
nublado(a) *overcast, clouded*
nuboso *cloudy*
núcleo *nucleus, core*
número de zapatos *shoe size* (3.2)
numeroso(a) *numerous*
nupcias *nuptials*

O

objetos de barro *earthenware* (10.1)
obligado(a) *obliged*
obligatorio *mandatory*
obra *work* (2.1)
obra de teatro *play* (2.2)
obra maestra *masterpiece* (2.1)
obrero(a) *worker* (8.1)
observar *to observe*
obstinación *stubbornness, obstinacy*
obstruir (y) *to obstruct*
obtener *to obtain*
ocasión *chance, opportunity*
ocasionar *to cause* (6.1)
occidental *western* (10.2)
occidente *the west, Western world*
octavo *eigth*
ocultar *to conceal*
ocupante *occupying, occupant*
ocupar *to occupy*
odiar *to hate* (1.1)
odio *hatred*
ofensa *insult*
ofensivo(a) *bird*
oferta *offer, deal (sale)*
oficio *job, profession*
ofrecer *to offer*
ojalá *I hope/wish*
ola *wave* (4.2)
óleo *oil-based paint* (2.1)
oleoducto *oil pipeline* (3.3)
oler (hue) *to smell*
olvidar *to forget* (4.2)
onírico(a) *oniric, related to dreams*
opción *option*
opcional *optional*
operación *operation, surgery, transaction*
operar *to operate on*
opinar *to think, to give one's opinion*
oponerse *to oppose, to resist*
oportunidad *opportunity, chance*
oposición *opposition*
optimista *optimistic*
opuesto(a) *opposite*
oración *sentence, prayer*
oraciones sencillas *simple sentences* (4.1)
orgánico(a) *organic*
órgano *organ* (1.2)
orgía *orgy*
orgullo *pride* (5.1)
orgulloso(a) *proud* (8.1)
oriental *eastern* (10.2)
oriente *east, Orient*
orificio *orifice*
origen nacional *(m.) national origin* (8.1)
originalidad *originality*
originario(a) *native*

orilla *shore* (6.1)
oro *gold* (4.1)
orquesta *orchestra*
orquídea *orchid*
oscuridad *(f.) darkness* (3.2)
oscuro(a) *dark*
otorgar *to grant, to give* (1.2)
otro modo *another way* (3.2)
ovacionar *to applaud, to give an ovation*
oveja *sheep*
overoles *overalls*
oxidado(a) *rusty*

P

pachanga *party*
pacífico(a) *peaceful, peace loving*
pacifista *pacifist*
paisa *see* **paisano.** *In Colombia, a person from Antioquia*
paisaje *landscape*
paisajismo *landscape gardening, painting*
paisano(a) *from the same country*
paja *hay, straw*
pájaro *bird*
palabras aisladas *isolated words* (4.1)
palacio *palace*
palma *palm tree; palm of the hand*
palmera *palm* (6.2)
palmito *palm heart* (3.3)
palo *stick, log*
palpitante *palpitating, throbbing* (7.1)
palpitar *to beat*
pampa *plain* (5.1)
pan de oro *gold foil* (10.1)
pancarta *sign (during a protest or strike)*
pantano *swamp* (10.2)
pañuelo *handkerchief*
panza *belly*
paquete *package, parcel*
par *pair, equal*
para nada *not at all* (1.1)
paradoja *paradox*
paradójicamente
paraíso *paradise*
paralizado(a) *paradoxically*
paralizar *to paralyze*
paramilitar *paramilitary*
parapetarse *to take cover*
parecer *(irreg.) to seem, to resemble*
parecer mentira *to be unbelievable or hard to believe*
parecido *similar, look alike*
pared *(f.) wall*
pareja *pair; couple; partner*
paridad *(f.) parity, equality* (4.1)
pariente *relative*
parisino(a) *from Paris, France*
parodia *parody*
párrafo *paragraph*
partidario(a) *supporter; partisan* (6.1)
partido *party (political)* (2.1); *game* (4.2)
partir *to split open; to depart*
pasado(a) de moda *out of fashion* (3.2)
pasajero(a) *passenger*
pasar *to pass*
Pascua Florida *(f.) Easter* (5.2)
pasear *to go for a walk; to take somebody for a walk*
paseo *stroll, walk*
paso *step* (7.1)
pasodoble *popular dance* (7.1)
pastorear *to put (cattle) to pasture* (8.1)
patria *homeland, native land* (1.1)
patrimonio *patrimony, personal assets*
patriota *patriot*
patrono(a) *patron saint, employer*
pausa *pause*
pavor *terror*
paz *(f.) peace* (8.1)
pecado *sin*
pecho *chest, breast*
pedacito *little bit, little piece*
pedal *pedal*
pedalear *to pedal*
pedazo *piece, bit*
pegado(a) *glued, stuck, next to*
peldaño *step (staircase or ladder)*
pelear *to fight*
pelearse *to fight* (3.1)
peligro *danger* (10.1)
peligroso(a) *dangerous* (3.1)
pelo *hair*
pelota *ball*
peloton *bunch, pack*
pena *embarrassment, sorrow*
pena de muerte *death penalty* (8.2)
peñascoso(a) *rocky*
pendejo *dummy, stupid*
pendientes *earrings; unresolved*
penetrar *to penetrate*
peninsula *peninsula*
penoso(a) *lamentable* (8.1)
pensamiento *thought* (10.1)
pensar en (ie) *to think about*
pensativo(a) *pensive, thoughtful*
peor *worse*
perder (ie) *to lose*
pérdida *loss* (3.2)
perdido(a) *lost*
perdonar *to forgive*
perdurar *to remain, to last* (2.1)
perejil *parsley*
perezoso(a) *lazy*
perfume *perfume*
perfumería *perfumery*
periódico *newspaper*
periodismo *journalism* (2.2)
período *period*
perla *pearl*
permanecer *(irreg.) to stay, to remain* (1.2)
permanente *permanent*
permitir *to allow, to permit*
perpetuidad *perpetuity*
perro(a) *dog, bitch*
perseverar *to persevere*
persistente *persistent*
personaje *(m.) character* (2.2)
personas desaparecidas *missing persons* (8.1)
persuasivo(a) *persuasive, convincing*
pertenecer *(irreg.) to belong*
perturbar *to disturb, to disrupt*
pesado *heavy; boring*
pesar *to weigh*
pesca *to catch fish*
pescador(a) *fisherman, fisherwoman*
pescar *to fish* (7.2)
pese a esto *in spite of this* (8.1)
pesimista *pesimist*
pésimo(a) *very bad, terrible* (1.1)
peso *weight*
pestañear *to blink*
petate *(m.) sleeping mat* (5.1)
petición *petition, request*
petróleo *oil* (6.1)
petrolero(a) *oil, petroleum* (3.3)
pianista *pianist*
piano *piano* (1.2)
pedir *to ask*
pie *foot*
piedra *rock, stone* (2.1)
piel *leather* (10.1)
pieza *piece, part, room*
pilar *pillar, column*
píldora, pastilla *pill* (3.3)
pilote *(m.) (wooden) pile* (6.1)
pincel *(m.) paintbrush* (2.1)
pingüino *penguin*
pintar *to paint*
pintor *painter*
pintura *paint; painting* (2.1)
pisar *to step on* (10.1)
piscina *swimming pool* (3.1)
pitar un penalti *to give a penalty (soccer)* (4.2)
placa solar *solar panel* (6.1)
plaga *plague, pest*
plagar *to infest*
plancha *iron, sheet, plaque*
planear *to plan, to glide*
planeta *planet*
planta *plant*
plantación *plantation, field*
plata *silver* (3.2)
plátano *banana*
plato *plate, dish*
playa *beach*
plazo *time limit, due date* (10.1)
plenitud *fullness*
pleno(a) *full*
pluma *feather*
población *population; town, village*
poblado(a) *inhabited, settled, populated* (1.1)
poblador(a) *settler* (2.1)
pobreza *poverty*
poderío *power*
poderoso(a) *powerful* (1.1)
poema *(m.) poem* (2.2)
poemario *book of poems* (2.2)
poesía *poetry* (2.2)
poeta *(m. f.) poet* (2.2)
policíaco(a) *detective* (1.1)
política *politics*
polo *center* (7.2)
polvo *dust* (2.1)
ponerse *to put on, to wear* (3.2)
por supuesto *of course* (4.2)
porcentaje *percentage*
porcina *pertaining to pigs*
pormenor *(m.) detail* (7.2)
portada *cover, title page* (10.2)
portátil *portable, laptop*
portón *large door, front door, gate*
posarse *to alight, to land* (9.1)
poseer *to own, to possess*
posesión *possession, ownership*
posesionar *to take possession* (9.2)
posponer *to postpone*
posteriormente *subsequently*
postgrado *postgraduate course*
postguerra *post-war*
postizo(a) *false*
postre (*m*) *desert*
postular *to be a candidate for* (8.2)
póstumamente *posthoumously*
potencia *power*
potencia mundial *world power* (2.1)
practicar el deporte de tablavela *to windsurf* (7.2)

práctico(a) *useful, handy, practical*
prado *field, park, yard*
precario(a) *precarious, poor, unstable*
preceder *to precede*
preciado(a) *prized* (9.1)
precioso(a) *precious, beautiful*
precipicio *precipice*
precisar *to specify, to need*
preciso(a) *precise*
precolombino(a) *pre-Columbian*
predecir *to predict*
predicción *prediction, forecast*
predominar *to predominate, to prevail*
preferencia *preference*
preferido(a) *favorite*
preferir *to prefer*
pregón *(m.) popular dance* (7.1)
prehispánico(a) *pre-Columbian* (2.1)
premiar *to reward* (1.1)
premio *award, prize* (4.1)
premonición *premonition*
prenda *garment* (3.2)
prendas de vestir *garments*
prensa *press* (5.2)
preocupación *concern, worry*
preocupar *to worry*
preparado(a) *ready*
presencia *presence*
presenciar *to attend, to witness*
presentador(a) *announcer (TV)* (9.2)
preservar *to preserve, to maintain*
preso(a) *prisoner*
prestado(a) *on loan, loaned*
préstamo *loan* (7.1)
prestar *to loan, to borrow*
prestigio *prestige, prestigious*
presumir *to presume, to boast* (7.2)
presupuesto *budget* (10.1)
pretender *to pretend*
prevalecer *to prevail* (3.2)
prevenir *to prevent, to warn*
primario(a) *primary, basic*
primavera *spring*
primer *first*
primo(a) *cousin*
princesa *princess*
principal *(m. f.) main, principal, capital*
principiante *(m. f.) beginner* (4.1)
principio *beginning, principle*
prioridad *priority*
prisa *rush, hurry*
prisión *prison*
prisionero(a) *prisoner*
privatización *privatization*
probador *(m.) fitting room* (3.2)
probar *to try*
probarse *to try on (clothing)* (3.2)
procesar *to process, to try*
procesión *procession*
proceso *process*
proclamar *to proclaim*
producción *production, output*
productividad *(f.) productivity* (9.2)
productor(a) *producer, grower*
prófugo(a) *fugitive*
progenitor(a) *progenitor; father; mother* (9.1)
programa matinal *morning show* (9.2)
progresar *to progress*
progresista *(m. f.) progressive*
progreso *progress*
prohibición del tabaco *(f.) prohibition of cigarettes* (8.2)
prohibido(a) *forbidden, prohibited*
prohibir *to forbid, to prohibit*
prolífico(a) *prolific*
prolongar *to prolong, to extend*
prolongarse *to extend, to continue* (2.2)
promesa *promise*
promocionar *to promote*
promover (ue) *to promote* (6.2)
promulgar *to pass* (4.1)
pronosticar *to predict, to forecast*
propiedad *(f.) property* (8.1)
propietario(a) *landowner* (5.2)
propina *tip*
propio(a) *proper*
proponer *to propose, to suggest*
propugnar *to defend, to advocate* (8.2)
prosa *prose*
proseguir (i) (g) *to pursue, to proceed*
prosperar *to prosper, to do well*
prosperidad *prosperity*
prósperos *prosperous*
protectorado *protectorate*
proteger (j) *to protect*
protestar *to protest, to object*
proveer *to provide* (7.1)
proveniente *coming from* (5.2)
provenir *to come from*
provincia *province*
provocar *to provoke, to cause, to start*
próximo(a) *next*
proyectar *to plan, to project*
proyecto *project*
publicación *publication*
publicar *to publish*
publicitario(a) *advertising*
público(a) *public*
pudor *modesty, reserve*
puente *(m.) bridge* (2.1)
puerta *door*
puesto *place*
pulido(a) *polished*
pulir *to polish*
pulmón *(m.) lung* (2.1)
pulverizar *to pulverize, to crush*
puñado *handful*
puñal *dagger*
punta *tip, end*
puntadas *stitches (in sewing)* (10.1)
punto *point*
puntuación *punctuation, score*
puramente *purely*
puro(a) *pure*

Q

¡Qué pena! *What a pity!* (3.1)
quebrar (ie) *to go bankrupt* (7.2)
quebrarse (ie) *to break*
quedar *to fit* (3.2); *to remain* (5.2)
quedarse *to stay, to remain*
queja *(f.) complaint*
quejarse de *to complain*
quemar *to burn*
quemarse *to burn; to get burned*
querido(a) *dear*
quiché *(m.) Quiche*
quilate *(m.) carat*
quinina *(f.) quinine* (5.1)
quitar *to take away* (7.1)
quitarse ropa *to take off clothing, to undress* (3.2)
quizás *maybe, perhaps*

R

radicar *to reside, to live* (9.1)
raíz *(f.) root*
rallar *to grate*
ramas *branches*
rambla *(f.) boulevard, watercourse*
rancho *ranch*
rango *rank, order* (3.3)
raro(a) *strange, odd, rare*
rascacielos *skycraper*
rasgo *traits*
ratificar *to confirm*
rato *while*
raya *line*
rayo *ray, beam, bolt*
rayuela *hopscotch*
raza *race (ancestry)* (8.1)
razón *reason*
reaccionar *to react*
reafirmar *to reaffirm*
real *real, royal*
realista *(m. f.) realist* (2.1)
realizador(a) *producer* (6.1)
realizar *to carry out, to execute*
realzar *to raise, to elevate* (7.2)
reanudación *(f.) resumption* (7.1)
reanudar *to resume* (9.1)
reanudarse *to resume* (10.2)
rebasar *to exceed, to go beyond*
rebelión *rebellion*
recelar *to distrust*
recelo *suspicion, distrust* (3.2)
receloso(a) *suspicious, fearful* (4.2)
recepción *reception*
recepcionista *(m. f.) receptionist*
recesión *recession*
receta *récipe, prescription*
rechazado(a) *rejected, turned down* (6.2)
rechazar *to reject, to turn down*
reciclaje *(m.) recycling* (6.2)
reciclar *to recycle* (6.1)
reciente *recent, recently*
recinto *precinct*
recio(a) *strong* (7.2)
recipiente *(m.) receptacle, container*
recital *(m.) recital, reading*
recitar *to recite, to rehearse*
reclamar *to claim, to demand*
recoger (j) *to collect, to gather* (4.1)
recomendación *recommendation, advice, reference*
recomendar *to recommend* (2.2)
reconocer *to recognize*
reconocido(a) *recognized*
reconocimiento *recognition* (1.1)
recopilar *to collect, to gather* (10.2)
recorrer *to tour, to travel*
recorrido *route, path*
recorte *(m.) cut, reduction* (4.2)
recreativo(a) *recreational*
recuerdo *memory*
recuperando *recovering* (3.3)
recuperar *to recover, to recoup*
recurrente *recurrent*
recurrir *to turn to* (6.1)
recurso *resource, resort*
red *(f.) network* (4.1)
reducciones *(f.) missions* (5.1)
reducido(a) *limited, small, reduced*
reducir *to cut, to reduce*
reelección *reelection*
reelegido (a) *reelected*
reelegir *to reelect*

reemplazar *to replace* (6.1)
reemprender *to start over, to start again* (3.2)
restablecer *to re-establish, to restore*
referéndum *referendum*
referir *to refer, to tell*
referirse *to refer*
refinado(a) *refined*
refinamiento *refinement, refining*
reflejar *to reflect*
reflexionar *to reflect, to meditate*
reforestar *to reforest*
reforzar *to reinforce*
refugiado(a) *refugee*
refulgir *to shine brightly*
regalo *gift*
regatear *to bargain*
régimen *(m.) system; regime* (7.1)
reglamentar *to regulate*
regularmente *regularly*
rehusar *to refuse* (2.1)
reina *queen* (4.1)
reingreso *return* (7.1)
reino *kingdom* (3.1)
reinventar *to reinvent*
reír *to laugh* (4.2)
reivindicación *(f.) claim* (9.1)
relacionado(a) *related*
relatar *to relate, to recount* (9.2)
relativo(a) *relative*
relato *story, tale* (3.2)
releer *to reread*
relevante *(m. f.) notable, outstanding*
rellenar *to stuff, to fill*
reluciente *(m. f.) shining, gleaming, glowing*
remedio *remedy, cure*
remesa *sending of goods or money* (7.1)
remontar *to overcome*
renacentista *Renaissance* (2.1)
rencoroso(a) *resentful*
renegociar *renegotiate*
renombre *renown, fame*
renovable *(m. f.) renewable*
renuncia *resignation* (7.1)
renunciar *to resign* (3.1)
repeler *to repel*
repertorio *repertoire*
repleto(a) *full, packed*
replicar *to argue, to reply*
reposar *to rest* (6.2)
represa *dam* (5.1)
representante *(m. f.) representative* (8.2)
representar *to represent*
reprimir *to repress; to suppress* (5.2)
repugnancia *repugnance*
resaltar *to stand out, to highlight*
rescate *(m.) recovery* (1.2)
reseco(a) *dried-up*
resentimiento *resentment, bitterness* (10.2)
resentir *to resent, to be offended* (6.2)
reserva *reservation, reserve*
reservar *to make a reservation*
residir *to live, to reside*
residuo *remainder, residue*
residuo nuclear *nuclear waste* (6.1)
resistencia *resistance*
resistir *to resist*
resolución *resolution*
resolver *to resove, to solve, to settle*
resorte *(m.) spring, means*
respaldado(a) *backed up, supported* (7.2)
respaldar *to backup*
respaldo *backup*
respectivamente *respectively*
respecto *regarding*
respetar *to respect*
respeto *respect*
respiración *breathing*
respirar *to breathe* (3.1)
resplandeciente *gleaming, glowing*
resquebrajarse *to crack*
restablecimiento *re-establishment*
restauración *restoration*
resto *rest*
restringido(a) *limited, restricted* (7.1)
resumen *(m.) summary* (4.1)
retablo *altarpiece, tableau*
retén *(m.) armed men; squad* (7.1)
retirar *to withdraw* (9.1)
retirarse *to remove oneself, to leave* (7.1)
retratar *to paint a portrait of*
retrato *portrait* (10.1)
revelar *to reveal*
revisar *to check*
revólver *revolver*
rey *king*
Reyes Magos *Three Magi* (3.1)
riachuelo *brook, stream* (9.1)
rígido(a) *rigid*
rincón *(m.) corner* (3.1)
riñón *kidney*
río *river*
rioplatense *(m. f.) of/from the River Plate region* (5.2)
riqueza *wealth*
ritmo *rhythm, beat* (1.2)
robado(a) *stolen* (7.2)
roble *(m.) oak*
roce *(m.) rubbing, friction*
rodar *to roll* (6.1)
rodeado(a) *surrounded*
rodear *to surround* (1.1)
rogar *to beg*
románico(a) *romanesque* (2.1)
romper *to break*
rompimiento *breaking off* (7.1)
ron *rum*
ropa interior *underwear* (3.2)
rosado(a) *pink*
rostro *face* (3.1)
rotar *to rotate*
roto(a) *torn* (3.2)
rotonda *traffic circle*
rozar *to touch, to brush, to rub*
rubro *area* (7.2)
rueda *wheel*
ruido *noise*
ruinas *ruins*
rumba *popular dance* (7.1)
rumbo *direction* (5.1)

S

sabana *savanna* (10.2)
sabor *taste, flavor*
sabroso(a) *delightful, pleasant* (7.1)
sacar *to take out, to remove*
sacar listas *to list* (4.1)
sacrificar *to sacrifice*
sacudón *(m.) shake* (7.1)
sal *salt*
salar *salt flats*
salida *exit*
salitre *(m.) saltpeter*
salsa *popular dance* (7.1)
salud *(f.) health* (3.3)
saludo *greeting*
salvar *to save* (2.2)
samba *popular dance* (7.1)
sangre *(f.) blood* (3.3)
sangriento(a) *bloody* (6.1)
sanguinario(a) *bloody* (6.2)
sanidad pública *(f.) healthcare* (8.2)
sano(a) *healthy* (3.3)
santo patrón *patron saint* (5.2)
santuario *sanctuary*
sarmiento *vine shoot*
sátira *satire*
satisfacer *to satisfy*
satisfecho(a) *satisfied, pleased*
saxofón *(m.) saxophone* (1.2)
saya *bolivian folk dance*
secarse *to dry up*
sección *section, department*
sede *(f.) headquarters* (4.1)
seducir *to seduce*
seguido(a) *consecutive, straight on*
según *according to, depending on*
segunda vuelta *second term* (4.1)
segundo(a) *second*
seguridad *security*
seguro *safe, sure, insurance*
seísmo *earthquake*
selección *national team* (2.1)
sello *stamp, hallmark, seal*
selva *tropical forest, jungle* (6.2)
selvático(a) *forest* (6.2)
semáforo *traffic lights*
semana santa *holy week*
semblanza *biographical sketch*
sembrar *to sow, to scatter, to spread* (10.2)
semejante *(m. f.) fellow man* (3.3)
semejanza *similarity*
senado *senate* (8.2)
senador(a) *senator* (8.2)
señalar *to indicate, to point out* (4.1)
sencillez *(f.) simplicity*
sencillo(a) *simple*
senda *path*
sendero *path, track* (4.2)
seno *bosom* (3.3)
sentido *sense, meaning*
sentirse *to feel (healthwise)* (3.3)
separar *to separate*
separarse *to split up*
separatista *(m. f.) separatist*
serenata *serenade*
serenidad *serenity*
seres *beings (human)* (9.2)
serpiente *snake*
siglo *century* (2.1)
Siglo de Oro *Golden Age* (2.1)
significado *meaning*
significativo(a) *meaningful*
signo *sign*
siguiente *following*
silencio *silence*
símbolo *symbol*
similitud *similarity, resemblance*
sin embargo *nevertheless* (7.2)
sin rodeos *without complications* (5.1)
sindicato *labor union* (2.1)
sinnúmero *great number, no end*
sinvergüenza *shameless, rogue*
siquiera *at least*
sirena *mermaid, siren*
sirviente(a) *servant*
sismógrafo *seismograph* (9.2)
sitio *site, place*

situaciones con complicaciones *complicated situations* (4.1)
situaciones desconocidas *unfamiliar situations* (4.1)
situaciones sencillas *simple situations* (4.1)
situar *to site, to locate*
soborno *bribery, bribe*
sobrar *to have left over, to be more than enough* (9.2)
sobreponerse *to overcome*
sobresaliente *outstanding*
sobresalir *to stand out* (3.1)
sobreviviente *survivor* (9.1)
sobrevivir *to survive* (1.1)
sociedad *society*
sol *(m.) sun* (3.2)
soledad *(f.) solitude, loneliness* (8.1)
soler *to be in the habit of*
sólido(a) *solid*
solucionar *to solve*
solvente *solvent*
sombra *shade, shadow*
someter *to subject* (7.1)
sonar (ue) *to sound, to ring*
soñar con *to dream of/about*
sonido *sound*
soñoliento(a) *sleepy*
sonoro(a) *sonorous, loud*
sonreír (i) *to smile*
sonrisa *smile*
soplado de vidrio *glassblowing* (10.1)
soplar *to blow*
sórdido(a) *sordid*
sordo(a) *deaf*
sorprendente *(m. f.) surprising* (1.1)
sorprender *to surprise*
sorprendido(a) *surprised*
sorpresivo(a) *unexpected*
sosegado(a) *peaceful, calm*
sospecha *suspicion*
sostenible *sustainable* (6.1)
sostenido(a) *sustained*
Soviético(a) *soviet*
suave *(m. f.) soft*
subconsciente *(m.) subconscious*
subdesarrollado *underdeveloped*
súbdito(a) *subject* (7.1)
subempleo *underemployment*
súbitamente *suddenly*
subrayado(a) *underlining*
subsiguiente *subsequent*
substituir *to replace*
subsuelo *subsoil*
subyugar *to subjugate, to captivate*
suceder *to happen, to follow*
sucesión *succession*
suceso *incident, event* (6.1)
sucio(a) *dirty* (3.2)
sudoroso(a) *sweaty*
Suecia *Sweden*
suela *sole*
suelo *ground, land, surface, floor*
suelto(a) *loose* (4.2)
sueño *dream*
suerte *luck*
suficiente *enough*
sufrido(a) *long-suffering*
sufrir *to suffer*
sugerencia *suggestion*
sugerir *to suggest*
suicida *(m. f.) suicidal*
suicidio asistido *assisted suicide* (8.2)
sumamente *extremly*
sumar *to add*
sumergirse *to submerge, to dive*
sumir *to plunge, to immerse* (9.1)
sumisión *submission, submissiveness*
sumiso(a) *submissive*
superar *to exceed, to go beyond*
superfluamente *superfluously*
superior *(m. f.) superior* (4.1)
superioridad *superiority*
superpoblado(a) *overpopulated, overcrowded*
suponer *to suppose, to assume*
suposición *supposition*
suprimido(a) *supressed* (3.3)
suprimir *to suppress, to abolish*
supuestamente *supposedly*
supuesto *supposed, alleged*
sureño(a) *southern* (3.2)
surgir *to spurt up* (6.1), *to arise, to appear* (6.2)
suroeste *(m.) southeast*
suspirar *to sigh, to yearn*
sustantivo *noun* (8.1)
sustituir *to replace*
susurrar *to whisper, to murmur*
sutil *(m. f.) subtle, fine, sharp*

T

tabaco *tobacco* (5.1)
tabla *plank*
tacón *(m.) heel (of shoe)* (3.2)
taíno(a) *indigenist tribe*
talabartero *saddler* (10.1)
talento *talent*
talentoso *talented*
talla *size* (3.2); *stature* (10.2)
tallado en madera *wood carving (craft)* (10.1)
tallar *to carve, to sculpt*
tallarse *to rub* (2.2)
talón *heel*
tamaño *size*
tamarindo *tamarind*
tambor *(m,) drum* (1.2)
tamboril *(m.) small drum*
tamborista *(m. f.) drum player*
tangible *(m. f.) tangible, concrete*
tango *popular dance of Argentina* (7.1)
tanto *point* (4.2)
tardar *to take time, to take a long time*
tarea *homework*
tarifas aduaneras *customs tariffs* (9.2)
tarjeta *card* (4.2)
tartamudear *to stutter*
tasa *rate* (5.1)
taurino(a) *related to bullfighting*
teatral *theatrical*
teatro *theater* (2.2)
techo *roof*
teclado *keyboard* (1.2)
tedioso(a) *tedious* (3.1)
tejeduría *weaving* (10.1)
tejer a ganchillo *to crochet* (10.1)
tejer *to weave, to knit* (10.1)
tejido *fabric, weaving* (3.2)
tela *material, textil* (10.1)
telaraña *spiderweb*
teleférico *cable railway*
temas abstractos *abstract topics* (4.1)
temblar *to tremble*
temblor *tremor, earthquake*
temeroso(a) *frightful, fearful*
temido(a) *feared, dreaded*
temor *fear*
templo *temple* (3.1)
temporada *season* (3.2)
temprano(a) *early*
tendencia *trend* (3.2)
tenedor *fork*
tener a gala *to take pride in oneself* (4.2)
teniente *lieutenant*
tenis *(m.) tennis* (7.2)
tensión arterial *(f.) blood pressure* (3.3)
tenso(a) *tense*
tentación *temptation*
terciopelo *velvet*
terminar *to finish, to end*
ternura *tenderness*
terrateniente *(m. f.) landowner* (6.2)
terremoto *earthquake* (8.1)
terreno *terrain*
territorio *territory*
terror *(m.) horror* (1.1)
tesis *thesis*
tesoro *treasure* (3.2)
testigo(a) *witness*
tibio(a) *tepid, lukewarm*
tierra *land; earth*
timar *to swindle, to cheat*
timo *swindle, scam, rip-off*
tinta *ink*
típico(a) *typical*
tipo de cambio *exchange rate* (9.2)
tipo *type, sort*
tirar *to throw, to knock over, to pull*
tirar la pelota *to throw the ball* (7.2)
tiro al arco *archery* (7.2)
tiro libre *free kick* (4.2)
titular *headline, main story; titleholder*
título *title, name, heading; degree*
tiza *chalk* (2.1)
tiznado(a) *blackened, smudged* (2.2)
toalla *towel*
tocar (qu) *to play (an instrument); to touch*
toleranciai tolerance
tolerante *(m. f.) tolerant*
tolerar *to tolerate*
tomar *to take; to drink*
tonelada *ton*
tono *tone*
toque *(m.) touch* (1.2)
tornar *to return*
torneo *tournament, competition*
torno de alfarero *potter's wheel* (10.1)
toro *bull*
torpe *clumsy, awkward*
torta *cake*
tortuga *turtle*
tortura *torture*
tos *(f.) cough* (3.3)
trabajador(a) *hard-working; worker*
tráfico *traffic*
tragar *to swallow*
tragedia *tragedy*
trágico(a) *tragic* (1.1)
traición *treason, betrayal*
trama *(f.) plot* (2.2)
trampa *trap; trick*
tranquilidad *tranquility*
transbordador *(m.) ferryboat* (9.1)
transbordador espacial *(m.) space shuttle* (10.1)
transmitir *to transmit*
transporte colectivo *(m.) public transportation* (7.2)

transporte terrestre *(m.) ground transportation* (9.1)
trapo *cloth, rag*
tras *after* (7.1)
trasladar *to move, to transfer*
trasladarse *to move* (7.1)
tratado *treaty* (1.1)
tratar *to try; to treat*
tratar de *to be about* (6.1)
tratar *to treat, to have dealings with*
través *through; over*
trayectoria *trajectory*
tremendo(a) *tremendous*
tren de carga *(m.) freight train* (9.1)
tren de pasajeros *(m.) passenger train* (9.1)
tribu *tribe*
tribunal *(m.) court* (8.1)
tristeza *sadness*
triunfador(a) *triumphant, winner*
triunfar *to be victorious, to triumph*
triunfo *victory, triumph*
trombosis *thrombosis*
trompeta *trumpet* (1.2)
tropa *troop*
trozo *piece, bit, slice*
trueno *thunder*
tubo *tube*
tumba *tomb*
tumor *tumor* (3.3)
túnel *tunnel*
turnarse *to take turns*
turno *turn; shift*

U

ubicado(a) *situated, located*
ubicarse *to be situated or located* (10.2)
umbral *threshold*
único(a) *only; unique* (2.1)
unirse *to join* (1.1)
urbanismo *city or town planning*
urbanización *urbanization, development*
urbanizar *to develop, to urbanize*
urbano(a) *urban*
urgencia *urgency*
útil *(m. f.) useful* (3.1)
uva *grape*

V

vacilar *to hesitate, to waver*
vacío *emptiness, meaningless* (5.1)
vacuna *vaccine, vaccination*
vaina *thing; pain*
vale la pena *to be worth the effort* (2.2)
valer *(irreg.) to be worth*
válido(a) *valid, worthwhile*
valiente *brave, valient*
valioso(a) *valuable* (1.1)
valle *(m.) valley* (10.2)
valor *value*
vals *(m.) waltz* (7.1)
vanidoso(a) *vain, conceited*
vaquero(a) *western* (1.1)
varado(a) *stranded* (6.2)
variedad *variety*
varios(as) *several* (1.1)
vasto(a) *vast, immense*
vecindario *neighborhood*
vehículo *vehicle*
vehículo con tracción a cuatro ruedas *vehicle with four-wheel drive* (9.1)
vehículo todo terreno *all-terrain vehicle* (9.1)
velatorio *wake* (5.2)
velozmente *rapidly*
vencedor(a) *victor, winner* (3.2)
vencer (z) *to defeat, to vanquish* (4.2)
veneno *poison*
venerar *to venerate, to adore, to worship*
venganza *vengeance*
venta *sale* (3.2)
ventaja *advantage*
ventana *window*
ventanal *large window* (4.2)
ventanilla *small window*
verano *summer*
verdadero(a) *true, real*
verdor *greenery, lushness* (9.1)
verdoso(a) *greenish*
verdura *vegetable*
vergüenza *embarassment, shame, disgrace*
vernácula *vernacular*
verosímil *plausible*
verso *line of a poem*
vertido (o **derrame) tóxico** *toxic spill* (6.1)
vestimenta *clothes*
vez *time,*
vía *route, road*
viajero(a) *traveler*
vibrante *vibrant*
vicecanciller *vice-chancellor* (1.1)
víctima *victim*
vida *life*
vidriera *shop window*
vidriería *glassmaking* (10.1)
viento *wind*
vinculado(a) *tied to* (9.1)
violonchelo *cello* (1.2)
virreinato *viceroyalty* (2.2)
virrey *(m.) viceroy* (6.1)
virtuosismo *virtuosity* (5.1)
visionario(a) *visionary*
vistazo *look*
vistoso(a) *colorful* (3.2)
vivienda *housing, accommodation*
vocero(a) *spokesperson* (5.2)
volar (ue) *to fly*
volarse (ue) la cerca *to go out of the park (over the fence)* (7.2)
vólibol *(m.) volleyball* (7.2)
volver (ue) a *to do (an action) again*
votar *to vote* (8.2)
voto *vote*
voz *(f.) voice* (1.2)
vuelo con (sin) escalas *flight with (without) stopovers* (9.1)
vuelo directo(a) *direct flight* (9.1)
vuelta *return*
vulnerabilidad *(f.) vulnerablity*

Y

yacer *to lie (with someone)* (3.3)
yacimiento *deposit* (3.2)
yariguí *Colombian Indian tribe*
yeso *(m.) gypsum; plaster cast*

Z

zambo(a) *person of mixed African and Native American blood* (9.1)
zigzaguear *to zigzag*

a personal 116
with negative and indefinite expressions 116
with unknown or uncertain persons, omitted 116, 282
absolute superlative 193
adjective clauses
with indicative 282, 395
with present subjunctive 282
with imperfect subjunctive 395
adjectives
absolute superlative of 193
agreement with noun 89
comparisons of equality 192
comparisons of inequality 192
demonstrative 46
descriptive (*See* descriptive adjectives)
possessive (*See* possessive adjectives)
adverbial clauses
with **aunque** 284, 397
with **como**, **donde**, and **según** 284
with conjunctions of time 284, 397
with conjunctions requiring the indicative 284, 397
with conjunctions requiring the subjunctive 284, 397
with imperfect subjunctive 397
with present subjunctive 284
adverbs
in comparisons 192
al
contraction 22
plus infinitive 216
antecedent, definite and indefinite 261, 282
articles
definite (*See* definite article)
indefinite (*See* indefinite article)
neuter **lo** 91

clauses
adjective (*See* adjective clauses)
adverbial (*See* adverbial clauses)
noun (*See* noun clauses)
relative (*See* adjective clauses)
commands (*See Tablas verbales*)
familiar (**tú**) 236
formal (**Ud.**, **Uds.**) 235
position of pronouns with commands 114, 235
comparisons of equality 192
comparisons of inequality 192
conditional 351–352
formation 351
irregular verbs 351
softened requests 352
used to express probability 352
with **si**-clauses 351, 374, 456
conditional perfect 416, 456
conjunctions
aunque 284, 397
como, donde, and **según** 284
of time 284, 397
requiring the indicative 284, 397
requiring the subjunctive 284, 397
contractions 22
contrary-to-fact clauses with conditional 351, 374, 456
with conditional perfect 416

definite articles
contractions 22
forms 21
uses 22–23
with parts of body and clothing 22, 306
del, contraction 22
demonstrative adjectives 46
demonstrative pronouns 46–47
descriptive adjectives 89–90
forms of 89
shortened forms 89
introduced by **lo** 91
irregular comparatives 193–194
position of 90–91
superlative 193–194
with changes in meaning 90
direct object nouns 114
direct object pronouns (*See* object pronouns)

estar
and **ser** 93–94
uses 93–94
with adjectives 94
with past participle 94, 309
with present participle (progressive tenses) 94

familiar commands (**tú**) 236
formal commands (**Ud., Uds.**) 235
future 348
formation 348
irregular verbs 348
substitutes for the 349
ir a + infinitive 349
present indicative 43, 349
used to express probability 349
future perfect 416

gender
el with singular feminine nouns 22
of nouns 18–19
gustar, verbs like 118

haber (*See Tablas verbales*)
in conditional perfect 416
in future perfect 416
in past perfect indicative 413
in past perfect subjunctive 413
in perfect tenses 310, 413, 416
in present perfect indicative 310
in present perfect subjunctive 413

if-clauses 351, 374, 456
imperative (*See* commands)
imperfect (*See Tablas verbales*)
and preterite 170, 189
completed and background actions 170
simultaneous and recurrent actions 189
irregular verbs 168
regular verbs 168
uses 168
verbs with different meanings in imperfect and preterite 189
imperfect subjunctive 373–374, 395, 397, 412 (*See Tablas verbales*)
formation 373–374
in adjective clauses 395
in adverbial clauses 397
in main clauses 412
in noun clauses 394
in polite statements 412
in **si**-clauses 374, 456
irregular verbs 374
-ra endings 373–374
regular verbs 373
-se endings 374
stem-changing verbs 374
verbs with spelling changes 374
with **ojalá** 412
impersonal expressions with **ser** 93
indefinite articles
forms 24
omission of 24–25
uses 24–25
indefinite expressions 371–372
indicative
defined 217
sequence of tenses with indicative 436
vs. subjunctive 217, 238–239, 282, 286, 394, 395, 397
indirect object nouns 115
indirect object pronouns (*See* object pronouns)
infinitive 215–216
after a verb 215
after prepositions 215
as a command 216
as the subject 215
in place of subjunctive 238–239, 394
position of object pronouns 115
preceded by **al** 216
irregular verbs (*See Tablas verbales*)
conditional 351
future 348
imperfect indicative 168
imperfect subjunctive 374
present indicative 70
present subjunctive 219
preterite 147–148

jamás 372

lo
- **lo que / lo cual** 264
- object pronoun 114–115
- with adjectives 91

mayor 193–194
mejor 193–194
menor 193–194

negative expressions 371–372
- followed by subjunctive 282

no
- before the verb 43, 372
- position with object pronouns 372
- with another negative expression 372

noun clauses
- with imperfect subjunctive 394
- with present subjunctive 238–239

nouns
- **el** with singular feminine nouns 22
- gender 18–19
- number 20
- spelling changes 20

object pronouns 114–115
- direct
  - **le** and **les** used as 114
- direct and indirect in same sentence 115
- forms 114
- indirect
  - indirect object noun and indirect object pronoun in the same sentence 115
  - **se**, indirect object pronoun 115
- position
  - with commands 115
  - with infinitives 115
  - with perfect tenses 114, 310
  - with progressive tenses 115
  - with simple tenses 114
  - with verbs like **gustar** 118

ojalá 220
- with imperfect subjunctive 412

para
- and **por** 324–325

passive voice 327–328
- **se** reflexive used for 327–328
- substitutes 327–328
- third-person plural used for 328
- true passive voice 327

past participles 308
- irregular forms 308
- uses 309

past perfect indicative 415
past perfect subjunctive 415
peor 193–194
perfect tenses
- conditional perfect 416
- future perfect 416
- past perfect indicative 415
- past perfect subjunctive 415–416
- present perfect indicative 310
- present perfect subjunctive 413–414
- pronoun placement with 310, 413

personal **a** 116, 282
plural
- of adjectives 88–89
- of nouns 20

por and **para** 324–325
possessive adjectives
- long forms 306
- short forms 306
- use 306

possessive pronouns
- forms 306
- use 307

present indicative (*See Tablas verbales*)
- irregular verbs 70
- regular verbs 43
- stem-changing verbs 67–68
- uses 43
- verbs with spelling changes 69

present participle
- position of object pronouns 115

present perfect indicative 310
present perfect subjunctive 413–414
present subjunctive
- formation 217
- in adjective clauses 282
- in adverbial clauses 284
- in main clauses 220
- in noun clauses 238–239
- irregular verbs 219
- regular verbs 217
- stem-changing verbs 218
- verbs with spelling changes 218

preterite (*See Tablas verbales*)
- and imperfect 170, 189
  - completed and background actions 170
  - simultaneous and recurrent actions 189
- irregular verbs 147–148
- regular verbs 132
- stem-changing verbs 146
- use 133
- verbs with different meanings in preterite and imperfect 189
- verbs with spelling changes 132–133

probability
- **a lo mejor, acaso, probablemente, quizás**, and **tal vez** 220
- in the past 352
- in the present 359

pronouns
- demonstrative 46–47
- direct object (*See* object pronouns)
- indirect object (*See* object pronouns)
- possessive 306–307
- relative 261–265
- **se**, indirect object 115

quizá(s) 220

relative clauses (*See* adjective clauses)
relative pronouns 261–265
- **cuyo** 265
- **el cual / el que** 263
- **lo cual / lo que** 264
- **que** 261
- **quien** 261

se
- in impersonal constructions 327–328
- in passive voice 327–328
- indirect object pronoun 115

sequence of tenses
- with conditional **si**-clauses 456
- with indicative only 436
- with indicative and subjunctive 438

ser
- and **estar** 93–94
- with adjectives 94
- uses 93–94
- with true passive voice 93, 309, 327

si
- in conditional sentences 351, 374, 456

spelling-change nouns 20
stem-changing verbs (*See Tablas verbales*)
- imperfect subjunctive 374
- present indicative 67–68
- present subjunctive 218
- preterite 146

stressed possessive adjectives 306
subject pronouns 43
subjunctive
- defined 217
- imperfect (*See* imperfect subjunctive)
- past perfect 415
- present (*See* present subjunctive)
- present perfect 413–414
- uses of
  - after change of subject 238–239, 394
  - after doubt, uncertainty, disbelief and denial 238–239, 394
  - after emotions, opinions and judgments 238–239, 394
  - after impersonal expressions 238–239, 394
  - after wishes, recommendations, suggestions and commands 238–239, 394
  - in adjective clauses 282, 395
  - in adverbial clauses 284, 397
  - in main clauses 220
  - in noun clauses 238–239, 394
- vs. indicative 217, 238–239, 282, 286, 394, 395, 397

superlative
- absolute 193
- of adjectives 193

Tablas verbales 471
tal vez 220

verbs (*See* commands, indicative, irregular verbs, names of specific tenses, stem-change verbs, subjunctive, verbs with spelling changes)
- regular conjugations (*See Tablas verbales*)

verbs with spelling changes (*See Tablas verbales*)
- imperfect subjunctive 374
- present indicative 69
- present subjunctive 218
- preterite 132–133

Ayer ya es hoy
Argentina: dos continentes en uno 176
El "granero del mundo" 176
Las últimas décadas 176
Bolivia: desde las alturas de América 124
Colonia y maldición de las minas 124
Guerras territoriales 124
Chile: un largo y variado desafío al futuro 160
Los siglos IX y XX 160
El regreso a la democracia 160
Colombia: la Esmeralda del continente 252
La violencia 252
Fines del siglo XX 252
Costa Rica: ¿utopia americana? 428
Dos insurrecciones 428
Segunda mitad del siglo XX 428
Cuba: la palma ante la tormenta 298
La Guerra Hispano-Estadounidense 298
La Revolución Cubana 298
Ecuador: la línea que une 138
Ecuador independiente 138
El Ecuador de hoy 139
El Salvador: la consolidación de la paz 358
Primera mitad del siglo XX 358
La Guerra Civil 358
España como potencia mundial 58
El Siglo de Oro 58
Época moderna 58
Guatemala: raíces vivas 340
Intentos de reformas 340
Inestabilidad y violencia entre 1954 y 1985 340
Honduras: con esperanzas en el futuro 404
Primera mitad del siglo XX 404
La realidad actual 404
La República Dominicana: la cuna de América 316
La dictadura de Trujillo 316
La segunda mitad del siglo XX 316
Los hispanos en los Estados Unidos 10
Caribeños 10
Centroamericanos 10
Chicanos 10
México: tierra de contrastes 76
El Tratado de Guadalupe-Hidalgo 76
Benito Juarez 76
Porfirio Díaz 76
Nicaragua: reconstrucción de la armonía 386
Las intervenciones extranjeras y los Somoza 386
Revolución sandanista 386
Panamá: acercando dos océanos 444
El istmo en el siglo XIX 444
La Repúbilca de Panamá 444
Paraguay: la consolidación del futuro 206
Las reducciones jesuitas 206
La Guerra del Chaco y Alfredo Stroessner 206
Perú: piedra angular de los Andes 106
La Guerra del Pacífico 30
La época contemporranea 106
Puerto Rico: entre varios horizontes 30
La Guerra Hispano-Estadounidense de 1898 30
Estado Libre Asociado de EE.UU. 30
Uruguay: una democracia completa 226
"Suiza de América" 226
Avances y retrocesos 226
Venezuela: los límites de la prosperidad 270
Un siglo de caudillismo 270
El desarrollo industrial 270

Banda Oriental 200
Bariloche 173
barrios históricos
Barrio de las Peñas, Guayaquil 135
Barrio de Santa Cruz, Sevilla 55
Barrio del Puerto, Chile 157
barrios en Buenos Aires: Belgrano, Palermo, Puerto Madero, Recoleta, San Telmo, La Boca 172
Casco Antiguo, Cd. de Panamá 440
Ciudad Vieja, Montevideo 222
Colonia del Sacramento (Colonia Portuguesa), Uruguay 223
East L.A. 7
Habana Vieja, Cuba 294
León Viejo, Nicaragua 383
Miraflores, Perú 102
Monimbó, Nicaragua 383
Pequeña Habana 7
Pequeña Managua, la Pequeña Haití, la Pequeña Buenos Aires y la Pequeña San Juan 7
Pie de la Popa, Cartagena de Indias 249
Viejo San Juan, Puerto Rico 26
Zona Colonial, Santo Domingo 312
bibliotecas
de la Sociedad Hispana de América 6
biodiversidad, Costa Rica 425
bosques
El Bosque de Chapultepec, México 72
El Yunque, Puerto Rico 27

Canal de Panamá 441
Carlos V 58
Casa de la Moneda, Venezuela 267
catedrales y templos
Catedral de Sevilla 55
Convento de la Recoleta, Sucre 121
Templo de Corincancha, Cusco 103
Templo de la Sagrada Familia 55
Templo y Convento de San Francisco, La Paz 120
castillos
Castillo de Chapultepec 72
Castillo de San Pedro de la Roca, Santiago de Cuba 295
Castillo San Felipe del Morro, Puerto Rico 26
Castillo de San Felipe de Barajas, Cartagena de las Indias 249
cataratas de Iguazú 173
centros urbanos prehispánicos
Ceibal 337
Chan Chan 103
Chavín de Huántar 100
Chichén Itzá 53, 73
Cobán, Monte Albán, Tenochtitlán, Teotihuacán, Tikal 53
Copán 380, 401
El Mirador 337
Joya de Cerén 354
Machu Picchu 103
Piedras Negras 337
San Agustín 246
Sipán 103
Tikal 337
Tiwanaku 100, 121
ciudades
Antigua 337
Asunción 202
Barcelona 55
Bogotá 248
Buenos Aires 172
Camagüey 295
Caracas 266
Cartagena de Indias 249
Ciudad de Guatemala 336
Ciudad de Panamá 440
Ciudad del Este 203
Colonia del Sacramento 223
Córdoba 173
Cusco 103
Guadalajara 73
Guayaquil 135
La Habana 294
La Paz 120
León 383
Lima, 102
Los Ángeles 7
Madrid 54
Managua 382
Maracaibo 267
Maracay 267
Masaya 383
Medellín 249
Mérida 73
México, D.F. 72
Miami 7
Montevideo 222
Nueva York 6
Ponce 27
Puerto Limón 425
Punta del Este 223
Quito 134
San José 424

San Juan 26
Santiago 156
Santiago de Cuba 295
Santiago de los Caballeros 313
Santo Domingo 312
San Pedro Sula 401
San Salvador 354
Sevilla 55
Sucre 121
Tegucigalpa 400
Valparaíso 157
Viña del Mar 157
culturas indígenas
arawak 246
aymaras 100
capayas 100
caribes 246, 292
charrúas 200
chibchas 100, 246
chimú 100
chocoes 422
ciboneyes 292
civilizaciones mesoamericanas (aztecas, mayas, mixtecas, olmecas, teotihuacanos, toltecas, zapotecas) 53
colorados 100
guaraníes 200
guaymíes 422
huari 100
incas 100
jíbaros 100
kunas 422
mayas 334, 380
misquitos 381
mochicas 100
nazca 100
nicaraos 380
shiris 100
sicán 100
taínos 292

datos básicos
Argentina 172
Bolivia 120
Chile 156
Colombia 248
Costa Rica 424
Cuba 294
Ecuador 134
El Salvador 354
España 54
Estados Unidos 6
Guatemala 336
Honduras 400
México 72
Nicaragua 382
Panamá 440
Paraguay 202
Perú 102
Puerto Rico 26
República Dominicana 312
Uruguay 222
Venezuela 266
desfiles
Hispanic Day Parade, Desfile Anual Puertorriqueño, Desfile de los Reyes Magos, *Ecuadorian Day Parade*, Desfile de la Independencia Cubana, Desfile de Inmigrantes Internacionales 6

El Dorado, leyenda de 246
esclavos africanos 247, 293
Escribamos ahora
Ensayo: comparación y contraste 320
Ensayo persuasivo: expresar opiniones y apoyarlas 180
La descripción: a base de paradojas 142
La descripción: la poesía moderna 34
La descripción: punto de vista 80
La semblanza biográfica 362
Narrar con diálogos 274
Narrar: de una manera ordenada 230
Una evaluación escrita 448
Una narración reinventada 408

exploradores
Arias de Saavedra, Hernando 201
Caboto, Sebastiano 200
Colón, Cristóbal 4, 246, 292, 316, 422, 444
Dávila, Pedrarias 422
de Almagro, Diego 154
de Cáceres, Alonzo 380
de León, Juan Ponce 4
de Mendoza, Pedro 154
de Soto, Hernando 4
de Valdivia, Pedro 154
de Zabala, Bruno Mauricio 201
Fernández de Córdoba, Francisco 380
González Dávila, Gil 380
Louverture, Toussaint 316
Núñez de Balboa, Vasco 422
Pizarro, Francisco 101, 106, 154
Salazar de Espinosa, Juan 200
Vespucio, Américo 246

festivales
Carnaval en Oruru 121
celebraciones de Inti Raymi y Yamor en Otávalo 135
Derby Day en Valparaíso 157
Día de los Muertos 73
Feria de las Flores en Medellín 249
Feria de las Flores y del Café en Boquete de Chiriquí 441
Festival Boliviano de Virginia 7
Festival de la Canción en Viña del Mar 157
Festival de la Virgen de Urkupiña 121
Festival del Cine en Viña del Mar 157
Festival del Huaso en Olmué 157
Festival Dominicano en Boston 7
Festival Internacional de Cine Independiente en la Patagonia 173
Festival Internacional de Poesía en Medellín 249
Festival Nacional de la Mejorana en Guararé 441
Festival Nacional del Esquí en Buenos Aires 173
Festival Nicaragüense en Newark 7
Festival de Barriletes en Sumpango 337
Festival de Inti Raymi en Cusco 103
Festival de Nuestra Señora de Guadalupe en México 73
Festival de Tango en Buenos Aires 173
Festival Puertorriqueño y Cubano de Houston 7
Festival Salvadoreño en Los Ángeles 7
Fiesta de "La Bajada" en San Salvador 355
Fiesta de la Mama Negra en Latacunga 135
Fiesta de la Virgen de la Calendaria en Puno 103
Fiesta de Santo Tomás en Chichicastenango 337
Fiesta del Señor de los Temblores en Cusco 103
Fiesta Nacional de Vendimia en Mendoza 173
Fiesta Nacional del Folclore en Cosquín 173
Fiestas Agostinas en San Salvador 355
Guelaguetz en Oaxaca 73
Hispanic Heritage Festival en Miami 7
las Fallas de Valencia 55
Los Angeles Latino International Film Festival 7
los Sanfermines de Pamplona 55
Panama Jazz Festival 441
Semana Santa en Sevilla 55
Whole Enchilada Festival en Las Cruces, Nuevo México 7

gente estelar (*Véase* Los nuestros)

historia (*Véase* Ayer ya es hoy *y/o* Los orígenes)

instrumentos
arpa, acordeón, "bajo chancho", bandoneón, requinto 203
cuatro, guiro, maracas, conga 27
tamboril 223
islas
Isla de Culebra, Puerto Rico 27
Isla de Pascua, Chile 157
Isla de Vieques, Puerto Rico 27
Islas de San Blas, Panamá 441
Islas Galapagos 135
Ometepetl, Nicaragua 380
Itaipú, represa 203

jesuitas 200, 206

lecturas literarias
Autorretrato, Pablo Neruda 166
Continuidad de los parques, Julio Cortazar 182
Del montón, Mervin Román 36
El arrebato, Rosa Montero 64
El canalla sentimental, Jaime Bayly Letts 112
El derecho al delirio, Eduardo Galeano 232
El diario inconcluso, Virgilio Díaz Grullón 322
El infinito en la palma de la mano, Gioconda Belli 392
El Salvador: seguir de pie, Róger Lindo 364

Elisa, Milia Gayoso 212
Esperanza muere en Los Ángeles, Jorge Argueta 16
La frontera, José Edmundo Paz Soldán 130
La paz no tiene fronteras, Óscar Arias Sánchez 434
La única mujer, Bertalicia Peralta 450
Me llamo Rigoberta Menchú y así me nació la conciencia, Rigoberta Menchú Tum 346
Microcuento, Guillermo Cabrera 304
¿Para qué?, Armando José Sequera 276
Paz del solvente, José Adán Castelar 409
Tiempo libre, Guillermo Samperio 82
Un día de estos, Gabriel García Márquez 258
Vasija de barro, Jorge Carrera Andrade, Hugo Alemán y Jorge Enrique Adoum, Jaime Valencia 143
libertadores
Arce, José Manuel 358
Ártigas, José Gervasio 226
Bolívar, Simón 124, 252, 270
de Sucre, Antonio José 124, 138
Duarte, Juan Pedro 316
O'Higgins, Bernardo 160
Páez, José Antonio 270
San Martín, José 106
Los nuestros
Aguirre Morales Prouvé, Marisol 108
Alegría, Claribel 360
Allende, Isabel 162
Argueta, Manlio 360
Arjona, Ricardo 342
Benedetti, Mario 228
Bobadilla, Luz María 208
Bordón, Luis 208
Botero, Fernando 254
Burtiago González, Fanny 254
Carrión de Fierro, Fanny 140
Castellanos, Liliana 126
Castro, Humberto 300
Chang-Díaz, Franklin 430
Cruz, Penélope 60
De la Renta, Óscar 318
Díaz, Junot 12
Dudamel, Gustavo 272
Escoto, Julio 406
Feliciano, José 32
Ferré, Rosario, 32
Forlán, Diego 228
Fuster, Valentín 60
García Barcha, Rodrigo 254
Gasol, Pau 60
González Palma, Luis 342
Guayasamín, Oswaldo 140
Henríquez, Margarita 446
Heredia, Martha 318
Herrera, Carolina 272
Istarú, Ana 430
Les Luthiers 178
López, Jennifer, 32
Los Kjarkas 126
Mamani Mamani, Roberto 126
Maná 78
Mata, Isaías 360
Melélendez, Tony 388
Moncada, Salvador 406
Morales Sáurez, Gonzalo 430
Morejón, Nancy 300
Murgia, Janet 12
Ochoa, Lorena 78
Pérez, Danilo 446
Perugorría, Jorge 300
Plaza, Alberto 162
Polit, Grace 140
Poniatowska, Elena 78
Ramírez, Sergio 388
Renee, Mirta 342
Roa Bastos, Augusto 208
Rodríguez Pittí, José Luis 446
Sabatini, Gabriela 178
Sábato, Ernesto 178
Sandoval, Neida 406
Soriano, Alfonso 318
Valderrama, Wilmer Eduardo 272
Varela, Leonor 162
Vargas Llosa, Mario 108
Von Ahn, Luis 12
Zamora, Daisy 388
Zignago, Gian Marco 108
Zorrilla, China 228
Los orígenes
Argentina 154
Bolivia 100
Chile 154
Colombia 246
Costa Rica 422
Cuba 292
Ecuador 100
El Salvador 334
España 52
Estados Unidos 4
Guatemala 334
Honduras 380
México 53
Nicaragua 380
Panamá 422
Paraguay 200
Península Ibérica 52
Perú 100
Puerto Rico 4
República Dominicana 292
Uruguay 200
Venezuela 246

Mesoamérica 53
misiones
de California a la Florida 4
misiones jesuíticas de Chiquitos, Bolivia 121
molas 441
museos
Archivo de Indias 55
Centro de Arte Reina Sofía 54
Galería Nacional de Arte, Tegucigalpa 400
Hospicio Cultural de Cabañas, Guadalajara 73
Latin Museum 7
Museo Aeronáutico de las Fuerzas Aéreas, Venezuela 267
Museo de Antioquia, Colombia 249
Museo de Arte de Puerto Rico 26
Museo de Arte Contemporáneo, Panamá 440
Museo del Arte y Diseño Contemporáneo, Costa Rica 424
Museo de la Revolución, Cuba 294
Museo de Las Américas 7
Museo de la Sociedad Hispana de América 6
Museo de Oro, Bogotá 248
Museo de Oro, Costa Rica 424
Museo del Barrio 6
Museo del Canal Interoceánico, Panamá 440
Museo del Hombre Dominicano 312
Museo del Jade, Costa Rica 424
Museo del Prado 54
Museo Ixchel del Traje Indígena 336
Museo Nacional de Antropología, México 72
Museo Nacional de Antropología, San Salvador 354
Museo Nacional de Antropología e Historia, San Pedro Sula 401
Museo Nacional de Arqueología y Etnología 336
Museo Nacional de Bellas Artes, Chile 156
Museo Nacional de Bellas Artes, Paraguay 202
Museo Provincial de Bellas Artes, Argentina 173
Museo Tamayo Arte Contemporáneo, México 72
Pueblo de Los Ángeles 7

palacios
Palacio de Bellas Artes, México 72
Palacio Salvo, Montevideo 222
Pampa 173
Patagonia, 157
Península Ibérica 52
primeros invasores 52
celtas 52
fenicios 52
griegos 52
musulmanes 52
romanos 52
primeros pueblos 52
celtas 52
celtíberos 52
iberos 52
pueblos
de California a la Florida 4
pueblos indígenas
Mayas 53,381
Misquitos 381
reducciones 200, 206

quetzal 401

Reyes Católicos, Fernándo e Isabel 58
ritmos
Cuba: cha-cha-chá, danzón, guajira, guaracha, mambo, pachanga, rumba, son, trova, salsa, Nueva Trova Cubana 295
Paraguay: guarania, polca, purahéi, rasguido doble 203
Puerto Rico: salsa, merengue, bomba, plena, danza 27
Uruguay: candombe 223

Sacro Imperio Romano Germánico 58
Sacsayhuamán, Perú 103
Salar de Uyuni, Bolivia 121
Serra, Junípero 5
Si viajas a nuestro país
Argentina 172
Bolivia 120
Chile 156
Colombia 248
Costa Rica 424
Cuba 294
Ecuador 134
El Salvador 354
España 54
Estados Unidos 6
Guatemala 336
Honduras 400
México 72
Nicaragua 382
Panamá 440
Paraguay 202
Perú 102
Puerto Rico 26
República Dominicana 312
Uruguay 222
Venezuela 266

teatro
Teatro Colón, Buenos Aires 172
Teatro Degollado, Guadalajara 73
Teatro Metropolitano, Medellín 249
Teatro Nacional, Panamá 440
Teatro Solís, Montevideo 222
Teatro Tapia, Puerto Rico 26

volcanes
El Salvador 355
Nicaragua 383
videos
El cine nos encanta
Ana y Manuel 85
Barcelona Venecia 367
Los elefantes nunca olvidan 278
Medalla al empeño 452
Un juego absurdo 185
Victoria para Chino 39
¡Luces! ¡Cámara! ¡Acción!
Castañuela 70: Teatro prohibido 62
Chile: tierra de arena, agua y vino 164
Costa Rica: para amantes de la naturaleza 432
Cuzco y Pisac: Formidables legados incas 110
Guatemala: influencia maya en el siglo XXI 344
La joven poesía: Manuel Colón 14
La literatura es fuego 302
La maravillosa geografía musical de Bolivia 128
Medellín: el paraíso colombiano recuperado 256
Nicaragua: bajo las cenizas del volcán 390
Paraguay: al son del arpa paraguaya 210
vocabulario temático
Para hablar de accidentes geográficos 442
Para hablar de arte y de exhibiciones 56
Para hablar de días festivos 223
Para hablar de ecología 268
Para hablar de enfermedades y remedios 136
Para hablar de instrumentos 28
Para hablar de la artesanía 426
Para hablar de la energía 250
Para hablar de lenguas indígenas 204
Para hablar de literatura 74
Para hablar de los derechos humanos 338
Para hablar de música 28
Para hablar de negocios internacionales 402
Para hablar de películas 8
Para hablar de política 356
Para hablar de prendas de vestir 122
Para hablar de ritmos, instrumentos y bailes caribeños 296
Para hablar de transportes 384
Para hablar del béisbol y otros deportes 314
Para hablar del ejercicio 104
Para hablar del fútbol 174
Para ser bilingüe: principiantes, intermedios, avanzados, superiores 158

Zócalo, México 72